KB151849

B L E P H A R O P T O S I S

눈꺼풀처짐 안검하수

Blepharoptosis

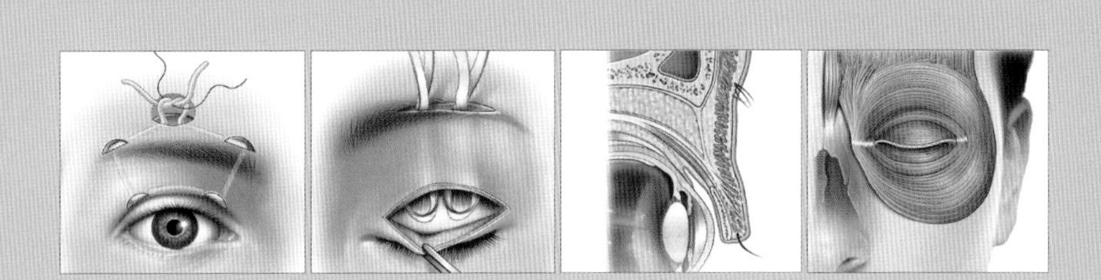

이상열 장재우 유혜린 김창염 지음

군자출판사

눈꺼풀처짐 안검하수

Blepharoptosis

첫째판 1쇄 인쇄 | 2018년 1월 2일
첫째판 1쇄 발행 | 2018년 1월 12일

지 은 이 이상열, 장재우, 유혜린, 김창염
발 행 인 장주연
출 판 기 획 조은희
편집디자인 박선미
표지디자인 이상희
일 러 스 트 이호현
발 행 처 군자출판사(주)
등록 제4-139호(1991. 6. 24)
본사 (10881) **파주출판단지** 경기도 파주시 회동길 338(서패동 474-1)
전화 (031) 943-1888 팩스 (031) 955-9545
홈페이지 | www.koonja.co.kr

ISBN 979-11-5955-246-5
정가 150,000원

눈꺼풀처짐 안검하수

Blepharoptosis

집필진

대표저자

이상열
연세의대 졸업, 의학박사
전) 연세의대 안과학교실 교수
현) 이상열안과 원장
대한성형안과학회 회장, 대한안과학회 이사장 역임

장재우
연세의대 졸업, 의학박사
전) 아주의대 안과학교실 교수
현) 김안과병원 성형안과센터 전문의
김안과병원 부원장

유혜린
연세의대 졸업, 의학박사
현) 차의학전문대학원 안과학교실 주임교수
분당차병원 안과 과장

김창염
연세의대 졸업, 의학박사
전) 연세의대 안과학교실 조교수
현) 김안과병원 성형안과센터 전문의

저자

국경훈 아주대학교 안과학교실
김상덕 원광대학교 안과학교실
김성주 김안과병원
김혜영 국민건강보험공단 일산병원
나태윤 가톨릭대학교 안과학교실
백세현 고려대학교 안과학교실
서성욱 경상대학교 안과학교실
손준혁 영남대학교 안과학교실
안 민 전북대학교 안과학교실
안희배 동아대학교 안과학교실
양석우 가톨릭대학교 안과학교실
양재욱 인제대학교 안과학교실
우경인 성균관대학교 안과학교실
윤진숙 연세대학교 안과학교실
이성복 충남대학교 안과학교실
최정범 실로암안과병원
최지윤 조선대학교 이비인후과학교실
최희영 부산대학교 안과학교실

머리말

비약적인 발전을 거듭하고 있는 현대의학의 여느 분야와는 달리 눈꺼풀처짐 즉 안검하수 분야는 아직도 대부분의 의사들이 상당히 오래 전에 발표된 참고문헌과 수술자 개인의 경험에 의존하면서 환자를 치료하고 있습니다. 하지만 우리에게 전수된 서양의학으로는 눈꺼풀의 구조나 기능이 상당히 다른 우리나라 환자를 다루기는 부족한 면이 너무나 많았습니다.

눈꺼풀처짐은 원인이나 증상이 다양하고 이에 따른 치료법 또한 다양하기 때문에 이를 체계적으로 습득하여 가장 적합한 치료방법을 찾는 것이 그렇게 쉽지 않았습니다. 수술은 전신마취 하에 진행되는 경우가 많아 수술 후의 치료결과를 예측하기 어려운 특징을 갖고 있기 때문에 이를 극복하기 위해 많은 노력이 있어 왔지만 우리 모두가 한계를 느껴왔다는 점은 인정하지 않을 수 없습니다. 이번 눈꺼풀처짐에 관한 책은 여러 곳의 참고문헌을 찾아 정리하고, 국내 최고 성형안과 전문가들의 경험을 보태어 눈꺼풀처짐에 관한 충실한 서적으로 만들기 위해 정성을 기울였습니다.

특히, 우리나라 눈꺼풀처짐 환자들의 특징을 잘 이해할 수 있도록 최선을 다하였고, 다양한 치료 방법 중 가장 적합한 치료나 수술 방법을 선택할 수 있도록 하였으며, 수술 후 결과의 예측력을 높여 환자와 의료진의 만족도 향상에 기여하도록 하였습니다. 또한 어쩔 수 없이 나타나는 합병증을 예방하고 적절한 치료를 할 수 있도록 지식과 경험을 정리하였습니다.

이 책이 나오기까지 참여하여 주신 많은 국내 최고의 성형안과 교수님들과 오랜 기간 동안 편집을 함께 하여주신 장재우 교수, 유혜린 교수, 그리고 김창염 교수께 감사드립니다. 또한 이 책의 출판을 맡아주신 군자출판사의 장주연 사장님께 감사드립니다.

저자 대표 **이상열**

차례

차례

CHAPTER 01

눈꺼풀의 구조

Clinical anatomy of eyelid

CONTENTS

수술이 필요한 모든 질환에서 해부학 지식이 반드시 필요하듯이, 눈꺼풀처짐의 진단 및 치료를 위해서는 무엇보다도 눈꺼풀에 대한 해부학 지식뿐만 아니라 직 · 간접으로 연관이 되는 눈꺼풀 주변의 구조인 눈썹과 이마에 관해서도 잘 이해하여야 한다. 그러므로 본 단원에서는 눈썹과 이마를 포함한 한국인의 눈꺼풀 구조적 특성에 관하여 기술하고자 한다.

한국인 눈꺼풀의 특성

눈꺼풀틈새

눈을 떴을 때 위눈꺼풀테와 아래눈꺼풀테 사이를 눈꺼풀틈새palpebral fissure라 한다. 위눈꺼풀테는 각막의 위가장자리superior limbus 보다 약 2 mm 아래쪽에 위치하며, 아래눈꺼풀테는 각막 아래가장자리에 위치한다. 가쪽눈구석은 안쪽눈구석에 비해 위 · 아래눈꺼풀이 예각을 이루고 안구와 밀착되어 있으나, 안쪽눈구석은 약간 둥근 형태를 보이며 눈물언덕caruncle과 반월주름plica semilunaris이 안쪽눈구석과 안구 사이에 위치한다.

한국 성인의 눈꺼풀틈새 높이는 약 8~8.5 mm로 서양인의 9~10 mm에 비해 약간 작다. 위 · 아래 눈꺼풀 테두리는 각각 볼록한 곡선의 형태를 이루며, 위눈꺼풀 곡선의 최고 정점은 동공 중심부근에, 그리고 아래 눈꺼풀은 약간 바깥쪽에 위치한다.

한국인의 눈꺼풀틈새 너비는 약 26~28 mm로 서양인의 28~30 mm에 비해 약간 좁으며, 가쪽 눈구석이 안쪽에 비하여 약 2 mm 높아서 눈꼬리가 올라가 보인다(**그림 1-1**).

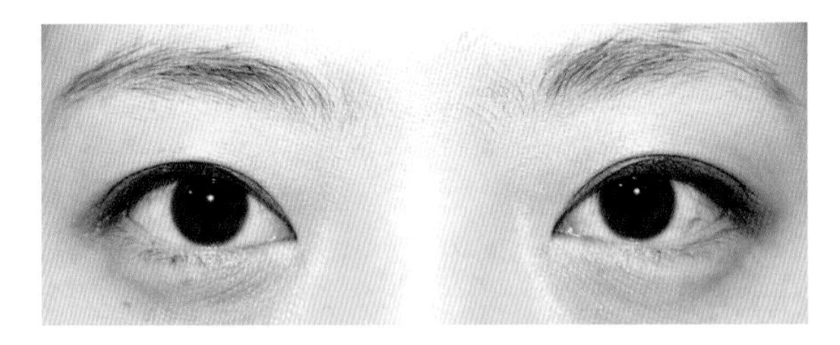

그림 1-1 한국인에서 가쪽눈구석이 안쪽에 비하여 올라가 보이는 모습

쌍꺼풀

쌍꺼풀double eyelid은 위눈꺼풀올림근널힘줄의 줄기 일부가 앞쪽으로 나와 눈꺼풀피부 밑에 부착되어 만들어진다. 또는 눈꺼풀판 앞의 섬유성격막fibrous septae이 눈꺼풀판앞 피부와 부착되어 생긴다는 보고도 있다. 서양인의 경우 거의 대부분에서 쌍꺼풀이 있는 반면에, 우리나라 성인의 경우 남자는 22~29%, 여자는 54~66% 정도가 쌍꺼풀이 있지만, 많은 경우에서 쌍꺼풀이 작거나 뚜렷하지 않아서 쌍꺼풀이 없는 것처럼 보인다. 실제로 뚜렷한 쌍꺼풀을 가진 한국인은 남자는 10명에 한 명, 여자는 1/3 정도에 불과하다. 한국인의 평균 쌍꺼풀 높이는 눈을 감았을 때 6 mm 정도이며, 떴을 때 보이는 쌍꺼풀의 높이는 약 2 mm 정도이다(**그림 1-2~1-4**).

쌍꺼풀이 만들어지는 데는 눈꺼풀올림근의 역할이 가장 중요한 요인이다. 따라서 눈꺼풀올림근의 기능이 떨어지는 눈꺼풀처짐 환자에서는 쌍꺼풀이 없거나 있더라도 약하게 보이는 경우가 대부분이지만, 퇴행눈꺼풀처짐 환자에서는 눈꺼풀올림근널힘줄의 부착이 느슨해지거나 떨어지면서 쌍꺼풀의 높이가 커질 수 있다(**그림 1-5~1-7**). 눈꺼풀올림근의 기능을 측정하기 힘든 어린이의 경우 쌍꺼풀이 약하게라도 있으면 눈꺼풀올림근의 기능이 어느 정도 있다고 추측할 수 있다. 따라서 눈꺼풀올림근의 기능을 측정하기 힘든 경우에서 쌍꺼풀의 존재 유무는 눈꺼풀올림근의 상태와 수술 방법이나 수술 시기의 결정에 도움을 줄 수 있다.

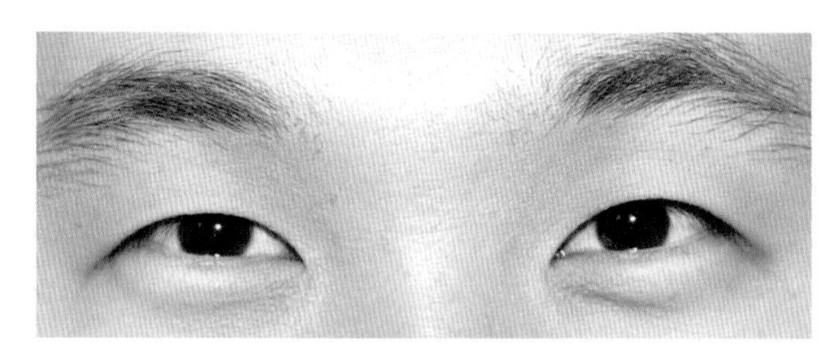

그림 1-2 쌍꺼풀이 없는 눈 모양

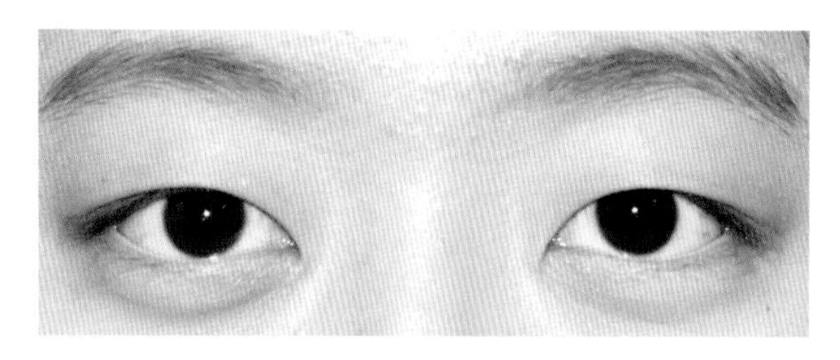

그림 1-3 쌍꺼풀 크기가 작아 속쌍꺼풀인 눈 모양

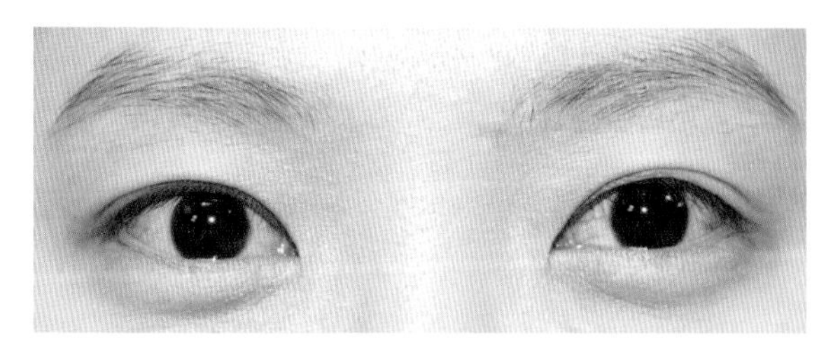

그림 1-4 뚜렷한 쌍꺼풀이 있는 눈 모양

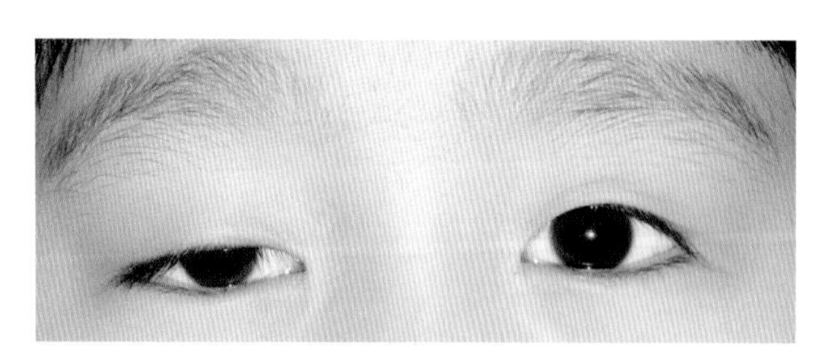

그림 1-5 눈꺼풀처짐 환자에서 쌍꺼풀이 없는 눈

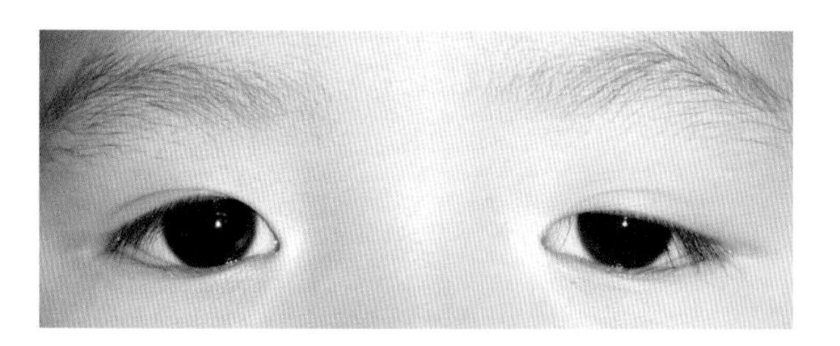

그림 1-6 눈꺼풀처짐 환자에서 쌍꺼풀이 희미한 눈

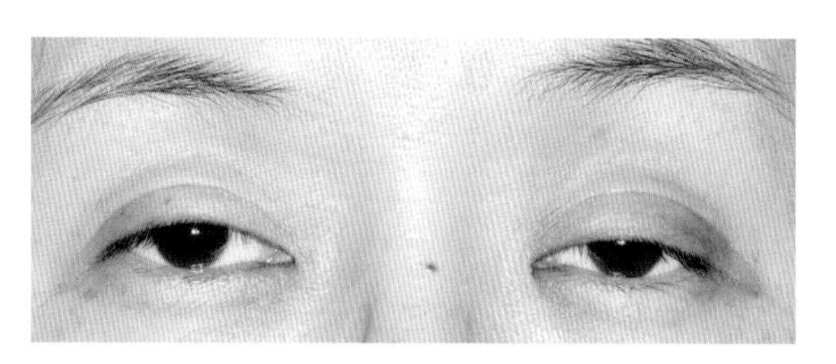

그림 1-7 퇴행눈꺼풀처짐 환자에서 쌍꺼풀이 커져 있는 눈

한국인에서 쌍꺼풀이 없거나 낮게 생기는 해부학적인 이유는 다음과 같다(**그림 1-8**).

- 안와사이막이 더 내려와 눈꺼풀올림근널힘줄 아래쪽으로 부착
- 널힘줄앞지방이 더 아래쪽으로 내려옴
- 피부밑지방층, 눈둘레근밑지방suborbicularis fat, 눈꺼풀판앞지방 그리고 널힘줄앞지방 등이 많아서 위 눈꺼풀올림근널힘줄의 피부 부착을 방해함

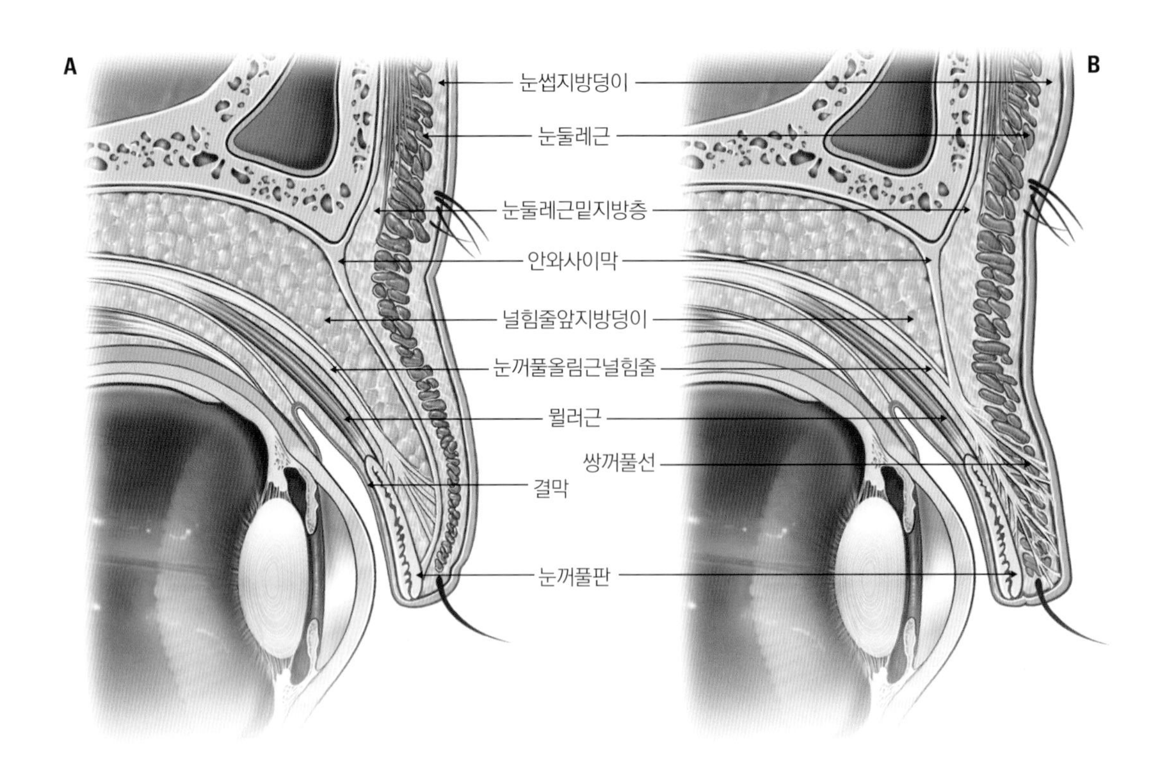

그림 1-8 한국인(**A**), 서양인(**B**)의 눈꺼풀 구조의 차이
한국인은 널힘줄앞지방이 서양인에 비해 아래로 내려와 있다.

눈썹

눈썹eyebrow은 전체 얼굴의 모양, 표정 및 감정상태를 나타내는 지표가 될 수 있다. 정상인의 눈썹은 완만한 곡선을 이루며 안쪽이 가쪽보다 약간 낮게 위치한다. 남자는 앞이마뼈가 두껍고 눈썹 피부밑조직이 발달되어 있어 여성에 비해 두드러져 보이며, 직선모양에 가깝다. 여자는 얇고 곡선형태이며, 이 곡선은 가쪽각막가장자리 위쪽 지점에서 최고점을 이룬다**(그림 1-9, 1-10)**.

나이가 들면서 눈썹은 가쪽이 더 처지게 되며, 처진 눈썹으로 인해 눈꺼풀피부가 더 늘어져 마치 눈꺼풀이 처진 것처럼 보일 수도 있으므로 감별 진단을 요한다**(그림 1-11)**. 눈꺼풀처짐 환자를 수술할 때는 눈썹처짐의 유무를 항상 확인하고, 눈썹처짐이 있을 때는 이를 같이 교정해야 한다.

눈썹과 눈꺼풀테 사이의 거리는 약 20 mm 정도이다. 눈꺼풀처짐환자는 눈을 크게 뜨기 위해 이마근을 사용하여 눈썹을 치켜 뜨므로 눈썹과 눈꺼풀테 사이의 간격이 멀어지는 현상이 나타나기도 한다**(그림 1-12)**.

눈구석주름

한국인에서는 약 50~80%에서 안쪽눈구석주름이 있는 것으로 보고 되었다. 눈구석주름epicanthal fold으로 인해 눈물언덕이 가려져 제대로 보이지 않는 경우가 70% 정도이다. Duke-Elder는 안쪽눈구석주름을 tarsalis, palpebralis, inversus, supraciliaris 4가지로 분류하였다**(그림 1-13~1-15)**. 우리나라 사람의 경우 epicanthus tarsalis가 가장 많으며, palpebralis가 다음을 차지한다. Epicanthus inversus는 가끔 볼 수 있지만 epicanthus

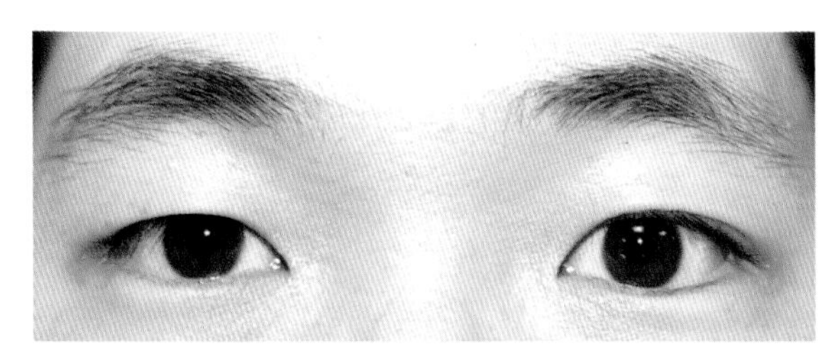

그림 1-9 남자 눈썹모양

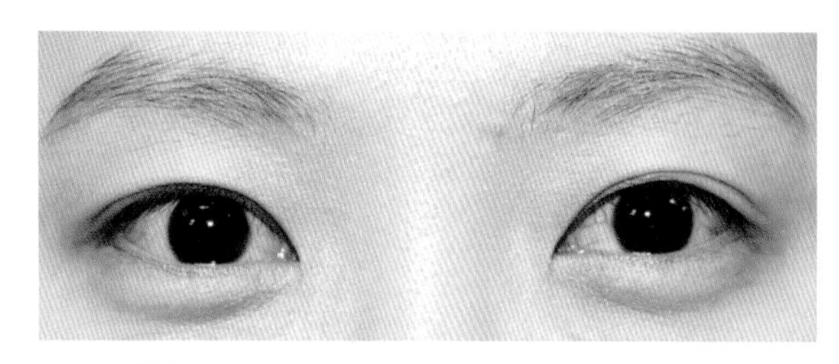

그림 1-10 여자 눈썹모양

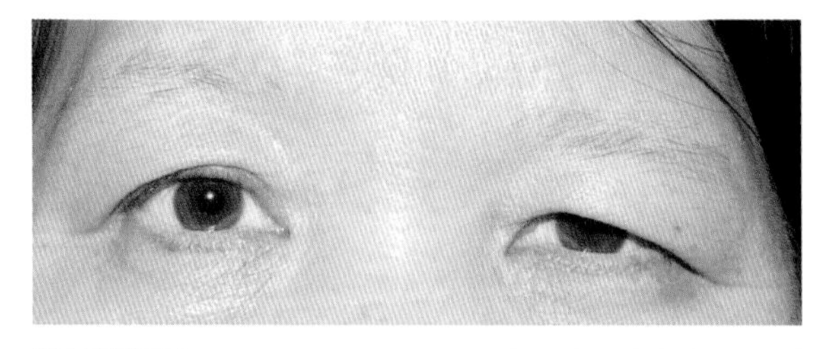

그림 1-11 좌안 눈썹처짐으로 인해 눈꺼풀처짐이 있는 것 처럼 보이는 눈

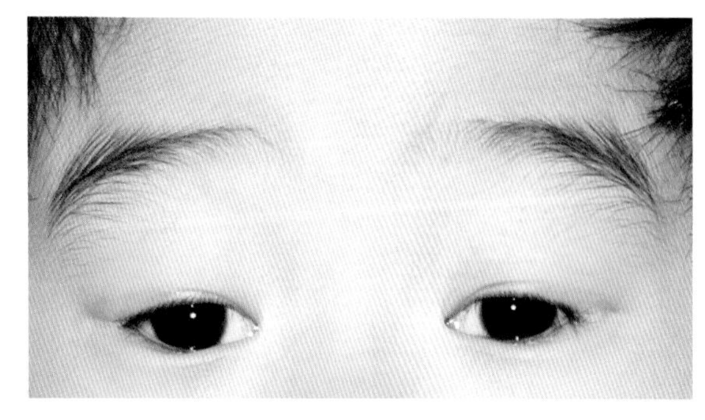

그림 1-12 눈꺼풀처짐으로 인해 눈을 크게 뜨기 위하여 이마근 사용으로 눈썹이 올라간 모습

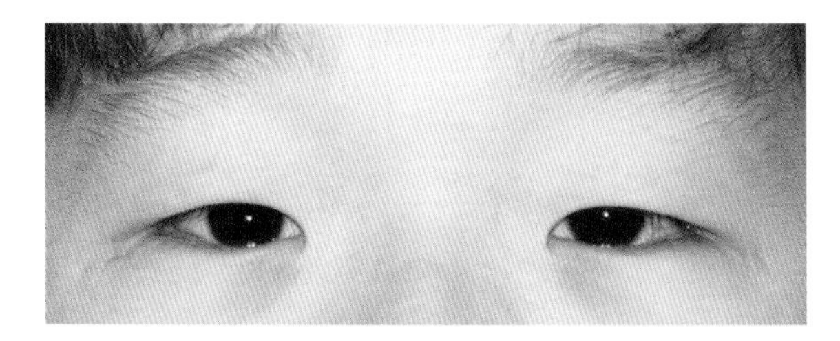

그림 1-13 Epicanthus tarsalis

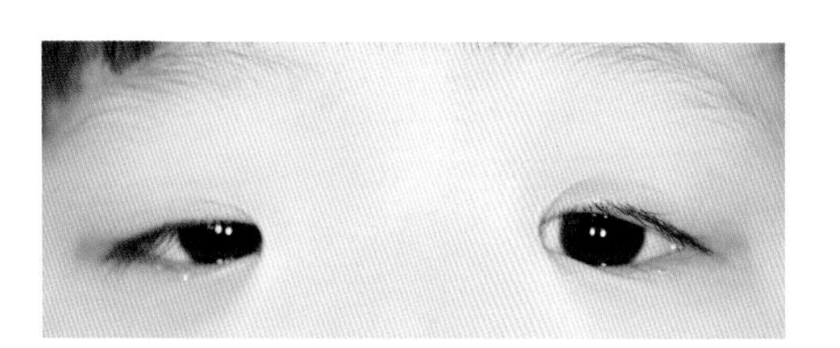

그림 1-14 Epicanthus palpebralis

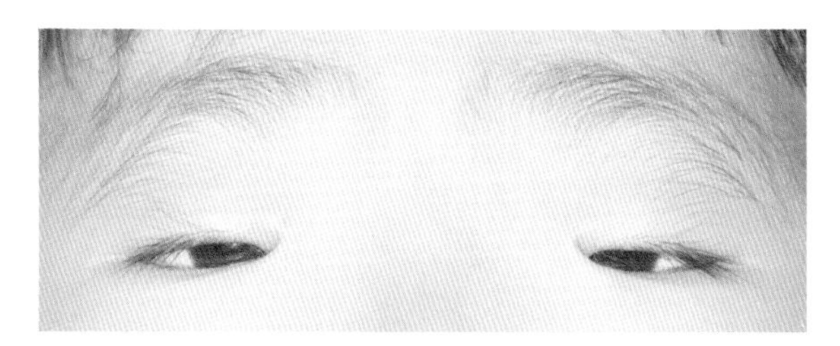

그림 1-15 Epicanthus inversus

supraciliaris는 거의 찾아보기가 힘들다. 하지만 안쪽 눈구석주름의 종류를 정확히 분류하기 힘든 경우도 많으며, 분류하는 것이 수술적 치료에 그다지 도움이 되지 않기 때문에 임상적으로 그 의미를 찾기는 어렵다. 더 중요한 점은 눈꺼풀처짐이나 눈꺼풀틈새축소증후군 등이 임상적으로 동반되어 있는지 또는 수술할 때 안쪽눈구석인대접힘술medial canthal tendon plication을 동시에 시행할지 여부를 잘 판단하여야 한다.

- **Epicanthus tarsalis** 위눈꺼풀판 앞에서 시작하여 안쪽눈구석으로 이어지는 주름
- **Epicanthus palpebralis** 위눈꺼풀에서 시작하여 안쪽눈구석을 가로질러 아래눈꺼풀까지 이어지는 주름
- **Epicanthus inversus** 아래눈꺼풀에서 시작하여 안쪽 눈구석으로 이어지는 주름
- **Epicanthus supraciliaris** 눈썹 아래에서 시작하여 안쪽눈구석으로 이어지는 주름

수술 해부학

눈꺼풀은 깜빡임 운동으로 외부의 강한 빛이나 외상으로부터 눈을 보호하는 역할 뿐만 아니라 눈물 층의 구성 성분인 점액, 수분, 그리고 지방 등을 분비하여 눈의 기능을 돕는 역할도 하고 있다.

피부

눈꺼풀피부는 인체 부위 중 가장 얇으며 특히 위눈꺼풀의 안쪽 피부는 더 얇아서 가쪽에 비해 부종이 더 잘 생긴다. 눈꺼풀에서 멀어질수록 피부는 더 두꺼워져 위로는 눈썹, 그리고 아래로는 뺨, 즉 광대뼈부위의 피부와 구분이 된다. 특히 눈썹부위의 피부는 피부밑지방subcutaneous fat tissue이 풍부하고 가쪽에 눈물샘이 존재하여 두꺼운 느낌을 주므로 위눈꺼풀의 얇은 피부와는 구분이 잘 된다. 나이가 들면 눈썹부위의 피부밑지방이 처지므로, 눈꺼풀처짐교정술이나 눈꺼풀성형술 시 피부를 과도하게 절제하면 가쪽 두꺼운 피부가 더 내려오게 되어 봉합 후 불룩하게 보이거나 흉터가 더 뚜렷하여 미용적으로 좋지 않은 결과를 초래할 수 있으므로 주의해야 한다.

눈꺼풀의 피부는 현미경으로 보면 각질편평상피세포keratinized squamous epithelial cell로 이루어져 있으며 유두진피층papillary dermis이 거의 없다. 망상진피층reticular dermis도 결체조직connective tissue은 별로 없고 탄력섬유elastic tissue만 풍부하다. 진피는 피부밑지방층이 거의 없고 특히 눈꺼풀의 피부 중 눈꺼풀판 부근의 피부는 피부밑조직과 결합이 단단하지 않으므로 나이가 들면 피부가 늘어지는 눈꺼풀피부이완증의 원인이 된다고 알려져 있다.

눈둘레근

눈둘레근은 눈꺼풀의 표층에 위치한 근육으로 안와가장자리를 지나 얼굴근육인 이마근, 측두근, 그리고 뺨의 근육들과 연결되어 있다. 이 근육은 얼굴신경의 지배를 받으며, 의식적 혹은 무의식적으로 눈을 감는 작용을 하여 안구를 보호하는 역할을 하고 있다. 눈둘레근의 근육섬유는 주변부에서는 성글고 느슨하게 서로 연결되어 있지만 눈꺼풀테 쪽으로 갈수록 세밀하고 밀도가 높게 배열되어 있다.

눈둘레근은 위치에 따라 안와 부분orbital portion과 눈꺼풀 부분palpebral portion으로 나뉘며, 눈꺼풀 부분은 다시 안와사이막앞 부분preseptial portion과 눈꺼풀판앞 부분pretarsal portion으로 구분할 수 있다**(그림 1-16, 1-17)**. 안와눈둘레근은 의식적으로 눈을 세게 감을 때

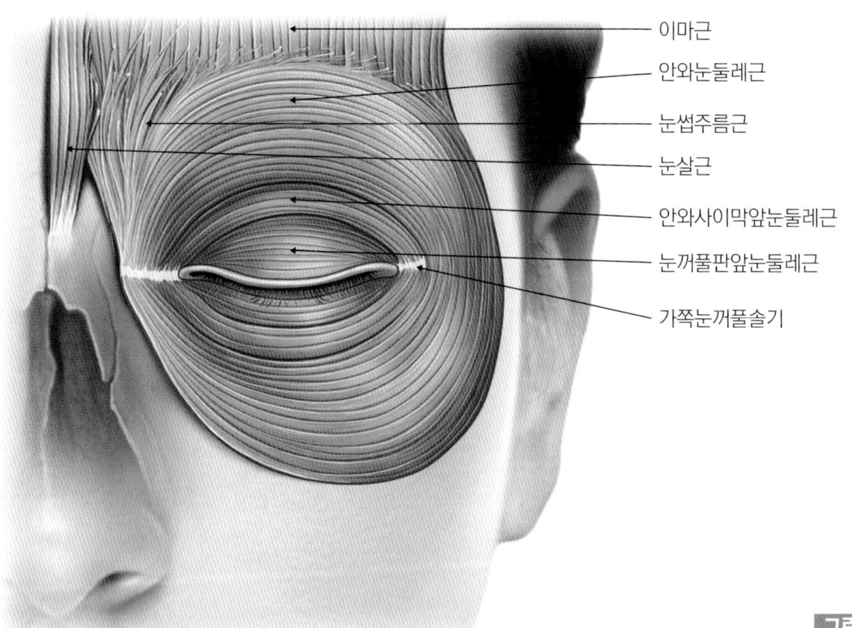

그림 1-16 눈둘레근 모양

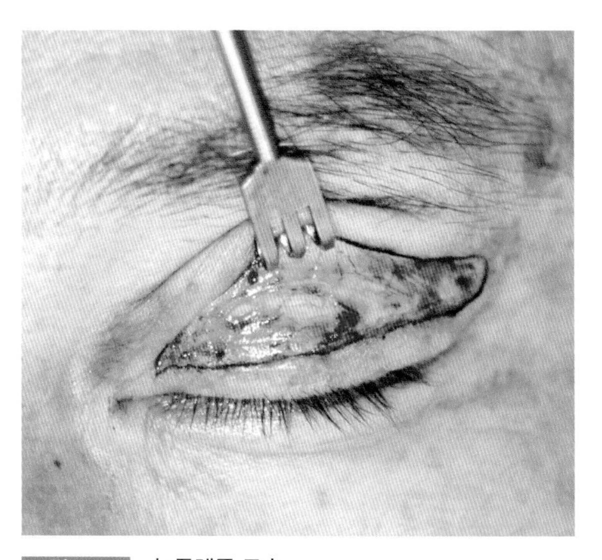

그림 1-17 눈둘레근 모습

작용을 하며 눈썹을 아래로 움직인다. 안와사이막앞 부분과 눈꺼풀판앞 부분은 의식적 뿐만 아니라 무의식적으로 눈을 깜박이는 역할을 수행하며, 안와사이막앞 부분은 눈물을 배출시키는 눈물펌프lacrimal pump 기능도 하고 있다. 눈꺼풀판앞눈둘레근은 무의식적인 눈꺼풀 깜빡임 운동을 하고 있다.

안와눈둘레근

안와눈둘레근orbital portion of the orbicularis muscle은 안와가장자리 주위를 타원형으로 둘러 싸고 있다. 눈썹 부위에서는 이마근frontalia muscle, 눈썹주름근corrugator muscle, 눈살근procerus muscle과 섞여 있고, 가쪽에서는 측두근temporalis muscle의 앞쪽 부분을 덮고 있으며, 아래쪽에서는 뺨 쪽으로 뻗어 입술올림근lip elevator muscles의 시작부위를 덮고 있다.

안와위패임supraorbital notch부터 안와아래구멍infraorbital foramen에 걸쳐서 안쪽 안와가장자리, 위턱뼈의 이마돌기, 이마뼈 등에 부착된다. 안쪽 뼈 부착점에서 시작된 안와눈둘레근의 근육섬유는 위 방향으로 안와 가장자리를 말발굽 모양horseshoe fashion으로 싸면서 돌아 안쪽눈구석인대 아래쪽의 안와 가장자리에 부착된다. 이때 가쪽은 안와사이막앞눈둘레근이나 눈꺼풀판앞눈둘레근이 가쪽눈구석인대에 부착되는 것과는 달리 부착점 없이 연속적인 타원형 모양을 이룬다.

안와사이막앞눈둘레근

안와사이막앞눈둘레근preseptal portion of the orbicularis muscle은 안와사이막 앞쪽에 위치하며, 안와사이막과는 섬유지방층fibrofatty layer에 의해 분리된다. 이 섬유지방층은 post 혹은 suborbicularis fascia라고도 불리며 눈썹 부위의 지방층과 연결된다.

안쪽으로 안와사이막앞눈둘레근의 표층갈래superficial heads는 안쪽눈구석인대에 부착되며, 심층갈래deep heads는 뒤쪽으로 뒤눈물주머니오목능선posterior lacrimal crest과 눈물주머니를 싸는 눈물주머니근막lacrimal fascia에 부착된다. 안와사이막앞눈둘레근의 심층갈래가 눈물펌프에 중요한 역할을 하며 Jones muscle이라고 불리고 있다. 가쪽에서는 위 · 아래 눈꺼풀의 안와사이막앞눈둘레근의 근육섬유가 만나 수평방향의 선 형태를 이루면서 광대뼈zygoma에 부착되고, 이 수평방향의 선을 가쪽눈꺼풀솔기horizontal lateral raphe라고 한다.

눈꺼풀판앞눈둘레근은 눈꺼풀판과 단단히 부착되어 있어 잘 분리되지 않는데 비해 안와눈둘레근 및 안와사이막앞눈둘레근은 아래 조직과 약하게 부착되어 있다. 그래서 퇴행눈꺼풀속말림 때 눈을 세게 감으면 이 근육들이 눈꺼풀판앞눈둘레근 위로 이동하는 현상이 나타난다.

눈꺼풀판앞눈둘레근

눈꺼풀판 앞을 지나는 눈꺼풀판앞눈둘레근pretarsal portion of the orbicularis muscle은 안쪽에서 표층갈래와 심층갈래의 두 갈래로 나뉘어 눈물소관을 감싸고 지나간다. 비교적 큰 표층갈래는 안와눈둘레근 및 안와사이막앞눈둘레근과 함께 안쪽눈구석인대에 부착되며, 심층갈래는 주로 눈물근막에 부착하는 안와사이막앞눈둘레근 심층갈래와는 달리 눈물주머니를 지나서 뒤눈물주머니오목능선에 부착되면서 눈물주머니를 둘러싸게 된다. 따라서 안와사이막앞눈둘레근과 눈꺼풀판앞눈둘레근 모두 눈물주머니를 둘러싸고 있어 눈물 배출에 관여한다. 눈꺼풀판앞눈둘레근의 심층갈래를 Horner's muscle이라 하며, 뒤눈물주머니오목능선을 지나 누골사골봉합lacrimal-ethmoidal suture까지 부착되어 눈꺼풀을 안구에 밀착시키는 역할을 하고 있다. 그래서 이 구조가 손상되면 내측 눈꺼풀겉말림이 유발될 수 있다.

위 · 아래 눈꺼풀판앞눈둘레근은 가쪽에서 가쪽눈구석인대를 형성하며 가쪽 안와가장자리 바로 2~3 mm 안쪽에 있는 가쪽안와결절lateral orbital tubercle, Whitnall orbital tubercle에 부착된다. 가쪽 눈구석인대는 안쪽눈구석인대 만큼 뚜렷한 구조를 형성하고 있지 않다.

눈꺼풀테에 존재하는 적은 섬유의 눈꺼풀판앞눈둘레근을 Riolan's muscle이라 하며 눈꺼풀테의 회백선gray line을 형성한다.

눈구석인대

눈구석인대canthal tendon는 눈꺼풀 안쪽과 가쪽의 섬유조직으로 눈둘레근을 안와에 부착시키는 힘줄 역할을 한다. 안쪽눈구석인대는 위 · 아래 눈둘레근의 가지가 합쳐져서 이루어지며, 합쳐진 공통안쪽눈구석인대는 위턱뼈의 이마돌기에 부착한다. 안쪽눈구석인대는 겉에서 만져지며, 비교적 뚜렷하고 넓은 앞가지anterior limb와 눈물주머니 뒤쪽에 분포하는 뒷가지posterior limb로 나뉘어진다. 앞가지는 훨씬 두껍고 눈물주머니오목lacrimal fossa 보다 앞에 위치하며, 길이는 약 10~11 mm 정도이며, 폭은 2~4 mm, 두께는 4~5 mm로 알려져 있다. 뒷가지는 뒤눈물주머니오목능선과 눈물주머니근막에 부착된다. 안쪽눈구석인대의 바로 밑에는 눈물소관이 지나고 있어서 안쪽눈구석인대 손상 시 눈물소관이 쉽게 다칠 수 있다(**그림 1-18**). 또한 안쪽눈구석인대에는 위지지분지superior supporting branch가 있는데, 안쪽눈구석인대의 앞쪽에서부터 위쪽으로 뻗어 이마뼈로 부착하는 건과 합쳐진다. 이 위분지는 내안각 구조의 지지와 안정에 중요한 역할을 한다.

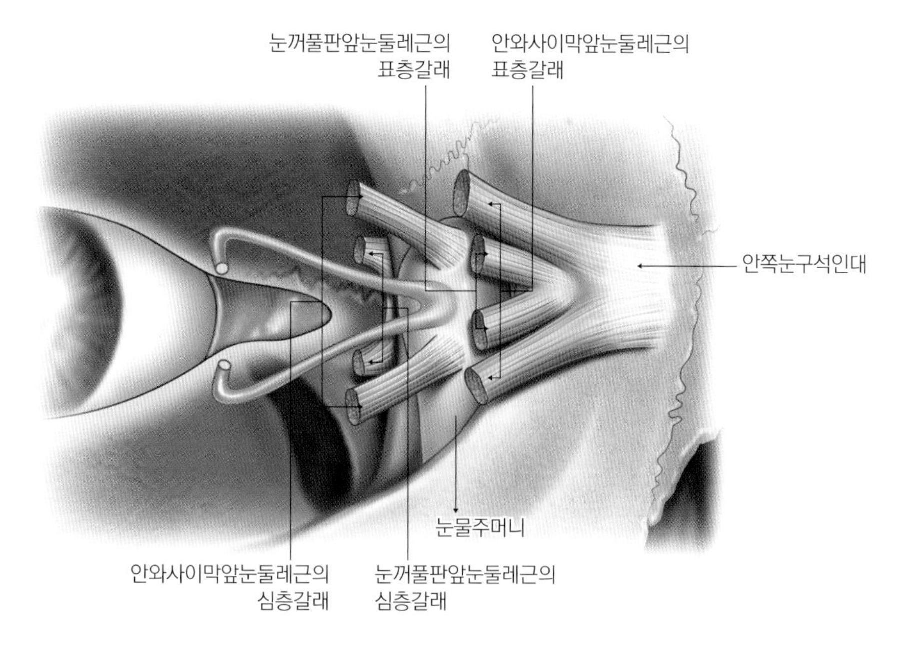

그림 1-18 안쪽눈구석인대의 구조

가쪽눈구석인대는 눈꺼풀판앞눈둘레근과 안와사이막앞눈둘레근 가지로 이루어지며, 가쪽안와결절에 부착된다. 가쪽눈구석인대는 안쪽눈구석인대와 달리 뚜렷한 구조를 가지고 있지 않다. 눈꺼풀판이 외직근의 제어인대check ligament와 가쪽눈구석인대의 건-인대 복합체tendon-ligament complex에 의해 안와에 고정되어 있어, 외전운동 시 가쪽눈구석이 가쪽으로 끌리게 된다. 가쪽눈구석인대와 안와사이막 사이의 공간을 Eisler's pocket이라 부르며 작은 지방덩이가 존재한다.

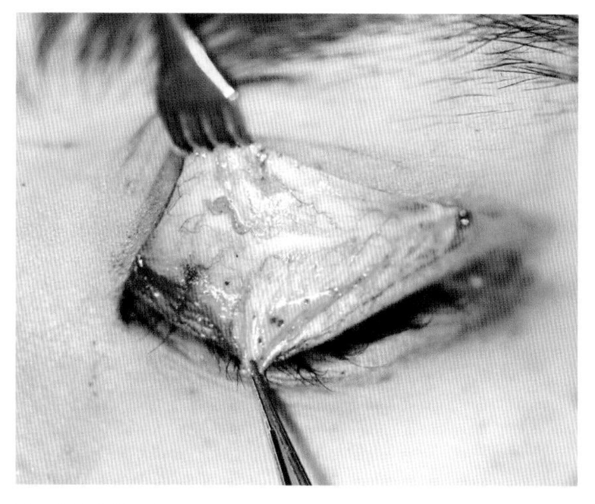

그림 1-19 눈둘레근을 제거한 후 안와사이막이 열리지 않은 상태

안와사이막

안와와 눈꺼풀 사이의 경계를 만들어주는 구조물로 여러 층의 섬유결합조직으로 구성되며 임상적으로는 안와사이막앞 염증이나 출혈이 안와내로 파급되는 것을 방지한다.

안와사이막orbital septum은 안와가장자리orbital margin의 골막과 후갈레아posterior galea가 합쳐져 형성된 arcus marginalis에서 시작하고, 아래쪽으로 내려와 위눈꺼풀올림근널힘줄에 부착된다(**그림 1-19~1-22**).

눈꺼풀올림근널힘줄과의 부착부위는 서양인의 경우 눈꺼풀판 위가장자리보다 약 3~4 mm 상방이지만, 한국인에 대한 연구에서는 눈꺼풀판 위가장자리보다 아래에 부착된다고 보고된 바 있다. 따라서 안와사이막과 위눈꺼풀올림근널힘줄의 사이에 존재하는 안와지방이 더 아래까지 내려와 위눈꺼풀올림근널힘줄

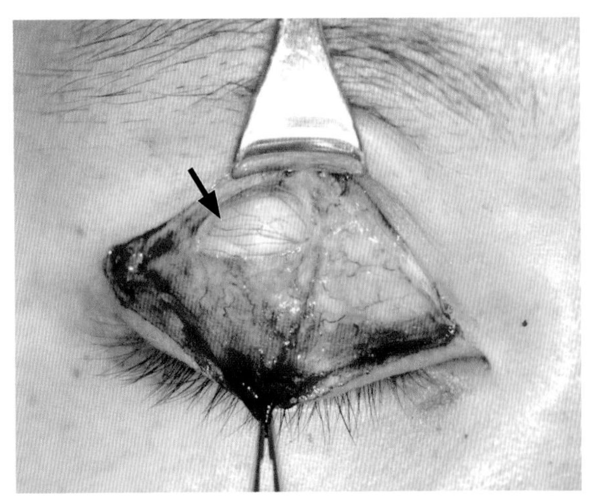

그림 1-20 안와사이막이 일부 열린 상태(화살표)에서 지방이 노출된 모습

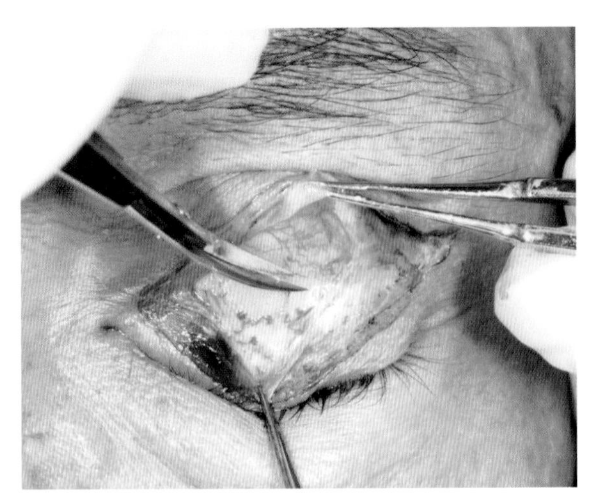

그림 1-21 안와사이막을 가위로 열고 있는 모습으로 아래쪽에 하얗게 빛나는 눈꺼풀올림근널힘줄이 보인다.

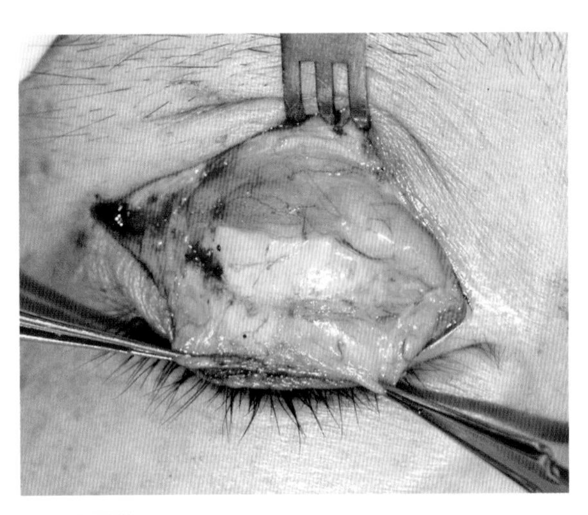

그림 1-22 안와사이막이 전부 열린 상태

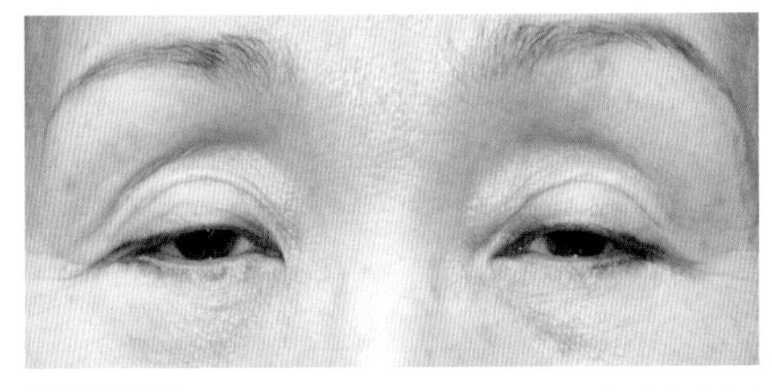

그림 1-23 안와사이막은 안쪽이 가장 얇아서 안와지방이 탈출되면 위눈꺼풀 안쪽이 불룩해 보인다(좌안).

의 가지가 피부밑조직에 부착하는 것을 방해하여 쌍꺼풀이 뚜렷하지 않고 도톰한 전형적인 동양인의 눈꺼풀 형태를 보이게 된다.

안쪽에서는 호르너근의 뒤쪽을 지나 뒤눈물주머니오목능선과 앞눈물주머니오목능선에 부착되며, 가쪽에서는 가쪽눈구석인대와 가쪽안와결절에 부착된다. 안와사이막을 통과하는 구조물로는 눈물샘lacrimal, 위안와supraorbital, 위도르래supratrochlear, 그리고 아래도르래infratrochlear 신경 및 혈관 등이 있다.

안와사이막은 안와가장자리 부분에서는 그 두께가 두꺼우나 눈꺼풀테 쪽으로 갈수록 얇아지며, 상외측이 가장 두껍다. 나이가 들수록 얇아지고, 특히 안쪽이 가장 얇아 안쪽 안와지방이 탈출되기 쉬우며 위눈꺼풀 안쪽이 불룩해 보이는 모습으로 된다**(그림 1-23)**.

최근 안와사이막은 앞안와사이막anterior orbital septum과 뒤안와사이막posterior orbital septum의 두 층으로 구성된다는 보고가 있다. 이 보고에 의하면 눈꺼풀올림근널힘줄도 앞층과 뒤층으로 나누어진다고 한다. 앞안와사이막은 뒤로 돌아가 눈꺼풀올림근널힘줄의 뒤층posterior layer과 합쳐져 눈꺼풀판까지 내려오며 이를 conjoined fascia라고 부르며, 뒤안와사이막은 안와지

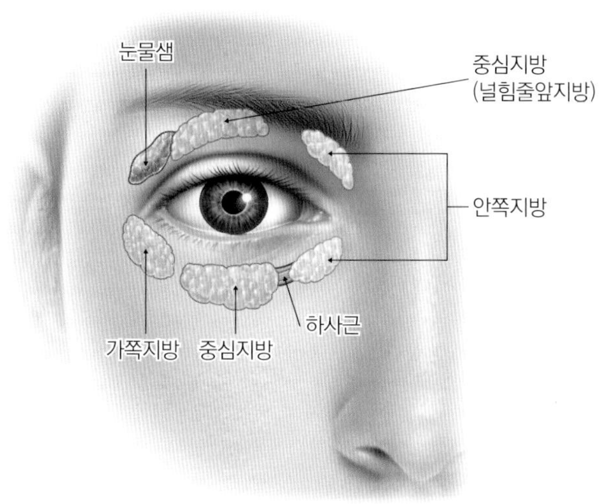

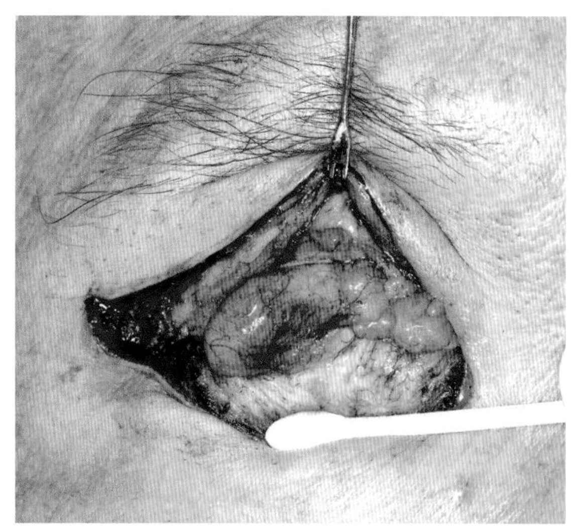

그림 1-24 안와지방
안쪽지방이 중심지방에 비해 단단하고 약간 하얀색을 띠므로 두 지방덩이를 쉽게 구분할 수 있다.

방을 싸고 다시 위로 올라가 앞층 눈꺼풀올림근널힘줄로 연결된다고 한다. 서양인에 비하여 동양인에서는 쌍꺼풀이 없고 두툼한 눈꺼풀 형태를 보이는 이유도 이제까지의 보고와는 다르게 동양인도 서양인과 마찬가지로 안와사이막이 눈꺼풀판 위가장자리보다 위쪽에서 눈꺼풀올림근널힘줄에 부착되지만 단지 지방의 양이 많아 안와사이막이 아래쪽으로 처져 눈꺼풀이 불룩하게 되어 쌍꺼풀이 잘 형성되지 않는다고 한다. 또한 눈꺼풀판의 높이가 서양인에 비해 낮기 때문에 안와지방이 더 밑으로 내려오는 것도 한 가지 요인이다.

안와지방

근원추muscle cone 밖 안와지방orbital fat의 앞쪽 부분으로 안와사이막과 윗눈꺼풀올림근널힘줄 사이에 위치하며, 위눈꺼풀에는 중심지방과 안쪽지방이 존재하며 가쪽에는 눈물샘이 위치하고 있다. 중심지방은 널힘줄앞지방이라고도 불리며 carotenoid 성분이 풍부하여 비교적 노란색을 띠며, 안쪽에 위치하는 안쪽지방은 중심지방에 비해 단단하고 약간 하얀색을 띠므로 두 지방덩이를 쉽게 구분할 수 있다**(그림 1-24)**. 안쪽지방은 안쪽눈꺼풀동맥medial palpebral artery이 가깝게 지나가므로 제거할 때 출혈을 주의하여야 하며, 위쪽으로는 도르래trochlea와 가깝게 위치하므로 상사근 손상에도 주의하여야 한다. 바깥쪽에는 지방덩이가 없는 대신 눈물샘이 위치하며, 눈물샘은 지방에 비하여 동글동글한 엽 형성lobulation이 잘되어 보이고 색이 회색에 가까워 구별할 수 있다.

한국인에서는 이 안와지방 외에도, 안와사이막 앞과 눈꺼풀판 앞에도 지방이 존재하는 경우가 있으며 이것 또한 쌍꺼풀이 없는 이유가 된다.

눈꺼풀올림근 Levator palpebrae superioris

눈돌림신경oculomotor nerve의 지배를 받는 가로무늬근striated muscle으로 눈꺼풀을 올리는 기능이 있으며, 진씨총건륜annulus of Zinn 바로 위 나비뼈의 작은날개lesser wing of sphenoid에서 시작된다. 상직근과 나란히 앞쪽으로 나오다가 안와첨부로부터 약 36 mm 떨어진 곳에서 휘트날인대Whitnall ligament를 지난 후 아래쪽으로

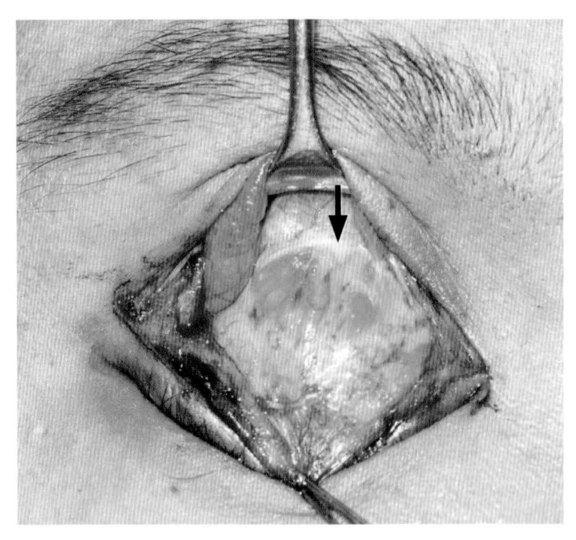

그림 1-25 휘트날인대 5~7 mm 아래에서 눈꺼풀올림근은 섬유조직으로 변하여 얇고 넓은 널힘줄을 형성하며 눈꺼풀판 앞쪽으로 내려온다.

꺾이게 된다. 휘트날인대 5~7 mm 아래에서 눈꺼풀올림근은 섬유조직으로 변하여 얇고 넓은 널힘줄을 형성하며 눈꺼풀판 앞쪽으로 내려온다(**그림 1-25**).

휘트날인대는 눈꺼풀올림근의 근막이 뭉쳐 하얀색의 가로 섬유조직띠 형태로 나타나며, 안쪽으로는 도르래를 감싸는 근막에 부착되며, 가쪽으로는 눈물샘을 통과하여 안와외벽의 이마뼈에 부착한다. 위눈꺼풀판의 위가장자리에서 14~20 mm 상방에 위치하여, 눈꺼풀처짐 수술 시 해부학적 지표가 된다. 휘트날인대의 기능은 눈꺼풀올림근 수축 시 휘트날인대 뒤쪽의 앞·뒤 운동방향을 휘트날인대를 지나면서 상·하 방향으로 바뀌게 하는 위눈꺼풀의 도르래pulley 역할을 한다.

눈꺼풀올림근널힘줄은 눈꺼풀판 앞면의 아래 1/3지점에 단단히 부착되며, 앞쪽으로 작은 가지를 내어 눈둘레근을 뚫고 피부밑조직에 부착되면 쌍꺼풀이 만들어진다. 눈꺼풀올림근널힘줄의 안쪽과 가쪽 연장부위를 안쪽뿔medial horn, 가쪽뿔lateral horn이라 한다. 눈꺼풀올림근널힘줄의 안쪽은 상사근힘줄 부위를 지나면서 얇아져 안쪽뿔을 형성하며 안쪽눈구석인대의 뒷가지와 만나 뒤눈물주머니오목능선에 부착된다. 가쪽은 가쪽뿔을 형성하여 눈물샘의 안와엽orbital lobe과 눈꺼풀엽palpebral lobe 사이로 지나가서 가쪽안와결절과 가쪽눈구석인대에 부착된다(**그림 1-26**). 일반적으로 널힘줄의 두께는 가쪽에서 안쪽으로 갈수록 얇아지며, 눈꺼풀판과의 결합도 약하다. 또한 구조적으로 안쪽뿔이 가쪽 뿔에 비해 약하고 움직임이 떨어지기 때문에 눈꺼풀처짐 수술 시 안쪽이 부족교정 되기 쉽다. 윗눈꺼풀올림근은 나이가 들어감에 따라 지방조직이 침윤되고 널힘줄이 얇아지고 눈꺼풀판으로부터 분리되

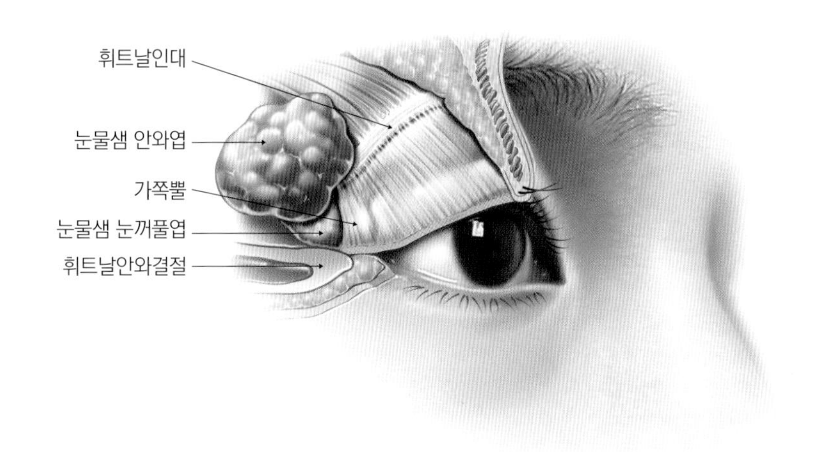

그림 1-26 눈꺼풀올림근널힘줄의 가쪽은 가쪽뿔을 형성하여 눈물샘의 안와엽(orbital lobe)과 눈꺼풀엽(palpebral lobe) 사이로 지나가서 가쪽안와결절과 가쪽눈구석인대에 부착된다.

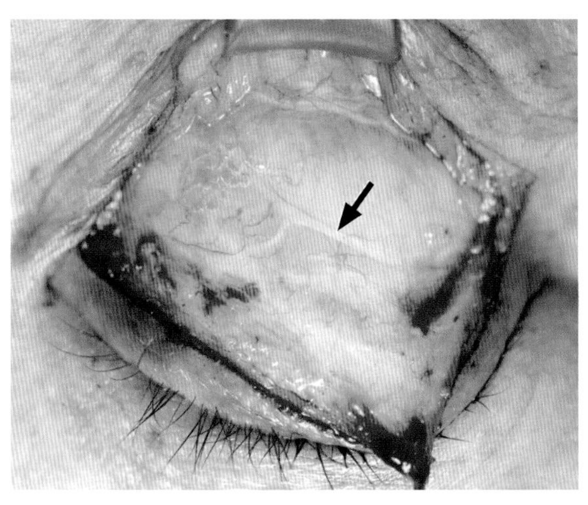

그림 1-27 lower positioned transverse ligament

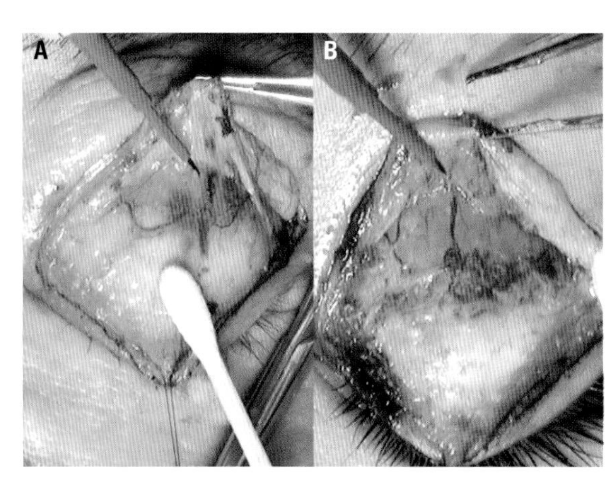

그림 1-28 **A.** 널힘줄과 뮐러근 사이를 박리한 모습. **B.** 결막으로부터 뮐러근을 박리한 모습

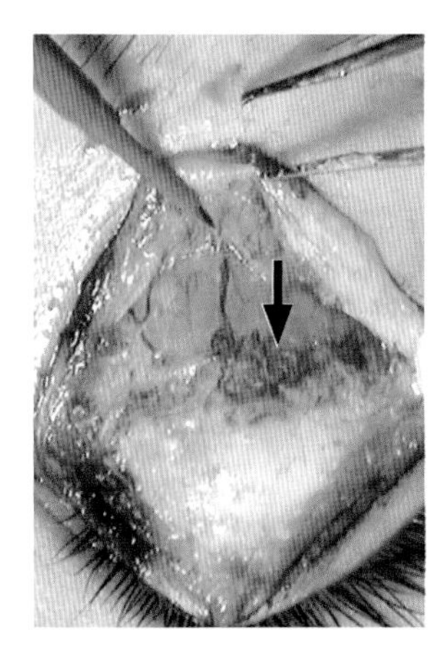

그림 1-29 주변혈관아케이드

어 노인성눈꺼풀처짐을 발생시킬 수 있다.

눈꺼풀올림근널힘줄은 2개의 층으로 구성되어 있다는 보고도 있다. 앞층anterior layer은 평활근 섬유가 다소 적은 두꺼운 층으로 눈꺼풀판 상부에서 위쪽으로 올라가 안와사이막으로 연결되며, 뒷층은 더 많은 평활근 섬유를 가지는 얇은 층으로 눈꺼풀판 아래 1/3 지점과 피부밑조직에 부착하여 쌍꺼풀 형성에 관여한다고 한다.

안와사이막과 눈꺼풀올림근널힘줄이 부착하는 근처에 휘트날인대처럼 눈꺼풀올림근널힘줄의 근막이 뭉쳐진 lower positioned transverse ligament가 있다는 보고도 있다. 이는 휘트날인대보다 탄력성이 적은 구조물로서, 도르래에서 시작하여 가쪽·아래쪽으로 주행한다. 가쪽에서는 안와사이막과 눈꺼풀올림근널힘줄이 부착하는 위치에서 가쪽안와연의 골막에 부착한다. 이것이 동양인에서 눈의 크기가 작은 이유라는 보고가 있다. 따라서 눈꺼풀처짐이나 쌍꺼풀 수술 시 lower positioned transverse ligament를 제거해주면 눈꺼풀틈새가 약간 커지게 된다고 한다(**그림 1-27**).

뮐러근 Müller's muscle

눈꺼풀올림근과 결막사이에 위치하는 민무늬근육으로, 눈꺼풀판 위 15 mm 떨어진 곳의 눈꺼풀올림근 뒤쪽에서 시작되고 위눈꺼풀판의 위가장자리에 부착된다(**그림 1-28**).

눈꺼풀올림근과는 느슨하게 유착되어 잘 박리되지만 결막과는 단단하게 유착되어 있어 잘 박리되지 않는다. 눈꺼풀올림근과 뮐러근 사이 공간에는 널힘줄후지방postaponeurotic fat과 주변혈관아케이드peripheral arcade가 위치한다(**그림 1-29**). 교감신경의 지배를 받으며 위눈꺼풀을 약 2 mm 정도 올려주는 기능이 있어 뮐러근의 기능저하가 나타나는 호르너증후군Horner

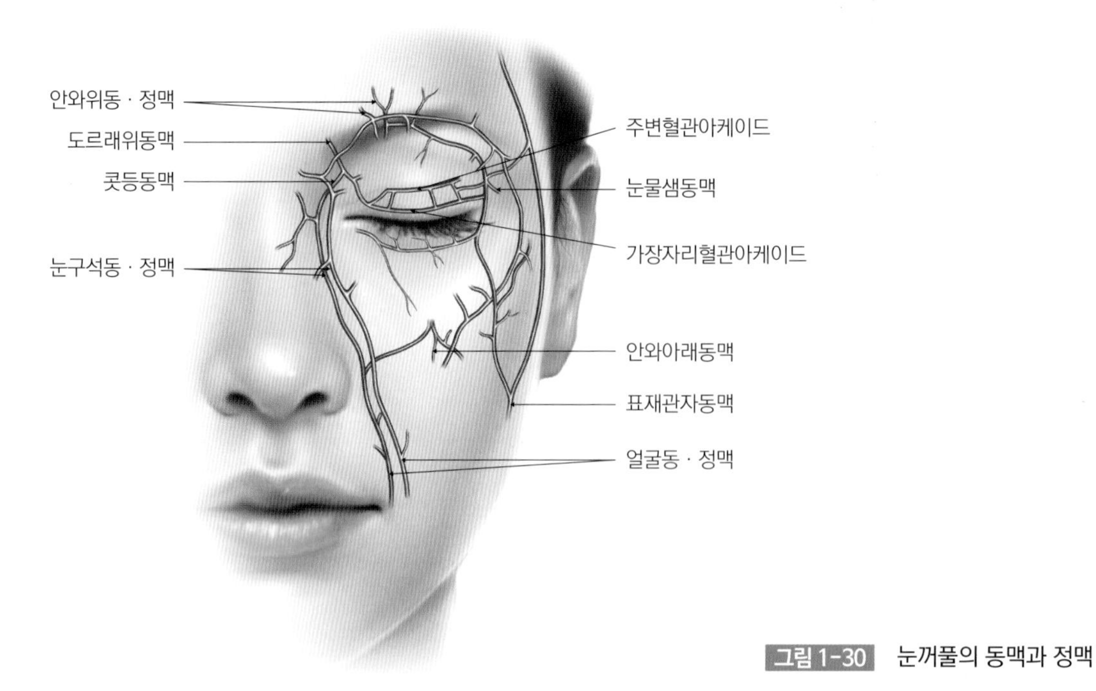

그림 1-30 눈꺼풀의 동맥과 정맥

syndrome에서는 경도의 눈꺼풀처짐이 나타난다.

눈꺼풀판

눈꺼풀판tarsal plate은 질긴 섬유 및 탄력 조직으로 구성되어 눈꺼풀의 지지대 역할을 한다. 안쪽과 가쪽은 눈구석인대와 섬유결합조직으로 연결되고 안와가장자리에 단단히 부착되어 눈꺼풀의 형태를 유지한다. 눈꺼풀테쪽 아래가장자리는 직선 형태이지만 위가장자리는 볼록한 모양의 곡선형태를 이룬다. 위눈꺼풀판의 높이는 중심부에서 약 8~9 mm로 가장 크고, 가쪽과 안쪽으로 갈수록 작아진다. 위눈꺼풀판의 수평길이는 약 25 mm이며, 두께는 약 1 mm이다. 앞쪽으로는 눈꺼풀판 앞 눈둘레근과 단단히 결합되어 있으며 뒤쪽으로는 결막과 아주 단단히 결합되어 있어 결막손상 없이 분리되지 않는다. 위눈꺼풀판에는 30~40개의 피지샘이 있고, 아래눈꺼풀판에는 20~30개의 피지샘이 존재한다.

눈꺼풀의 혈관구조

동맥

눈꺼풀은 속목동맥internal carotid artery과 바깥목동맥external carotid artery으로부터 풍부한 혈액 공급을 받는다(그림 1-30).

바깥목동맥

눈꺼풀에 분포하는 바깥목동맥의 가지는 얼굴동맥facial artery, 얕은측두동맥superficial temporal artery, 아래안와동맥infraorbital artery 등이다.

얼굴동맥은 깨물근masseter muscle 바로 앞의 아래턱뼈mandible를 지나 코입술주름nasolabial fold을 따라 위로 올라가다가 안쪽눈구석 부위에서 눈구석동맥angular artery이 되며, 이는 안쪽눈구석으로부터 6~8 mm 안쪽, 눈물주머니로부터 5 mm 앞쪽의 눈둘레근 밑에 위치한다. 눈구석동맥은 안쪽눈구석인대 근처에서 안와사이막을 뚫고 나온 후 안와의 상내측에서 눈동맥ophthalmic artery의 가지들과 문합anastomosis을 이룬다.

얕은측두동맥은 바깥목동맥의 마지막 가지로서 이마동맥frontal, 광대얼굴동맥zygomaticofacial, 그리고 아래눈꺼풀의 얼굴동맥과 연결되는 가로얼굴동맥transverse facial artery 등의 가지를 낸다. 얕은측두동맥은 측두근보다 더 얕은 피부밑조직에 위치하기 때문에 측두동맥 조직 검사가 용이하며, 시술 중 측두근이 나오면 너무 깊이 들어갔음을 의미한다.

이마동맥은 위쪽과 안쪽으로 주행하여 이마근과 눈둘레근에 분포하며 이마의 혈액공급을 담당하고, 눈동맥의 위안와분지supraorbital branch 그리고 눈물샘분지와 문합한다. 광대얼굴동맥은 광대의 위가장자리를 지나 눈꺼풀의 바깥 부위에 분포한다. 가로얼굴동맥은 광대 앞을 지나 아래눈꺼풀 가쪽의 아래안와동맥 및 눈물샘동맥과 문합한다.

아래안와동맥은 위턱동맥maxillary artery에서 분지되고 아래안와고랑infraorbital groove과 아래안와구멍을 지나 아래 눈꺼풀에 혈액을 공급하며 콧등동맥과 문합된다.

속목동맥

속목동맥은 눈동맥의 가지인 콧등동맥dorsal nasal artery, 위도르래동맥supratrochlear artery, 위안와동맥supraorbital artery, 눈물샘동맥lacrimal artery 등을 통하여 눈꺼풀에 혈액을 공급한다. 눈동맥의 마지막 가지인 콧등동맥은 안와사이막을 통과하기 전에 안쪽눈꺼풀동맥을 분지하고, 이는 두 가지로 나뉘어 안쪽눈구석인대 위, 아래를 지나 각각 위, 아래 눈꺼풀에 분포한다.

안쪽눈꺼풀동맥은 가장자리혈관아케이드marginal arcade와 주변혈관아케이드를 통하여 눈꺼풀 가쪽에 있는 눈물샘동맥의 마지막 가지인 가쪽눈꺼풀동맥lateral palpebral artery과 문합을 이룬다. 위눈꺼풀에서 가장자리혈관아케이드는 눈꺼풀테로부터 2~3 mm 위쪽의 눈꺼풀판 앞에 위치하고, 주변혈관아케이드는 눈꺼풀판 위의 눈꺼풀올림근널힘줄과 뮐러근사이에 위치하여 위결막구석에 혈액을 공급한다. 눈꺼풀처짐 수술 시 눈꺼풀올림근널힘줄을 눈꺼풀판으로부터 박리하면 주변혈관아케이드를 볼 수 있으며, 위눈꺼풀올림근널힘줄의 뿔을 자르거나 뮐러근을 박리할 때 주변혈관아케이드의 손상으로 출혈이 잘 생긴다. 주변혈관아케이드에서 뒤결막동맥posterior conjunctival artery이 나와 위결막구석에 공급하며 각막 가장자리 근처의 앞섬모체동맥anterior ciliary artery과 문합한다.

아래눈꺼풀은 콧등동맥, 눈물샘동맥, 안쪽눈꺼풀동맥, 광대얼굴동맥의 분지에 의하여 가장자리혈관아케이드와 주변혈관아케이드를 형성하지만 위눈꺼풀 보다는 덜 발달되어있다.

정맥

눈꺼풀의 정맥구조는 목정맥jugular vein으로 들어가는 얼굴의 표층정맥과 해면정맥동cavernous sinus으로 들어가는 안와의 심층정맥으로 이루어지며, 이 두 정맥은 문합을 형성한다.

이마정맥과 위안와정맥은 눈썹 안쪽에서 합쳐져 눈구석정맥을 형성하며 눈구석동맥의 안쪽에 위치하게 된다. 눈구석정맥은 표층으로는 얼굴정맥으로 되어 얼굴동맥의 바로 가쪽을 지나 목정맥으로 들어가게 되며, 안와 심층부를 통하여 해면정맥동으로 들어가는 위눈정맥superior ophthalmic vein으로 합쳐지게 된다.

위눈정맥은 상사근 힘줄 근처에서 형성되며 눈구석정맥, 위안와정맥, 그리고 위도르래정맥으로부터 혈류를 공급받는다. 이 정맥은 상직근 안쪽으로 주행하다가 근원추 속으로 들어간 후 섬모체정맥ciliary vein, 위또아리정맥superior vortex vein 등이 합류하게 된다. 다시 상직근 밑에서 가쪽으로 주행하다가 위안와틈새superior orbital fissure를 통해 해면정맥동으로 들어간다.

아래눈정맥inferior ophthalmic vein은 안와 아래쪽에 있는 정맥얼기venous plexus로부터 형성되며 하직근, 하사근, 아래또아리정맥inferior vortex veins, 그리고 아래결막으로부터 혈류를 받는다. 이 정맥은 하직근을 따라 뒤쪽으로 주행하다가 큰 가지는 위눈정맥을 통하여 해면정맥동으로 들어가며 일부는 해면정맥동으로 직접 들어가기도 한다. 작은 가지는 아래안와틈새inferior orbital fissure를 통하여 날개돌기얼기pterygoid plexus와 연결된다. 날개돌기얼기는 해면정맥동과 직접 연결되기도 하며, 간접적으로 아래안와틈새를 통해 아래안와정맥으로 가지를 내어 연결되기도 한다.

얼굴의 표층감염은 얼굴정맥과 해면정맥동 사이의 많은 문합을 통하여 해면정맥동과 경막동dural sinus으로 파급될 수 있어 주의해야 한다. 특히, 이러한 정맥들은 밸브 역할을 하는 구조가 없으므로 쉽게 얼굴표면의 감염이 위안와정맥, 눈구석정맥과 위눈정맥을 거쳐 해면정맥동으로 파급될 수 있다.

림프계

눈꺼풀의 림프계lymphatic system는 표층부와 심층부로 이루어져 있다. 표층부는 피부와 눈둘레근의 림프액을 배출시키고, 심층부는 눈꺼풀판가장자리를 따라 얼기plexus를 형성하여 눈꺼풀판과 결막 부위의 림프액을 배출시킨다.

눈꺼풀의 림프계는 귀 앞의 귀밑림프절parotid lymph nodes(귀바퀴앞림프절preauricular lymph node)과 턱밑림프절submandibular lymph node로 배출된다. 위눈꺼풀의 대부분과 아래눈꺼풀 및 결막의 가쪽 절반은 귀밑림프절로 배출되며, 위눈꺼풀의 안쪽 부분, 아래눈꺼풀 및 결막의 안쪽 절반은 눈구석동맥과 얼굴동맥을 따라가는 림프관을 통해 턱밑림프절로 배출된다(**그림 1-31**).

안구와 안와에는 림프관이나 림프절이 존재하지 않기 때문에 안와 내에서 림프조직이 나타나면 병적인 것으로 간주되고 있다.

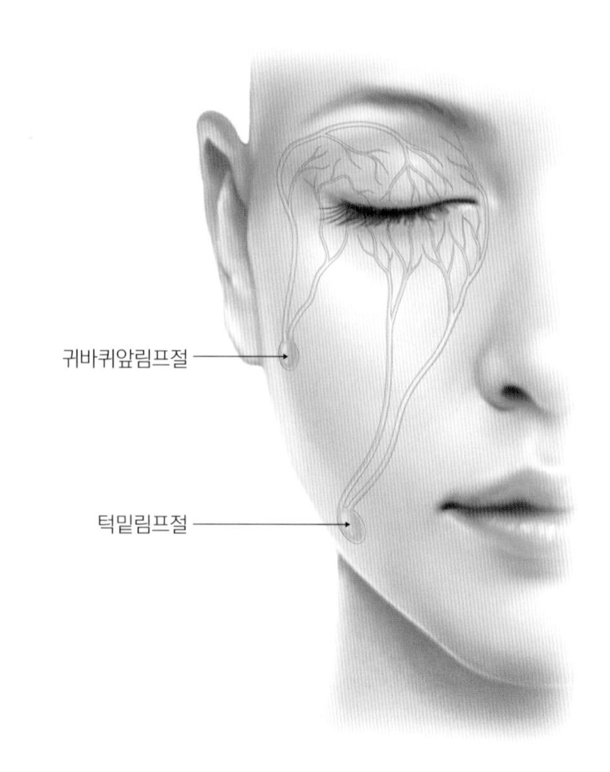

그림 1-31 눈꺼풀의 림프계

눈꺼풀의 신경분포

운동신경 Motor nerves

눈을 뜨는 역할을 담당하는 위눈꺼풀올림근과 뮐러근은 눈돌림신경과 교감신경이 각각 분포하며, 눈을 감는 역할을 하는 눈둘레근은 얼굴신경이 분포한다.

눈돌림신경

눈돌림신경은 annulus of Zinn 바로 뒤의 해면정맥동

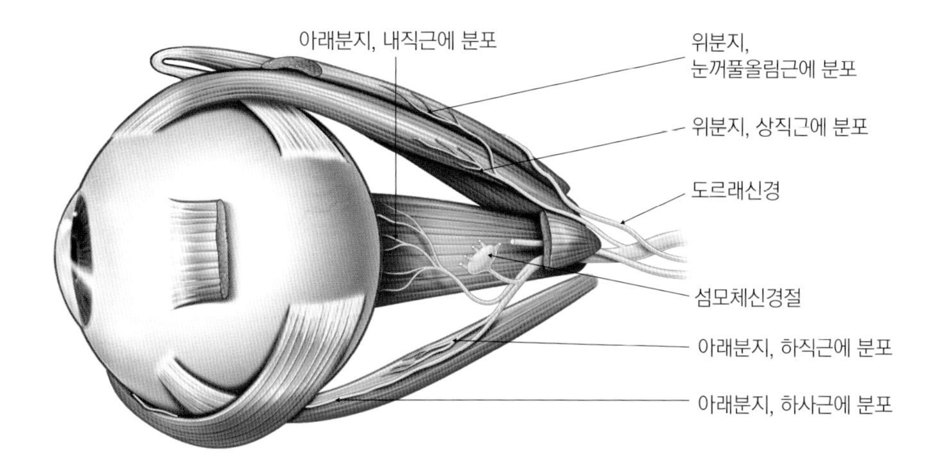

그림 1-32 눈돌림신경의 주행 경로

내에서 위분지superior division와 아래분지inferior division로 분리되며, 이 두 분지는 annulus of Zinn 내의 위안와틈새를 통하여 안와 내로 들어오게 된다.

위분지는 근원추 안에서 앞쪽으로 나오며 안와첨으로부터 15 mm 떨어진 곳(안와의 뒤 1/3 부위)에서 상직근 아래 쪽으로 들어가 분포한 후 끝분지는 눈꺼풀올림근에 도달한다. 이때 상직근을 관통할 수도 있으며, 상직근의 안쪽이나 가쪽 가장자리를 통하여 눈꺼풀올림근에 분포할 수도 있다.

아래분지는 해면정맥동에서 안와로 들어올 때 동공반사를 담당하는 부교감신경섬유와 합쳐지며, 근원추 안에서 시신경 아래로 주행하면서 세 개의 가지를 낸다. 첫 번째 가지는 안와의 뒤 1/3 부위에서 내직근에 분포하며, 두 번째 가지는 하직근에 분포한다. 세 번째 가지는 하직근 가쪽 가장자리를 따라 앞쪽으로 나오다가 하직근과 교차하는 부위의 하사근에 분포하게 되며, 이 가지는 동공반사를 담당하는 부교감신경섬유를 포함하며 섬모체신경절ciliary ganglion로 들어간다**(그림 1-32)**.

안와에서의 교감신경sympathetic nerve은 눈꺼풀 민무늬근의 수축으로 눈을 뜨는 역할 외에 동공확대, 혈관수축, 그리고 발한hidrosis 등의 기능이 있다.

눈의 교감신경은 시상하부hypothalamus로부터 안와로 연결된다. First order neuron (central)은 시상하부에서 시작하여 C8T1의 섬모체척수중추ciliospinal center에 도달한다. Second order neuron (intermediate)은 척수를 떠나 폐첨pulmonary apex을 지나 위목신경절superior cervical ganglion에서 접합synapsis한다. 이 신경절에서 third order neuron인 신경절후교감신경섬유 postganglionic sympathetic nerve fibers가 나오며, 속목동맥 주위를 둘러싸면서 해면정맥동으로 들어오게 된다. 해면정맥동 내에서 다른 신경과 합쳐져 시신경관, 위안와틈새, 그리고 아래안와틈새를 통해 안와 내로 들어오지만 정확한 경로는 밝혀져 있지 않다. 위 · 아래눈꺼풀판근superior and inferior tarsal muscle에 분포하는 교감신경의 경로도 정확히 밝혀져 있지 않지만 외안근에 분포하는 운동신경과 같이 주행한다는 보고가 있다**(그림 1-33)**.

얼굴신경

얼굴신경facial nerve은 주 역할로 얼굴근육의 운동기능을 담당하고 있으며, 그 외에도 다른 역할이 있다.

- 얼굴근육의 운동기능
- 부교감신경인 중간신경nervus intermedius을 통해 턱밑샘submandibular, 혀밑샘sublingual, 눈물샘에 분포하여 눈물과 침 분비기능

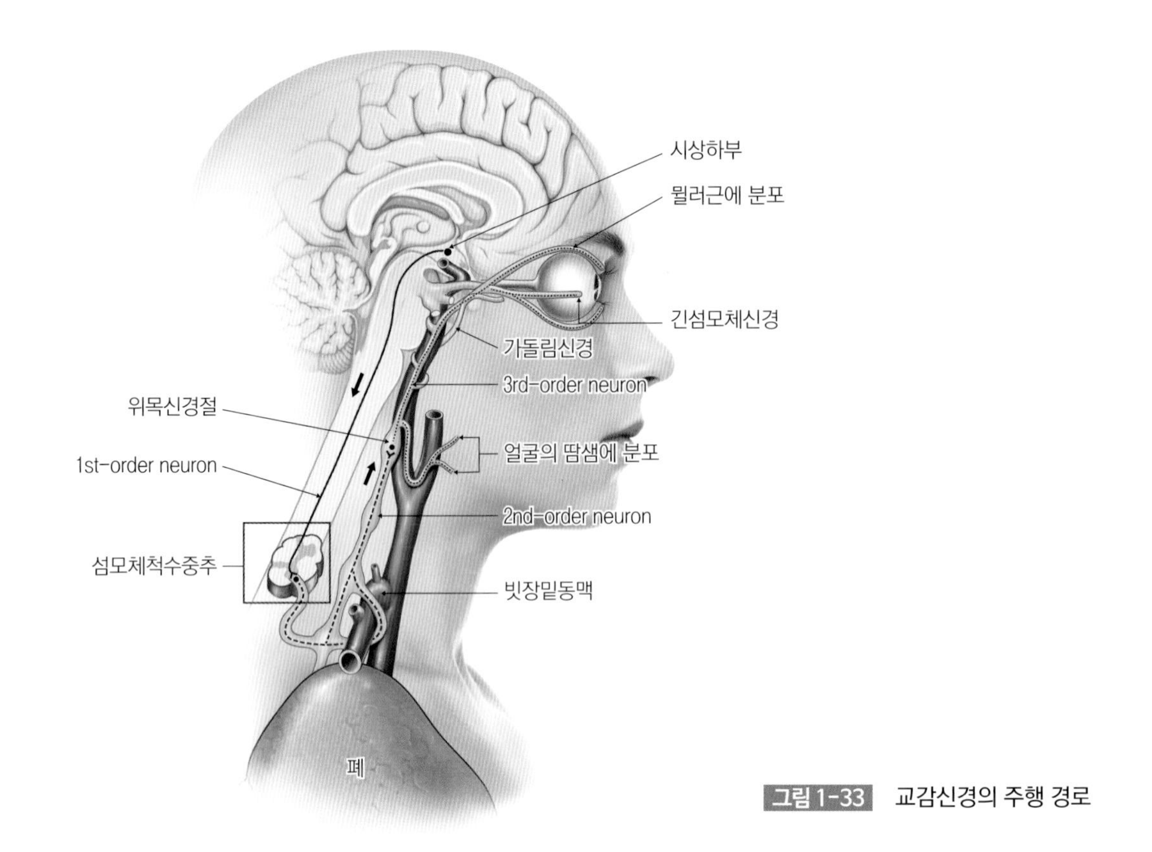

그림 1-33 교감신경의 주행 경로

- 혀의 앞 2/3 부위의 미각을 담당하는 감각기능
- 귀 주변의 감각기능

운동신경은 다리뇌pons의 망상형성reticular formation에 위치한 운동 핵에서 시작하여 내이도internal acoustic meatus를 지나며, 얼굴관facial canal을 통과하여 경상유돌기구멍stylomastoid foramen을 통해 측두골 밖으로 나온다. 이 후 귀밑샘의 실질 안으로 뚫고 들어가며 이 속에서 위쪽의 측두얼굴가지temporofacial branches와 아래쪽의 목얼굴가지cervicofacial branches로 나뉜다. 측두얼굴가지는 다시 측두분지temporal branch, 광대분지zygomatic branch, 그리고 볼분지buccal branch로 나뉘며, 목얼굴가지는 아래턱분지mandibular branch와 목분지cervical branch로 나뉜다. 하지만 얼굴신경이 가지를 내는 형태나 문합은 많은 변형이 있을 수 있다. 측두분지에서 나온 이마분지는 이마근에 분포하며, 눈둘레근은 측두분지, 광대뼈분지, 그리고 볼분지가 서로 광범위하게 교차하여 분포한다. 이마분지는 측두두정건막temporoparietal fascia 내에 위치하기 때문에 관상눈썹올림술coronal brow lift 같은 수술을 할 때는 이 fascia보다 더 밑으로 박리해야 한다**(그림 1-34)**.

부교감신경섬유는 다리뇌 내의 얼굴신경 내림다리descending limb 옆의 위침분비핵superior salivary nucleus에서 시작하여 중간신경으로 얼굴신경 운동근motor root과 함께 뇌간brain stem을 떠난다. 부교감신경섬유는 측두골 얼굴관 내의 암석부위petrous portion에 있는 슬신경절geniculate ganglion 이후 큰암석신경greater petrosal nerve이 되어 운동근과 분리된다. 이 신경이 날개관pterygoid canal을 들어갈 때 목동맥신경얼기carotid plexus의 교감신경이 포함된 깊은암석신경deep petrosal nerve과 합쳐져 vidian nerve가 되며 날개구개신경절pterygopalatine ganglion로 간다. 부교감신경섬유는 이 신경절에

A

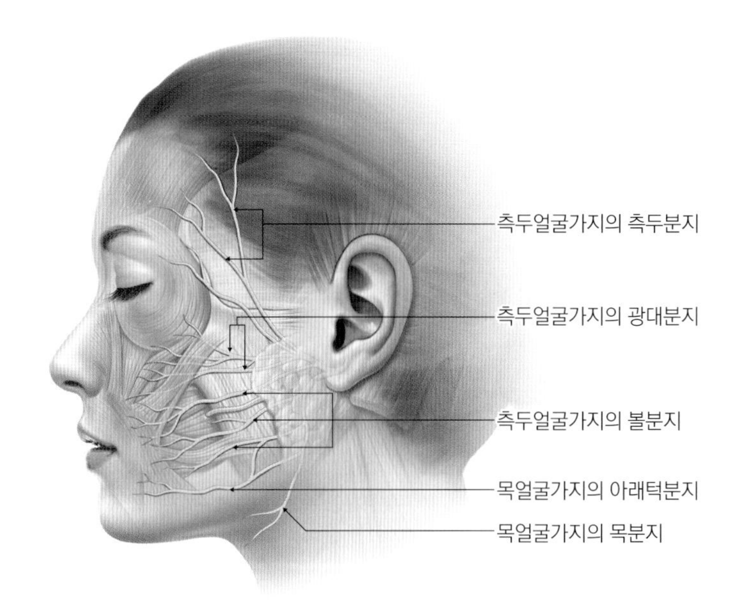

B

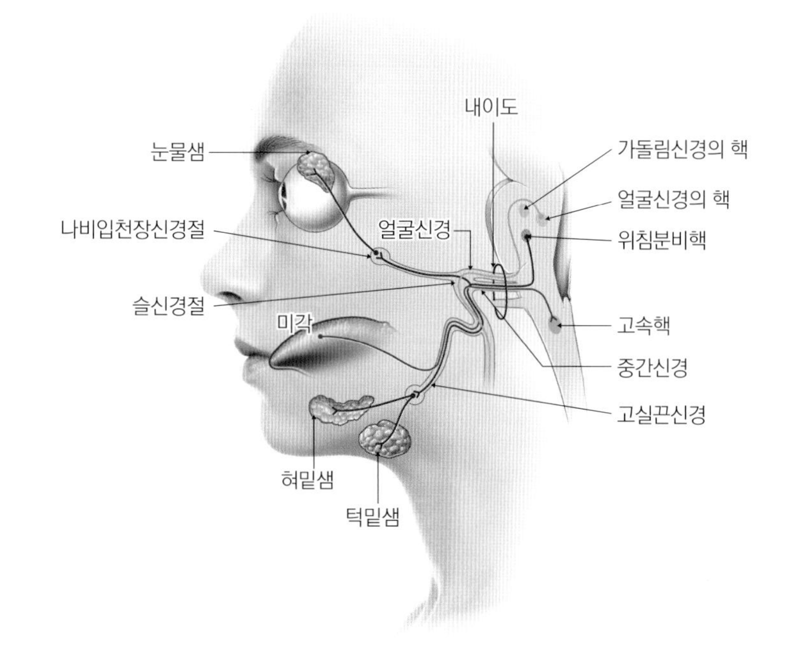

그림 1-34 얼굴신경
A. 운동신경섬유. **B.** 부교감신경섬유

서 접합하여 위턱신경maxillary nerve에 눈물샘, 턱밑샘, 그리고 혀밑샘으로 가는 분비촉진섬유secretomotor fiber를 내며, 광대측두신경zygomaticotemporal nerve을 통해 눈물샘에 분포한다**(그림 1-35)**.

감각신경 Sensory nerves

삼차신경

삼차신경trigeminal nerve은 감각과 운동의 두 가지 기능을 갖고 있지만 얼굴과 머리 속의 감각기능을 담당하

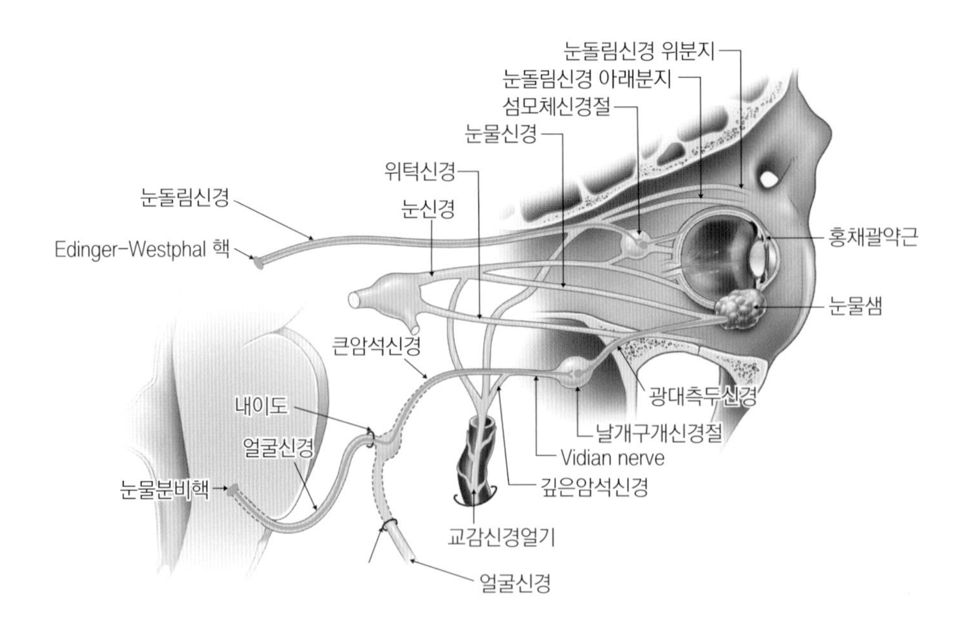

그림 1-35 부교감신경의 주행 경로

는 감각계가 삼차신경 기능의 큰 부분을 차지하며, 저작mastication 운동에 관여하는 운동신경은 작은 부분을 차지한다. 삼차신경은 눈 분지ophthalmic division, 위턱 분지maxillary division, 그리고 아래턱 분지mandibular division의 세 개의 분지가 있으며, 삼차신경절trigeminal (gasserian, semilunar) ganglion에서 접합한다. 눈 분지와 위턱 분지는 안와를 포함한 얼굴 위 2/3 부위의 감각 기능을 담당하며 **(그림 1-36)**, 아래턱 분지는 빰 아래쪽의 감각과 저작 기능을 하는 측두근, 깨물근, 그리고 안쪽 · 가쪽 날개근에 분포한다.

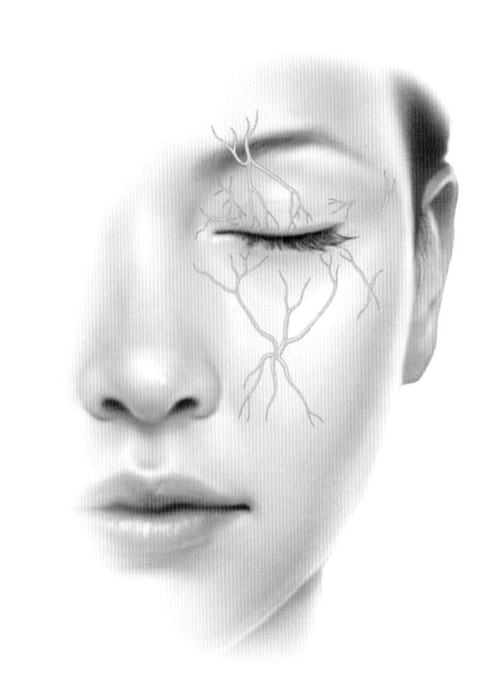

그림 1-36 눈꺼풀의 감각신경

눈 분지

눈 분지는 눈물신경lacrimal, 이마신경frontal, 그리고 코섬모체신경nasociliary nerve 등 세 개의 가지가 있으며 모두 위안와틈새를 통하여 안와 내로 들어오게 된다 **(그림 1-37A)**.

눈물신경 Lacrimal nerve

가장 작은 가지로서 눈물동맥과 함께 외직근의 위가장자리를 따라 주행하여 눈물샘에 다다르며, 눈물샘에 도착하기 직전 광대측두신경과 문합을 하는 가지를 낸다. 눈물신경은 눈물샘, 결막, 그리고 가쪽 위눈꺼풀에 분포한다.

이마신경 Frontal nerve

가장 큰 가지로서 안와골막periorbita과 눈꺼풀올림근 사이를 주행하며 안와 중간쯤에서 위안와신경supraorbital nerve과 위도르래신경supratrochlear nerve으로 나뉘게 된다. 위안와신경은 안와위패임을 통해 안와를 벗어나 이마 방향으로 주행하며, 이마 대부분의 감각을 담당한다. 위도르래신경은 안쪽의 도르래 부근으로 가서 위눈꺼풀의 안쪽과 이마 부위의 감각을 담당한다.

코섬모체신경

코섬모체신경은 annulus of Zinn 속을 통해 안와 내로 들어오며, 안쪽으로 시신경 위를 교차한 후 내직근의 위 가장자리를 따라 앞쪽으로 주행한다. 섬모체신경절ciliary ganglion로 가는 감각가지sensory root, 2~3개의 긴섬모체신경, 그리고 사골동과 코점막에 분포하는 앞 · 뒤사골신경anterior & posterior ethmoidal nerves들을 분지한 후 아래도르래신경infratrochlear nerve으로 되어 안와사이막을 뚫고 눈꺼풀의 안쪽 피부, 코 주위, 결막 안쪽, 눈물주머니, 그리고 눈물언덕에 분포한다. 많은 눈꺼풀, 눈물길 및 안와 수술의 신경차단마취regional block는 이 신경의 마취를 목표로 하는 경우가 많다. 섬모체신경절로 온 감각신경 가지는 접합없이 섬모체신경절을 통과한 후 짧은섬모체신경short ciliary nerves이 되어 시신경 근처에서 공막을 뚫고 안구 내로 들어간다.

긴섬모체신경은 시신경을 교차하여 시신경 가쪽에 있는 섬모체신경절을 통과한 후 짧은섬모체신경과 함께 앞쪽으로 진행하여 공막을 뚫고 홍채, 섬유체근육, 그리고 각막에 분포한다. 이 신경은 감각신경으로서의 역할뿐 아니라 위목신경절에서 홍채의 산대근육으로 가는 교감신경도 포함하고 있다.

위턱분지

위턱분지는 원형구멍foramen rotundum을 통해 두개강을 떠나 날개구개오목pterygopalatine fossa로 들어간다. 여기서 광대신경zygomatic, 날개구개신경sphenopalatine, 그리고 뒤이틀신경posterior alveolar nerve 등의 분지를 낸다. 날개구개신경은 날개구개신경절로 연결되며, 이 신경절에서 분비촉진 부교감신경섬유parasympathetic secretomotor nerves가 위턱신경으로 연결되고, 이 부교감신경은 광대측두신경을 통해 눈물신경과 연결되어 눈물샘에 분포한다.

위턱분지의 주 분지는 아래안와틈새를 통하여 안와 내로 들어오면서 아래안와신경infraorbital nerve이 되며 아래안와고랑infraorbital sulcus을 지나 아래안와구멍으로 나오게 된다. 아래안와신경은 아래눈꺼풀의 피부와 결막, 코의 피부와 중격, 그리고 윗입술의 피부와 점막에 분포한다(**그림 1-37B**).

광대신경은 순수한 감각신경으로서 광대얼굴신경zygomaticofacial과 광대측두신경으로 나뉘며, 전자는 안와의 하 · 외측을 따라 광대얼굴구멍zygomaticofacial foramen으로 나오며 뺨의 피부에 분포한다. 후자는 안와의 작은 틈새를 통하여 측두오목temporal fossa으로 나와 이마의 가쪽에 분포한다.

아래턱분지

아래턱분지는 감각신경과 운동신경이 모두 있는 뇌신경으로 타원구멍foramen ovale을 통하여 두개강을 나오게 된다. 감각섬유는 뺨 아래 부위의 감각을 담당하며, 운동섬유는 측두근, 깨물근, 그리고 날개돌기근pterygoid muscles에 분포한다.

눈꺼풀처짐 수술 시 마취

국소침윤마취 Local infiltration anesthesia

눈꺼풀에 발생한 작은 병변의 절제, 눈꺼풀성형술, 눈꺼풀처짐교정술 등 대부분의 눈꺼풀수술에서는 해당 수술부위 피부 밑에 국소마취제를 주사하는 마취로 수

A

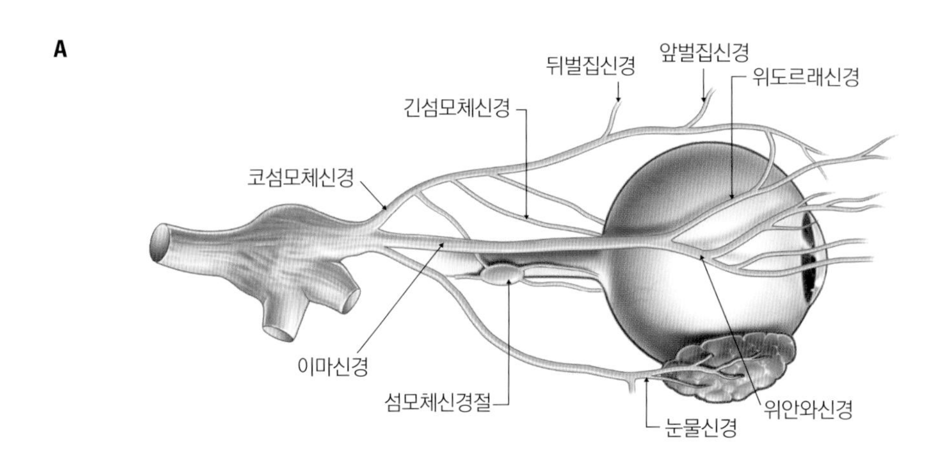

B

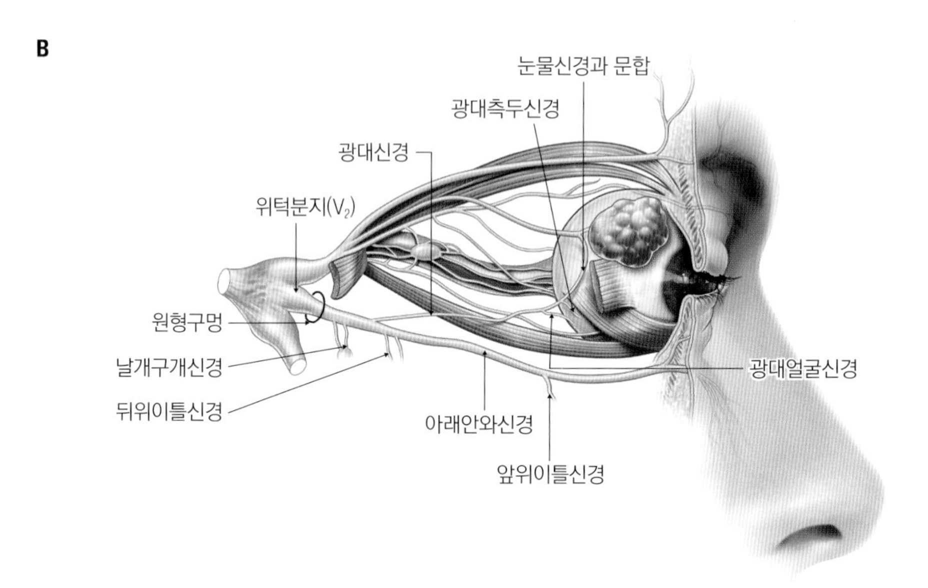

그림 1-37 삼차신경의 눈분지와 위턱분지

술을 시행할 수 있다. 국소마취제의 주사 시에 가장 신경을 써야 할 부분은 환자가 느끼는 통증이다. 환자의 국소마취 주사에 의한 통증을 줄여주는 제일 효과적인 방법은 마취제를 가능한 천천히 주입하는 것이다. 또 되도록 가는 주사침을 사용해야 하는데, 26게이지도 두꺼우므로 가능하면 이보다 얇은 30게이지의 주사침을 사용하는 것을 권한다. 국소마취제에 sodium bicarbonate를 첨가하여 국소마취제의 산성도를 낮추어 주어도 통증을 줄여줄 수 있다. Epinephrine은 주사 후 10분 정도는 지나야 혈관수축작용이 충분히 나타나므로, 국소마취제를 주사한 다음 10여분이 지난 후 수술을 시작하여야 출혈을 최소화할 수 있다.

피부절개선을 피부 위에 표시한 후, 주사침을 피부절개선 부위의 피부 밑 또는 좀더 깊은 박리가 필요할 때는 눈둘레근 밑에 찔러 넣은 후 서서히 국소마취제를 주입한다**(그림 1-38)**. 눈꺼풀을 수술할 때 대부분의 경우 최소한의 국소마취제를 주사하여 마취액으로 인한 조직의 변형을 최소화시키는 것이 좋다.

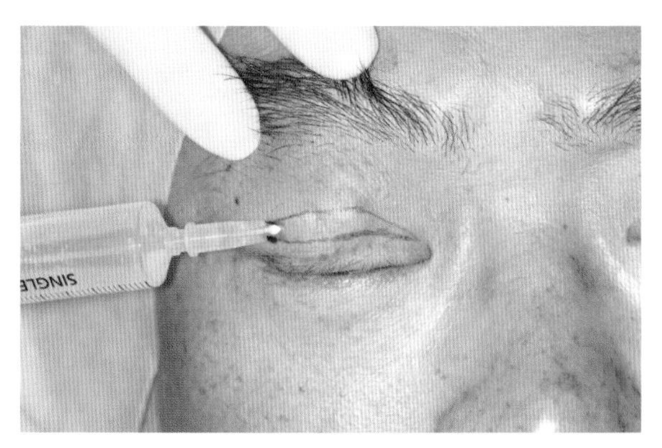

그림 1-38 국소마취제를 피부밑 조직에 주사하는 모습

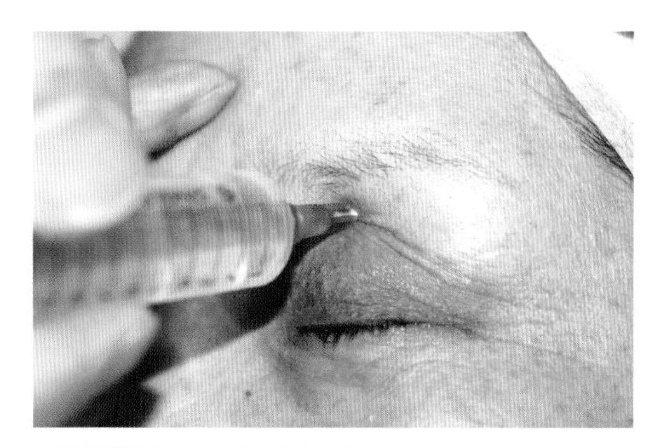

그림 1-39 이마신경차단마취

신경차단마취

눈꺼풀에 시행하는 수술은 대부분 국소마취로 가능하지만, 충분한 국소마취 후에도 통증이 있거나, 마취액 주입에 의한 수술부위의 변형을 원치 않을 경우, 넓은 범위의 눈꺼풀과 부속기관에 수술을 하는 경우 또는 감염된 부위와 같이 수술부위에 충분히 국소마취제를 주입하기가 어려운 경우에는 신경차단마취nerve block를 시행할 수 있다.

신경차단마취는 이마신경차단frontal nerve block, 위안와신경차단supraorbital nerve block, 위도르래신경차단supratrochlear nerve block, 아래도르래신경차단infratrochlear nerve block, 눈물샘신경차단lacrimal nerve block, 아래안와신경차단infraorbital neve block, 광대얼굴신경차단zygomaticofacial nerve block이 있다.

이마신경차단마취

이마신경은 삼차신경 눈분지의 중심분지이다. 이것은 위안와신경과 위도르래신경을 통하여 중앙부와 안쪽의 위눈꺼풀을 지배하므로 이마신경을 차단하면 위눈꺼풀과 눈썹의 안쪽 3/4을 마취할 수 있다.

위안와가장자리의 중앙부 바로 밑에서 안와 상벽에 닿는 느낌으로 주사침을 20~30 mm 삽입한 다음 국소마취제 1~2 ml를 주사한다(그림 1-39). 위눈꺼풀 수술에 매우 유용하지만 눈꺼풀처짐교정술을 시행할 때는 눈꺼풀올림근의 운동기능이 마비될 수 있으므로 눈꺼풀올림근절제술에서는 피하는 것이 좋다.

위안와신경차단마취

위안와신경은 위안와가장자리의 안쪽 1/3 지점에 위치한 안와위패임을 통과하여 위눈꺼풀의 중앙부와 눈썹, 이마와 머리에 분포한다. 따라서 위안와신경을 차단하면 위눈꺼풀의 중앙부와 눈썹, 이마 부위를 마취할 수 있다. 차단마취 방법은 위안와패임의 오목한 부분을 만진 다음 이곳의 바로 바깥쪽에서 위안와가장자리 밑에 주사침을 안와상벽을 향하여 5~10 mm 삽입 후 국소마취제 0.5~1 ml를 주사한다(그림 1-40).

위도르래신경차단마취

위도르래신경은 안와 안쪽의 도르래 위쪽으로 나와서 위눈꺼풀과 눈썹의 안쪽에 분포한다. 차단마취방법은 안와상벽과 내벽이 만나는 곳의 안와가장자리 바로 밑에 주사침을 5~10 mm 삽입한 다음 국소마취제 1 ml를 주사한다(그림 1-41).

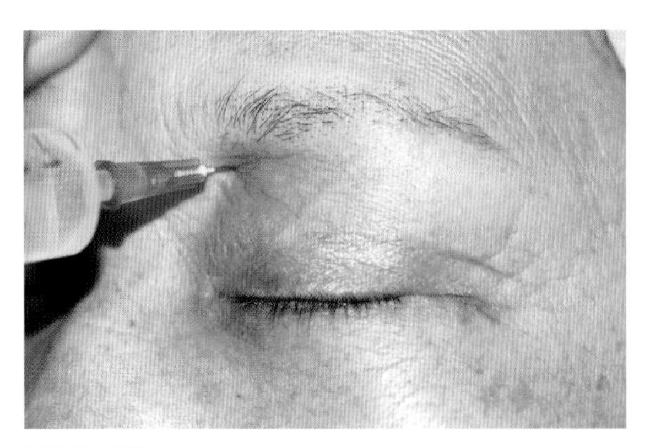

그림 1-40 위안와신경차단마취

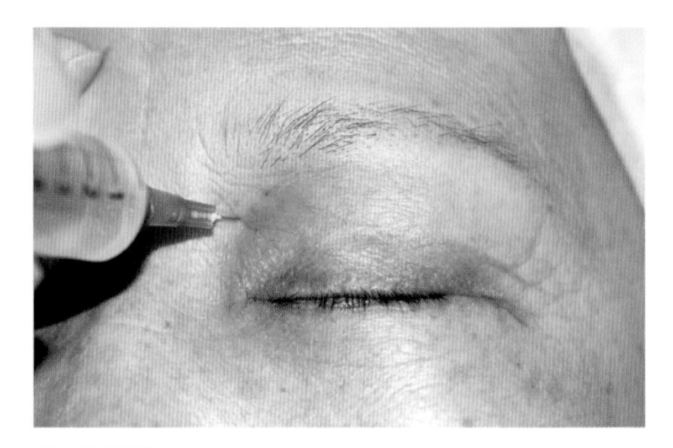

그림 1-41 위도르래신경차단마취

아래도르래신경차단마취

삼차신경 눈분지에서 나온 코섬모체신경은 앞-뒤 벌집신경anterior and posterior ethmoidal nerve과 아래도르래신경으로 나뉘어 코점막, 눈물주머니, 안쪽눈구석에 분포한다. 아래도르래신경차단마취는 아래도르래신경뿐만 아니라 벌집신경도 차단할 수 있으므로 코점막과 눈물주머니, 안쪽눈구석을 마취할 수 있어서 눈물주머니코안연결술에 유용한 마취방법이다.

안쪽눈구석인대 바로 위에서 안와내벽을 따라 주사침을 삽입하여 약 10~20 mm 삽입한 후 국소마취제 1 ml를 주사한다(**그림 1-42**).

이 부위에는 앞벌집혈관anterior ethmoidal artery이나 코이마동맥nasofrontal artery이 위치하기 때문에 주사침이 들어가면서 이들 혈관이 다치기 쉬우며 이로 인하여 심한 안와출혈이 발생할 수 있으므로 주의하여야 한다.

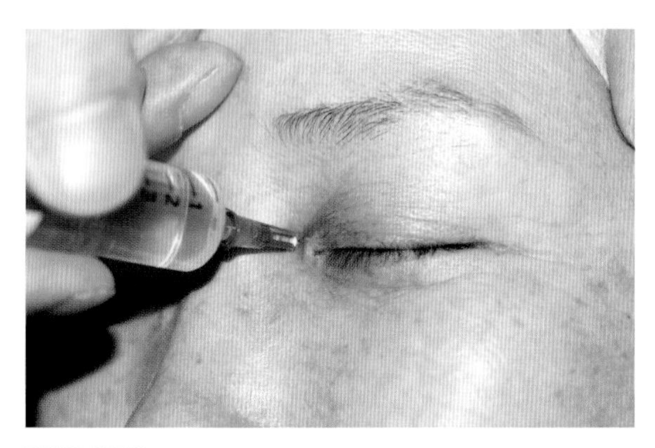

그림 1-42 아래도르래신경차단마취

눈물샘신경차단마취

눈물샘신경은 삼차신경 눈분지의 가쪽 분지이며, 가쪽눈구석인대의 직상방으로 주행하며 위눈꺼풀의 가쪽과 가쪽눈구석 상부의 지각을 담당한다. 차단마취방법은 환자의 눈을 감도록 한 후 가쪽눈구석인대 바로 위에서 주사침을 삽입한 후 상방으로 가쪽 안와가장자리를 따라서 진행시켜 주눈물샘앞 부분에 국소마취제 1 ml를 주사한다(**그림 1-43**). 주의할 점은 가쪽안와가장자리 안쪽으로는 주사침이 삽입되지 않도록 하여야 한다. 가쪽안와가장자리 안쪽에서는 눈물샘동맥을 손상시켜 안와출혈을 일으킬 수 있기 때문이다.

아래안와신경차단마취

아래안와신경은 삼차신경의 위턱분지maxillary branch이며, 가쪽눈구석과 콧방울alar nasi을 잇는 선의 중간 또는 안쪽 1/3 지점의 아래안와구멍으로 나오며, 아래눈꺼풀 전체와 뺨, 코의 외측부위의 감각을 담당한다. 아래안와구멍을 만져서 확인한 후 구멍 주위에 국소마취제 1 ml를 주사한다(**그림 1-44**).

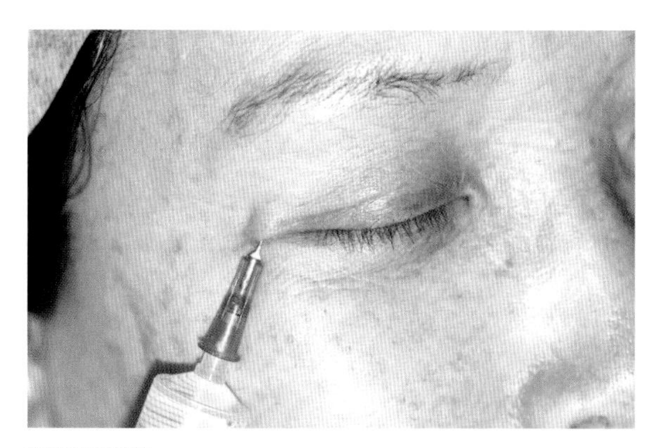

그림 1-43 눈물샘신경차단마취

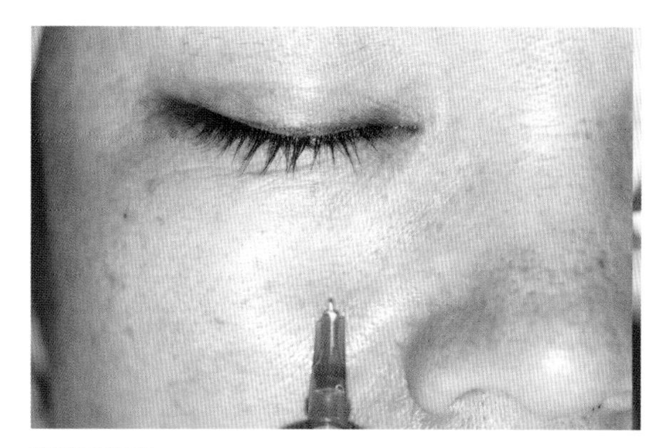

그림 1-44 아래안와신경차단마취

광대얼굴신경차단마취

광대얼굴신경은 삼차신경의 위턱분지에서 나온다. 가쪽눈구석인대의 약 10 mm 아래에 위치한 광대얼굴구멍으로 나오며, 가쪽눈구석주위, 아래눈꺼풀의 가쪽 부위에 분포한다. 광대얼굴구멍의 위치는 만져서 알기 어려운 경우가 많으므로, 가쪽눈구석인대 약 10 mm 아래의 광대뼈 앞 부위에 국소마취제 1 ml를 주사한다 (그림 1-45).

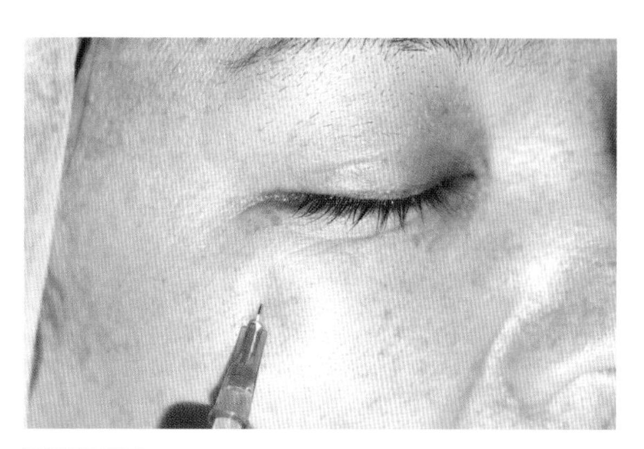

그림 1-45 광대얼굴신경차단마취

눈썹

눈썹은 이마근의 작용으로 눈꺼풀을 들어 올리는 추가 기능을 가지고 있어 눈꺼풀처짐이 있는 경우에 보상 작용으로 눈썹을 올리게 되므로 진단의 단서가 될 수 있으며, 또한 눈썹처짐증이 있는 경우에 눈꺼풀처짐으로 오인될 수 있으므로 주의하여야 한다. 눈썹의 안쪽 끝은 위안와경계보다 약간 아래에 위치하며 바깥쪽으로 갈수록 위로 향하여 바깥쪽 끝은 위안와경계보다 약간 위에 위치하게 된다. 눈썹의 방향은 눈썹의 안쪽으로 향하므로 피부절개 시 수직방향의 절개는 눈썹의 뿌리를 손상시킬 위험이 있어 눈썹에서 멀어지는 방향으로 약간 기울어진 절개가 바람직하다.

눈썹은 피부, 근육, 지방, galea의 4개층으로 구성되어 있는데, 눈썹 피부는 두꺼워 얼굴 피부보다는 머리 피부에 가까운 특징을 보이고 galea는 아래의 골막과 성긴 결합을 이루고 있어 눈썹의 자유로운 움직임에 기여한다.

눈썹의 근육

눈썹의 근육층은 눈둘레근, 눈썹주름근, 눈살근 그리고 이마근의 4가지 근육으로 구성되는데, 이들 근육은 서로 연합되며, 피부와의 연결을 가지고 있어 피부와 함께 움직인다(그림 1-46).

눈둘레근

눈썹 부위에서 눈둘레근은 이마근의 앞에 위치하며 눈썹의 피부와 부착되어 눈썹을 아래로 내리는 작용을 한다. 이마근과 마찬가지로 얼굴신경의 측두가지가 운동을 담당한다.

이마근

두피의 머리덮개널힘줄galea aponeurotica의 한 부분이며, 후두부에서 시작한 섬유성 널힘줄이 이마 부위에서 이마근으로 변하며, 뼈에의 부착은 없고 눈썹 피부에 부착되어 눈썹을 위로 올리는 기능을 한다. 얼굴신경의 측두가지가 분포한다.

눈썹주름근, 눈살근

눈썹주름근은 이마뼈의 nasal process에서 시작하여 이마근과 눈둘레근 밑에서 바깥쪽, 약간 위방향으로 주행하여 눈썹의 피부에 부착되므로 수축 시 눈썹을 아래쪽 안으로 내려 미간에 수직주름을 만든다. 눈살근은 이마뼈의 가운데 아래쪽에서 시작하고 위쪽으로 주행하여 이마근과 연결되며 수축 시 눈썹을 아래로 내려 눈썹활사이glabella에 수평주름을 만든다.

눈썹의 지방

눈둘레근 및 이마근과 galea 사이 공간에 눈썹지방덩이eyebrow fat pad가 위치하며, 눈꺼풀의 눈둘레근과 안와사이막 사이의 공간으로 연속된다(**그림 1-47**). 눈썹처짐의 교정을 위한 수술 시행 시 훌륭한 수술 공간이 되어 눈썹지방덩이가 있는 면을 박리하고 눈썹을 골막에 고정할 수 있다. 그러나 이 부위를 박리할 때 위안와신경과 위안와혈관을 조심하여야 하는데, 이들 신경과 혈관은 눈썹지방덩이 층에 존재하며 안와위패임 약 2~3 cm 위에서 이마근을 뚫고 나온다.

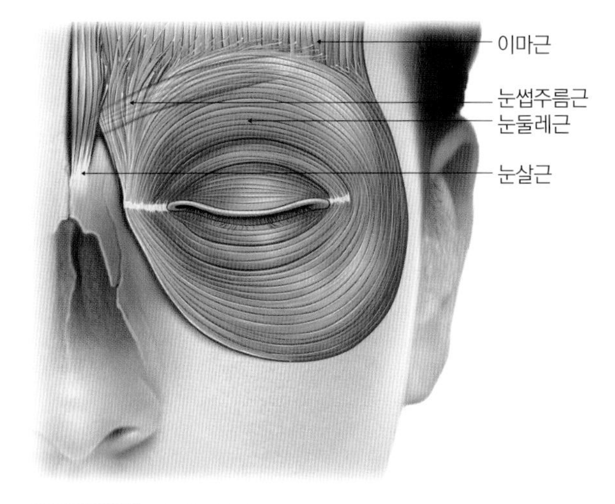

그림 1-46 눈썹 근육

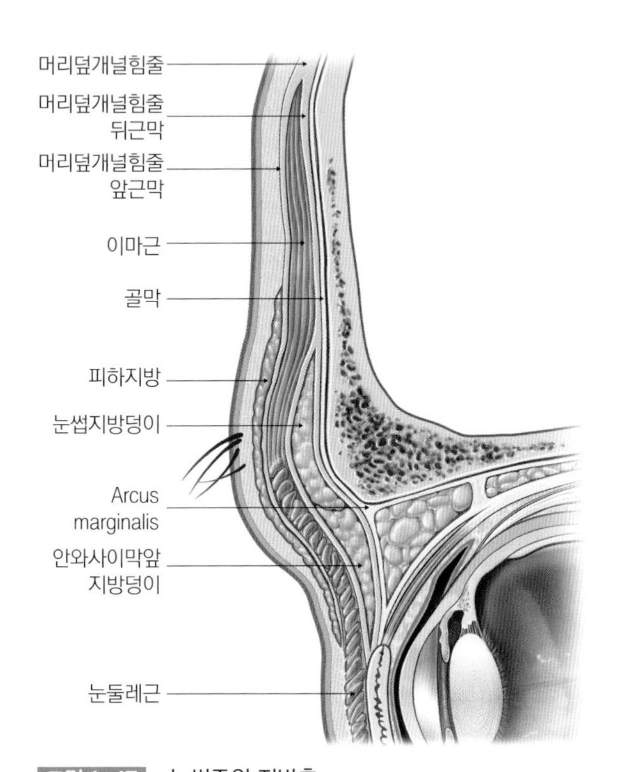

그림 1-47 눈썹주위 지방층

참고문헌

1. 김재호, 신환호, 권일택. 안검하수증 수술을 위한 상안검의 형태학적 특징. 대한안과학회지 1993;34:599-605.
2. 대한성형안과학회. 성형안과학. 도서출판 내외학술, 2015.
3. 서홍융, 안희배. 한국인의 연령에 따른 눈꺼풀의 형태학적 변화. 대한안과학회지 2009;50:1461-7.
4. 이상열, 김윤덕, 곽상인, 김성주. 눈꺼풀성형술. 도서출판 내외학술, 2009.
5. 조영진, 김영석, 정화선. 안검하수 환자의 Whitnall 인대의 구조 및 임상적 의의. 대한안과학회지 1996;37:427-33.
6. Chen WP. Oculoplastic surgery: the essentials. New York: Thieme, 2001.
7. Collin JR, Beard C, Wood I. Experimental and clinical data on the insertion of the levator palpebrae superioris muscle. Am J Ophthalmol 1978;85:792-801.
8. Dortzbach RK. Ophthalmic plastic surgery: prevention and management of complications. New York: Raven Press, 1994.
9. Doxanas MT, Anderson RL. Clinical orbital anatomy. Baltimore: Williams & Wilkins, 1984.
10. Doxanas MT, Anderson RL. Oriental eyelids. An anatomic study. Arch Ophthalmol 1984;102:1232-5.
11. Jeong S, Lemke BN, Dortzbach RK, Park YG, Kang HK. The Asian upper eyelid: an anatomical study with comparison to the Caucasian eyelid. Arch Ophthalmol 1999;117:907-12.
12. Kakizaki H, Zako M, Nakano T, Asamoto K, Miyaishi O, Iwaki M. The levator aponeurosis consists of two layers that include smooth muscle. Ophthal Plast Reconstr Surg 2005;21:379-82.
13. Nerad JA. Oculoplastic surgery: The requisites in ophthalmology. St. Louis: Mosby, 2001.
14. Sclafani AP, Jung M. Desired position, shape, and dynamic range of the normal adult eyebrow. Arch Facial Plast Surg 2010;12:123-7.
15. Takahashi Y. Kakizaki H, Kinoshita S, Iwaki M. Histological analysis of the lower-positioned transverse ligament. Open Ophthalmol J 2007;1:17-9.

CHAPTER 02

눈꺼풀처짐의 분류

Classification of blepharoptosis

CONTENTS

눈꺼풀처짐을 여러 가지 유형으로 분류하고 그에 따라 체계적인 치료계획을 세우는 것은 좋은 치료결과를 얻기 위한 필수적인 사항이다. 하지만 눈꺼풀처짐의 정의, 정도, 수술 적응증, 그리고 수술 방법 등은 그 사회의 미적 기준이나 사회환경, 인종 차이, 경제적 환경 그리고 의료보험제도 등 여러 가지 요인들에 의해 영향을 받을 수 있다. 2차 세계대전 이후 세계 대부분의 국가들이 서양문화의 영향을 받게 되었으며, 서양인의 미적 기준이 동양인에서도 널리 받아들여지게 되었다. 하지만 서양인의 관점에서 정해놓은 기준으로 동양인의 눈꺼풀처짐을 진단하고 판단하는 것은 많은 오류가 있을 수 있다. 또한 미국 등 서구권 국가들에서도 동양인의 인구가 증가함에 따라 이들 국가의 성형안과 의사들도 동양인의 눈꺼풀의 기준과 미의 기준에 대한 올바른 이해가 필요하게 되었다.

눈꺼풀처짐은 저자들마다 다양한 방식으로 분류하였는데, 1972년 Fox는 눈꺼풀처짐이 발생하는 시기에 따라 크게 선천과 후천으로 분류하였으며, 이 외에 상염색체우성autosomal dominant pattern으로 유전되는 눈꺼풀처짐인 가족유전성heredofamilial ptosis군을 분류하였다. 1981년 Beard는 선천과 후천눈꺼풀처짐과 함께 무안구증anophthalmic socket이나 피부이완증dermatochalasis, 하사시 등에 의한 가성눈꺼풀처짐pseudoptosis을 하나의 항목으로 구분하였다. 이전 Fox가 후천눈꺼풀처짐을 노인성, 외상성, 신경성, 근성으로 구분한 반면 Beard는 노인성눈꺼풀처짐을 근성에 속하는 것으로 분류하고 대신 기계성mechanical을 추가하여 후천눈꺼풀처짐을 신경성, 근성, 외상성, 그리고 기계성으로 분류하였다.

1980년 Frueh은 발생시기에 따라 선천성과 후천성으로 분류하는 것이 복잡하다고 생각하고, 대신 발생기전에 따라 널힘줄성, 근성, 신경성, 기계성으로 분류하였다. 이후 Frueh는 눈꺼풀올림근의 발달장애로 인한 근이상눈꺼풀처짐dysmyogenic ptosis과 태생 이후의 눈꺼풀올림근 결함으로 인한 근성눈꺼풀처짐myopathic ptosis로 세분하였다.

현재 Beard, Fox, Frueh 등의 분류법이 혼합되어 이용되고 있지만, 이 장에서는 이러한 분류법을 참고하여 눈꺼풀처짐을 보다 쉽게 이해하고 수술 방법을 선택하는 데 도움이 되도록 눈꺼풀처짐을 분류하고 설명하고자 한다.

눈꺼풀처짐이 나타난 시기에 따라 출생 시 눈꺼풀처짐을 가지고 태어난 선천눈꺼풀처짐, 그리고 출생 이후 나타난 눈꺼풀처짐인 후천눈꺼풀처짐을 하나의 큰 분류로 나누는 것은 정확한 원인을 파악하기에는 미흡하지만, 선천눈꺼풀처짐의 대부분이 단순 근성눈꺼풀처짐이며 후천눈꺼풀처짐의 대부분이 퇴행눈꺼풀처짐임을 감안하면 원인을 파악하는 데도 어느 정도 도움이 된다. 또한 눈꺼풀올림근절제술을 시행했을 때 절제양에 대한 처짐 교정 정도가 선천성에 비해 후천성일 때 훨씬 크게 나타나기 때문에 선천성과 후천성을 분류하는 것은 수술 계획을 세우는 데도 도움이 된다.

선천눈꺼풀처짐은 눈꺼풀올림근 자체의 이상증dystrophy으로 인해 발생하는 단순눈꺼풀처짐simple ptosis이 가장 흔하게 나타나며, 그 외 상직근약화superior rectus muscle weakness나 눈꺼풀틈새축소증후군blepharophimosis과 같이 다른 선천 이상이 동반되거나, 혹은 Marcus-Gunn 턱-윙크 현상jaw winking이나 눈돌림신경 이상재생 눈꺼풀처짐misdirected third nerve ptosis과 같은 연합운동이상synkinesis을 동반하는 합병눈꺼풀처짐unusual or complicated ptosis이 드물게 나타날 수 있다.

후천눈꺼풀처짐은 널힘줄성aponeurotic, 근성myogenic, 신경성neurogenic, 기계성, 그리고 가성눈꺼풀처짐으로 구분할 수 있다. 간혹 외상성을 하나의 항목으로 분류하기도 하지만 외상성은 근성, 신경성, 기계성의 어느 형태로도 나타날 수 있기 때문에 분류 항목에서 제외하였다(**표 2-1**).

선천눈꺼풀처짐

눈꺼풀처짐 환자 중 선천눈꺼풀처짐이 차지하는 비율은 사회적 환경, 경제적 정도, 의료보험 제도, 그리고 문화적 척도 등에 의해 달라질 수 있다. 눈꺼풀처짐 환자 중 선천눈꺼풀처짐이 차지하는 비중은 1949년 Berke는 88%, 1966년 Fox는 90%라고 하였으나, 1966년 Beard는 62%, 1969년 Smith는 67%라고 보고하였다. 하지만 1983년 Rathbun은 눈꺼풀처짐 수술환자 중의 20% 만이 선천성이었으며 69%는 널힘줄성이었다고 보고하였다. 이는 노령 인구가 증가하고 노인성 변화를 적극적으로 교정하려는 사회적 인식의 변화 이외에도 보고자에 따른 차이로 생각된다.

국내에서의 선천성 비중은 과거에는 94%(1979년), 91%(1985년), 92%(1995년) 등으로 월등히 높은 수치를 보여주고 있으나, 2005년의 보고에서는 선천성이 76%로 많이 감소하였고 후천성이 24%로 상당히 증가하였다. 이러한 변화는 국내에서도 수술적 교정에 대한 사회적 인식이 많이 변화하고 있음을 보여주고 있으며

표 2-1 눈꺼풀처짐의 분류

선천눈꺼풀처짐	후천눈꺼풀처짐
단순simple	널힘줄성aponeurotic
복합unusual or complicated	노인성senile
상직근 약화superior rectus muscle weakness	장기 콘택트렌즈 착용chronic contact wear
눈꺼풀틈새축소증후군blepharophimosis	외상trauma
Marcus Gunn 턱-윙크 현상jaw winking	안내수술intraocular surgery
Misdirected third nerve ptosis	스테로이드유발 눈꺼풀처짐steroid induced
선천외안근섬유증congenital fibrosis of the exraocular muscles	갑상샘질환thyroid disease
선천눈돌림신경마비congenital third nerve palsy	임신pregnancy
선천호르너증후군congenital Horner's syndrome	눈꺼풀이완증blepharochalasis
	근성myogenic
	중증근육무력증myasthenia gravis
	만성진행성외안근마비chronic progressive external ophthalmoplegia
	근긴장성이영양증myotonic dystrophy
	스테로이드유발 눈꺼풀처짐
	갑상샘질환
	외상
	신경성neurogenic
	호르너증후군Horner's syndrome
	눈돌림신경마비third nerve palsy
	다발성경화증multiple sclerosis
	외상외안근마비traumatic ophthalmoplegia
	안신경마비 편두통ophthalmoplegic migrane
	기계성mechanical
	눈꺼풀 종양lid tumor
	안와 종양orbital tumor
	반흔성 질환cicatrical disease
	외상
	가성눈꺼풀처짐pseudoptosis
	안구함몰enophthalmos
	하사시hypotropia
	반대편 눈꺼풀후퇴contralateral lid retraction

또한 경제적 성장이 수술에 대한 미적 혹은 기능적 기준을 변화시키는 것으로 해석할 수 있다. 따라서 선천성에 비해 노년층에서 나타나는 퇴행눈꺼풀처짐을 교정하기 위한 수술의 비중은 계속적으로 증가할 것으로 판단된다.

단순선천눈꺼풀처짐

어린이 눈꺼풀처짐 환자의 대부분을 차지하는 형태로서 눈꺼풀올림근 자체의 이상증으로 인해 나타나는 근성눈꺼풀처짐으로, 신경지배의 이상은 나타나지 않는다(**그림 2-1**). 눈꺼풀처짐이 있는 눈꺼풀올림근의 광학현미경 소견에서 눈꺼풀처짐의 정도와 비례하여 근육섬유가 소실된 것을 보여준다고 보고된 바 있다(**그림 2-2**). 유전 성향 없이 보통 산발성sporadic이지만 가끔 가족력이 있는 경우를 볼 수 있다.

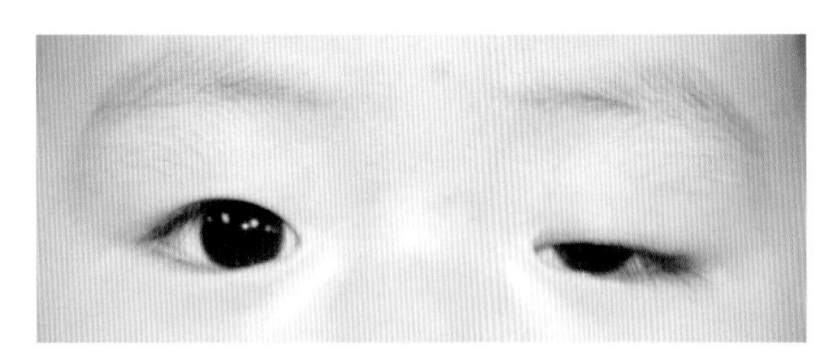

그림 2-1 단순선천눈꺼풀처짐

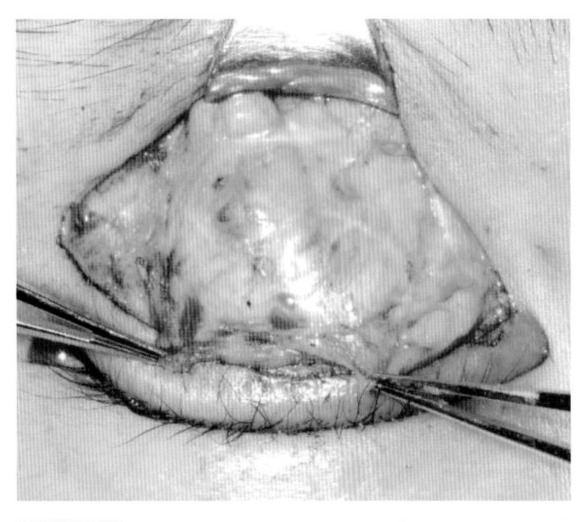

그림 2-2 선천눈꺼풀처짐에서 눈꺼풀올림근에 지방이 침윤된 모습

눈꺼풀올림근의 섬유화로 인해 눈을 뜰 때 근육 수축운동이 되지 않을 뿐 아니라 아래를 볼 때도 이완이 충분히 되지 않기 때문에 눈꺼풀내림지연현상lid lag이 나타난다. 눈꺼풀올림근 발달 장애 정도에 따라 눈꺼풀처짐 정도가 다르며, 눈꺼풀처짐의 정도는 성장하여도 큰 변화를 보이지 않는다. 단순선천눈꺼풀처짐에서는 외안근 기능은 대부분 정상이지만, 상직근 기능 약화가 동반된 경우가 있으며 이는 단순선천눈꺼풀처짐의 범주에 포함시키지 않는다.

복합선천눈꺼풀처짐

상직근 약화 동반

눈꺼풀처짐과 동반되어 같은 눈에 나타나는 상직근 약화는 신경계의 이상이라기 보다 근육의 발달장애이다. 이는 태생학적으로 상직근과 눈꺼풀올림근이 같은 embryologic bud에서 발달되었기 때문에 눈꺼풀처짐과 상직근 약화가 동반되어 나타나며, 눈의 다른 근육은 이상소견을 보이지 않는다. 임상적으로 상직근이 약화되지 않은 경우에 비해 더 많은 양의 눈꺼풀올림근 절제가 필요하며 Bell 현상이 떨어지기 때문에 수술 후 눈의 보호기능이 감소되는 것을 유의하여야 한다(**그림 2-3**).

눈꺼풀틈새축소증후군

눈꺼풀올림근 기능이 나쁜 눈꺼풀처짐, 눈구석벌어짐(안와격리증)telecanthus, 그리고 거꿀눈구석주름epicanthus inversus이 특징적으로 나타나는 선천성 질환으로 선천눈꺼풀처짐 환자의 약 2~3%를 차지하고 있다(**그림 2-4**). 처음엔 돌연변이로 나타나지만 우성 유전된다. 반흔성의 아래눈꺼풀겉말림, 눈물점lacrimal puncta의 가

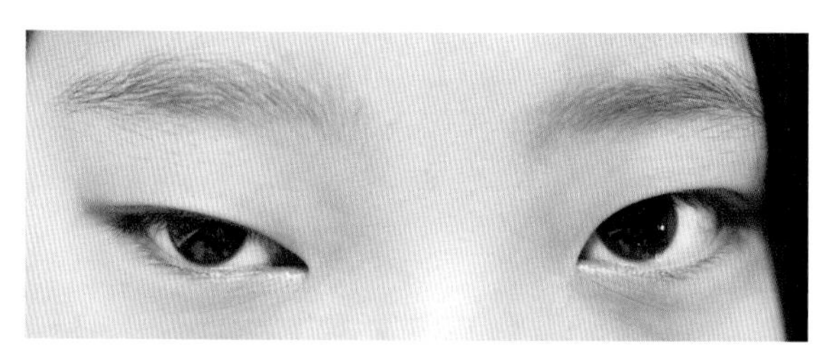

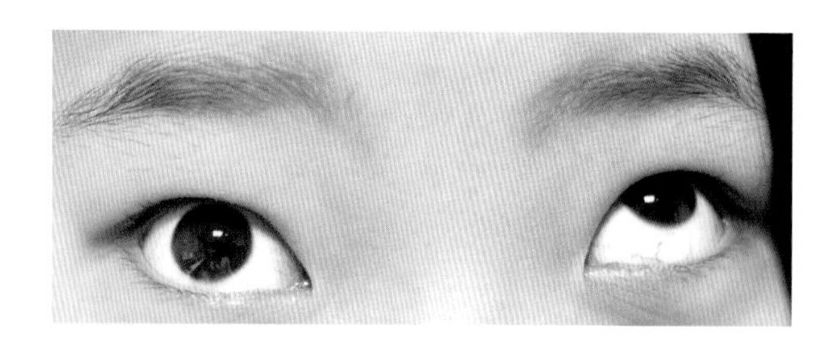

그림 2-3 우안 상직근 약화가 동반된 눈꺼풀처짐 환자
A. 정면주시 시. **B**. 상방주시 시 모습

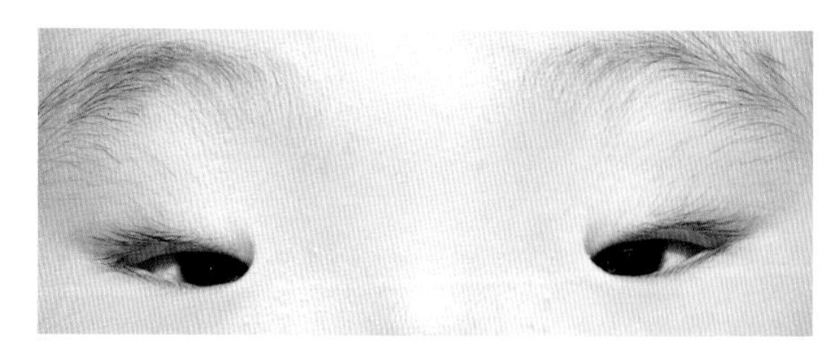

그림 2-4 눈꺼풀틈새축소증후군

쪽 이동, 낮은 미간과 콧등flattened glabellar and nasal bridge 등이 가끔 동반되어 나타나기도 한다. 간혹 발달장애를 보이기도 하지만 지적 수준은 떨어지지 않는다.

턱-윙크 현상

입을 움직일 때 눈꺼풀이 동시에 올라가는 연합운동 현상을 말하며 선천눈꺼풀처짐 환자의 2~3%에서 나타난다(**그림 2-5**). 연합운동이란 비정상적인 신경분포에 의해 한 운동 때 다른 운동이 동시에 나타나는 현상을 말한다. 원인은 날개근pterygoid muscle으로 가는 삼차신경과 눈꺼풀올림근에 분포하는 눈돌림신경이 비정상적으로 연결되어 나타난다.

눈꺼풀처짐과 동반되어 드물게 나타나는 다른 형태의 연합운동 이상은 misdirected third nerve syndrome으로 상직근, 내직근, 혹은 하직근의 수축 때 처진 눈꺼풀이 올라간다(**그림 2-6**). 선천성이 많지만 후천적으로 발생한 눈돌림신경의 마비 후 회복 과정에서

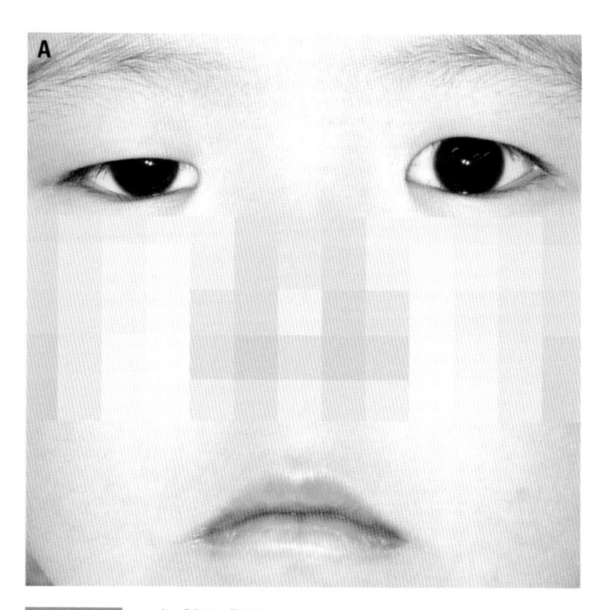

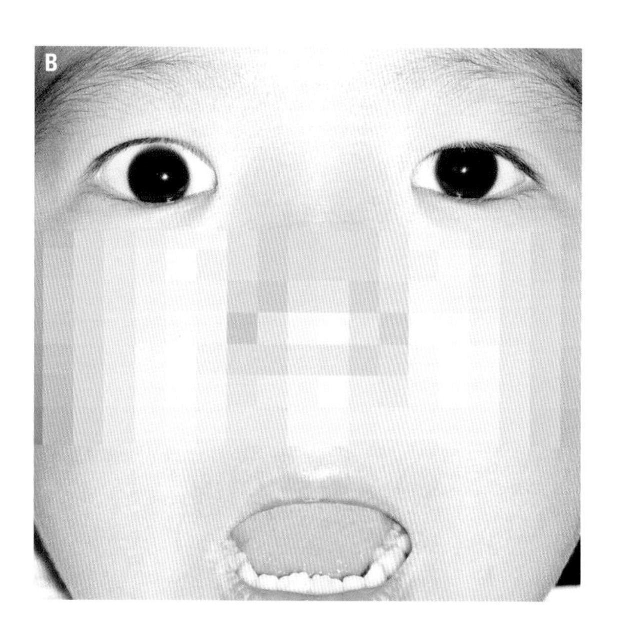

그림 2-5 턱-윙크 현상

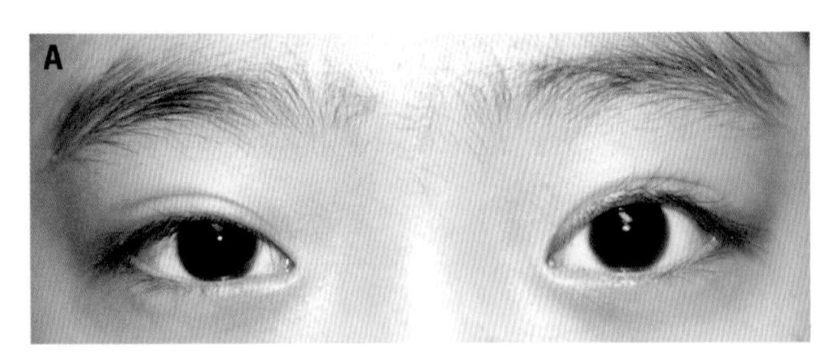

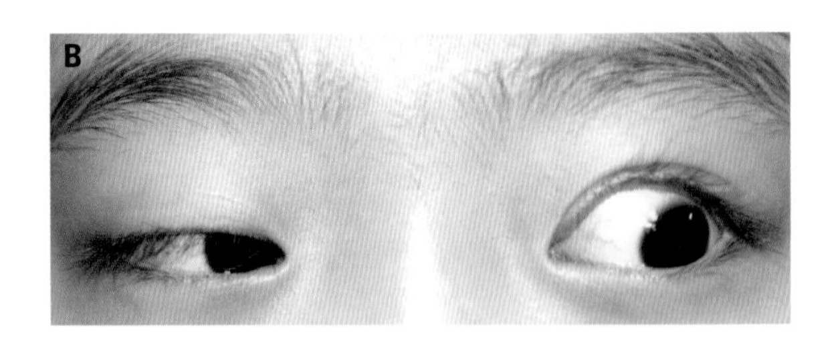

그림 2-6 옆을 볼 때 나타나는 연합운동
A. 정면주시 시, **B.** 좌측주시 시 모습

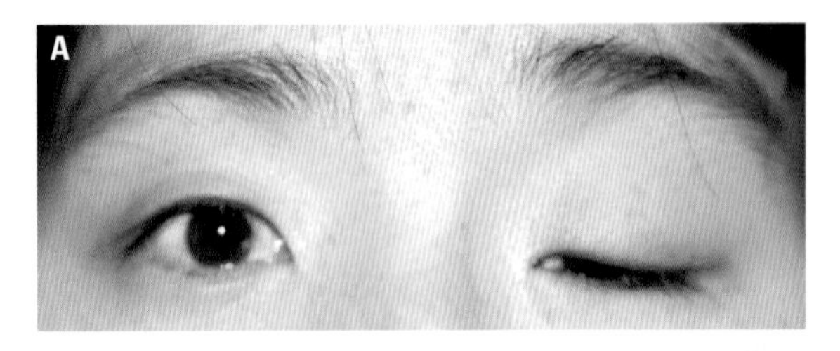

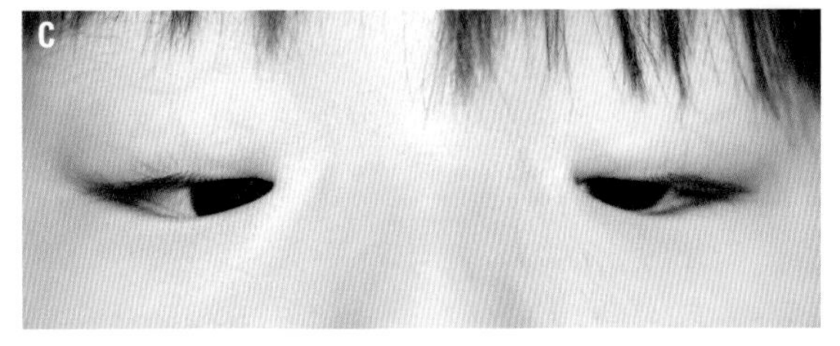

그림 2-7 어머니(**A**)와 두 아들(**B, C**)에서 나타난 선천외안근섬유증

나타나기도 한다.

선천외안근섬유증

선천외안근섬유증 때 동반되어 나타나는 눈꺼풀처짐으로 눈꺼풀올림근이 침범되어 눈꺼풀처짐과 함께 턱을 드는 모습을 보인다. 모든 외안근이 침범될 수 있지만 하직근이 가장 잘 침범되어 시선이 아래로 고정되는 하사시가 잘 나타난다. 위로 쳐다볼 때 jerky convergent movement를 보이며, 강제견인 검사forced duction test에서 위쪽으로 저항이 심하여 외안근이 섬유화 된 것을 알 수 있다(**그림 2-7**).

안구의 수평운동도 제한을 받으며, 내사시에 비해서 외사시가 더 잘 나타난다. 양안시 기능도 손상되며, 외안근의 섬유화로 난시로 인한 약시가 잘 나타난다.

치료는 하직근 후전과 함께 이마근걸기술로 눈꺼풀처짐을 교정해야 한다. Bell 현상이 약하기 때문에 토안으로 인한 각막 손상을 피하기 위해 눈꺼풀처짐은 저교정하는 것이 좋다.

선천눈돌림신경마비

정확한 원인은 밝혀지지 않았지만 출생 전부터 나타날 수 있으며, 분만 시 손상으로 인해 나타날 수도 있다. 외사시 및 하사시와 함께 눈꺼풀처짐이 동반되어 있으며, 주로 단안성으로 나타난다.

수술적 치료로 교정하지만, 사시부터 수술하여 안구 위치를 바로 잡은 후 눈꺼풀처짐을 수술하는 것이 좋다. 심한 외사시를 교정하지 않은 상태에서 눈꺼풀처짐 수술은 수술 후 외관상 보기 싫을 수 있어 눈꺼풀처짐 수술 여부는 신중히 결정하여야 한다.

소아 호르너증후군

호르너증후군은 교감신경계의 장애로 나타나며, 눈꺼풀처짐, 동공축동, 그리고 반쪽안면무한증의 전형적인 세가지 증상이 나타난다. 선천호르너증후군의 원인은 상완신경총brachial plexus 손상을 일으키는 출산외상birth trauma이 가장 흔하며 종양, 경동맥이상 등이 있다. 후천호르너증후군의 원인으로는 두경부나 흉부 수술 시 안교감신경경로가 손상 받는 경우가 가장 흔하며, 그 외에 종양이나 감염성 질환 등이 있다.

호르너증후군을 일으키는 종양으로는 신경아세포종이 가장 흔하며, 특히 약 2%의 신경아세포종에서 초기 증상으로 호르너증후군이 나타난다고 보고된 바 있다. 그 외에 척수종양, 배아암종embryonal cell carcinoma, 횡문근육종rhabdomyosarcoma과 같은 종양이나, 내경동맥 혈전, 뇌간의 혈관기형 등이 원인으로 보고된 바 있다.

호르너증후군의 특징적인 소견은 눈꺼풀처짐, 아래눈꺼풀의 상방이동, 동공축동, 반쪽안면무한증, 그리고 홍채의 색소결핍hypochromia 등이다. 눈꺼풀처짐은 교감신경의 지배를 받는 뮐러근이 약해짐으로써 1~2 mm 정도로 경미하게 나타나며 아래 눈꺼풀도 상방으로 이동하게 된다.

병변 쪽의 동공이 정상 쪽보다 더 작은 동공부등이 나타나는데, 이는 교감신경 마비로 인해 동공확장근이 수축하지 않아 나타나는 현상으로, 이러한 동공부등은 어두운 곳에서 동공이 확장되지 않아 더 심해진다. 동공은 어두운 곳에서 약 15초 이상 경과하면서 서서히 확장되는데 이런 현상을 동공지체dilation lag라 하며 이는 생리적 동공부등과 감별점이 된다.

가끔 환자가 울 때 정상 쪽 얼굴은 홍조를 띠나 병변 쪽은 혈관이 확장되지 않아 홍조가 없이 창백한 경우가 있다. 안과 진료 중 조절마비 굴절 검사를 위해 아트로핀 안약을 점안할 때 병변 쪽에 아트로핀으로 인한 홍조atropine flush가 나타나지 않기도 한다. 홍채 색소결핍은 홍채 멜라닌세포의 개수가 적거나 멜라닌세포 내의 멜라닌소체 크기와 수가 줄어 홍채 기질에 색소감소를 일으키기 때문에 나타난다. 신경절이전 병변이나 신경절이후 병변 모두에서 나타날 수 있다.

호르너증후군의 진단은 동공에 대한 검사로 이루어진다. 호르너증후군의 확진을 위해 고전적으로는 코카인 점안액을 사용하며 코카인에 동공이 확장되지 않을 때 진단할 수 있다. 그러나 코카인이 전신 흡수되어 혈압이나 맥박수를 상승시킬 수 있어 주의를 요하며, 특히 국내에서는 유통되지 않아 코카인 검사는 불가능하다. 요즘 손쉽게 구할 수 있는 아프라클로니딘이 호르너증후군의 진단에 각광받고 있다. 0.5% 아프라클로니딘은 녹내장 치료용으로 개발된 약으로서 α-2 작용이 방수 생성을 억제한다. 그런데 α-1 작용이 미미하게 있어서 탈신경과민denervation supersensitivity 상태인 호르너증후군의 동공확장근에 작용하여 동공을 확장시킴으로써 동공부등이 역전reversal of anisocoria되는 것을 관찰하면 확진할 수 있다. 아프라클로니딘 검사의 단점으로, 교감신경이 손상받은 후 약 3일 이내에는 탈과민 현상이 나타나지 않아 위음성으로 나타날 수 있다. 또한 혈액 뇌장벽을 통과하여 특히 신생아에서는 심한 중추신경 억제와 같은 부작용이 나타날 수 있으므로 사용이 금기 시 된다.

호르너증후군이 확진되면 그 원인에 대한 검사를 진행하게 된다. 세심한 병력청취가 매우 중요하며 겸자분만과 같은 출산외상, 두경부나 흉부 수술 병력 등이 있었는지 확인해야 하며 소아 호르너증후군 환자의 약 50%에서 이런 병력을 동반한다. 또한 목, 겨드랑이, 복부 등에 대해 촉진함으로써 종괴가 있는지 확인해야 한다.

초기 진단 시 원인을 발견하지 못하는 경우, 신경아세포종과 같은 종양의 유무에 대한 감별진단이 필요하다. 신경아세포종은 카테콜아민의 대사물질인 homovanillic acid (HVA)나 vanillylmandelic acid (VMA)의 소변 배출량을 검사함으로써 90~95%에서 진단할 수 있다고 알려져 있다. 그러나 이러한 대사물질은 종양의 크기와 비례하여 증가하므로, 실제로 소변 내 수치가 올라간 많은 환자들은 호르너증후군보다 종괴 효과로 인한 다른 증상들이 동반된 경우가 많다. 반면 호르너증후군을 일으키는 신경아세포종은 상대적으로 크기가 작은 경우가 많아 소변 검사에서 정상으로 나올 수 있다. 이러한 소변 검사보다는 영상 검사가 더 정확하며 종양을 확인하기 위해서는 두경부와 흉부에 조영증강자기공명영상을 시행해야 한다.

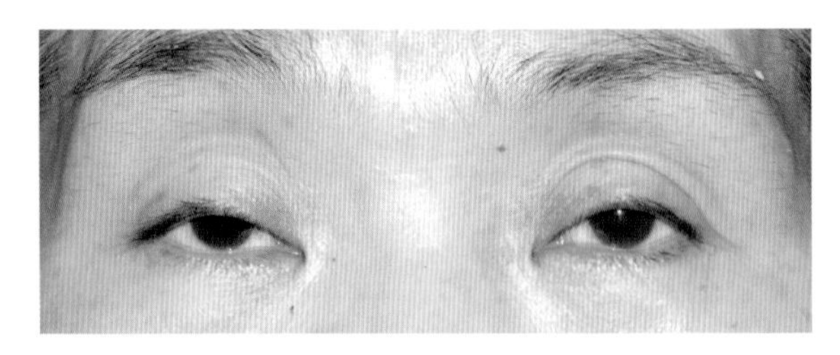

그림 2-8 널힘줄성눈꺼풀처짐의 모습

후천눈꺼풀처짐

널힘줄눈꺼풀처짐

눈꺼풀올림근널힘줄의 눈꺼풀판 부착이 느슨하거나 널힘줄 자체가 얇아져 눈꺼풀을 들어올리는 힘이 약해짐으로 인해 나타나는 눈꺼풀처짐으로 후천성 눈꺼풀처짐의 가장 흔한 형태이다(**그림 2-8**). 나이가 든 환자에서 잘 발생하기 때문에 퇴행성involutional 혹은 노인성senile이라고도 한다. 하지만 퇴행눈꺼풀처짐의 원인이 널힘줄의 눈꺼풀판 부착 이상으로 나타나기 보다는 눈꺼풀올림근 자체의 이상이라는 주장도 설득력을 얻고 있다(**그림 2-9**).

널힘줄눈꺼풀처짐의 원인으로는 나이, 눈수술ocular surgery, 장기 콘택트렌즈 착용contact lens wear, 외상, 재발성 눈꺼풀부종, 임신, 눈꺼풀처짐이 동반된 그레이브스병Graves' disease with ptosis 그리고 가족력 등이 있지만 근성눈꺼풀처짐과 명확히 분류하기 어려운 경우가 많다.

임상적 양상으로 눈꺼풀처짐의 정도는 경한 경우부터 심한 경우까지 다양하지만 눈꺼풀올림근의 기능은 양호하며, 쌍꺼풀선이 올라가며 그리고 눈꺼풀이 얇아져 홍채 색상이 비쳐 보일 수 있다. 하지만 동양인에서는 홍채가 비쳐 보이는 경우는 거의 없는데 이는 원래 동양인의 눈꺼풀이 두툼하기 때문이거나 혹은 널힘줄이 얇아지거나 부착이 떨어지지 않고 근육 자체의 변화로 인해 눈꺼풀처짐이 나타나기 때문으로 생각할 수 있다.

근성눈꺼풀처짐

후천적으로 나타나는 근성눈꺼풀처짐은 다음과 같은 종류의 질환이 있다.

- 만성진행성외안근마비chronic progressive external ophthalmoplegia
- 중증근육무력증myasthenia gravis
- 안인두근이영양증oculopharyngeal muscular dystrophy
- 근긴장성이영양증myotonic dystrophy
- 외상눈꺼풀처짐posttraumatic ptosis
- 갑상샘기능항진증이 동반된 눈꺼풀처짐 Graves' disease with ptosis
- 스테로이드유발 눈꺼풀처짐corticosteroid induced ptosis
- 임신과 동반된 눈꺼풀처짐ptosis from pregnancy

만성진행성외안근마비

만성진행성외안근마비는 주로 눈꺼풀올림근과 외안근을 침범하는 진행성의 근육이상증으로 순수한 근병증myopathy인지 혹은 신경질환이 관여되었는지에 대해서는 논란이 있다(**그림 2-10**). 눈꺼풀올림근과 외안근을 처음 침범하여 천천히 진행하지만 다른 장기의 이상도 나타나기도 한다.

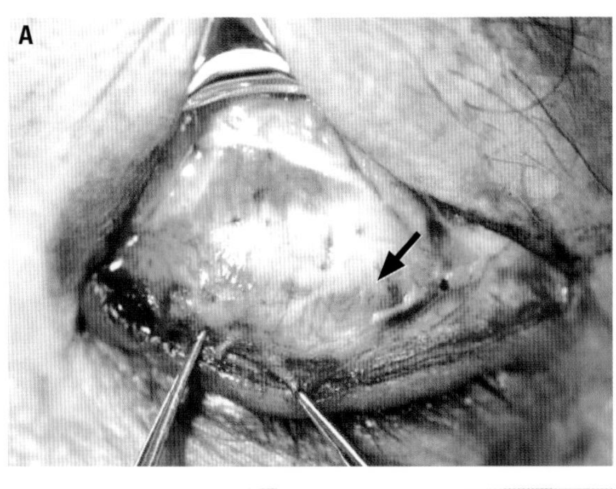

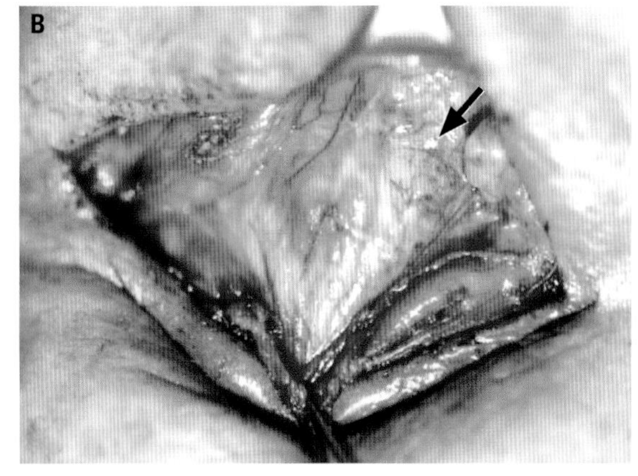

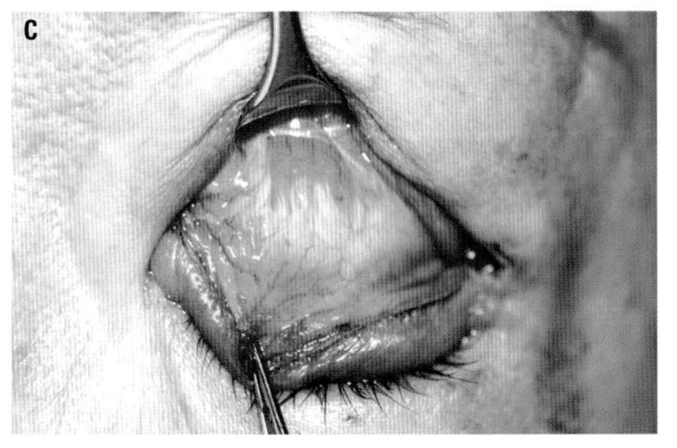

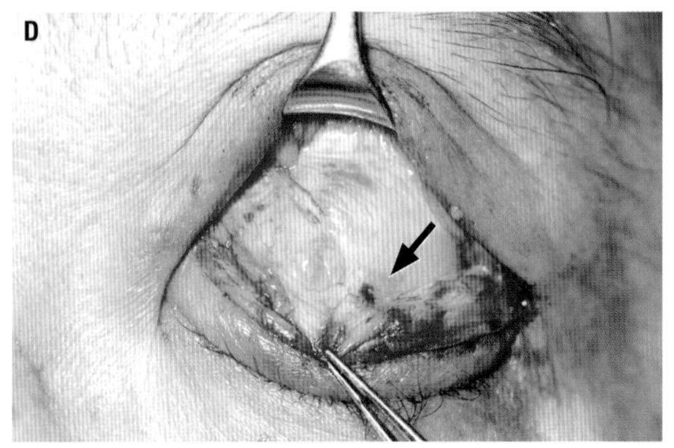

그림 2-9 눈꺼풀올림근과 널힘줄의 변화

A. 눈꺼풀판에서 눈꺼풀올림근널힘줄의 부착이상(화살표). **B.** 안쪽 눈꺼풀올림근널힘줄의 결손(화살표). **C.** 눈꺼풀올림근과 널힘줄에 지방조직이 침윤된 모습. **D.** 눈꺼풀올림근널힘줄이 얇아져서 각막이 비쳐 보이는 모습(화살표)

중증근육무력증

중증근육무력증은 근병증이지만, 근본적인 문제는 근신경접합부myoneural junction의 acetylcholine 부족에 따른 신경자극의 전달 이상으로 발생한 눈꺼풀처짐이기 때문에 신경성으로 분류하기도 한다(**그림 2-11**). 대부분의 환자에서 첫 증상으로 단안성 혹은 비대칭성의 눈꺼풀처짐이나 복시가 나타나며, 피로가 심해질수록 이 증상들이 더 심해진다.

안인두근이영양증

만성진행성외안근마비의 변형으로 양안 눈꺼풀처짐이 진행성으로 나타나며, 얼굴근육의 약화와 삼키기곤란dysphagia의 증상이 동반되며 주로 30~40대에 나타난다. 상염색체우성으로 유전되며 French-Canadian 가계에서 특징적으로 나타난다. 눈꺼풀올림근의 기능은 만성진행성외안근마비보다 양호하며, 외안근과 Bell 현상의 손상도 심하지 않다.

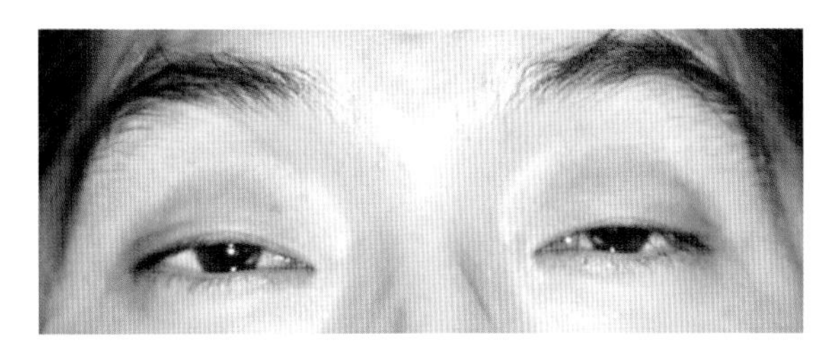

그림 2-10 만성진행성외안근마비 환자 모습

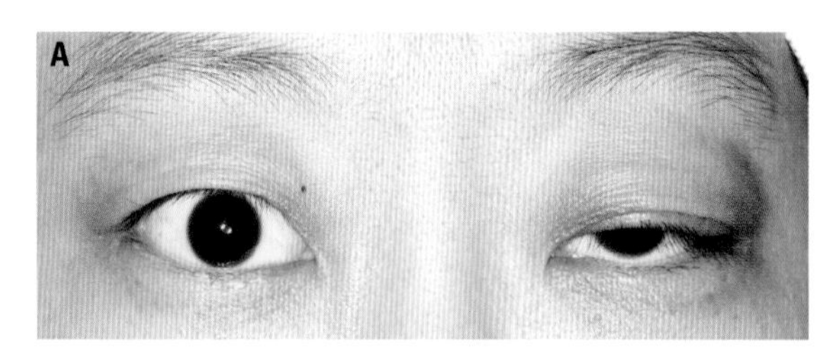

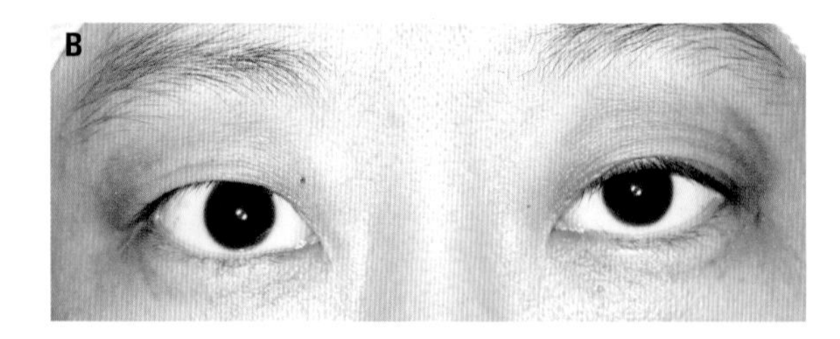

그림 2-11 좌안 눈꺼풀처짐 정도의 변화가 확연히 관찰되는 중증근육무력증 환자

근긴장성이영양증

근육의 수축 후 이완이 되지 않는 현상을 말한다. 눈을 꼭 감았다가 눈을 떴을 때 안구 위치가 위로 편위된 채로 Bell 현상이 유지되는 것이 근긴장증myotonia의 예이다. 눈꺼풀처짐 정도는 다양하며, 얼굴근육이나 눈둘레근이 약해지고 백내장이나 망막색소변성과 같은 안구 내의 다른 이상과 동반될 수 있다.

외상눈꺼풀처짐

눈꺼풀올림근에 가해진 어느 형태의 외상이든 근육의 힘을 약화시켜 눈꺼풀처짐을 일으킬 수 있다. 외상 후 생긴 부종으로 인해 눈꺼풀올림근이 늘어나거나 눈꺼풀에 생긴 반흔조직으로 인해서도 눈꺼풀처짐이 발생할 수 있다.

갑상샘기능항진증이 동반된 눈꺼풀처짐

Graves' disease가 있는 환자에서 눈꺼풀처짐이 나타나는 경우는 흔치 않으나 눈꺼풀부종이 지속될 때 널힘줄의 부착이 떨어져 눈꺼풀처짐이 나타날 수 있다. 근육무력증 환자의 5%에서 갑상샘기능항진이 동반되기 때문에 눈꺼풀처짐이 있는 갑상샘질환 환자는 근육무력증의 동반 여부를 검사해야 한다.

스테로이드유발 눈꺼풀처짐

장기적으로 스테로이드를 점안했을 때 눈꺼풀처짐이 발생할 수 있으나 정확한 원인은 밝혀지지 않았다. 근병증으로 인한 근성눈꺼풀처짐으로 보고되지만 포도막염이나 만성결막염 등의 질환으로 인해 이차성으로 발생하거나 안약 점안 과정에 눈꺼풀에 오랫동안 힘이 가해져 발생한다는 주장도 있다.

임신과 동반된 눈꺼풀처짐

임산부의 분만 직후 눈꺼풀처짐이 발생되는 것이 보고된 적이 있으며 원인은 정확히 밝혀져 있지 않다. 근성으로 분류되지만 눈꺼풀부종, progesterone 수치 증가, 혹은 분만으로 인한 육체적 긴장으로 인한 널힘줄의 떨어짐도 원인으로 제시되고 있다.

신경눈꺼풀처짐

호르너증후군

호르너증후군은 뮐러근의 마비로 인해 발생한 눈꺼풀처짐을 말한다. 위눈꺼풀처짐 이외에도 아래눈꺼풀의 상방이동, 축동, 동측 얼굴과 목의 무한증anhidrosis이 동반되며 동측의 홍채에 탈색소 현상이 발생할 수도 있다(그림 2-12).

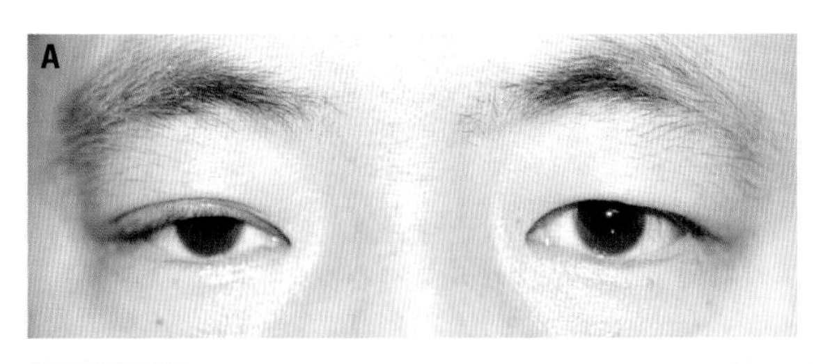

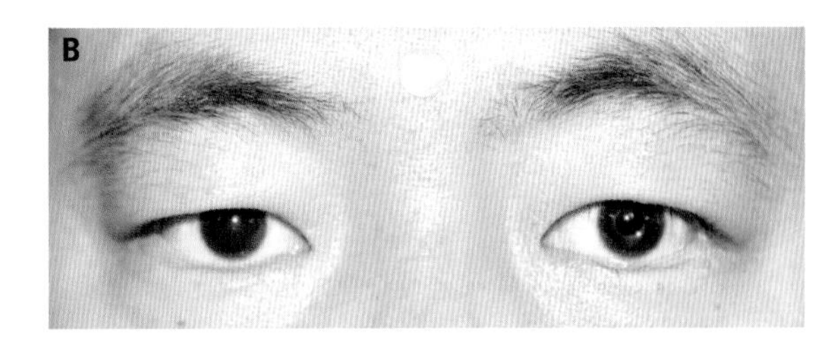

그림 2-12 호르너증후군에서 우안에 눈꺼풀처짐과 축동이 관찰된다(**A**). 우안에 페닐에프린 점안 후 눈꺼풀처짐이 호전된 모습(**B**)

눈돌림신경마비

눈돌림신경마비는 눈돌림신경의 대뇌 신경핵에서부터 눈꺼풀올림근까지의 신경경로 중 발생한 이상으로 나타난 눈꺼풀처짐을 말한다(**그림 2-13**).

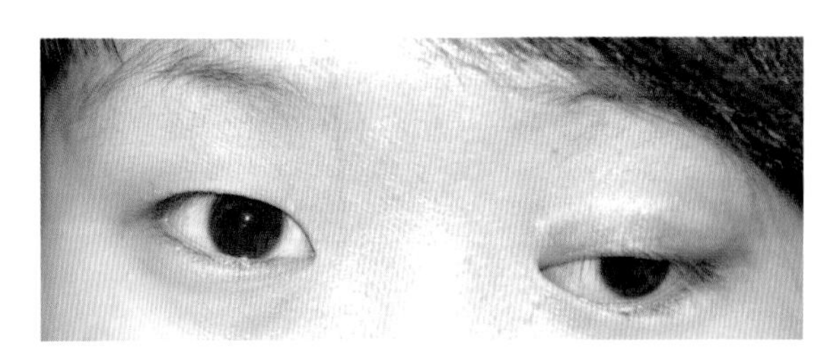

그림 2-13 눈돌림신경마비에서 좌측 눈꺼풀처짐, 외사시, 하사시가 관찰된다.

외상외안근마비

외상외안근마비는 외상으로 인한 눈돌림신경마비에 의해 발생한 눈꺼풀처짐을 말하며 눈꺼풀올림근 또는 널힘줄의 손상으로도 발생할 수 있다.

안신경마비 편두통

안신경마비 편두통은 안구운동장애 및 시야변화를 동반하는 편두통으로 가끔 눈꺼풀처짐이 동반될 수도 있다. 확장된 혈관에 의해 눈돌림신경이 눌려서 발생하는 것으로 알려져 있으며 대부분의 환자들은 눈꺼풀처짐이 발생하기 이전부터 편두통을 앓아온 병력이 있다.

기계눈꺼풀처짐

기계눈꺼풀처짐은 윗눈꺼풀에 중량이 가해지거나 윗눈꺼풀의 반흔성 변화로 인해 윗눈꺼풀올림근의 운동에 제한을 일으킬 때 나타난다(**그림 2-14**).

윗눈꺼풀에 중량이 가해지는 경우로는 눈꺼풀, 안와, 결막 등에 생기는 종양, 침윤성 질환, 염증성 질환이 있다. 장기간 콘텍트렌즈를 착용한 사람에서 눈꺼풀에 가해지는 물리적 힘으로 인해 널힘줄눈꺼풀처짐이 나타날 수도 있으나 콘택트렌즈의 위쪽 이동, 거대유두결막염 등으로 인해 눈꺼풀처짐을 일으키기도 한다. 가장 흔한 눈꺼풀종양은 신경섬유종, 림프종, 혈관종 등이 있으며 특히 가쪽 눈꺼풀의 처짐이 두드러지는 경우 눈물샘의 종양을 의심할 수 있다.

반흔성 변화로 인한 눈꺼풀처짐은 트라코마, 눈유천포창ocular pemphigoid 등의 질병으로 인한 경우와 외상이나 수술로 인한 경우가 있다. 외상으로 인해 널힘줄눈꺼풀처짐이 나타날 수도 있으나 눈꺼풀올림근의 유착이나 반흔으로 인한 기계눈꺼풀처짐이 나타나기도 한다.

외상으로 인한 눈꺼풀처짐은 일시적일 수 있으므로 개방성 열상이 없다면 약 6개월 경과관찰 후 수술하는 것이 바람직하다.

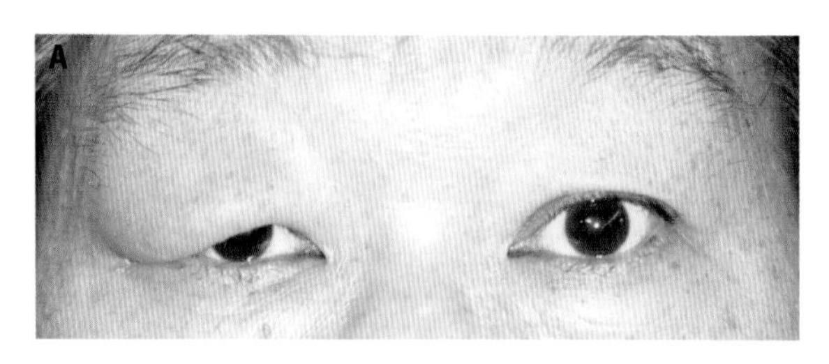

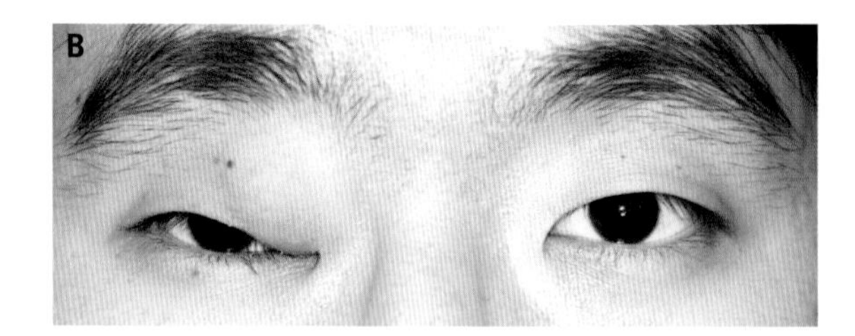

그림 2-14 **A.** 눈꺼풀늘어짐으로 인한 기계눈꺼풀처짐. **B.** 안와 혈관종으로 인한 기계눈꺼풀처짐

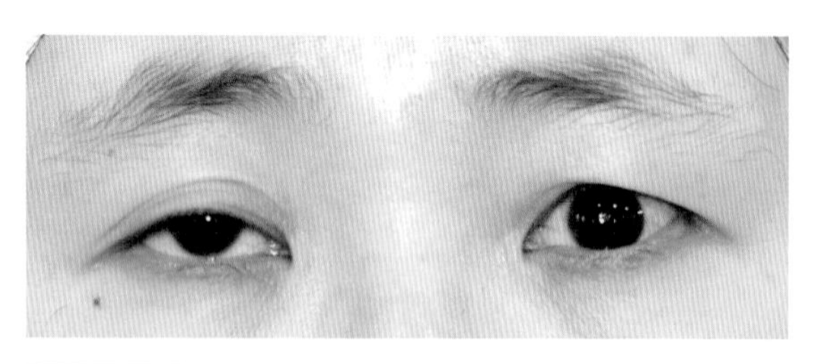

그림 2-15 좌안 눈꺼풀뒤당김으로 인하여 우안에 발생한 가성눈꺼풀처짐

가성눈꺼풀처짐

눈꺼풀올림근 기능은 정상이고 실제로 눈꺼풀처짐이 없지만 눈꺼풀처짐처럼 보이는 경우를 말한다. 반대측의 눈꺼풀후퇴, 하사시, 안구함몰, 반대측의 안구돌출, 후퇴증후군retraction syndrome 등의 원인이 있다(**그림 2-15**).

참고문헌

1. 김인식, 최정범, 라상훈, 이상열. 한국인에서 안검하수의 원인별 분류. 대한안과학회지 2005;46:1262-9.
2. 이태수, 최경석, 김용섭. 안검하수 수술 456 예에 대한 임상적 연구. 대한안과학회지 1995;36:1093-104.
3. 정화선, 김성열. 안검하수의 원인 분석. 대한안과학회지 1995;36:1649-54.
4. 정화선, 안태광. 선천성 및 후천성 안검하수증에서 상안검거근의 조직학적 소견. 대한안과학회지 1991;32:1031-40.
5. Beard C. Ptosis. St. Louis: Mosby, 1981.
6. Fox SA. Surgery of ptosis. Baltimore: Williams & Wilkins, 1986.
7. Freuh BR. The mechanistic classification of ptosis. Ophthalmology 1980;87:1019-21.
8. Nerad JA. Oculoplastic surgery: The requisites in ophthalmology. St. Louis: Mosby, 2001.
9. Rathbun E. Eyelid surgery. Boston: Little Brown and Company, 1983.
10. Sakol PJ, Mannor G, Massaro BM. Congenital and acquired blepharoptosis. Curr Opin Ophthalmol 1999;10:335-9.

CHAPTER 03

눈꺼풀처짐 수술 전 검사

Preoperative evaluation of blepharoptosis

CONTENTS

눈꺼풀처짐은 성형안과 분야에서 가장 흔한 질환 중 하나로서, 치료를 위해 대부분 수술이 필요하지만 치료 결과를 예측하기 어렵기 때문에 교정하기 까다로운 질환이다. 눈꺼풀처짐의 원인을 규명하고 가장 적합한 수술 방법을 선택하기 위한 첫 단계는 수술 전 검사이다. 수술 전 검사를 통하여 눈꺼풀처짐의 정도와 형태를 정확하게 파악하고 어떤 수술 방법으로 교정해야 하는지 결정하게 된다.

즉, 정확한 수술 전 검사를 통하여 가장 적합한 수술을 선택해야만 수술 후 기능적이나 미용적으로 좋은 결과를 얻을 수 있으며 합병증의 발생 가능성을 최소화 할 수 있다. 또한 사전에 환자와 보호자에게 충분한 정보를 제공하여 수술 과정이나 수술 후 발생할 수 있는 문제점들을 이해시키고, 수술 후 눈 관리를 잘 할 수 있도록 해야 한다.

이 장에서는 눈꺼풀처짐 환자들을 치료하는데 있어 만족스러운 수술결과를 얻기 위한 수술 전 검사로 병력 청취 및 이학적 검사에 대해 기술하고자 한다.

병력 청취

눈꺼풀처짐 환자를 치료하는데 있어 만족스러운 수술 결과를 얻기 위한 첫 단계는 병력 청취 및 이학적 검사를 철저히 하는 것이다. 이 과정을 통하여 눈꺼풀처짐의 원인을 파악하고 가장 적합한 치료계획을 세우며, 눈보호 기전에 영향을 미칠 수 있는 요인의 유무를 파악하여 수술 계획에 반영하고 수술 후 나타날 수 있는 문제점을 최소화 할 수 있도록 한다.

어린이 환자의 대부분은 선천눈꺼풀처짐이며 어른 환자는 퇴행눈꺼풀처짐임을 고려하여 이 진단이 합당한 지를 먼저 확인하고, 그 외의 원인이거나 다른 질환과 동반 여부를 가려내어 치료 계획을 세워야 한다.

어린이 눈꺼풀처짐 환자의 병력 청취

어린이 눈꺼풀처짐 환자의 대부분은 선천성이기 때문에 태어났을 때부터 눈꺼풀처짐이 있었는지 확인하고, 태어난 이후에 눈꺼풀처짐이 새로이 생겼다면 원인을 규명하는 과정을 진행해야 한다. 평소 집에서 눈꺼풀이 어느 정도 처졌는지 그리고 아기들은 하루 중에도, 또 성장하면서도 약간씩 변할 수 있기 때문에 병력 청취를 통하여 눈꺼풀처짐 정도를 파악해야 한다. 특히 한쪽 눈의 눈꺼풀처짐이 동공을 가릴 정도로 지속되면 약시에 빠질 가능성이 있음을 유의해야 한다.

눈꺼풀처짐의 정도가 늘 일정한지 혹은 우유를 빨거나 음식을 씹을 때 눈꺼풀이 깜빡이는 턱-윙크 현상이나, 눈돌림신경마비 때 눈 움직임에 따라 눈꺼풀처짐의 정도가 변하는 연합운동의 눈꺼풀처짐이 있는지 확인하여 치료 계획에 반영해야 한다.

선천눈꺼풀처짐은 일정한 유전 형태를 띠고 있지는 않지만 가족 중에 선천눈꺼풀처짐이 있는 경우는 가끔

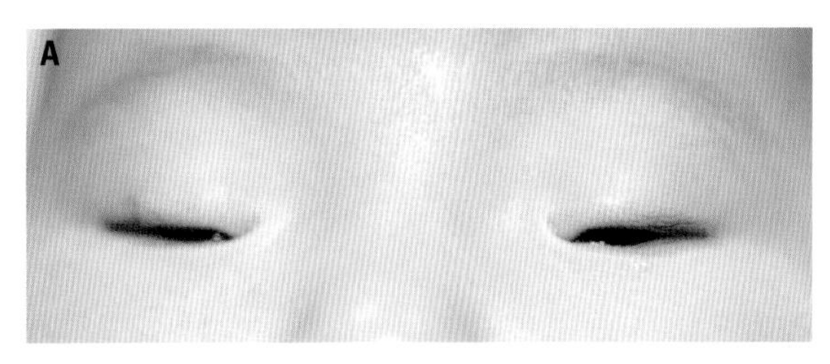

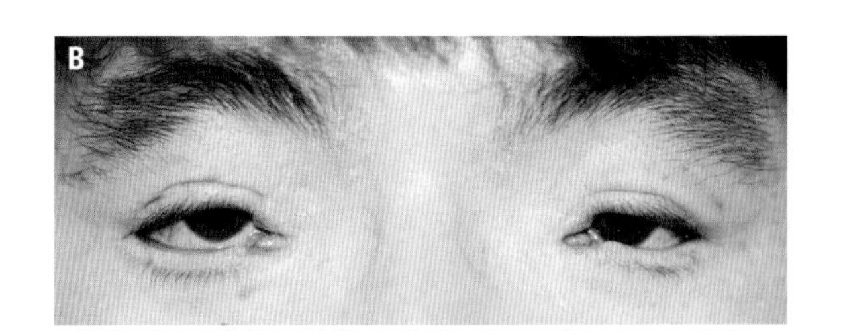

그림 3-1 가족에서 나타난 눈꺼풀틈새축소증후군

볼 수 있다. 눈꺼풀틈새축소증후군은 대부분 상염색체 우성유전 형태의 유전 경향을 보인다(그림 3-1).

어른 눈꺼풀처짐 환자의 병력 청취

성인이 되어 후천적으로 나타나는 눈꺼풀처짐은 먼저 원인 규명이 되어야 한다. 대부분은 중년 이후 나이가 들면서 나타나는 퇴행눈꺼풀처짐이지만 선천눈꺼풀처짐 환자가 어릴 때 수술을 받지 않았거나 선천눈꺼풀처짐이 나이가 들면서 약간씩 심해지는 경우도 있다는 점을 염두에 두어야 한다.

주된 증상

환자의 주된 증상이나 요구가 무엇인지 파악해야 한다. 많은 환자들이 눈꺼풀처짐으로 인한 시야장애를 호소하지만 대부분의 환자는 수술 후 시야장애 교정뿐 아니라 쌍꺼풀을 비롯한 미용적인 개선도 동시에 원하고 있다는 점을 알아야 한다.

눈의 충혈이나 자극 증상을 호소하면 건성안이 있을 가능성을 생각하고 눈물분비 검사를 진행하고 수술 계획에 반영해야 한다. 눈을 뜨기 위해 과도하게 이마근을 사용하는 경우 두통을 호소하기도 하며 특히 오후에 더 심해진다. 또한 고개를 들고 다닐 경우 목 근육의 통증을 호소하기도 한다.

눈꺼풀처짐 발생시기 및 진행

퇴행눈꺼풀처짐은 나이가 들면서 서서히 진행하기 때문에 환자가 눈꺼풀처짐이 언제 시작되었는지 정확히 모르는 경우가 많다. 갑자기 나타난 눈꺼풀처짐은 퇴행성이라기 보다는 다른 질환에 의해 발생하였을 가능성이 높기 때문에 진행 속도와 정도를 파악하여야 한다. 발생시기가 확실치 않은 경우에는 과거 사진을 가져 오도록 하여 비교해 보면 도움이 된다.

급성으로 발생한 경우는 신경성이 가장 많으며, 그 외 눈이나 눈꺼풀의 감염, 알러지, 혈관신경성부종angioneurotic edema 등이 관련될 수 있다.

일중 변동 Diurnal variation

눈꺼풀처짐의 정도가 하루 중에도 특히 오후에 심해지면 전신질환이 연관되었을 가능성을 생각해야 한다. 퇴행눈꺼풀처짐은 일반적으로 피로한 경우 눈꺼풀처짐이 약간 심해지는 경향이 있지만 하루 일과 중 오후에 눈꺼풀처짐이 더 심해지고 낮잠을 자고 나면 호전되거나 복시가 동반된다면 중증근육무력증의 가능성이 높다. 그 외 복시와 연관된 질환은 만성진행성외안근마비와 눈돌림신경마비 등이 있을 수 있다.

입 운동에 따라 눈꺼풀의 움직임이 나타나는 턱-윙크 현상Marcus-Gunn jaw winking, 얼굴신경마비 후 얼굴근육 움직임에 따른 눈꺼풀처짐의 변화, 그리고 눈돌림신경마비 때 신경이상재생aberrant regeneration으로 눈 움직임에 따라 눈꺼풀처짐의 정도가 변하는 연합운동의 눈꺼풀처짐도 있다.

과거력

출생 시 외상이나 다른 눈 주변 외상이 있었는지를 알아보고 과거에 눈이나 눈꺼풀 수술을 받았는지 알아본다. 과거 눈꺼풀처짐 교정 수술을 받았다면 이미 일정 양의 눈꺼풀올림근이 절제되었거나 이마근걸기술이 시행되었다는 것을 의미하고 수술 후 토안이 더 심해질 것을 미리 경고해야 한다. 최근에 백내장 등의 안구내 수술을 받았거나 콘택트렌즈의 장기 착용 여부에 대해서 알아 보아야 하며, 포도막염, 만성결막염, 근시교정수술 후 장기간 부신피질호르몬제 안약의 사용으로도 눈꺼풀처짐이 발생할 수 있는 것을 유의해야 한다. 최근 고콜레스테롤혈증의 치료에 사용되는 3-hydroxy-3-methylglutaryl-CoA reductase 억제제statin의 사용과 관련된 눈꺼풀처짐이 보고된 바 있다.

가족력

일반적으로 퇴행눈꺼풀처짐은 유전 경향이 없으므로 가족 중에 눈꺼풀처짐 환자가 여러 명 있으면 다른 원인에 의한 눈꺼풀처짐이 아닌지 생각해 보아야 한다. 예를 들어 상염색체우성으로 유전되는 경향을 보이며 인후 및 안면근육을 침범하여 얼굴 표정을 짓지 못하고 음식을 잘 삼키지 못하는 안인두이영양증은 만성진행성외안근마비와 같은 질환의 범주에 속하는데 가족력이 많다는 점이 특징으로 캐나다로 이민간 프랑스인 가계에서 많이 발생되었다.

이학적 검사

눈꺼풀처짐 환자를 수술하기 위해 검사를 진행할 때에는 수술 결과에 영향을 미치는 몇 가지 중요한 사항들에 유의할 필요가 있다.

- 첫째, 후천눈꺼풀처짐은 선천눈꺼풀처짐에 비해 눈꺼풀올림근의 기능이 좋아 눈꺼풀올림근 수술에 대한 반응이 상대적으로 크므로 이를 구별하여야 한다.
- 둘째, 후천눈꺼풀처짐인 경우에는 안과적 혹은 전신적 질환과의 연관성을 밝혀 치료방침이나 결과에 영향을 줄 수 있는 요인들을 미리 파악하여야 한다.
- 셋째, 수술 방법 및 수술 후 결과에 가장 큰 영향을 미치는 눈꺼풀올림근의 기능은 수술자가 직접 검사하는 것이 좋다.
- 넷째, 눈꺼풀처짐 수술 후 필연적으로 나타나는 토안으로 인해 각막 손상을 유발할 수 있는 위험인자가 있는지를 반드시 사전에 검사하여 수술 방법을 선택하고 눈꺼풀처짐 교정 양을 결정하는데 반영하여야 한다.

안구 검사

시력

눈꺼풀처짐이 있는 환자에서 약시의 동반률은 14~27%이지만, 대부분 부등시성 약시가 원인이다. 눈꺼풀처짐의 직접 영향으로 발생한 약시가 많게는 9.6%까지 보고되고 있지만 단순히 눈꺼풀처짐이 약시를 유발한다는 의견에는 아직도 논란이 많은 상태이다.

눈꺼풀처짐의 수술 시기에 대해서도 논란이 많아, 약시 예방을 위해 조기수술을 권하는 사람과 눈꺼풀처짐으로 인해 직접 약시가 발생하는 일은 거의 없으므로 수술 시기를 늦추는 것이 좋다는 주장이 엇갈리고 있다.

나이가 어린 경우는 정확한 시력을 측정하는 것이 어려우므로 지속적으로 물체를 주시하는 행동을 관찰하여 대신 평가할 수 있다. 양쪽 모두 눈꺼풀처짐이 심하여 시야가림이 있는 경우 이마근을 사용하여 눈썹을 치켜 뜨거나 턱을 위로 들어 시야가림을 해소하지만, 한쪽만 눈꺼풀처짐이 심하여 동공을 가리거나 턱도 잘 들지 않는 경우는 약시에 빠질 위험이 높아지므로 조기수술을 할 수 있다(**그림 3-2**).

사시 검사

일반 인구에서 사시의 빈도는 1~5%인 반면, 눈꺼풀처짐 환자에서 사시의 동반률은 이보다 높은 편이다. 선천눈꺼풀처짐이 있는 환자의 6~32%에서 사시가 동반되었다는 보고가 있으나 국내의 보고는 6~15%로 외국에 비해 낮게 보고되어 있다.

상직근은 눈꺼풀올림근과 같은 근막fascia을 이루고 있기 때문에 선천성 눈꺼풀처짐 환자에서 다른 외안근에 비해 운동장애가 많이 동반되는 편이다.

동반된 사시는 약시를 유발할 수 있으므로 정확한

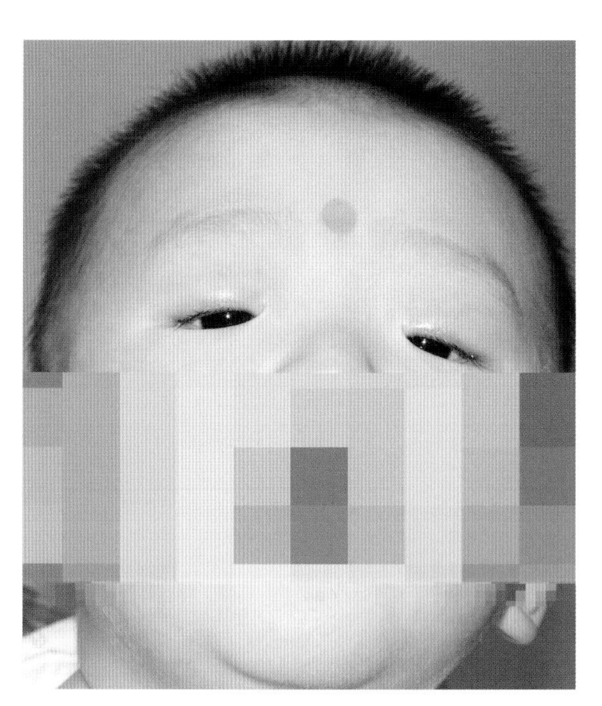

그림 3-2 눈꺼풀처짐으로 고개든 어린이 모습

눈 운동 및 사시 유무를 진단하여 필요하면 수평사시의 경우 눈꺼풀처짐 수술과 동시에 시행할 수도 있다. 수직사시의 경우에는 사시수술 자체 만으로 눈꺼풀 위치가 달라질 수 있으므로 눈꺼풀처짐 수술에 앞서 사시수술을 먼저 하는 것이 좋다.

세극등 검사 및 안저 검사

눈꺼풀올림근의 기능이 좋은 어른의 경우 일반적으로 퇴행눈꺼풀처짐으로 진단 내리기 쉽지만 거대유두결막염, 염증, 혹은 결막종양으로 인해서도 퇴행눈꺼풀처짐과 비슷한 증상을 유발할 수 있기 때문에 눈꺼풀을 뒤집어 세극등으로 위눈꺼풀판 및 결막을 검사해야 한다.

호르너증후군에서는 동공이 축동되어 있고 눈돌림신경마비에서는 산동되어 있다. Kearns-Sayre 증후군은 만성진행성외안근마비 외에 망막색소변성retinal pigmentary changes, 심장 전도장애heart block를 동반하기 때문에 안저 검사가 도움이 된다.

굴절 검사

눈꺼풀처짐 환자에서 약시의 주요 원인은 부등시, 특히 난시에 의한 것으로 알려져 있다. 선천눈꺼풀처짐 환자의 12~30%에서 부등시가 있으며, 37~58%에서 난시가 있는 것으로 정상인에 비해 높게 보고되고 있다. 외국의 경우 1.0 디옵터 이상을 부등시의 기준으로 하였을 때 14.6% 정도로 보고되었으며, 국내 경우는 근시 또는 원시 2.0 디옵터, 난시 1.5 디옵터 이상을 부등시로 규정하였을 때 29.5%로 높게 보고되었다. 난시의 경우 대부분이 직난시이며, 약시 환자 중 2.5 디옵터 이상의 난시를 갖는 환자의 비율이 높은 것은 난시가 눈꺼풀처짐환자에서 약시의 원인으로 중요한 역할을 하고 있는 것으로 생각되고 있다.

또한 수술 후 새로운 난시의 발생이 보고된 바도 있으므로 특히 6세 미만의 경우는 수술 후 정기적인 시력검사를 통한 굴절력의 변화를 측정하여 난시로 인한 약시의 발생에 유의해야 한다.

눈보호 기전

눈꺼풀처짐 수술 후 피할 수 없는 합병증으로 눈을 완전히 감을 수 없는 토안 현상이 나타나므로 안구건조와 각막 손상이 올 가능성에 대비하여 눈의 보호기능을 검사해야 한다. 수술 전 눈물분비 검사, 정상적인 Bell 현상의 유무, 얼굴신경 마비나 토안의 유무, 각막지각 검사, 그리고 눈돌림신경마비나 양올림근마비double elevator palsy와 같은 안구운동 장애의 여부 등에 대한 검사가 필요하다(**그림 3-3, 표 3-1**).

눈보호 기전이 저하되는 질환으로 신경마비각막염neuroparalytic keratitis, 눈돌림신경마비oculomotor nerve palsy, 중증근육무력증, 안와섬유화증후군orbital fibrosis syndrome, 얼굴신경 마비facial nerve paresis, 건성각결막염keratoconjunctivitis sicca, 양올림근마비, 만성진행성외안근마비 등이 있을 수 있다.

이러한 눈보호 기능에 이상이 있다고 하여 수술을 할 수 없는 것은 아니지만 환자 및 보호자에게 수술 후

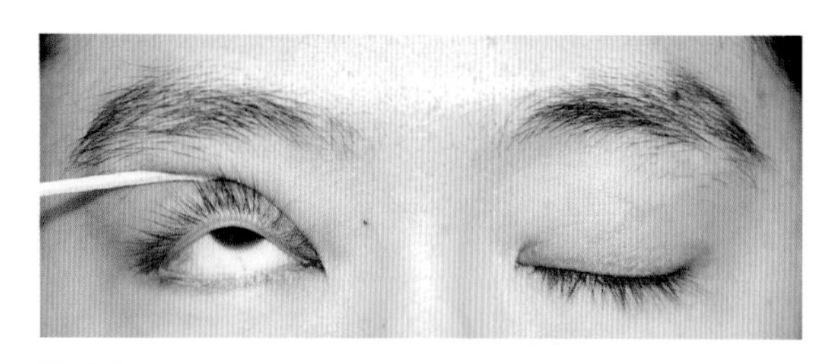

그림 3-3 눈을 감을 때 안구가 위로 올라가는 벨현상

표 3-1 눈보호 기전 이상

눈보호 기전 이상
눈물분비 감소
각막염 동반
Bell현상 부족
안구운동장애
아래 눈꺼풀뒤당김

경과에 대해 충분한 설명을 해야하며, 수술 계획을 세울 때 수술 후 각막 손상을 줄일 수 있는 수술 방법과 약간의 부족 교정을 고려하는 것이 좋다. 또한 수술 후에도 각막보호를 위한 치료와 각막 손상 여부에 대한 세심한 경과 관찰이 필요하다.

눈꺼풀처짐 검사

눈꺼풀올림근 기능 Levator function

눈꺼풀올림근의 기능은 눈을 아래로 쳐다보다가 위로 쳐다볼 때 눈꺼풀이 이동한 거리로서, 눈꺼풀처짐을 분류하고 수술 방법을 선택하는데 있어 가장 중요한 지표가 되는 검사이다. 4~5세 이후의 어린이는 비교적 쉽게 측정이 가능하나 더 어린 경우에는 정확히 측정하기가 어렵다.

눈꺼풀올림근 기능 측정 방법

협조가 되는 환자

눈꺼풀올림근의 기능 측정은 협조가 가능한 유치원생 이후의 어린이나 어른에서는 비교적 간단하게 시행할 수 있다. 환자를 검사자의 눈 높이와 같도록 의자에 앉힌 후 환자의 머리를 뒤에 기대게 하여 머리를 움직이지 않게 하고 아래로 쳐다보게 한다. 검사자의 엄지를 환자의 눈썹 부위에 수평으로 대고 검사자의 다른 손으로 자ruler의 기준점을 위눈꺼풀테에 맞춘다. 눈썹에 댄 검사자의 엄지를 뒤쪽으로 강하게 눌러 이마근을 사용하여 눈꺼풀을 올리는 현상을 억제하면서 최대한 위를 쳐다보게 한 후 위눈꺼풀테가 위로 이동한 거리를 mm 단위로 측정한다(**그림 3-4**).

이때 환자가 턱을 들지 않도록 해야 하고 눈썹은 바로 뒤쪽을 눌러야 한다. 눈썹을 아래로 누르면 환자가 눈을 뜨는데 지장을 받으며, 위로 누르면 아래로 쳐다보는 것이 지장을 받아 부정확한 검사결과를 얻게 된다. 또 통증을 느낄 정도로 너무 세게 눌러서도 안 된다. 이 검사는 수술자가 직접 시행하는 것이 좋으며 여러 번 측정하여 가능한 정확한 검사 결과를 얻도록 한다.

협조가 안 되는 환자

보통 3~4세부터는 눈꺼풀올림근의 기능 측정이 가능하지만 협조가 안 되는 어린이는 억지로 검사하기 보다는 친숙한 분위기를 유도하여 반복해서 검사하는 것이 효과적이다. 협조가 안 되는 어린이의 경우에는 눈을 주의 깊게 관찰하여 눈꺼풀올림근의 기능을 예측하도록 한다.

어린이가 턱을 들고 머리를 뒤로 젖히거나 눈썹을 많이 치켜 올리면 눈꺼풀올림근의 기능이 좋지 않다는 것을 나타낸다. 양쪽 눈에 눈꺼풀처짐이 있는 경우 덜

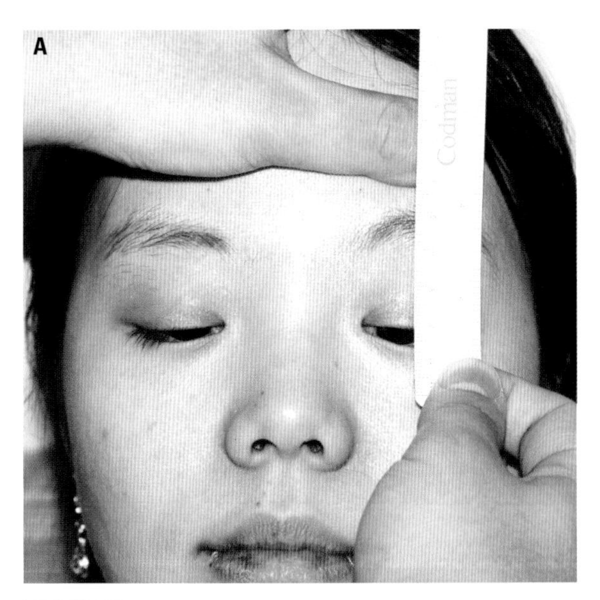

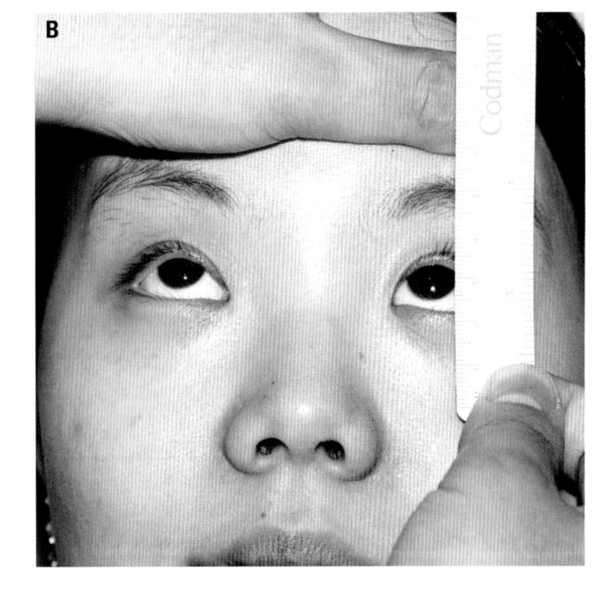

그림 3-4 눈꺼풀올림근 기능 측정 방법

처진 눈은 눈꺼풀올림근의 기능이 반대 쪽 눈에 비해 비교적 좋다는 것을 의미하며, 또 쌍꺼풀이 희미하게라도 형성되어 있으면 눈꺼풀올림근의 기능이 어느 정도 있다고 생각할 수 있다.

정상 한국인의 눈꺼풀올림근 기능은 8세경에 약 11 mm, 10대에는 12~13 mm, 그리고 20대에서 약 13~14 mm로 최고치를 보이다가 나이가 들수록 점차 감소하는 경향을 보인다. 서양 성인에서 Peyman 등은 15~18 mm, Fox는 13~16 mm, 그리고 Stallard는 14~15 mm로 보고자에 따라 다소 차이가 있지만 일반적으로 동양인에 비해서는 약간씩 높게 나타나고 있다.

장년층 이후의 눈꺼풀처짐에서 눈꺼풀올림근의 기능이 양호한 경우는 널힘줄성눈꺼풀처짐의 가능성이 높으며, 이때 쌍꺼풀 선이 높고 눈꺼풀을 통해 어두운 홍채 색상이 비쳐 보이면 더 확실하게 널힘줄성눈꺼풀처짐을 진단할 수 있다. 하지만 한국인에서는 널힘줄성눈꺼풀처짐 환자라도 홍채가 비쳐 보이는 경우는 거의 없다. 그 외에 경미한 선천눈꺼풀처짐, 거대유두결막염이나 염증성질환, 호르너증후군, 중증근육무력증의 초기, 만성진행성외안근마비 혹은 근긴장성이상증 등에서도 눈꺼풀올림근의 기능은 양호한 편이다. 중증근육무력증 같은 근육질환 혹은 신경질환이 동반되어 있는 경우 눈꺼풀올림근의 기능은 전신질환의 정도에 따라서 다양하게 나타날 수 있으며, 심한 선천눈꺼풀처짐이나, 눈돌림신경마비에서는 눈꺼풀올림근의 기능이 현저하게 감소되어 있다.

Iliff's sign

Iliff's sign은 협조가 잘 되지 않는 어린이에서 눈꺼풀올림근의 기능을 예측할 수 있는 검사로서, 위눈꺼풀을 뒤집어 놓은 상태에서 상방을 주시하게 하면 정상인에서는 뒤집어진 눈꺼풀이 쉽게 원래의 위치로 돌아오는데 비해 눈꺼풀이 원래 위치로 돌아오지 않으면 Iliff's sign 양성이며 눈꺼풀올림근 기능이 약하다는 것을 의미한다.

쌍꺼풀선의 높이 Margin crease distance, MCD

눈꺼풀테에서 쌍꺼풀선까지의 거리로, 환자에게 아래를 보게 한 후 위눈꺼풀피부를 위로 살짝 들어올린 상태에서 위눈꺼풀테 중앙에서 쌍꺼풀선까지의 수직거리를 말한다(**그림 3-5**).

서양인의 정상치는 여자 8~10 mm, 남자 6~8 mm 정도이나, 동양인의 쌍꺼풀은 없든지 혹은 이보다 작은 것이 보통이다. 눈꺼풀처짐 환자에서 쌍꺼풀의 존재 유무는 눈꺼풀처짐의 종류와 눈꺼풀올림근의 기능을 짐작하게 해주고 수술 시 눈꺼풀의 절개 높이를 정할 때 참고할 수 있다. 단순선천눈꺼풀처짐 환자는 눈꺼풀올림근 기능이 약하여 대개 쌍꺼풀이 없지만 가끔 희미한 쌍꺼풀을 보는 경우가 있는데 이는 위눈꺼풀올림근 기능이 어느 정도 있다는 것을 의미한다. 반면 눈꺼풀올림근의 기능이 좋은 널힘줄성눈꺼풀처짐 환자에서는 쌍꺼풀선의 폭이 넓어져 있는 것을 볼 수 있다.

눈꺼풀처짐 정도 Amount of ptosis

눈꺼풀틈새 수직길이

눈꺼풀틈새의 수직길이vertical interpalpebral fissure는 아래눈꺼풀테과 위눈꺼풀테 사이의 가장 넓은 부분의 거리이다. 환자에게 자연스럽게 눈을 뜨게하고 정면을 쳐다보게 하여 눈꺼풀틈새의 수직길이를 측정한다.

정상 한국인의 눈꺼풀틈새 수직길이는 20~30대에서는 8~8.5 mm 정도이지만 나이가 들면서 점차 작아져 70대에는 7~7.5 mm로 작아지게 된다. 서양인에서 눈꺼풀틈새 수직길이는 8~10 mm 내외로 보고되고 있다. 하지만 눈꺼풀틈새를 측정하는데 있어 아래눈꺼풀이 정상 위치에 있어야 한다는 점을 유의해야 한다. 한국인의 정상 수직 각막직경은 약 10.5 mm이며, 위눈꺼풀이 각막의 위가장자리를 약 2~2.5 mm 정도를 덮고 있으므로 위눈꺼풀이 각막을 덮은 양에서 2~2.5 mm를 뺀 수치가 눈꺼풀처짐의 정도이다.

눈꺼풀처짐 환자에서 눈꺼풀틈새의 수직길이 측정은 눈꺼풀틈새 비대칭 여부나 시야 가림 정도를 기록하고 수술 계획을 세우는데 필요하다. 수술 방법을 선택하는 데는 눈꺼풀올림근 기능 검사가 더 유용하지만 수술 양을 결정하는 데는 눈꺼풀처짐 정도도 중요한 지표가 된다.

눈꺼풀틈새는 안구돌출이나 근시가 있는 경우에는 넓게, 안구함몰이나 원시가 있는 경우에는 좁게 측정될 수 있으며, 눈꺼풀겉말림과 아래눈꺼풀뒤당김 등과 같이 아래눈꺼풀의 위치 이상이 있는 경우에도 신뢰성 있는 결과를 얻지 못한다. 또한 phenylephrine 검사 시에는 아래눈꺼풀에도 뒤당김이 올 수 있으므로 눈꺼풀틈새 측정치가 부정확할 수 있음을 고려해야 한다.

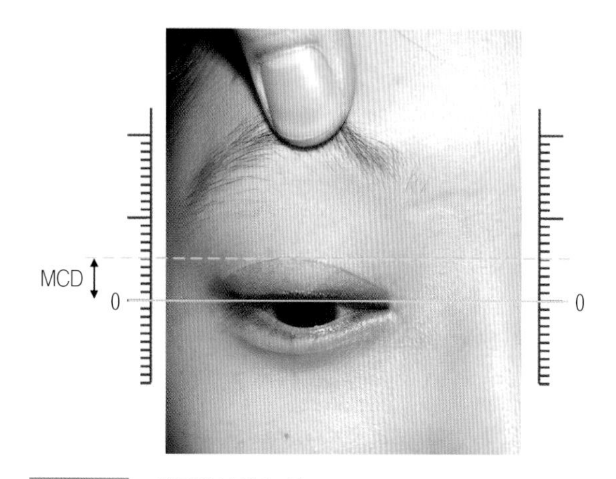

그림 3-5 쌍꺼풀선의 높이

Margin Reflex Distance MRD

MRD는 눈꺼풀처짐 정도를 나타내는 검사로서, 검사자의 눈높이를 환자의 눈높이와 같도록 맞춘 후 정면을 바라 보도록 하고 환자의 눈에 손전등을 비추어 각막반사점으로부터 중앙부 위눈꺼풀테까지의 거리를 측정한 것이다. MRD가 소개되기 전에는 눈꺼풀틈새의 크기를 측정하여 눈꺼풀처짐 정도를 판단하였으나 아래눈꺼풀의 위치 이상이 있는 경우에는 정확하지 않게 측정되기 때문에 MRD 측정이 유용하게 이용되고 있다. 하지만 수직사시가 있는 경우에는 실제 눈꺼풀처짐 정도와 다르게 측정될 수 있으므로 주의해야 한다.

MRD 측정 시 유의할 점은 환자는 편안한 상태에서 검사하여야 하며, 이때 이마근을 이용하여 눈을 뜨지 않도록 한다. 종종 환자들은 불안하여 눈을 평소보다 다소 크게 뜨는 경향이 있으므로 편안한 자세에서 수차례 눈을 감고 떠 보라고 한 후 검사를 시행하는 것이 좋다.

MRD는 다시 MRD_1과 MRD_2로 세분할 수 있다. MRD_1은 각막반사점으로부터 위눈꺼풀테까지의 거리를, MRD_2는 각막반사점으로부터 아래눈꺼풀테까지의 거리를 측정한 것이다**(그림 3-6)**. 일반적으로 MRD는 MRD_1을 의미한다.

정상 한국인의 MRD_1은 20~30대에는 3 mm 정도이지만 40대 이후부터 점차 작아져 70대에는 2 mm 정도가 된다. 아래눈꺼풀테의 위치는 각막 아래가장자리에 걸치기 때문에 정상 MRD_2는 5.0~5.5 mm 정도이다. 따라서 MRD_1과 MRD_2를 합치면 눈꺼풀틈새의 수직 길이와 같다. 서양인에서 정상적인 MRD_1은 4~5 mm 정도로 우리나라 사람보다 큰 편이다. 따라서 정상 MRD는 인종, 개인, 혹은 나이에 따라 약간의 차이가 있을 수 있음을 감안해야 한다.

MRD는 경험이 쌓이면 비교적 간단히 측정할 수 있다. 위눈꺼풀테가 각막 반사가 나타나는 동공 중앙부를 가로 지르면 MRD_1은 0 mm, 상부 윤부와 동공 사이의 중간 부위에 위치하면 각막 수직 길이를 10 mm로 가정할 때 MRD_1은 2.5 mm가 된다.

눈꺼풀처짐의 정도 = 정상 MRD_1 − 환자의 MRD_1

으로 표시할 수 있다. 즉, 정상 MRD_1이 3 mm이고 환자 MRD_1이 1 mm라면 눈꺼풀처짐의 정도는 2 mm가 된다. 이 값은 수술 양을 결정하는데 있어 중요한 지표가 된다.

수직사시가 있는 경우에서는 MRD 측정이 부정확하게 나올 수 있으므로 이런 경우에서는 최대한 상방

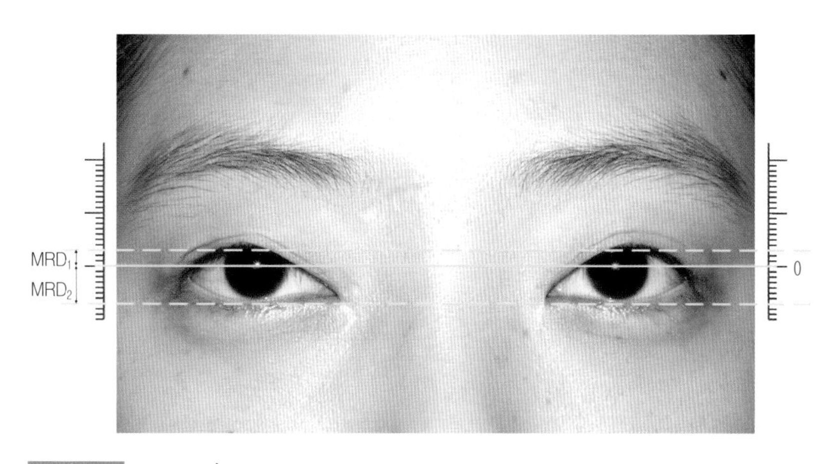

그림 3-6 MRD_1과 MRD_2

표 3-2 눈꺼풀처짐 정도에 따른 분류

	처진 정도	위눈꺼풀테의 위치
경도 mild	2 mm	동공연과 각막위가장자리 사이에 위치할 때
중등도 moderate	3 mm	동공연에 위치할 때
고도 severe	4 mm 이상	동공을 반 이상 가릴 때

을 주시하게 한 후 각막반사점에서 위눈꺼풀테까지의 거리를 측정하며 이를 MRD_3라고 한다.

기타 눈꺼풀 검사

Phenylephrine 검사

눈꺼풀올림근의 기능이 좋고 눈꺼풀처짐의 정도가 경미할 때 2.5% 또는 10% phenylephrine을 눈에 떨어뜨린 후 눈꺼풀처짐의 변화 여부를 알아보는 검사이다. 호르너증후군이나 널힘줄눈꺼풀처짐에서는 phenylephrine 점안 후 눈꺼풀처짐이 호전되는 양성반응을 보이게 되는데, 이는 phenylephrine이 교감신경이 지배하는 뮐러근을 자극하여 눈꺼풀을 올리기 때문이다. 이 검사법은 결막뮐러근절제술conjunctivomüllerectomy 수술의 적응증을 감별하는데 유용하다. Phenylephrine이 없는 경우 α-agonist인 apraclonidine (iopidine®) 안약을 사용하기도 한다.

중증근육무력증 검사

눈꺼풀올림근 피로 검사 Fatigue test

눈 깜박임 없이 지속적으로 위를 쳐다보게 한 후 눈꺼풀이 점차적으로 처지는지 여부를 확인하여 근육피로에 의한 근육무력증으로 진단하는데 도움을 줄 수 있다.

얼음 검사 Ice pack test

환자의 눈꺼풀에 얼음주머니를 2분간 올려놓고 눈꺼풀처짐의 호전 여부를 확인하는 방법이다. 중증근육무력증이 있으면 차가운 환경에서 acetylcholinesterase의 기능이 억제되어 신경근전달 기능이 증강되기 때문에 눈꺼풀처짐 현상이 호전되는 것을 볼 수 있다.

반대쪽 거짓눈꺼풀뒤당김 검사

Contralateral pseudoretraction test

한쪽 눈에 눈꺼풀처짐이 있는 경우 수술 후 반대쪽 눈의 눈꺼풀처짐 현상이 나타날 수 있다. 양안의 눈꺼풀올림근은 Hering의 법칙의 지배를 받는 동향근yoke muscle으로 눈꺼풀처짐이 있는 눈에 가해진 과도한 자극이 반대편 눈꺼풀에도 가해짐으로써 경미한 눈꺼풀처짐이 있음에도 불구하고 거짓눈꺼풀뒤당김 현상으로 인해 정상처럼 보일 수 있다. 이때 눈꺼풀처짐이 심한 눈만 수술할 경우 수술 전 정상으로 보이던 눈에서 눈꺼풀처짐이 발생할 수 있다(**그림 3-7**). 그러므로 아래의 검사를 시행하여 거짓눈꺼풀뒤당김 현상 유무를 감별하여야 한다.

Lift 검사

처진 눈꺼풀을 손가락으로 각막위가장자리까지 올린 후 반대측 눈꺼풀에 처짐이 나타나는 지를 관찰한다. 이 때 검사자는 환자가 정면 주시한 상태에서 최소 30초 동안 눈꺼풀을 올리고 있어야 한다(**그림 3-8**).

Closure 검사

처진 눈꺼풀을 손으로 30초 동안 감게 한 후 반대측 눈꺼풀에 처짐이 나타나는 지를 관찰한다.

Lift and release, closure and release 검사

Lift 검사나 closure 검사로 판단이 어려운 경우에 시행해 볼 수 있는 검사로, 처진 눈꺼풀을 들어올린 후 바

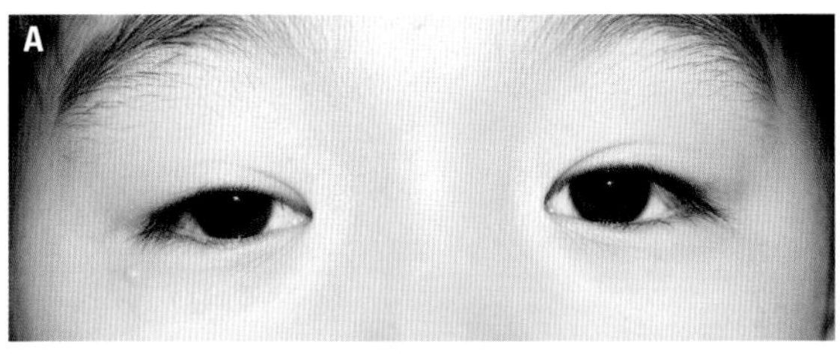

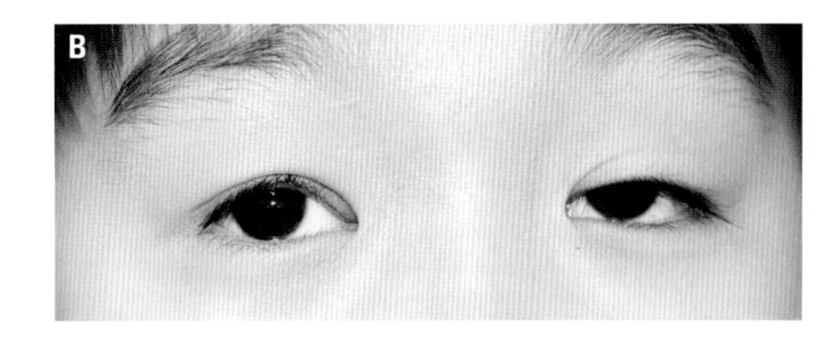

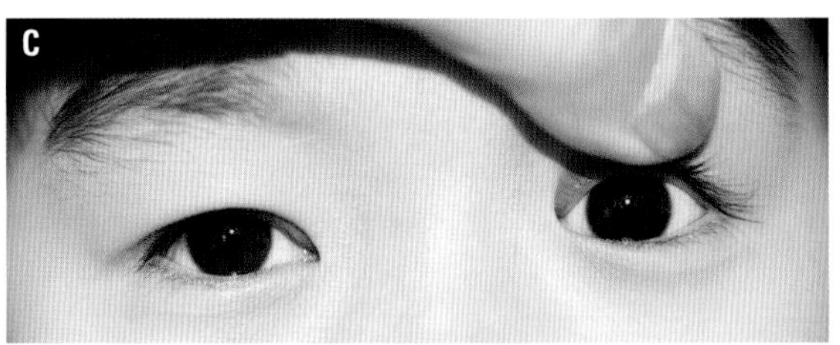

그림 3-7 **A.** 우안 눈꺼풀처짐 수술 전 모습. **B.** 우안 눈꺼풀처짐 수술 후 우안의 경미한 과교정과 좌안 눈꺼풀처짐이 나타난 모습. **C.** 좌안 눈꺼풀을 들어 올렸을 때 우안의 눈꺼풀틈새가 작아져 경미한 과교정이 소실된 모습

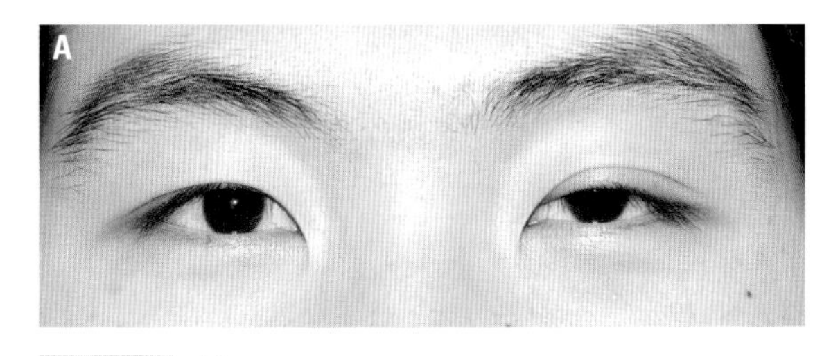

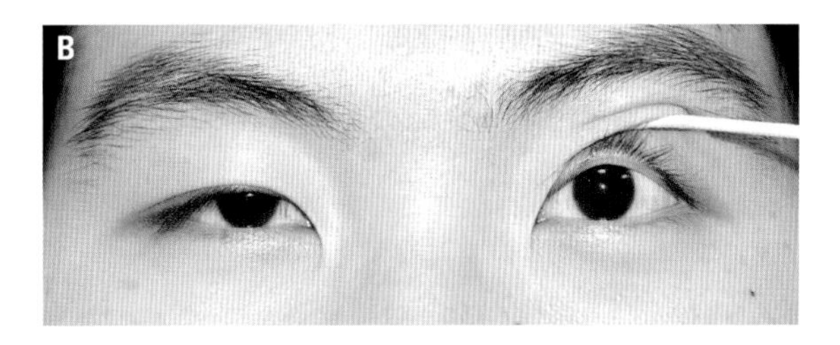

그림 3-8 lift test
A. 좌안 눈꺼풀처짐 환자에서 **B.** 좌안의 처진 눈꺼풀을 올렸을 때 반대안에 눈꺼풀처짐이 나타난 모습

로 놓아주거나 혹은 감긴 눈꺼풀을 뜨게 할 때 반대측 눈이 커지면 거짓눈꺼풀뒤당김 현상이 있다고 할 수 있다.

눈썹올림현상

눈썹올림이 눈꺼풀처짐이 심한 눈뿐만 아니라 정상처럼 보이는 눈에도 나타날 때는 거짓눈꺼풀당김 현상을 의심해 볼 수 있다.

Laboratory and imaging study

대부분의 단순눈꺼풀처짐 환자들은 일반적인 안과적 검사로 충분하지만 아래와 같은 경우에서는 추가적 진단 검사와 영상 검사가 필요하다.

눈돌림신경마비

제3뇌신경의 중뇌 핵에서부터 눈꺼풀올림근에 이르기까지의 신경 경로 중 어느 부위를 침범하더라도 눈꺼풀처짐이 나타날 수 있다. 원인으로는 혈관성, 종양, 신경독성 그리고 디프테리아, 뇌수막염, 인플루엔자, 홍역과 같은 염증 등이 있을 수 있다. 이때 철저한 신경학적 검사와 혈당 측정이 필요하며 MRI나 CT 등으로 종괴성 병변, 다발성 경화증 등을 발견할 수 있다. 적혈구 침강속도, 혈장내 매독 검사 등을 시행하고, 혈관염이나 감염을 배제하기 위해 Lyme titer, 항핵항체 검사 antinuclear antibody 등을 시행한다. 감염이나 전이성 질환, 뇌수막 관련 질환을 배제하기 위해 뇌척수액 검사가 필요할 수도 있다.

기계적 눈꺼풀처짐

유피종이나 혈종 등을 포함한 안와의 종괴성 병변으로 인한 눈꺼풀처짐으로 CT나 MRI로 원인을 찾을 수 있다.

호르너증후군

위눈꺼풀처짐, 아래눈꺼풀상승, 축동, 동측 얼굴의 무한증이 나타나는 질환으로 교감신경의 장애로 인해 발생한다. 가슴, 갑상샘이나 목 부위의 수술을 한 후에 발생할 수 있고 phenylephrine 검사에 양성 소견을 보인다.

중증근육무력증

Edrophonium chloride (Tensilon®) 및 Neostigmine 검사

눈꺼풀처짐 환자에서 일상적으로 실시하는 검사가 아니라 문진을 통해 의미 있는 일중 변동이 있을 때 중증근육무력증을 진단하기 위한 검사방법이다. Tensilon®은 정맥주사, Neostigmine은 근육주사 후 눈꺼풀처짐의 개선 정도를 측정하여 중증근육무력증을 진단할 수 있다. 이 두 검사는 안과적 중증근육무력증 환자에서 86~96%의 민감도sensitivity를 보인다.

아세틸콜린수용체항체 검사

Acetylcholine receptor antibody test

Tensilon® test의 대체 검사로 근육의 운동종판수용체 motor endplate receptor를 파괴하는 자가면역 항체를 발견하는 검사이다. 전신적인 중증근육무력증 환자에서는 90% 정도에서 항체가 발견되고 눈 중증근육무력증 환자에서는 70% 정도에서 항체가 발견된다. 항체수치의 높고 낮음으로 전신적인 중증근육무력증과 눈 중증근육무력증을 감별하기도 한다.

단일섬유근전도 검사 Single fiber electromyography

진단적 민감도가 가장 높은 검사로서 전신적인 중증근육무력증의 경우 86~99%, 눈 중증근육무력증의 경우 60~97%에서 양성을 보인다.

심장 검사

선천눈꺼풀처짐에서 구조적인 심장 질환의 발생빈도는 정상 어린이보다 다소 높게 나타나기 때문에 수술 전 검사 시 심장질환의 가능성을 염두에 두는 것이 필요하다. Kearns-Sayre 증후군은 만성진행성외안근마비 외에 망막색소변성, 심장전도장애를 동반하기 때문에 심장 검사가 도움이 되기도 한다.

조직 검사

Amyloidosis와 같은 침습 질환은 안와근염orbital myositis과 유사하게 외안근과 눈꺼풀올림근을 침범하여 근성 눈꺼풀처짐을 유발할 수 있다. 이때 조직 검사상

Congo red 염색으로 이중굴절 양상birefrigence이 보일 때 진단될 수 있다. Crystal violet이나 thioflavin-T 염색이 도움이 되기도 한다.

수술 전 상담

환자의 수술 후 만족도나 수술 후 발생할 수 있는 여러 가지 문제점을 고려하여 수술 전에 충분한 시간을 가지고 환자 혹은 보호자와 상담해야 한다. 환자나 보호자의 기대 정도를 잘 파악하여 수술로 교정이 가능한 범위에 대해 설명하고 가능치 않은 부분에 대해서도 분명히 설명하여 수술 후 너무 큰 기대를 갖지 않도록 한다. 합병증이 흔치는 않지만 비대칭 가능성, 토안으로 인한 각막 손상, 그리고 출혈에 대해서도 설명해야 한다. 출혈로 인한 시력 상실이나 돌발치 않은 사고로 사망의 가능성은 극히 낮기 때문에 설명에 신중을 기해야 한다.

어린이의 선천눈꺼풀처짐 수술은 수술 결과를 정확히 예측하기 힘들기 때문에 원하는 눈의 모습이 안 될 수도 있으며 이로 인해 재수술이 필요할 수도 있다는 점을 이해시켜야 하며, 수술 후 눈을 완전히 감지 못하며 아래로 볼 때 위눈꺼풀이 따라 내려가지 않아서 공막이 노출되어 보일 수 있음을 잘 설명해야 한다.

어른의 경우 상담할 때 많은 환자들이 눈꺼풀처짐 및 눈꺼풀피부이완으로 인한 시야장애의 교정을 원하지만 실제로는 미용적 개선에 더 무게를 두고 있는 경우가 많다. 따라서 쌍꺼풀을 만들 지의 여부나 쌍꺼풀 크기 등 미용적 개선 정도에 대해 상담해야 한다. 나이가 많을수록 토안으로 인한 건성안의 증상이 심해질 수도 있음을 설명해야 한다.

Lift 검사 양성인 경우 양안을 같이 수술해 주거나 한쪽만 수술할 경우 수술 후 반대쪽 눈꺼풀이 처질 수 있다는 가능성도 환자 및 보호자에게 설명해 주어야 한다(**동의서 샘플 참고**).

수술 전 복용약물 금지

수술 전 상담 때 기존 질환 및 복용약물 특히 항응고제의 복용 여부는 반드시 파악해야 하며, 필요하면 내과의사의 협진을 통해 복용약을 일정 기간 중단시켜야 한다. 요즘 나이가 든 환자에서는 예방적 항응고제 복용을 하는 경우가 많아지고 있으며, 심장이나 뇌혈관 질환으로 인한 약 복용도 많기 때문에 파악하는 것이 필수적이다.

기록 및 사진 촬영

눈꺼풀처짐 수술의 결과가 예상치 않게 나타나는 경우가 많으므로 수술 전 예상되는 문제점에 관해 충분히 설명하고 환자와 상담 및 설명한 내용에 대해서 반드시 기록을 남겨야 한다. 수술의 한계, 특히 재수술이나 비대칭 가능성, 잠잘 때 눈을 완전히 못 감는 현상, 그리고 아래를 쳐다볼 때 공막 노출 현상 등, 피할 수 없는 합병증에 관해 설명해야 한다. 수술 사전 동의서 양식에 서명을 받을 때 설명한 의사의 서명도 같이하는 것이 수술 후 분쟁이 발생하였을 때 도움이 된다.

사진 촬영은 환자의 기록을 남기기 위한 목적뿐 아니라 수술 전후 비교나 의료 분쟁 때도 필요할 수 있다. 전신마취 환자에서는 환자가 침대에 누우면 쌍꺼

표 3-3 항응고 약물과 투약 중지 기간

Aspirin	7~10일
Nonsteroidal anti-inflammatory agents	2~3일
Warfarin	5일

풀이나 지방층 등 눈의 모습이 달라질 수 있기 때문에 사진이 수술 계획에 도움이 되며, 다른 눈을 수술하는 재앙을 피하는 데도 좋다.

최근의 digital camera는 편리함이나 사진의 질 측면에서 많이 개선되었기 때문에 전문적인 지식 없이도 좋은 사진을 얻을 수 있다. 렌즈는 60 mm micro lens 정도이면 무난하며 조명은 ring flash와 간접조명을 잘 이용하면 좋은 사진을 얻을 수 있다. 또한 가격도 합리적인 수준에서 좋은 제품들이 많다.

수술 후 주의사항

수술 후 심한 통증은 발생하지 않지만 처음 2~3일 동안은 불편감이 동반된다. 절개창을 통해 약간의 출혈이 될 수 있으며, 이 경우 살짝 압박하면 출혈이 멈춘다는 것을 알려주는 것이 좋다. 출혈이나 부종을 최소화하기 위해 수술 후 1~2일 동안은 얼음찜질을 하도록 하고 그 이후는 따뜻한 찜질을 하는 것이 좋다.

압박해도 출혈이 멈추지 않거나 심한 통증과 부종 혹은 시력저하가 발생할 경우 즉시 병원에 내원하도록 설명한다.

안검하수 수술 동의서

수술명: **눈꺼풀올림근절제술** ☐ 좌안 ☐ 우안 ☐ 양안

추가수술: ☐ 좌안 ☐ 우안 ☐ 양안

등록번호: 성명: 생년월일: 성별: 남, 여

진단명: ☐ 좌안 ☐ 우안 ☐ 양안

수술예정일: 20 년 월 일 마취방법: ☐ 전신 ☐ 국소

● **환자분의 건강 상태에 대해 해당사항을 표시해 주세요.**

과거질환 ☐ 없음 ☐ 있음 (질환명:)

☐ 고혈압 ☐ 당뇨병 ☐ 심장질환 ☐ 호흡기질환

☐ 신장질환 ☐ 출혈소인 ☐ 약, 주사 부작용

수술여부 ☐ 없음 ☐ 있음 (수술명:)

복용약 ☐ 없음 ☐ 있음 (약 이름:)

흔들리는 치아 ☐ 없음 ☐ 있음 ☐ 유치 ☐ 영구치

기타 알아야 할 사항 ☐ 없음 ☐ 있음 (내용:)

눈꺼풀올림근 절제술이란?

눈을 뜨는 근육의 힘이 어느 정도 있을 때 시행하는 안검하수 수술로서, 보통 쌍꺼풀 수술하듯이 절개하고 눈꺼풀올림근육을 찾아 일부 절제하여 힘이 강해지도록 하는 수술 방법입니다. 이 때 쌍꺼풀이나 앞트임 수술을 동시에 하여 눈썹이 안으로 말리는 현상을 예방하고 미용적으로 개선효과를 얻을 수 있습니다.

발생할 수 있는 합병증

출혈, 부종 및 염증

수술 후 갑자기 붓고 출혈이 생기는 경우는 지체 없이 알려주십시오. 극히 드물지만 출혈로 인해 시력 이상이 생기는 경우도 발생할 수 있습니다.

양쪽 눈이 똑같지 않다.

안검하수 수술 시 양쪽 눈이 최대한 비슷하게 되도록 최선을 다하지만 수술 후 비대칭이 생기는 경우가 있습니다. 개인마다 눈이 모두 다르고, 상처가 낫는 양상도 다르기 때문입니다. 수술 전에 반드시 이해하셔야 하는 부분입니다.

가끔 재수술이 필요하다.

수술 후 눈꺼풀처짐 상태가 많이 좋아지지만 그렇다고 해서 안검하수 수술이 정상 눈으로 만들어주는 완벽한 치료는 아닙니다. 수술 후 결과를 예측하기 쉽지 않고 예상하지 못했던 합병증이 발생할 수 있기 때문에 교과서 적으로도 '완전하지 않은 과학'이라고 합니다. 수술 후 부족교정이나 과교정, 또는 눈매이상, 양안 비대칭 등으로 재수술을 해야 하는 경우가 어쩔 수 없이 발생할 수 있습니다. 또한 이렇게 재수술을 하는 경우에도 소정의 수술비를 지불하셔야 합니다.

잘 때 눈을 완전히 감지 못한다.

안검하수 수술은 눈꺼풀을 위로 당겨주는 수술이기 때문에 밤에 잘 때 눈을 완전히 감지 못하고 약간 뜨게 됩니다. 따라서 눈이 건조해져서 각막이 손상되는 것을 예방하기 위해 안약 혹은 안연고를 조금 넣고 자는 것이 좋습니다. 이러한 현상은 거의 대부분의 환자에서 어쩔 수 없이 나타나게 됩니다. 또한 정기적인 외래 진찰을 통하여 눈에 상처가 나지 않았는지 관리하는 것이 좋습니다.

아래로 볼 때 눈의 흰자위가 보인다.

안검하수 수술은 눈꺼풀을 위로 당겨놓는 수술이기 때문에 아래로 볼 때 눈꺼풀이 따라서 내려가지 않아 수술한 눈의 흰자위가 보여 조금 이상하게 보일 때가 있습니다. 아이가 성장하면서 아래로 쳐다 볼 때 눈모양이 어색해 보인다는 것을 인식하고 이러한 눈 모습을 피하는 요령을 점차 터득하게 됩니다. 이러한 현상 역시 대부분의 환자에게서 어쩔 수 없이 나타납니다.

눈썹이 말려드는 현상

심한 안검하수 수술 후 눈썹이 눈 안으로 말려드는 현상이 생기는 경우가 있습니다. 드물게 나타나지만 생기면 수술이 필요할 수 있습니다.

흉터가 생길 수 있다.

흉터는 환자 개인의 체질과 관련이 많습니다. 수술할 때 가능한 정교하게 봉합하여 흉터를 최소화 하도록 하고 있으나 환자분에 따라 차이가 있으며 어쩔 수 없이 생기는 경우도 있습니다. 하지만 흉터는 시간이 지나면서 많이 옅어지게 됩니다.

수술 전 조심할 점

- 어린이들은 전신마취를 하므로 수술 전에 감기에 걸리지 않도록 조심해야 합니다. 수술 당일 열이 많이 나고, 기침과 함께 숨소리가 좋지 않으면 수술을 연기하는 것이 좋습니다.
- 과거 질환이나 복용약이 있으면 반드시 알려주셔야 합니다.
- 항응고제(쿠마딘)나 항혈소판제제(아스피린, 플라빅스, 티클리드, 실로스타졸 등) 또는 소염진통제를 복용하시는 경우 약제에 따라 수술 3일 ~ 2주 전에 중단해야 하므로 반드시 수술 전 의사와 상의하셔야 합니다.
- 고혈압약은 수술 당일 아침까지 복용하시고, 당뇨치료제는 전신마취의 경우 당일 아침에는 복용하지 않으셔야 하나, 이에 대해서도 반드시 수술 전 의사와 상의하셔야 합니다.
- 전신마취의 경우 수술 당일에는 금식을 해야 합니다. 어린이들의 금식시간은 성인과 다르며, 금식시간에 관해 의료진과 상의해 주시기 바랍니다.

■ 어린이 수술 전 금식 시간

나이	금식시간	
	음식 (죽, 밥, 빵, 이유식, 우유, 과일, 과자 등)	물 (물이나 보리차 등 맑은 액체를 소량만 섭취)
6개월 이하	4	2
6~36개월	6	3
36개월 이상	8	3

■ 성인은 수술 당일 8시간 이상 금식하셔야 합니다.

수술 과정에서 환자 상태에 따라 예측이 어렵고 불가항력적인 합병증이 발생할 수 있으며, 부득이하게 수술방법이 변경되거나 수술범위가 추가될 수 있습니다. 다만, 이에 대해 환자 또는 대리인에게 추가로 설명해야 하는 사항이 있는 경우 시행하기 전에 이에 대하여 설명하고 동의를 얻기로 합니다.

담당의사 ______________________

설명간호사 ____________________

본인(대리인)은 수술의 목적과 수술방법 그리고 발생할 수 있는 수술 후 문제들에 대해 충분히 설명을 듣고 이해하였습니다.

20　　년　　월　　일

환자 ______________________ (서명)

보호자 ____________________ (서명)　　(환자와의 관계:　　　　)

안검하수 수술 동의서

수술명: **실리콘로드 이마근걸기술** □ 좌안 □ 우안 □ 양안

추가수술: □ 좌안 □ 우안 □ 양안

등록번호: 성명: 생년월일: 성별: 남, 여

진단명: □ 좌안 □ 우안 □ 양안

수술예정일: 20 년 월 일 마취방법: □ 전신 □ 국소

● **환자분의 건강 상태에 대해 해당사항을 표시해 주세요.**

과거질환 □ 없음 □ 있음 (질환명:)

□ 고혈압 □ 당뇨병 □ 심장질환 □ 호흡기질환

□ 신장질환 □ 출혈소인 □ 약, 주사 부작용

수술여부 □ 없음 □ 있음 (수술명:)

복용약 □ 없음 □ 있음 (약 이름:)

흔들리는 치아 □ 없음 □ 있음 □ 유치 □ 영구치

기타 알아야 할 사항 □ 없음 □ 있음 (내용:)

실리콘로드 이마근걸기술이란?

눈을 뜨는 근육의 힘이 아주 약할 때 시행하는 안검하수 수술로서, 실리콘을 사용하여 눈꺼풀 조직을 이마근육 쪽으로 당겨주어 처진 눈을 올려주는 수술 방법입니다. 실리콘은 상품화 되어 있어 쉽게 구할 수 있으며, 특히 자가근막을 얻기 힘든 아기들에게 좋은 재료입니다. 실리콘을 이용하여 조기에 수술함으로써 일찍 눈 모양을 개선시키고 시력발달에 도움을 주며 정서적으로도 도움이 됩니다. 안구운동 장애가 있거나 눈 보호기능이 나쁜 경우에는 성인에서도 이 수술을 하게 됩니다. 실리콘은 탄력성이 있어 수술 후 눈이 다 안감기는 정도가 덜하기 때문입니다.

하지만 3년 안에 약 20%에서 재발이 나타나며, 시간이 지남에 따라 재발이 더 많아지는 단점이 있습니다.

발생할 수 있는 합병증

출혈, 부종 및 염증

수술 후 갑자기 붓고 출혈이 생기는 경우는 지체 없이 알려주십시오. 극히 드물지만 출혈로 인해 시력 이상이 생기는 경우도 발생할 수 있습니다.

양쪽 눈이 똑같지 않다.

안검하수 수술 시 양쪽 눈이 최대한 비슷하게 되도록 최선을 다하지만 수술 후 비대칭이 생기는 경우가 있습니다. 개인마다 눈이 모두 다르고, 상처가 낫는 양상도 다르기 때문입니다. 수술 전에 반드시 이해하셔야 하는 부분입니다.

가끔 재수술이 필요하다.

수술 후 눈꺼풀처짐 상태가 많이 좋아지지만 그렇다고 해서 안검하수 수술이 정상 눈으로 만들어주는 완벽한 치료는 아닙니다. 수술 후 결과를 예측하기 쉽지 않고 예상하지 못했던 합병증이 발생할 수 있기 때문에 교과서 적으로도 '완전하지 않은 과학'이라고 합니다. 실리콘 이마 근걸기술은 3년 안에 약 20%에서 재발이 나타나며, 시간이 지남에 따라 재발이 더 많아질 것으로 예상합니다. 또한 수술 후 부족교정이나 과교정, 또는 눈매이상, 양안 비대칭 등으로 재수술을 해야 하는 경우가 어쩔 수 없이 발생할 수 있습니다. 이렇게 재수술을 하는 경우에도 소정의 수술비를 지불하셔야 합니다.

잘 때 눈을 완전히 감지 못한다.

안검하수 수술은 눈꺼풀을 위로 당겨주는 수술이기 때문에 밤에 잘 때 눈을 완전히 감지 못하고 약간 뜨게 됩니다. 따라서 눈이 건조해져서 각막이 손상되는 것을 예방하기 위해 안약 혹은 안연고를 조금 넣고 자는 것이 좋습니다. 이러한 현상은 거의 대부분의 환자에서 어쩔 수 없이 나타나게 됩니다. 또한 정기적인 외래 진찰을 통하여 눈에 상처가 나지 않았는지 관리하는 것이 좋습니다.

아래로 볼 때 눈의 흰자위가 보인다.

안검하수 수술은 눈꺼풀을 위로 당겨놓는 수술이기 때문에 아래로 볼 때 눈꺼풀이 따라서 내려가지 않아 수술한 눈의 흰자위가 보여 조금 이상하게 보일 때가 있습니다. 아이가 성장하면서 아래로 쳐다 볼 때 눈모양이 어색해 보인다는 것을 인식하고 이러한 눈 모습을 피하는 요령을 점차 터득하게 됩니다. 이러한 현상 역시 대부분의 환자에게서 어쩔 수 없이 나타납니다.

눈썹이 말려드는 현상

심한 안검하수 수술 후 눈썹이 눈 안으로 말려드는 현상이 생기는 경우가 있습니다. 드물게 나타나지만 생기면 수술이 필요할 수 있습니다.

흉터가 생길 수 있다.

흉터는 환자 개인의 체질과 관련이 많습니다. 수술할 때 가능한 정교하게 봉합하여 흉터를 최소화 하도록 하고 있으나 환자분에 따라 차이가 있으며 어쩔 수 없이 생기는 경우도 있습니다. 하지만 흉터는 시간이 지나면서 많이 옅어지게 됩니다.

수술 전 조심할 점

- 어린이들은 전신마취를 하므로 수술 전에 감기에 걸리지 않도록 조심해야 합니다. 수술 당일 열이 많이 나고, 기침과 함께 숨소리가 좋지 않으면 수술을 연기하는 것이 좋습니다.
- 과거 질환이나 복용약이 있으면 반드시 알려주셔야 합니다.
- 항응고제(쿠마딘)나 항혈소판제제(아스피린, 플라빅스, 티클리드, 실로스타졸 등) 또는 소염진통제를 복용하시는 경우 약제에 따라 수술 3일 ~ 2주 전에 중단해야 하므로 반드시 수술 전 의사와 상의하셔야 합니다.
- 고혈압약은 수술 당일 아침까지 복용하시고, 당뇨치료제는 전신마취의 경우 당일 아침에는 복용하지 않으셔야 하나, 이에 대해서도 반드시 수술 전 의사와 상의하셔야 합니다.
- 전신마취의 경우 수술 당일에는 금식을 해야 합니다. 어린이들의 금식시간은 성인과 다르며, 금식시간에 관해 의료진과 상의해 주시기 바랍니다.

■ 어린이 수술 전 금식 시간

나이	금식시간	
	음식 (죽, 밥, 빵, 이유식, 우유, 과일, 과자 등)	물 (물이나 보리차 등 맑은 액체를 소량만 섭취)
6개월 이하	4	2
6~36개월	6	3
36개월 이상	8	3

■ 성인은 수술 당일 8시간 이상 금식하셔야 합니다.

수술 과정에서 환자 상태에 따라 예측이 어렵고 불가항력적인 합병증이 발생할 수 있으며, 부득이하게 수술방법이 변경되거나 수술범위가 추가될 수 있습니다. 다만, 이에 대해 환자 또는 대리인에게 추가로 설명해야 하는 사항이 있는 경우 시행하기 전에 이에 대하여 설명하고 동의를 얻기로 합니다.

담당의사 ______________________

설명간호사 ____________________

본인(대리인)은 수술의 목적과 수술방법 그리고 발생할 수 있는 수술 후 문제들에 대해 충분히 설명을 듣고 이해하였습니다.

20　　년　　　월　　　일

환자 ______________________ (서명)

보호자 ____________________ (서명)　　　(환자와의 관계:　　　　　)

안검하수 수술 동의서

수술명: **자가근막 이마근걸기술** □ 좌안 □ 우안 □ 양안

추가수술: □ 좌안 □ 우안 □ 양안

등록번호: 성명: 생년월일: 성별: 남, 여

진단명: □ 좌안 □ 우안 □ 양안

수술예정일: 20 년 월 일 마취방법: □ 전신 □ 국소

● 환자분의 건강 상태에 대해 해당사항을 표시해 주세요.

과거질환 □ 없음 □ 있음 (질환명:)

□ 고혈압 □ 당뇨병 □ 심장질환 □ 호흡기질환

□ 신장질환 □ 출혈소인 □ 약, 주사 부작용

수술여부 □ 없음 □ 있음 (수술명:)

복용약 □ 없음 □ 있음 (약 이름:)

흔들리는 치아 □ 없음 □ 있음 □ 유치 □ 영구치

기타 알아야 할 사항 □ 없음 □ 있음 (내용:)

자가근막 이마근걸기술이란?

눈을 뜨는 근육의 힘이 아주 약할 때 시행하는 안검하수 수술로서, 자가근막을 사용하여 눈꺼풀 조직을 이마근육 쪽으로 당겨주어 처진 눈을 올려주는 수술 방법입니다. 자가근막은 다리에 있는 근육을 싸고 있는 막으로서 수술 후 눈꺼풀과 이마근육을 연결해 주는 역할을 하게 됩니다. 다리를 약 3cm 정도 절개해야 하기 때문에 적어도 만 세 살 정도의 나이가 되어야만 수술을 받을 수 있습니다. 수술이 복잡하고 시간이 많이 걸리는 단점이 있지만 재발이 아주 적으며 눈꺼풀 성형술도 동시에 시행하기 때문에 미용상 더 좋은 장점이 있습니다.

눈꺼풀 성형술도 동시에 시행하고 수술 시간이 많이 소요되며 수술이 훨씬 복잡하기 때문에 비용이 더 들게 됩니다.

발생할 수 있는 합병증

출혈, 부종 및 염증

수술 후 갑자기 붓고 출혈이 생기는 경우는 지체 없이 알려주십시오. 극히 드물지만 출혈로 인해 시력 이상이 생기는 경우도 발생할 수 있습니다.

양쪽 눈이 똑같지 않다.

안검하수 수술 시 양쪽 눈이 최대한 비슷하게 되도록 최선을 다하지만 수술 후 비대칭이 생기는 경우가 있습니다. 개인마다 눈이 모두 다르고, 상처가 낫는 양상도 다르기 때문입니다. 수술 전에 반드시 이해하셔야 하는 부분입니다.

가끔 재수술이 필요하다.

수술 후 눈꺼풀처짐 상태가 많이 좋아지지만 그렇다고 해서 안검하수 수술이 정상 눈으로 만들어주는 완벽한 치료는 아닙니다. 수술 후 결과를 예측하기 쉽지 않고 예상하지 못했던 합병증이 발생할 수 있기 때문에 교과서 적으로도 '완전하지 않은 과학'이라고 합니다. 자가근막 수술의 경우 재발률은 5% 이내로 아주 낮지만, 100% 재발을 하지 않는다고 할 수는 없습니다. 또한 수술 후 부족교정이나 과교정, 또는 눈매이상, 양안 비대칭 등으로 재수술을 해야 하는 경우가 어쩔 수 없이 발생할 수 있습니다. 이렇게 재수술을 하는 경우에도 소정의 수술비를 지불하셔야 합니다.

잘 때 눈을 완전히 감지 못한다.

안검하수 수술은 눈꺼풀을 위로 당겨주는 수술이기 때문에 밤에 잘 때 눈을 완전히 감지 못하고 약간 뜨게 됩니다. 따라서 눈이 건조해져서 각막이 손상되는 것을 예방하기 위해 안약 혹은 안연고를 조금 넣고 자는 것이 좋습니다. 이러한 현상은 거의 대부분의 환자에서 어쩔 수 없이 나타나게 됩니다. 또한 정기적인 외래 진찰을 통하여 눈에 상처가 나지 않았는지 관리하는 것이 좋습니다.

아래로 볼 때 눈의 흰자위가 보인다.

안검하수 수술은 눈꺼풀을 위로 당겨놓는 수술이기 때문에 아래로 볼 때 눈꺼풀이 따라서 내려가지 않아 수술한 눈의 흰자위가 보여 조금 이상하게 보일 때가 있습니다. 아이가 성장하면서 아래로 쳐다 볼 때 눈모양이 어색해 보인다는 것을 인식하고 이러한 눈 모습을 피하는 요령을 점차 터득하게 됩니다. 이러한 현상 역시 대부분의 환자에게서 어쩔 수 없이 나타납니다.

눈썹이 말려드는 현상

심한 안검하수 수술 후 눈썹이 눈 안으로 말려드는 현상이 생기는 경우가 있습니다. 드물게 나타나지만 생기면 수술이 필요할 수 있습니다.

흉터가 생길 수 있다.

흉터는 환자 개인의 체질과 관련이 많습니다. 수술할 때 가능한 정교하게 봉합하여 흉터를 최소화 하도록 하고 있으나 이마나 다리의 흉터는 환자분에 따라 차이가 많으며 어쩔 수 없이 생기는 경우도 있습니다. 하지만 흉터는 시간이 지나면서 많이 옅어지게 됩니다.

다리 상처가 벌어지거나 불룩 솟는 현상

수술 직후 다리를 많이 움직이는 환자에서 아주 드물게 상처가 벌어지기도 하지만 이를 예방하기 위해 봉합을 촘촘히 하고 있습니다. 근육이 많이 발달된 성인에서 근육이 약간 빠져나와 불룩하게 보이는 경우도 아주 드물게 나타나지만 대부분 다리의 기능에는 이상이 없습니다.

수술 전 조심할 점

- 어린이들은 전신마취를 하므로 수술 전에 감기에 걸리지 않도록 조심해야 합니다. 수술 당일 열이 많이 나고, 기침과 함께 숨소리가 좋지 않으면 수술을 연기하는 것이 좋습니다.
- 과거 질환이나 복용약이 있으면 반드시 알려주셔야 합니다.
- 항응고제(쿠마딘)나 항혈소판제제(아스피린, 플라빅스, 티클리드, 실로스타졸 등) 또는 소염진통제를 복용하시는 경우 약제에 따라 수술 3일 ~ 2주 전에 중단해야 하므로 반드시 수술 전 의사와 상의하셔야 합니다.
- 고혈압약은 수술 당일 아침까지 복용하시고, 당뇨치료제는 전신마취의 경우 당일 아침에는 복용하지 않으셔야 하나, 이에 대해서도 반드시 수술 전 의사와 상의하셔야 합니다.
- 전신마취의 경우 수술 당일에는 금식을 해야 합니다. 어린이들의 금식시간은 성인과 다르며, 금식시간에 관해 의료진과 상의해 주시기 바랍니다.

■ 어린이 수술 전 금식 시간

나이	금식시간	
	음식 (죽, 밥, 빵, 이유식, 우유, 과일, 과자 등)	물 (물이나 보리차 등 맑은 액체를 소량만 섭취)
6개월 이하	4	2
6~36개월	6	3
36개월 이상	8	3

■ 성인은 수술 당일 8시간 이상 금식하셔야 합니다.

수술 과정에서 환자 상태에 따라 예측이 어렵고 불가항력적인 합병증이 발생할 수 있으며, 부득이하게 수술방법이 변경되거나 수술범위가 추가될 수 있습니다. 다만, 이에 대해 환자 또는 대리인에게 추가로 설명해야 하는 사항이 있는 경우 시행하기 전에 이에 대하여 설명하고 동의를 얻기로 합니다.

담당의사 ____________________

설명간호사 ____________________

본인(대리인)은 수술의 목적과 수술방법 그리고 발생할 수 있는 수술 후 문제들에 대해 충분히 설명을 듣고 이해하였습니다.

20 년 월 일

환자 ____________________ (서명)

보호자 ____________________ (서명) (환자와의 관계:)

참고문헌

1. 대한성형안과학회. 성형안과학. 도서출판 내외학술, 2015.
2. 이상열, 김윤덕, 곽상인, 김성주. 눈꺼풀성형술. 도서출판 내외학술, 2009.
3. 이상열, 김태형, 장재우, 유혜린. 안검하수 환자에서 비디오 카메라를 이용한 상안검운동의 속도측정. 대한안과학회지 1999;40:1451-8.
4. Chen WP. Oculoplastic surgery: the essentials. New York: Thieme, 2001.
5. Dortzbach RK. Ophthalmic plastic surgery: prevention and management of complications. New York: Raven Press, 1994.
6. Lyon DB, Gonnering RS, Dortzbach RK, Lemke BN. Unilateral ptosis and eye dominance. Ophthal Plast Reconstr Surg 1993;9:237-40.
7. Meyer DR, Wobig JL. Detection of contralateral eyelid retraction associated with blepharoptosis. Ophthalmology 1992;99:366-75.
8. Nerad JA. Oculoplastic surgery: The requisites in ophthalmology. St. Louis: Mosby, 2001.

CHAPTER 04

눈꺼풀처짐의 치료시기와 수술 방법의 선택

When to do, What to do?

CONTENTS

수술 시기의 선택

눈꺼풀처짐 환자의 수술 시기를 결정하는 데는 많은 요소를 고려해야 한다. 수술의 목적이 어린이와 성인에서 각기 다를 수 있으므로 이 요소들은 차이가 있다. 어린이는 미용적 문제 외에 시기능 발달 이상으로 인한 약시, 난시, 사시 또는 이상두위abnormal head position를 동반할 수 있고, 정서 발달에 부정적 영향을 미칠 수 있음을 고려하여야 한다. 또한 약시나 사시 진단을 위한 시기능 검사가 어렵고 눈꺼풀올림근의 기능을 측정할 때 협조가 안 되는 경우가 많아 수술 시기를 결정하기 어렵다. 전신마취 하에서 수술을 해야 하는 점도 수술 시기 결정에 영향을 준다. 한편 성인의 경우는 시기능이 완성된 상태이므로 보통 환자가 원하는 시기에 수술을 하면 된다. 그러나 눈꺼풀처짐이 심하여 위쪽 시야장애가 있으면 수술 시기를 늦추지 않는 것이 바람직하다.

어린이에서 수술 시기에 영향을 주는 요인

눈꺼풀처짐 정도

어린이의 눈꺼풀처짐 수술 시기를 결정하는데 가장 큰 영향을 미치는 요소는 눈꺼풀처짐의 정도이다. 눈꺼풀이 동공을 완전히 가릴 정도로 심한 눈꺼풀처짐은 약시가 발생할 수 있으므로 조기수술을 고려해야 한다. 하지만 사물을 볼 때 이상두위, 즉 고개를 들거나 눈썹올림과 같은 보상기전이 있는 경우는 그렇지 않은 경우에 비하여 시야가 덜 가려져 약시의 가능성이 낮아질 수 있다.

눈꺼풀처짐의 정도와 약시발생과의 연관성에 대한 다양한 연구가 보고되어 왔다. 아직까지 논란의 여지는 있으나 눈꺼풀처짐이 심하면 심할수록 약시 발생이 높아질 가능성을 배제할 수 없을 것이다.

심한 눈꺼풀처짐 어린이에서 약시의 발생을 줄이기 위해서는 조기 수술이 가장 좋은 치료 방법이다. 많은 보고에서 눈꺼풀처짐 교정 수술 후 약시가 수술 전보다 호전되었고, 수술 후 난시의 변화로 부등시가 수술 전보다 증가할 수도 있지만 새로운 약시 환자가 발생한 경우는 없으므로 심한 눈꺼풀처짐 어린이에서는 조기 수술을 권하고 있다. 반면에 다른 보고에서는 일부 선천눈꺼풀처짐 환자에서 수술 후 난시의 증가로 약시가 발생하였으므로 눈꺼풀처짐의 수술 시기를 4~5세까지 늦추는 것을 제안했다.

약시

선천눈꺼풀처짐에서 동반되어 나타나는 약시로 인한 시력저하는 수술 시기를 결정하는데 가장 중요한 요소 중 하나이다. 실제로 많은 부모들이 눈꺼풀처짐으로 인해 약시가 생기는 것을 가장 걱정하고 있다. 일반인에서 약시의 발생 빈도는 약 2~5%인데 비하여 선천눈꺼풀처짐 환자에서는 14~27%로 보다 높은 것으로 알려져 있다. 또한 선천눈꺼풀처짐 환자에서 사시의 발생 빈도도 6~32%로 정상인의 1~5%보다 높았으며, 부등시 또한 12~30%로 정상인의 7~10%보다 높은 것으로 알려져 있다.

눈꺼풀처짐 환자에서 약시의 발생 이유가 선천눈꺼풀처짐 자체로 인한 것인지 혹은 동반되는 사시와 부등시가 약시의 원인 인지에 대하여는 많은 논란이 있는 실정이다. 사시나 부등시가 동반되지 않고 눈꺼풀처짐 자체가 시력발달에 영향을 주어 약시가 발생한다고 하는 경우는 1.6~16.7%로 다양하게 보고되고 있다. 그러나 고개를 들거나 눈썹올림과 같은 보상기전으로 인해 눈꺼풀처짐 자체에 의한 약시는 거의 발생하지 않고, 대부분 동반된 사시나 부등시가 약시의 원인이라는 보고도 있다. 그렇지만 단안 선천눈꺼풀처짐에서 보상기전이 있더라도 약시 발생의 가능성을 배제할 수는 없다.

선천눈꺼풀처짐 환자에서 1.0 디옵터 이상의 난시가 43~50%로 높게 보고되고 있으며, 특히 2.5 디옵터 이상의 난시는 약시와 관련이 있다고 알려져 있다. 단안 눈꺼풀처짐 환자에서 난시의 빈도는 눈꺼풀처짐 눈에서 더 높은 것으로 알려져 있다.

난시의 발생 원인은 아직 명확하게 알려져 있지 않다. 눈꺼풀처짐 환자의 경우 각막과 180°로 놓인 위눈꺼풀은 정상눈꺼풀 보다 각막 접촉면이 넓어 각막 중심부나 주변부에 지속적인 압력이 가해지며, 이로 인해 곡률반경에 영향을 주어 난시가 발생한다는 보고가 있다. 따라서 난시축은 직난시를 보이는 경우가 많다. 위눈꺼풀에 생긴 큰 콩다래끼나 혈관종이 있을 때도 눈꺼풀의 압력 때문에 이와 같은 난시가 발생할 수 있다. 반면에 눈꺼풀올림근절제술이나 이마근걸기술과 같은 수술 방법에 따른 눈꺼풀의 압력 차이에도 불구하고 두 군간의 수술 전후 난시 변화는 차이가 없다는 보고도 있다. 따라서 눈꺼풀처짐 환자의 난시 원인으로는 눈꺼풀의 긴장도나 눈꺼풀의 위치보다 다른 복합적인 요인이 작용한다는 주장도 있다.

눈꺼풀처짐 수술 후 난시의 변화에 대해서는 다양한 보고가 있다. 일반적으로 수술 후 통계학적으로 유의한 난시 변화는 없다고 알려져 있다. 하지만 수술 후 난시의 증가로 새로운 부등시가 발생하여 수술 전 약시가 없던 환자에서 수술 후 약시가 나타났다는 보고도 있다. 선천눈꺼풀처짐 환자에서 약시의 발생 원인에 대한 논란처럼, 눈꺼풀처짐 수술 후 발생한 난시가 약시에 미치는 영향에 대해서도 논란의 여지가 있다. 눈꺼풀처짐 수술 후 6주째 86%에서 난시가 증가하였으나 12개월 후 난시가 감소하여 수술 전과 비슷해졌다는 보고가 있다. 하지만 선천눈꺼풀처짐 수술 후 많은 경우에서 난시 변화가 나타나며 굴절력과 양안시 환경 변화로 시기능 발달에 영향을 줄 수도 있으므로 수술 후에도 굴절력 및 시력 변화에 대한 면밀한 경과 관찰이 필요하다.

선천눈꺼풀처짐에서 부등시의 발생빈도는 12~30%로 알려져 있다. 하지만 보고자마다 부등시의 기준에 많은 차이가 있어 정확한 빈도를 알기는 어렵다. 외국의 경우는 양안의 굴절 이상의 차이가 근시 또는 원시 1.0 디옵터, 난시 1.0 디옵터 이상을 부등시의 기준으로 하였을 때 14.6%로 보고된 바 있으며, 국내의 경우는 근시 또는 원시 2.0 디옵터, 난시 1.5 디옵터 이상을 부등시로 규정하였음에도 29.5%로 높게 보고되었다.

결론적으로, 선천눈꺼풀처짐 환자에서 약시의 원인으로는 동반된 사시나 부등시가 주 원인으로 알려져 있지만 사시 또는 부등시가 동반되지 않은 경우에서도 나타날 수 있어 눈꺼풀처짐 자체도 약시의 원인으로 생각할 수 있다. 모든 선천눈꺼풀처짐 환자에서 수술 전에 눈꺼풀처짐의 정도, 눈꺼풀올림근 기능뿐만 아니라 조절마비굴절 검사, 사시 검사, 안저 검사 등을 시행하여 약시를 유발할 수 있는 모든 잠재적인 위험인자에 대해서 검사를 시행하여야 하며, 수술 후에도 정기적인 경과 관찰을 통해 약시 발생을 예방하고, 조기에 발견하여 치료하는 것이 필수적이다.

단안성 혹은 양안성

양안 눈꺼풀처짐보다는 단안 눈꺼풀처짐에서 약시가 더 많이 생기는 것으로 알려져 있다. 선천눈꺼풀처짐 환자에서 약시의 86~90%가 단안 눈꺼풀처짐에서 발생한 것으로 보고된 바 있다. 양안 눈꺼풀처짐이 있으면 시야 확보를 위하여 고개를 들지만, 단안 눈꺼풀처짐의 경우는 정상 눈을 주로 사용하기 때문에 약시가 발생할 가능성이 더 높을 수 있다. 또한 약시는 단안 눈꺼풀처짐의 경우 눈꺼풀처짐이 있는 눈에서, 그리고 양안 눈꺼풀처짐의 경우 눈꺼풀처짐이 심한 눈에서 주로 발생한다.

정서장애

최근 부모들의 높은 교육열로 인하여 만3세 전후가 되면 놀이방에 가거나 미술, 음악, 스포츠 활동 등을 시작하게 된다. 즉, 과거와는 달리 아주 어린 나이에 이러한 활동을 통하여 친구들과의 대인관계를 형성하므로 눈꺼풀처짐이 있다면 친구들과 어울림에서 외관상의 문제로 따돌림을 당하거나 놀림을 받을 수 있으며 이로 인하여 정서발달에 문제가 생길 수 있다. 또한 부모들도 아기들의 눈꺼풀처짐으로 인하여 많은 심적 고통을 받게 된다. 따라서 예전의 가장 적합하다고 생각했던 수술 시기인 초등학교 입학 전보다는 이러한 문제를 전체적으로 고려하여 눈꺼풀처짐이 심한 경우는 좀 더 이른 나이에 수술을 고려하는 것이 바람직할 것으로 보인다.

눈꺼풀처짐이 심한 어린이에서 조기에 눈꺼풀처짐 수술을 시행한 결과 아이들이 더 밝아지고 잘 논다는 이야기를 진료하는 과정에서 자주 들을 수 있다. 1살 전후에 눈꺼풀처짐을 수술 한 어린이를 대상으로 수술 전과 수술 1달 후의 성격변화를 조사해 본 결과, 눈꺼풀처짐 수술이 어린이의 성격에 긍정적인 영향을 미친다는 보고가 있었다. 이 연구에서 밝혀진 어린이의 긍정적인 변화가 아이가 더욱 밝고 적극적인 아이로 성장하는 데에 도움을 줄 수 있다고 생각된다.

이상두위에 따른 목근육의 피로함

선천눈꺼풀처짐이 심하면 사물을 볼 때 고개를 들고 보는 경우가 많은 데 계속해서 고개를 들게 되면 목근육의 비정상적인 수축이 지속되어 심한 피로를 느낄 수 있다. 어린이의 경우 정확한 자기 표현을 하지 못하는 경우가 많아 생각보다 더 힘든 경우가 있을 수 있음을 고려해야 하겠다(표 4-1).

표 4-1 선천눈꺼풀처짐 환자의 약시와 수술 시기

- 선천눈꺼풀처짐 환자에서 동반된 사시나 부등시가 약시의 주된 원인이다.
- 단안 눈꺼풀처짐이 양안 눈꺼풀처짐 보다 약시가 더 많이 발생한다.
- 선천눈꺼풀처짐 환자의 일반적인 수술 시기는 눈꺼풀처짐 정도와 눈꺼풀올림근 기능을 측정할 수 있는 나이인 3~5세 경이다.
- 동공을 가리는 심한 단안 눈꺼풀처짐 어린이는 약시 발생을 줄이기 위해서 조기에 수술하는 것이 좋다.
- 눈꺼풀처짐 교정 수술 후 굴절이상의 변화가 올 수 있으므로 정기적인 굴절 검사, 사시 검사를 시행하여 시력 관리를 하는 것이 필요하다.

어른의 수술 시기

어른 눈꺼풀처짐의 수술 시기는 주로 선천눈꺼풀처짐인 어린이와 달리 고려해야 할 사항이 많지 않다. 대부분 미용적인 목적이 우선이므로 다른 질환이 동반되지 않은 경우라면 수술 시기는 크게 문제가 되지 않는다. 하지만 환자의 병력을 주의 깊게 청취하여 단순눈꺼풀처짐인지 다른 질환과 동반된 경우인지 감별하여야 한다. 다른 질환의 동반이 의심된다면 이 질환이 완전히 밝혀질 때까지 수술 시기를 미루는 것이 좋다.

외상눈꺼풀처짐의 경우는 최소 1년 이상, 혹은 최대 개선이 된 후 적어도 6개월을 기다린 후 수술하는 것이 좋다. 기계눈꺼풀처짐의 경우 원인이 되는 눈꺼풀이나 안와병변을 먼저 제거한 후 일정시간을 기다려보고 남는 눈꺼풀처짐을 교정하는 것이 원칙이지만 경우에 따라서는 동시에 눈꺼풀처짐 교정술을 시행하기도 한다.

수술 방법의 선택

충분한 병력 청취와 이학적 검사 그리고 눈꺼풀처짐의 정확한 분류는 눈꺼풀처짐 환자의 가장 적절한 치료방법을 선택하는 데 도움을 준다. 수술 방법을 선택하는 데 영향을 미치는 가장 중요한 요소는 눈꺼풀올림근의 기능이며 이와 함께 눈꺼풀처짐의 정도, 눈보호 기전 등을 고려해야 한다.

눈꺼풀올림근의 기능만으로 수술 방법을 선택할 수도 있지만, 눈꺼풀올림근의 기능이 눈꺼풀처짐의 정도와 많은 연관이 있으므로 두 가지 요소를 함께 고려하여 수술 방법을 결정할 수도 있다.

표 4-2 눈꺼풀올림근의 기능에 따른 분류

양호	10 mm 이상
보통	5~9 mm
불량	5 mm 미만

표 4-3 눈꺼풀올림근 기능에 따른 수술 방법

눈꺼풀올림근 기능	수술 방법
0~4 mm	이마근걸기술
5~9 mm	눈꺼풀올림근절제술
10 mm 이상	눈꺼풀올림근널힘줄 수술

눈꺼풀올림근의 기능에 따른 수술 방법

눈꺼풀올림근의 기능 정도 분류는 저자마다 약간씩의 차이가 있지만 일반적으로 불량poor: 5 mm 미만, 보통moderate: 5~9 mm, 양호good or excellent: 10 mm 이상으로 분류할 수 있다(**표 4-2**). 하지만, 눈꺼풀올림근의 정상 기능은 인종에 따라서 차이가 있듯이 눈꺼풀처짐 환자에서의 눈꺼풀올림근 기능에 따른 분류도 인종에 따라 차이가 날 수 있다. 눈꺼풀올림근의 기능에 따른 수술 방법은 다음과 같다(**표 4-3**).

눈꺼풀올림근의 기능이 양호한 경우

눈꺼풀올림근의 기능이 양호한 경우는 널힘줄눈꺼풀처짐 환자에서 흔히 볼 수 있다. 서양인의 널힘줄 눈꺼풀처짐은 보통 쌍꺼풀이 크게 보이고, 눈꺼풀이 얇아 홍채가 비쳐 보이는 것이 특징이지만 우리나라 환자는 원래 쌍꺼풀이 없는 경우가 많고 눈꺼풀이 두툼하기 때문에 이런 특징을 잘 관찰할 수 없다. 장기간의 콘택스렌즈 착용, 백내장 등의 안내 수술, 외상 등에 의한 널힘줄눈꺼풀처짐이 나타날 수 있다. 눈꺼풀을 뒤집어 보아 눈꺼풀결막에 발생한 거대유두결막염이나 다른 염증성 질환에 의한 눈꺼풀처짐을 확인하여야 한다.

그 외 눈꺼풀올림근의 기능이 양호한 경우는 호르너증후군, 근육무력증, 만성진행성외안근마비, 근긴장성이상증, 그리고 후천 진행성 눈돌림신경마비의 초기 등이 있을 수 있다. 또한 경도의 눈꺼풀처짐이 있는 선천 근성눈꺼풀처짐에서도 눈꺼풀올림근의 기능이 양호한 경우가 있을 수 있다.

일반적으로 눈꺼풀올림근의 기능이 양호한 경우는 널힘줄 수술을 시행한다. 그 외에 경도의 눈꺼풀처짐이 있으면서 눈꺼풀올림근의 기능이 10 mm 이상으로 양호한 경우는 phenylephrine test를 시행하여 반응이 있으면 결막뮐러근절제술 혹은 Fasanella-Servat 방법을 선택할 수 있다. 하지만 Fasanella-Servat 방법은 눈꺼풀판, 마이봄선, 부눈물샘 등의 정상 구조를 손상시키는 문제가 있어 최근에는 잘 시행하지 않는 수술 방법이다.

눈꺼풀올림근의 기능이 보통인 경우

눈꺼풀올림근의 기능이 보통인 선천 근성눈꺼풀처짐은 가족력, 발생시기 그리고 다른 신경학적 질환 혹은 안구운동장애의 동반 유무를 함께 조사하여야 한다. 선천눈꺼풀처짐에서는 눈꺼풀올림근의 발달장애로 탄성력이 떨어져 아래를 바라볼 때 발생하는 눈꺼풀내림지연lid lag이 나타나며, 이는 후천눈꺼풀처짐과 구별되는 특징이라 할 수 있다. 선천눈꺼풀처짐의 대부분은 외안근의 장애를 동반하지 않지만 발생학적으로 눈꺼풀올림근과 상직근은 같은 중배엽mesodermal bud에서 형성되기 때문에 5~6%에서 상직근의 이상을 동반하기도 한다. 또한 음식을 씹는다던가 턱을 눈꺼풀처짐이 있는 쪽의 반대로 움직여 보아 턱-윙크 현상의 유무를 확인하여야 한다.

동공의 산대와 안구운동장애가 동반된 경우는 후천진행성 눈돌림신경마비의 초기일 수 있다. 눈꺼풀올림근의 기능 저하가 급격히 진행한다면 신경학적 검사, 당뇨 검사와 MRI, CT 등의 영상 검사를 시행해 보아야 한다.

그 외에 만성진행성외안근마비, 근긴장성이상증, 근무력증, 무안구증 눈꺼풀처짐 등에서 눈꺼풀올림근의 기능이 보통인 경우를 볼 수 있다. 무안구증환자의 눈꺼풀올림근의 기능은 보통 정상이나 안와와 눈꺼풀의 해부학적 변화가 있을 경우 눈꺼풀기능이 감소되어 눈꺼풀처짐이 나타날 수 있다.

눈꺼풀올림근의 기능이 보통인 눈꺼풀처짐은 눈꺼풀올림근절제술을 시행한다.

눈꺼풀올림근의 기능이 불량한 경우

눈꺼풀올림근의 기능이 불량한 경우는 심한 선천눈꺼풀처짐, 눈돌림신경마비, 심한 근성눈꺼풀처짐, 기계눈꺼풀처짐에서 볼 수 있다.

수술은 이마근걸기술frontalis suspension 방법이 가장 보편적인 방법이다. 이마근걸기술 시에는 자가대퇴근막이 가장 좋다고 알려져 있으며, 그 외 보존대퇴근막, silicone rod 그리고 supramid®와 같은 재료를 사용할 수 있다. 이마근걸기술이 눈꺼풀올림근절제술 보다 토안이 적고, 수술 결과가 더 예측 가능하며, 상직근의 손상이 적은 장점이 있다.

그 외에 수술자의 선호도에 따라서 눈꺼풀올림근최대절제술supermaximal levator resection(30 mm 이상 절제), 혹은 휘트날인대걸기술Whitnall's sling 등이 사용되기도 한다.

표 4-4 눈꺼풀처짐 정도에 따른 분류

경도	정상 MRD_1보다 2 mm 이하
중등도	정상 MRD_1보다 3 mm
중증	정상 MRD_1보다 4 mm 이상

눈꺼풀올림근의 기능과 눈꺼풀처짐 정도에 따른 수술 방법

눈꺼풀처짐의 정도와 눈꺼풀올림근의 기능은 서로 연관성이 있으므로 눈꺼풀올림근의 기능 정도와 눈꺼풀처짐 정도인 MRD_1을 같이 고려하여 수술 방법을 결정하는 방법이다. 눈꺼풀처짐의 정도는 정상안과 비교해서 처짐의 정도에 따라 경도mild: 2 mm, 중등도moderate: 3 mm, 중증severe: 4 mm 이상으로 분류한다(표 4-4).

단안 눈꺼풀처짐의 수술

단안의 경도 눈꺼풀처짐의 교정

성인에서 경도 눈꺼풀처짐은 눈꺼풀올림근의 기능이 양호하며 대부분이 널힘줄눈꺼풀처짐이다. 경도의 눈꺼풀처짐에서는 널힘줄절제술이 일반적인 수술 방법이다. 다만 눈꺼풀올림근의 기능이 양호하고 phenylephrine 검사에 반응이 있는 경우라면 결막뮐러근절제술을 하면 좋은 결과를 얻을 수 있다. Fasanella-Servat 방법을 할 수도 있으나 눈꺼풀판을 절제해야 하고 눈꺼풀형태의 이상이 발생할 수 있으며 재수술도 어려워 최근에는 거의 사용하지 않는 수술 방법이다.

경도의 선천눈꺼풀처짐에서 눈꺼풀올림근 기능은 다양하게 나타날 수 있으며, 눈꺼풀올림근 기능이나 눈꺼풀처짐 정도를 정확하게 측정했는지 확인하고, 눈꺼풀올림근의 기능에 따라 수술 방법을 선택한다.

단안의 중등도 눈꺼풀처짐의 교정

단안의 중등도 선천눈꺼풀처짐은 눈꺼풀올림근 기능이 감소되어 있으며, 눈꺼풀올림근 절제를 통해 적절하게 교정될 수 있다. 눈꺼풀처짐이 있는 눈에 상직근 기능저하가 동반된 경우는 이를 고려하여 눈꺼풀올림근절제량을 조절하여야 한다.

단안의 심한 눈꺼풀처짐의 교정

단안의 심한 선천눈꺼풀처짐에서는 대부분 4 mm 이하의 불량한 눈꺼풀올림근 기능을 가지고 있지만, 드물게 양호한 기능을 보이는 경우도 있다. 양호한 기능을 가진 경우 눈꺼풀올림근 절제를 통해 교정될 수 있으며, 수술 후 중등도의 눈꺼풀내림지연과 토안이 나타날 수 있다.

수술 방법으로 이마근걸기술이 토안이 적게 생기며 수술결과가 더 예측가능하기 때문에 가장 적합한 수술로 알려져 있다. 단안의 심한 눈꺼풀처짐 환자에서 한 눈에서 이마근걸기술을 할 때 수술의 성공을 좌우하는 요소로는 약시와 이마근의 사용frontalis recruitment 여부가 있다. 눈꺼풀처짐이 있는 눈에 약시가 없다면 보통 양안주시를 위해 눈꺼풀처짐이 있는 눈은 이마근을 사용하여 눈을 뜨기 때문에 눈썹들기가 동반되며, 수술 후에도 이마근을 사용하여 눈을 뜨게 되기 때문에 좋은 결과를 기대할 수 있다. 하지만 눈꺼풀처짐이 있는 눈이 우세안이 아니면서 약시가 있으면 눈꺼풀처짐이 없는 눈을 사용하여 보기 때문에 눈꺼풀처짐이 있는 눈은 이마근사용을 하지 않는 경우가 대부분으로 수술 후에도 부족 교정이 되는 경우가 많아 수술 결과가 만족스럽지 않을 수 있다. 따라서 단안 눈꺼풀처짐에서 이마근 사용으로 눈썹들기가 있는 경우라면 단안 이마근걸기술만으로 좋은 결과를 얻을 수 있다.

그 외에도 눈꺼풀올림근최대절제술(30 mm 이상 절제)과 휘트날인대걸기술Whitnall's sling이 있다. 하지만 눈꺼풀올림근의 기능이 약할수록 눈꺼풀올림근이 지방과 섬유조직으로 대치되어 있는 경우가 많으며 수술 후 근육이 점차 약해지기 때문에 절제술의 효과가 떨어져 재발하는 경우가 많고, 또한 기능이 약한 근육일수록 수축과 이완작용이 떨어져 많은 양의 눈꺼풀올림근을 절제를 해야 하므로 토안, 결막이상, 속눈썹찌름 등과 같은 합병증이 더 빈번하게 동반될 수 있다.

단안의 심한 눈꺼풀처짐에서 양안 수술을 할 것인가? 단안 수술을 할 것인가?

단안의 심한 눈꺼풀처짐 환자에서 눈꺼풀처짐이 있는 눈만 수술할 것인가 혹은 정상인 눈을 함께 수술할 것인가에 대해서는 많은 논란이 있어 왔다. 심한 단안 눈꺼풀처짐 수술 시 한 눈만 수술하면 눈을 감았을 때, 눈깜빡임 시, 그리고 아래 방향을 볼 때 양쪽이 비대칭을 이루기 때문에 양안을 수술하는 것이 좋다는 의견과 비대칭으로 인한 문제가 동반되더라도 정상안에 인위적인 수술을 하는 것이 좋지 않으며 정상안의 수술 후 발생되는 토안 등의 합병증이 문제가 될 수 있다는 의견이 있다. 또한 이는 턱-윙크 현상Marcus Gunn jaw winking ptosis의 수술 시에도 마찬가지라 할 수 있다.

양안 수술을 고려할 때 수술 방법으로는 1965년 Beard가 제안한 수술 방법과 1972년 Callahan이 제안한 수술 방법이 있다. Beard의 방법은 심한 단안 눈꺼풀처짐 수술 시 정상안의 눈꺼풀올림근을 절제하여 인위적으로 눈꺼풀처짐을 만든 뒤 양안에 자가근막을 이용한 이마근걸기술을 동시에 하는 것이다. 반면 Callahan은 정상안의 눈꺼풀올림근은 그대로 둔 채 양안의 이마근걸기술을 하는 방법이다. 즉, 걸기의 장력을 정상안에서는 다소 느슨하게 하여 정면을 보거나 위로 볼 때 정상적인 눈꺼풀올림근이 제한되지 않도록 하고, 눈꺼풀처짐이 있는 눈에서는 이마근걸기술의 장력을 보다 강하게 하여, 정면을 볼 때 정상안과 대칭이 되고 아래를 볼 때 양쪽 눈꺼풀이 거의 같은 높이에서 유지되어 눈꺼풀내림 지연이 대칭적인 모습이 되도록 하는 것이다.

반면 양안을 수술하고 나서 정상안에 노출각막염으로 인한 각막궤양과 시력을 상실한 환자를 경우도 있었으며, 아래 방향을 볼 때 발생하는 비대칭이 나타나지만 환자들이 고개를 많이 숙여서 비대칭이 많이 보이지 않도록 하는 방법을 습득할 수 있어 부모 혹은 환자가 정상안의 수술을 원하지 않았다고 하였다. 이러한 이유로 단안의 심한 눈꺼풀처짐 환자에서 눈꺼풀처짐이 있는 눈에만 이마근걸기술을 해도 95%에서 기능적으로나 미용적으로 좋은 결과를 얻을 수 있으며, 정상안에 인위적인 수술을 하는 것 자체가 부담이 있기 때문에 한눈만 수술하는 것이 좋다는 의견이 있었다.

따라서 단안 눈꺼풀처짐 환자에서 양안 혹은 단안 수술 여부는 수술 후 발생하는 비대칭성의 문제를 우선적으로 고려하여야 하며 대부분 수술자의 선호도에 근거하여 수술 방법을 선택하는 것이 일반적이라고 할 수 있다. 하지만 환자와 부모에게 이러한 문제점을 사전에 설명하고 환자나 부모가 정상안 수술에 대한 거부감이 있다면 눈꺼풀처짐이 있는 눈만 수술을 하는 것이 1차적인 선택이 될 것이다. 단안 수술 후 발생하는 비대칭의 문제로 인해 환자나 보호자가 정상안의 수술을 원한다면 2차적으로 고려해 볼 수 있을 것으로 생각된다.

단안 눈꺼풀처짐 혹은 비대칭 눈꺼풀처짐에서 수술 시 고려해야 할 사항

양안의 눈꺼풀올림근은 Hering의 법칙의 지배를 받는 동향근으로 눈돌림신경의 눈꺼풀올림근아핵levator subnucleus of oculomotor complex은 중앙에 위치하며, 양쪽 눈꺼풀올림근에 동일한 자극을 준다. 눈꺼풀처짐이 있는 눈에 가해진 과도한 자극이 반대편 눈꺼풀에도 가해짐으로써 눈꺼풀처짐이 덜한 반대쪽 눈이 정상처럼 보이는 가성눈꺼풀뒤당김 현상이 나타날 수 있다. 눈꺼풀처짐이 심한 눈꺼풀처짐이 있는 눈만 교정되면 구심성자극afferent stimulus이 감소되어 수술 전에 정상으로 보이던 반대쪽 눈에서 눈꺼풀처짐이 발생할 수 있는 것이다. 따라서 단안 눈꺼풀처짐 혹은 양안 비대칭 눈꺼풀처짐 환자에서는 수술 전 가성눈꺼풀뒤당김 유무를 감별하여야 한다. 만약 이러한 문제를 간과하여 수술 후 반대쪽 눈에서 수술이 필요한 정도의 눈꺼풀처짐이 발생한다면 환자 및 보호자에게 설명하기 곤란한 문제가 발생할 수 있다.

가성눈꺼풀뒤당김을 확인하는 방법으로는 눈꺼풀처짐이 있는 눈이나 혹은 좀더 심한 눈꺼풀처짐이 있는 눈꺼풀을 1) 손가락으로 올려보는 방법, 2) 가리는 방법 그리고 3) phenylephrine test가 있다. 단안 눈꺼풀처짐 환자에서 눈꺼풀처짐이 있는 눈꺼풀을 손가락으로 올리면 반대쪽 눈이 1 mm 이상 내려오는 경우가 20%에서 나타났으며, phenylephrine test에서는 16%, 눈을 가리는 경우는 4%에서 나타났다는 보고가 있었다. 따라서 처진 눈꺼풀을 손으로 올리는 것이 다른 방법에 비해 더 좋은 검사라고 하였다. 반면에 단순히 눈을 가리거나 올린 상태에서 육안으로 반대쪽 눈꺼풀처짐은 관찰 할 수 있지만 눈감빡임 등으로 정확한 MRD를 측정하기 어렵기 때문에 정량적인 측정을 하기 위해서는 phenylephrine test가 더 좋다는 보고도 있었다.

눈꺼풀처짐에서 반대측 눈에 가성눈꺼풀뒤당김이 나타날 가능성은 눈꺼풀처짐의 정도가 심할수록, 선천성보다는 후천성에서 그리고 우세안에 눈꺼풀처짐이 있는 경우가 비우세안에 눈꺼풀처짐이 있는 경우보다 높다고 하였다. 따라서 단안 혹은 양안 비대칭 눈꺼풀처짐이 있는 경우 우세안 여부 검사가 필요하다.

Bodian은 단안 눈꺼풀처짐 수술 환자의 9.6%에서 반대측 눈꺼풀이 1 mm 이상 내려왔으며 이를 Hering

의 법칙에 의한 것으로 설명하고, masked, subclinical blepharoptosis라고 하였다. 반면 Erb 등은 단안 눈꺼풀처짐 환자 수술 후 반대측 눈꺼풀이 1 mm 이상 처지는 경우가 17% 이며, 수술 후 1년 동안 반대측에 수술이 필요한 경우는 5%였다고 보고하였다. 또한 단안 눈꺼풀처짐 수술 전 검사에서 Hering의 법칙을 따르는 가성눈꺼풀뒤당김이 있는 군과 없는 군에서 단안 눈꺼풀처짐 수술 후에 반대측 눈꺼풀틈새의 변화 정도의 차이가 없어 수술 전에 미리 변화 정도를 예측하기 어렵다는 보고도 있었다.

결론적으로 한눈 혹은 두 눈의 비대칭 눈꺼풀처짐 환자에서는 눈꺼풀처짐이 심한 눈을 손가락으로 올려 보거나 혹은 phenylephrine test를 통해 반대쪽 눈꺼풀처짐 유무를 수술 전에 반드시 검사해서 눈꺼풀처짐 수술 후 수술하지 않은 눈꺼풀이 처지는 것을 사전에 예상하고 수술 계획을 세워야 한다.

양안의 선천눈꺼풀처짐

양안의 경도 눈꺼풀처짐

양안의 경도 눈꺼풀처짐은 대부분 양호한 눈꺼풀올림근 기능을 가진다. 널힘줄절제술을 시행하거나 단안의 눈꺼풀처짐에서와 마찬가지로 phenylephrine test에 반응이 있다면 결막뮐러근절제술을 양안에 시행하는 것을 고려해 볼 수 있다.

환자와 부모의 만족도를 높이기 위하여 경도의 양안 눈꺼풀처짐에서는 양안의 대칭성에 관심을 두는 것이 좋다.

양안의 중등도 눈꺼풀처짐

양안에 중등도의 눈꺼풀처짐을 가지고 있는 경우 대체로 걸음마기에 병원을 방문한다. 아이가 누워서 생활할 때는 덜 뚜렷하지만, 걸음마를 시작하면서 사물을 쳐다보기 위해 고개를 뒤로 젖히는 모양을 보이면 부모들이 내원하는 경우가 많다.

눈꺼풀올림근의 기능이 양호하거나 보통이면 눈꺼풀올림근 절제를 시행한다. 드물게 올림근의 기능이 불량한 경우 양안의 이마근걸기술이나 양안의 눈꺼풀올림근최대절제술을 시행한다.

양안의 심한 눈꺼풀처짐

양안의 심한 눈꺼풀처짐을 가진 환자들은 눈꺼풀처짐으로 인하여 시축의 일부가 가려져 있어서 이마근을 사용하여 눈썹의 높이가 높으며, 턱을 드는 경향이 있다.

거의 대부분 눈꺼풀올림근의 기능이 불량하다. 선호되는 수술 방법은 양안 자가대퇴근막 이마근걸기술이다. 이 수술법은 재현성이 높고 재발이 적은 수술 방법이기 때문이다.

심한 눈꺼풀처짐이라도 눈꺼풀올림근 기능저하가 심하지 않은 경우는 눈꺼풀올림근최대절제술을 고려할 수 있다.

양안 비대칭 눈꺼풀처짐 교정

양쪽이 비대칭인 눈꺼풀처짐은 종종 관찰된다. 수술자는 환자들이 무의식적으로 눈꺼풀처짐에 대한 교정뿐만 아니라 양안 비대칭에 대한 교정도 바란다는 것을 인지하고 있어야 한다.

후천눈꺼풀처짐

후천눈꺼풀처짐에서도 선천눈꺼풀처짐과 같이 눈꺼풀올림근의 기능에 따라 수술 방법을 선택한다. 성인 눈꺼풀처짐의 대부분은 보통 혹은 양호한 눈꺼풀올림근의 기능을 가지므로 눈꺼풀올림근널힘줄 혹은 눈꺼풀올림근절제술을 시행한다. 후천눈꺼풀처짐 환자라도 눈꺼풀올림근의 기능이 불량한 경우에는 이마근걸기술을 시행한다.

눈꺼풀방어기전에 이상이 있는 경우

눈꺼풀처짐 수술 후에는 항상 토안이 생기기 때문에 눈의 방어기전은 수술 전 반드시 검사해야 한다. 눈돌림신경마비, 만성진행성외안근마비, 선천외안근섬유증에서 나타나는 눈꺼풀처짐은 안구운동장애가 동반되고 Bell 현상이 없거나 불량하여 눈의 방어기전이 나쁘기 때문에 토안을 가장 적게 유발하는 수술 방법이나 의도적으로 저교정을 하여 수술 후 발생할 수 있는 각막 손상을 최소화해야 한다. 이런 경우 탄력성이 있는 재질인 silicone rod를 이용한 이마근걸기술이 도움이 될 수 있다.

참고문헌

1. 대한성형안과학회. 성형안과학. 도서출판 내외학술, 2015.
2. 소중영, 우경인, 장혜란. 선천성 안검하수에서의 약시. 대한안과학회지 2001;42:1747-52.
3. 송수정, 정화선. 비대칭성 양안 선천성 안검하수 환자의 수술 성적. 대한안과학회지 2002;43:1-4.
4. 원종상, 홍종욱, 이태수. 단안 안검하수증의 안축장 및 굴절이상에 대한 연구. 대한안과학회지 1995;36:1067-74.
5. 이상열, 김윤덕, 곽상인, 김성주. 눈꺼풀성형술. 도서출판 내외학술, 2009.
6. 이춘훈, 김용란, 김희수. 단안 안검하수 환자에서 정상안의 수술. 대한안과학회지 1997;38:1622-7.
7. 홍종욱, 김용연, 이태수. 선천성 단안안검하수증 수술 후의 안축장 및 굴절이상에 대한 연구. 대한안과학회지 1997;38:530-6.
8. Ahmadi AJ, Sires BS. Ptosis in infants and children. Int Ophthalmol Clin 2002;42:15-29.
9. Anderson RL. Whitnall's sling, not a "new procedure". Ophthalmic Surg 1987;18:549.
10. Anderson RL, Baumgartner SA. Amblyopia in ptosis. Arch Ophthalmol 1980;98:1068-9.
11. Awaya S, Miyake Y, Imaizumi Y, Shiose Y, Kanda T, Komuro K. Amblyopia in man, suggestive of stimulus deprivation amblyopia. Jpn J Ophthalmol 1973;17:69-82.
12. Bassin RE, Putterman, AM. Full-thickness eyelid resection in the treatment of secondary ptosis. Ophthal Plast Reconstr Surg 2009;25:85-9.
13. Beard C. A new treatment for severe unilateral congenital ptosis and for ptosis with jaw-winking. Am J Ophthalmol 1965;59:252-8.
14. Beard C. Ptosis. St. Louis: Mosby, 1981.
15. Beneish R, Williams F, Polomeno RC, Little JM, Ramsey B. Unilateral congenital ptosis and amblyopia. Can J Ophthalmol 1983;18:127-30.
16. Berry-Brincat A, Willshaw H. Paediatric blepharotpsis: a 10-year review. Eye (Lond) 2009;23:1554-9.
17. Callahan A. Correction of unilateral blepharoptosis with bilateral eyelid suspension. Am J Ophthalmol 1972;74:321-6.
18. Callahan MA, Callahan A. Ophthalmic plastic and orbital surgery. Birmingham: Aesculapius Publishing Co., 1979.
19. Cetinkaya A, Brannan PA. Ptosis repair options and algorithm. Curr Opin Ophthalmol 2008;19:428-34.
20. Downing AH. Ocular defects in sixty thousand selectees. Arch Ophthalmol 1945;33:137-43.
21. Dray JP, Leibovitch I. Congenital ptosis and amblyopia: a retrospective study of 130 cases. J Pediatr Ophthalmol Strabismus 2002;39:222-5.
22. Dutton JJ. A color atlas of ptosis - A practical guide to evaluation and management. Singapore: P. G Publishing Co., 1988.
23. Epstein GA, Putterman AM. Super-maximum levator resection for severe unilateral congenital blepharoptosis. Ophthalmic Surg 1982;15:971-9.
24. Gusek-Schneider GC. Congenital ptosis: amblyogenic refractive errors, amblyopia, manifest strabismus and stereopsis related to the types of ptosis. Data on 77 patients and review of the literature. Klin Monbl Augenheilkd 2002;219(5):340-8.
25. Gusek-Schneider GC, Martus P. Stimulus deprivation amblyopia in human congenital ptosis: a study of 100 patients. Strabismus 2000;8:261-70.
26. Harrad RA, Graham CM, Collin JR. Amblyopia and strabismus in congenital ptosis. Eye (Lond) 1988;2:625-7.
27. Hornblass A, Kass LG, Ziffer AJ. Amblyopia in congenital ptosis. Ophthalmic Surg 1995;26:334-7.
28. Hubel DH, Wiesel TN. The period of susceptibility to the physiological effects of unilateral eye closure in kittens. J Physiol 1970;206:419-36.
29. Kumar S, Chaudhuri Z, Chauhan D. Clinical evaluation of refractive changes following brow suspension surgery in pediatric patients with congenital blepharoptosis. Ophthalmic Surg Lasers Imaging 2005;36:217-27.
30. Lin LK, Uzcategui N, Chang EL. Effect of surgical correction of congenital ptosis on amblyopia. Ophthal Plast Reconstr Surg 2008;24:434-6.
31. McCord CD Jr, Tanenbaum M, Nunery WR. Oculoplastic surgery. New York: Raven Press, 1995.
32. McCulloch DL, Wright KW. Unilateral congenital ptosis: compensatory head posturing and amblyopia. Ophthal Plast Reconstr Surg 1993;9:196-200.
33. MCNEIL NL. Patterns on visual defects in children. Br J Ophthalmol 1955;39:688-701.
34. Merriam WW, Ellis FD, Helveston EM. Congenital blepharoptosis, anisometropia, and amblyopia. Am J Ophthalmol 1980;89:401-7.
35. Mulvihill A, O'Keefe M. Classification, assessment, and management of childhood ptosis. Ophthalmol Clin North Am 2001;14:447-55.
36. Nerad JA, Carter KD, Alford M. Oculoplastic and reconstructive surgery. Elsevier Health Science, 2008.
37. O'donnell B, Codère F, Dortzbach R, Lucarelli M, Kersten R, Rosser P. Clinical controversy: congenital unilateral and jaw-winking ptosis. Orbit 2006;25:11-7.
38. Smith BC, Nesi FA, Levine MR, Lisman RD. Smith's ophthalmic plastic and reconstructive surgery. St. Louis: Mosby, 1998.
39. von Noorden GK. Experimental amblyopia in monkeys. Further behavioral observations and clinical correlations. Invest Ophthalmol 1973;12:721-6.

CHAPTER

선천눈꺼풀처짐

Congenital blepharoptosis

CONTENTS

선천눈꺼풀처짐은 출생 시 눈꺼풀올림근 가로무늬근 섬유striated muscle fiber의 발육부전에 의해 나타난 눈꺼풀처짐을 말한다. 분만 손상이나 선천눈돌림신경마비로 인한 눈꺼풀처짐은 출생 시 나타날 수 있지만 눈꺼풀올림근의 이상증으로 인한 눈꺼풀처짐이 아니기 때문에 후천성으로 분류할 수도 있다. 눈꺼풀처짐만 나타나는 단순눈꺼풀처짐simple ptosis이 선천눈꺼풀처짐 중 가장 흔하며, 그 외 상직근 약화나 눈꺼풀틈새축소증후군과 같이 다른 선천 이상이 동반되거나, 혹은 Marcus Gunn 턱-윙크 현상이나 눈돌림신경 이상재생 눈꺼풀처짐과 같은 연합운동을 동반하는 복합눈꺼풀처짐unusual or complicated ptosis이 나타날 수 있다.

눈꺼풀처짐 환자 중 선천눈꺼풀처짐 수술 비율은 사회적 환경, 경제적 정도, 의료보험 제도, 그리고 문화적 척도 등에 의해 달라질 수 있다. 눈꺼풀처짐 환자 중 선천눈꺼풀처짐이 차지하는 비중이 과거 1960년대에는 80~90% 정도로 매우 높았으나, 1980년대 보고에서는 60~70% 정도로 감소하였다. 최근에는 노령 인구의 증가와 노인성 변화를 적극적으로 교정하려는 사회적 인식의 변화에 따라 후천눈꺼풀처짐의 비중이 증가하고 있다.

선천눈꺼풀처짐

단순Simple
복합Complicated
- 상직근 약화Superior rectus muscle weakness
- 눈꺼풀틈새축소Blepharophimosis
- 턱-윙크 현상Marcus Gunn jaw winking
- 눈돌림신경마비Third nerve palsy

이 장에서는 선천성 눈꺼풀처짐을 Beard의 분류에 따라 눈꺼풀올림근의 단독 발달이상으로 나타나는 단순형과 상직근마비, 눈꺼풀틈새축소, 턱-윙크 현상 그리고 선천눈돌림신경마비 등이 동반된 복합형으로 나누어 설명하고자 한다.

국내의 보고를 보면 단순눈꺼풀처짐의 빈도가 매우 높아서 약 76~97% 가량에 이르며, 복합눈꺼풀처짐의 빈도는 3~23% 정도이다. 복합눈꺼풀처짐 가운데 상직근마비 동반 3.8~9.7%, 눈꺼풀틈새축소 1.6~9.5%, 턱-윙크 현상 1.3~4.6%, 눈돌림신경마비 0.1~0.4%로 보고되었다.

하지만 외국의 경우는, 단순눈꺼풀처짐의 빈도가 약 70%로 조금 낮으며, 복합눈꺼풀처짐의 빈도는 17~29% 정도이다. 상직근마비 동반 3~6%, 눈꺼풀틈새축소 5.3%, 턱-윙크 현상 4~6%, 선천눈돌림신경마비 2.9%로 보고되었다. 그 외 누난증후군Noonan's syndrome, 안섬유화증ocular fibrosis, 태아알콜증후군fetal alcohol syndrome, 다운증후군Down's syndrome, 터너증후군Turner's syndrome, XXX증후군trisomyX과 같은 선천눈꺼풀처짐 관련 증후군도 약 3%로 알려져 있다. 근육이영양증muscular dystrophy과 만성진행성외안근마비는 소아 눈꺼풀처짐에선 상대적으로 드물다.

이런 다양한 원인들을 구별할 뿐만 아니라 안구함몰enophthalmos이나 소안구증microphthalmos과 같이 눈꺼풀 외적 요인으로 인해 발생하는 가성눈꺼풀처짐과도 감별할 수 있어야 한다.

단순선천눈꺼풀처짐 Simple congenital ptosis

유전

대부분의 선천눈꺼풀처짐 환자들은 가족력 없이 산발적으로 나타나지만 일부 환자들에서는 가까운 친척 중에 눈꺼풀처짐을 보이는 경우가 있다.

병태생리학적 소견

선천눈꺼풀처짐의 대부분은 근성이며 이를 단순선천눈꺼풀처짐이라고 한다. 단순눈꺼풀처짐은 배아기 때 눈꺼풀올림근의 발육부전에 의한 것으로 악화나 호전 없이 평생 그 상태가 지속되며 한쪽 혹은 양쪽에서 발생할 수 있다.

눈꺼풀올림근의 조직학적 연구결과에 의하면 선천눈꺼풀처짐이 눈꺼풀올림근의 이영양증dystrophy이라기보다는 발육부전developmental dysgenesis으로 생각된다. 발육부전이란 배아기에서 근육의 발달 과정 중 나타나는 결함을 뜻하는 반면, 이영양증은 근육이 점진적으로 약화되고 위축되는 유전질환을 말한다. 이렇게 선천눈꺼풀처짐의 조직학적 특징을 분류하는데 어려움이 따르는 만큼 선천눈꺼풀처짐의 병인에도 많은 논란의 여지가 있다.

1955년 Berke와 Wadsworth는 광학현미경 검사에서 눈꺼풀올림근의 가로무늬근섬유 결핍을 관찰하였고, 결핍 정도는 눈꺼풀올림근의 기능 저하와 눈꺼풀처짐의 정도에 직접적으로 비례한다고 보고하였다.

전자현미경 조직병리학적 소견에 따르면 눈꺼풀올림근의 기능이나 눈꺼풀처짐의 정도와는 관계없이 대부분의 눈꺼풀올림근이 가로무늬근세포striated muscle cell가 없거나 부족하여 위축되어 있으며, 건강한 근육은 섬유조직으로 대체되어 근내막섬유화endomysial fibrosis, 근주막 섬유화perimysial fibrosis, 그리고 지방침윤 등이 나타나며, 눈꺼풀올림근의 근막은 두꺼워져 있다고 보고되었다. 또한 면역조직화학 검사를 통한 연구에서는 콜라젠 3형과 섬유결합소fibronectin로 구성되는 무정형 콜라젠유사세포외물질amorphocollagenoid extracellular material이 눈꺼풀올림근에서 관찰되었다.

따라서 눈꺼풀올림근의 가로무늬근 결핍으로 눈꺼풀이 처져 있을 뿐만 아니라, 위를 볼 때 눈꺼풀을 올리기도 힘들고, 아래로 볼 때 눈꺼풀올림근의 탄력이 떨어져 눈꺼풀이 내려가지 않기 때문에 눈꺼풀내림지연 현상이 나타난다. 또한 많은 환자들에서 잠잘 때 약간의 토안lagophthalmos이 나타난다.

선천눈꺼풀처짐 환자의 소수에서 널힘줄성눈꺼풀처짐이 나타날 수 있으며, 이는 널힘줄의 결함으로 인해 눈꺼풀올림근을 수축하면서 발생되는 힘이 효율적으로 전달되지 못하여 발생하는 것으로 이때 눈꺼풀처짐의 정도는 다양하게 나타난다. 눈꺼풀올림근널힘줄에는 벌어짐dehiscence, 파열rupture 혹은 분리disinsertion 같은 변화가 나타난다. 선천눈꺼풀처짐에서 널힘줄성눈꺼풀처짐의 빈도는 국내에서 0.2%로 보고되고 있지만, 발달 장애를 지닌 아이들이나 분만 시 겸자로 손상을 받은 아이들에서도 나타날 수 있으며, 외국에서는 3.5~5%로 높게 보고되었다.

임상양상

일반적으로 눈꺼풀처짐의 정도는 눈꺼풀올림근의 기능에 비례한다. 즉, 눈꺼풀올림근의 기능이 낮을수록 눈꺼풀처짐이 심하지만 반드시 일치하지는 않는다.

눈꺼풀올림근의 기능저하로 인하여 쌍꺼풀선이 흐리거나 소실되어 있다. 쌍꺼풀은 눈꺼풀올림근 섬유가 눈꺼풀판 위쪽의 피부밑조직이나 눈둘레근에 부착되어 형성되므로 눈꺼풀올림근의 기능이 약하여 눈꺼풀을 효과적으로 들어올리지 못하면 쌍꺼풀이 잘 생기지 않는다. 동양인에서는 원래 쌍꺼풀선이 없거나 흐리기 때문에 쌍꺼풀선의 유무만으로 눈꺼풀처짐을 진단하기는 어렵다. 하지만 선천눈꺼풀처짐에서 쌍꺼풀선이 희미하게라도 보이면 눈꺼풀올림근의 기능이 심하게 나쁘지 않다는 것을 암시한다.

단순선천눈꺼풀처짐은 눈꺼풀올림근 기능이 보통이나 불량인 경우가 많다. 단안 혹은 양안 모두 나타날 수 있으며, 양안인 경우 눈꺼풀처짐이 덜한 눈의 눈꺼풀올림근 기능이 상대적으로 더 좋다. 양안눈꺼풀처짐인 경우에서 눈꺼풀처짐 정도가 비대칭으로 나타나는 경우는 단안 눈꺼풀처짐으로 보일 수 있으므로 정확한 검사가 필요하다.

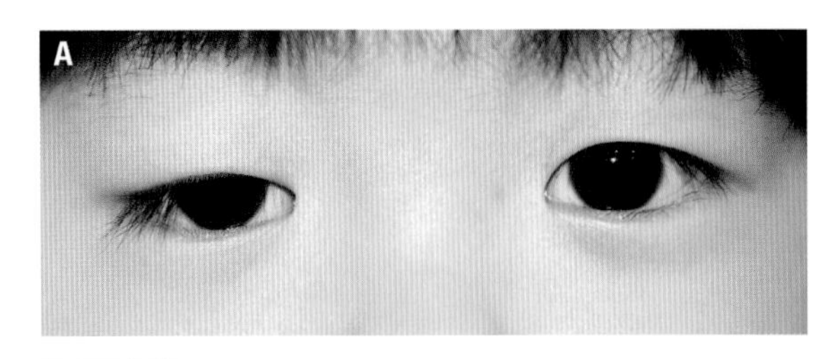

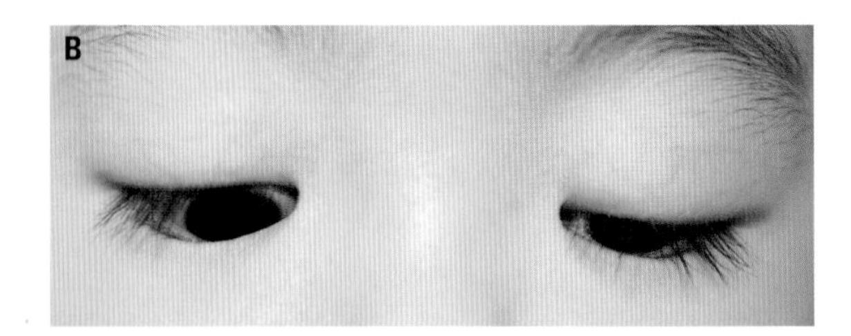

그림 5-1 아래쪽을 바라볼 때 눈꺼풀이 따라 내려가지 않는 눈꺼풀내림지연현상

대부분의 선천눈꺼풀처짐에서 눈꺼풀올림근은 발육부전으로 섬유화되어 있어서 아래쪽을 바라볼 때 눈꺼풀이 따라 내려가지 않는 내림지연현상lid lag이 잘 나타난다(**그림 5-1**). 그러므로 이전에 눈꺼풀올림근의 경직을 유발할 수 있는 다른 외상이나 수술을 받은 기왕력이 없는 환자에서 아래를 바라볼 때 눈꺼풀내림지연이 나타난다면 선천성을 의심할 수 있다.

또한 아래공막보임lower sclera show을 보이는 경우도 있다. 이는 눈꺼풀처짐으로 인한 눈꺼풀올림근-상직근 복합체의 과자극에 대한 보상적 아래눈꺼풀뒤당김 현상에 기인하는 것으로 생각된다. 눈꺼풀처짐 환자가 상방으로 주시할 때 아래공막보임은 더욱 두드러지게 보인다(**그림 5-2**). 눈꺼풀처짐 수술 후에 보상적 아래눈꺼풀뒤당김이 감소됨에 따라 아래눈꺼풀이 상향이동 하면서 이러한 아래공막보임 현상은 대부분 소실되는 것으로 보고되었다(**그림 5-3**).

눈꺼풀이 동공을 완전히 가릴 정도로 심한 눈꺼풀처짐에서 사물을 볼 때 이상두위, 즉 고개를 들거나 눈썹올림과 같은 보상기전이 나타난다(**그림 5-4**). 또한 사물을 볼 때 고개를 들고 보게 되어 목근육의 비정상적인 수축이 지속될 수 있다.

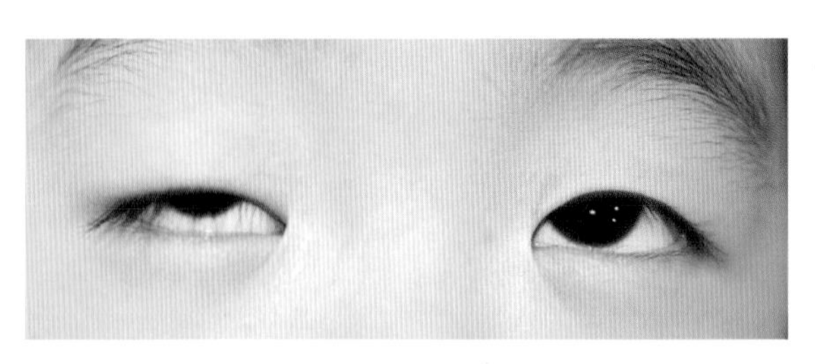

그림 5-2 눈꺼풀처짐 환자가 상방으로 주시할 때 아래공막보임은 더욱 두드러지게 보인다.

선천눈꺼풀처짐 환자에서 눈꺼풀처짐 외에 동반된 사시, 난시나 부등시로 인하여 약시가 발생할 위험성이 있으며, 특히 양안보다는 단안눈꺼풀처짐에서 약시의 발생이 높으므로 유의해야 한다.

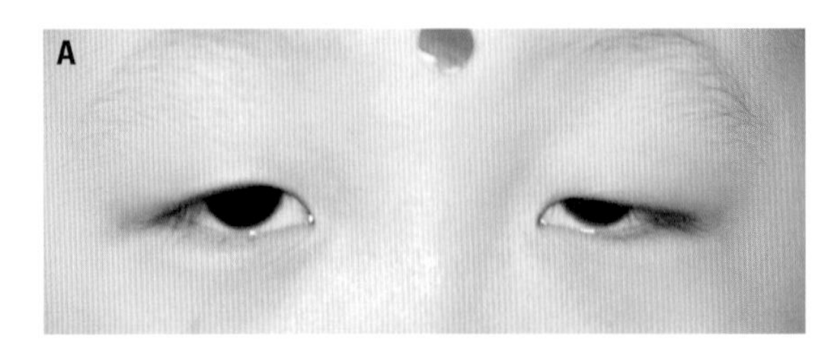

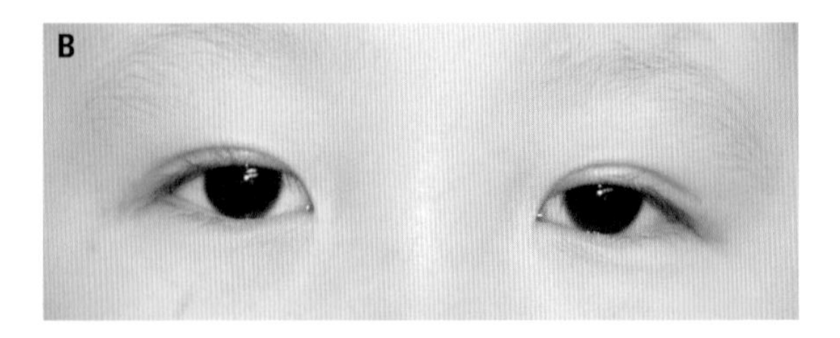

그림 5-3 수술 전에 보였던 아래공막보임이 눈꺼풀처짐 수술 후 소실된 모습

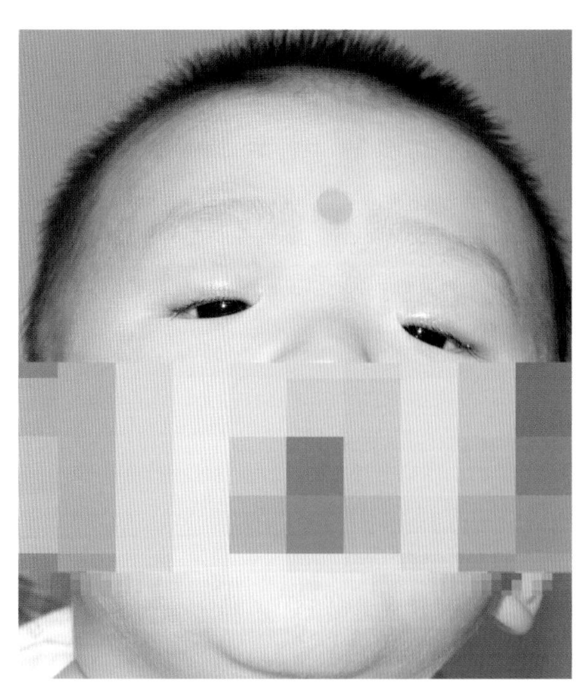

그림 5-4 이상두위로 고개를 들거나 눈썹올림과 같은 보상기전이 나타난다.

복합눈꺼풀처짐 Complicated ptosis

상직근 약화

선천눈꺼풀처짐의 약 1.9% 그리고 근성눈꺼풀처짐의 약 5%에서 동측 상직근의 약화가 보고되며, 양올림근마비double elevator palsy도 관찰될 수 있다(**그림 5-5**). 양올림근마비 환자 가운데 눈꺼풀처짐 정도가 심하여 수술이 필요한 경우는 약 38%로 보고되었다. 양올림근마비 환자에서 동반된 하사시의 정도는 약 30 prism diopter이며, 치료는 먼저 외안근전위술transposition surgery이나 하직근후전술inferior rectus recession로 사시를 교정한 후 눈꺼풀처짐 교정술을 시행하는 것이 좋다.

눈꺼풀틈새축소증후군

태생 시 눈꺼풀틈새축소blepharophimosis, 눈꺼풀처짐, 그리고 거꿀눈구석주름epicanthus inversus이 특징으로 나타나는 것을 눈꺼풀틈새축소증후군Blepharophimosis-ptosis-epicanthus inversus syndrome, BPES이라고 한다. 단순 선천눈꺼풀처짐의 좀 더 심한 형태로서 선천눈꺼풀증후군congenital eyelid syndrome이라고도 한다.

1921년에 Dr. Komoto는 처음으로 눈꺼풀틈새축소증후군 증례를 기술했다. 그는 세 가지 징후triad 외에 눈구석벌어짐증telecanthus, 눈꺼풀겉말림ectropion, 눈썹의 과성장excessive brow hair, 그리고 눈물언덕의 저형성hypoplasia of the caruncle이 동반된 것을 보고하였으며, 친인척에서도 이와 비슷한 표현형을 가지고 있음을 기술했다. 그 후 1971년 Dr. Kohn은 눈구석벌어짐증을 세 가지 징후에 추가하여 눈꺼풀틈새축소증후군의 특징적인 임상양상으로 정의하였다.

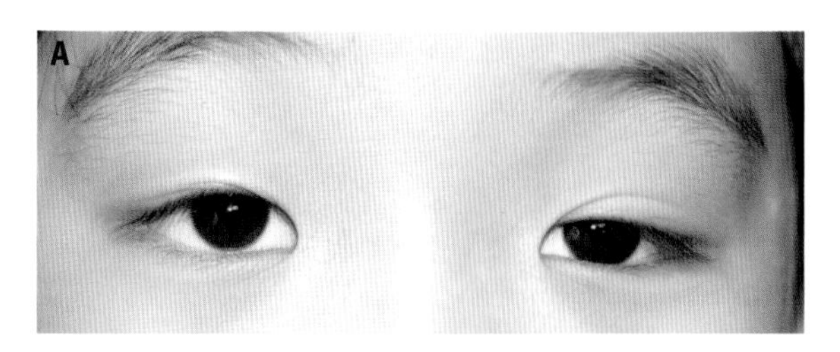

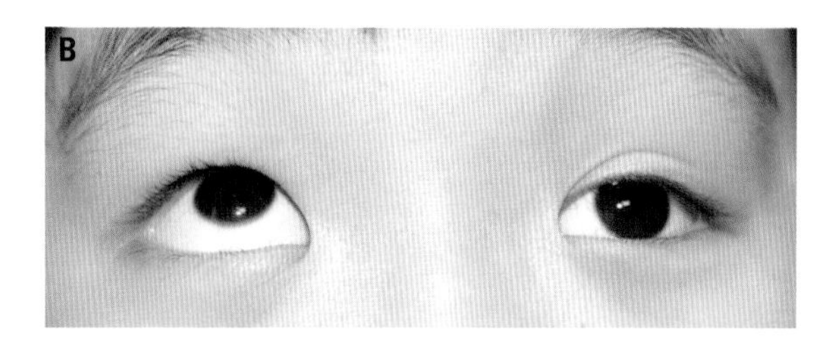

그림 5-5 좌안 눈꺼풀처짐이 있는 환자에서 상직근 약화로 상방주시에서 안구운동장애가 관찰된다.

임상양상

눈꺼풀틈새축소 증후군은 아래 4가지 임상적 특징이 태어날 때부터 나타난다.

눈꺼풀틈새축소

눈꺼풀틈새 수평길이가 좁은 것을 말하며, 정상 성인에서 눈꺼풀틈새 수평길이는 약 25~30 mm이나, 눈꺼풀틈새축소 증후군에서는 18~22 mm 혹은 그 이하이다.

눈꺼풀처짐

눈꺼풀올림근의 발육부전에 의해 발생하며 눈꺼풀처짐 양상은 양안성 그리고 대칭적으로 나타난다. 눈꺼풀올림근 기능이 불량하기 때문에 눈꺼풀을 올리기 위해 이마근을 과도하게 사용하여 이마의 주름이 많고, 눈썹이 위로 올라가 있으며, 턱을 위로 치켜들고, 고개를 뒤로 젖힌다.

거꿀눈구석주름

안쪽눈구석 아래눈꺼풀에서 시작되어 안쪽, 위쪽으로 이어지는 피부 주름이다.

눈구석벌어짐증

두 동공 사이의 길이는 정상이나, 안쪽눈구석이 비정상적으로 가쪽에 위치하고 있어, 두 안쪽눈구석 사이의 거리가 길다. 이는 안쪽눈구석 피부가 과다하기 때문이 아니고 안쪽눈구석인대가 확장되어 안쪽눈구석이 가쪽으로 이동되어 생긴다.

눈구석벌어짐증은 대개 단독으로 나타나지만 광대뼈의 저형성malar hypoplasia, 두눈먼거리증hypertelorism, 눈썹의 융합fusion of the eyebrows, 콧등의 발달부전poor developed nasal bridge과 같은 다른 안면부 이상과 함께 나타날 수 있다.

다른 안과적 이상소견

동반된 안과적 이상으로는 사시, 약시, 굴절이상, 첩모난생, 거대눈꺼풀euryblepharon, 눈물배출기관의 이상, 눈물점의 가쪽 이동, 시신경유두결손증optic disc coloboma, 그리고 소안구증 등이 나타날 수 있다.

사시 발생률은 20~27%로 일반인에서의 사시 발생률 2~4%보다 훨씬 높다. 내사시가 가장 흔하며 외사시, 상사시 순으로 나타나며, 눈떨림nystagmus이 동반되기도 한다. 하지만 눈꺼풀틈새가 작아서 사시를 발견하고 평가하는 것이 어렵기 때문에 이 환자들의 안구운동을 검사하기 위해서는 안과의사의 상당한 노력이 필요하다.

약시 비율은 39~64%로 매우 높은 편이다. 눈꺼풀틈새축소증후군에서 약시는 사시, 심한 굴절이상, 눈꺼풀처짐으로 인한 시자극차단 등에 의한 복합적 원인으로 발생할 수 있다.

기타

난소기능부전으로 인한 불임, 안면골 이상facial bone anomaly, 구개이상arched palate, 낮은 콧 잔등broad flat nasal bridge, 돌출 혹은 컵 모양의 귀protruding or cup shaped ear 그리고 심장기형cardiac defect 등이 동반될 수 있다. 정신지체mental retardation가 동반되는지는 명확하지 않지만 산발적으로 나타난다고 보고된 바 있다.

유전

눈꺼풀틈새축소증후군는 상염색체 우성유전 또는 산발적으로 발생하는 드문 유전질환이다. 정상적인 부모에서 새로운 돌연변이de novo mutation에 의해 환자가 태어난 경우가 약 50%를 차지한다. 눈꺼풀틈새축소증후군을 가진 부모가 아이를 낳을 경우 유전될 확률 또한 약 50%이다. 가족 내에 이 질환을 일으키는 돌연변이가 증명된 경우 산전진단을 통한 태아 검사를 할 수도 있으나, 실제 임상에서 눈꺼풀틈새축소증후군으로 산전 태아 검사가 요구되는 경우는 흔하지 않다.

돌연변이의 원인은 염색체 3q23에 위치한 FOXL2 유전자에 의한 것으로 알려져 있다.

FOXL2 유전자는 발생 중 눈꺼풀과 난소에서 주로 표현되는 전사인자Fork head transcription factor에 속한 단일 엑손유전자exon gene로서 난소 유지에 관련되어 알려진 첫 번째 인간 유전자이다. 눈꺼풀틈새축소증후군을 보이는 환자의 75% 정도가 FOXL2 돌연변이를 가지고 있으나, 나머지 25%는 새로운 돌연변이는 없는 것으로 알려져 있다. 즉, 눈꺼풀틈새축소증후군은 신경학적 또는 발생학적 결함과 연관되어 있을 것으로 생각된다.

분류

눈꺼풀틈새축소증후군은 2가지 형태로 분류된다. 눈꺼풀틈새축소증후군 1형BPES type I은 조기난소기능부전premature ovarian failure과 함께 특징적인 4가지 안과적 양상을 보인다. 40세 이전에 폐경이 나타나는 조기난소기능부전으로 불임이거나 수정 능력이 감소되어 있다. 눈꺼풀틈새축소증후군1형은 완전 유전complete penetrance되며 여성 환자는 생식력fertility이 떨어지기 때문에 남성을 통해서 유전된다. 2차적 무월경이 나타나며, 에스트로젠estrogen 수치가 낮고 혈청 생식샘자극호르몬gonadotropin 농도는 높다. 눈꺼풀틈새축소증후군 1형을 갖고 있는 대부분의 여성은 정상적인 초경을 시작하나 희발월경oligomenorrhea을 보이다가 결국 무월경에 이르게 된다. 이들의 이차성징은 대개 정상적이며 초기 생식기에는 생식력이 있지만, 곧 생식샘자극호르몬에 대해 난소저항성ovarian resistance을 보이거나 조기난소부전에 빠지게 된다.

눈꺼풀틈새축소증후군 2형BPES type II은 4가지 안과적 양상을 보이나 여성 환자의 경우 조기난소부전을 보이진 않는다. 불완전유전incomplete penetrance되며, 남녀 모두를 통하여 유전될 수 있다.

그러므로 눈꺼풀틈새축소증후군을 분류하는 것은 환자들에게 불임 문제와 가임기 여성 환자의 유전상담을 위해서 중요하다.

치료

눈꺼풀틈새축소증후군은 유전질환으로 전신이상과 연관되어 있으며 치료도 복잡하기 때문에, 성형안과, 소아안과, 소아내분비, 생식내분비, 부인과, 유전상담 분야의 전문가들과 상호 협력이 필요하다. 안과적 치료 목적은 약시의 발생빈도가 높은 점을 감안하여 시력발달을 증진시키고, 좁은 눈꺼풀틈새로 인한 미용적 문제, 그리고 양안의 심한 눈꺼풀처짐으로 인한 비정상적 턱 들어올림 현상을 교정하는데 있다. 시력, 굴절 검사, 안구운동 검사 등의 전반적인 안과 검사를 해야 하며, 특히 약시와 사시에 관한 진단과 치료는 매우 중요하다.

수술 시기에 대해서는 약시 예방을 위한 조기 수술과 수술 효과를 증대시키기 위한 지연 수술 사이에서 논란이 많다. 과거에는 눈꺼풀틈새축소증후군의 치료는 3~5세 경에 안쪽눈구석성형술을 시행하고 약 1년 뒤 눈꺼풀처짐을 교정하는 방법이 일반적인 것으로 보고되었다. 수술을 늦게 하면 눈꺼풀올림근 기능 검사와 눈꺼풀처짐 정도를 정확하게 검사할 수 있어 수술결과가 더 좋을 수 있다. 하지만 심한 눈꺼풀처짐으로 약시가 예상되는 경우는 조기에 눈꺼풀처짐을 교정해 주는 것도 고려할 수 있다.

거꿀눈구석주름과 눈구석벌어짐을 교정하기 위한 안쪽눈구석성형술과 눈꺼풀처짐 교정술의 수술 순서에 관해서도 논란이 많다. 안쪽눈구석성형술이 눈꺼풀처짐을 악화시킬 수 있기 때문에 눈꺼풀처짐 교정술보다 먼저 시행하는 것을 권하기도 한다. 하지만 안쪽눈

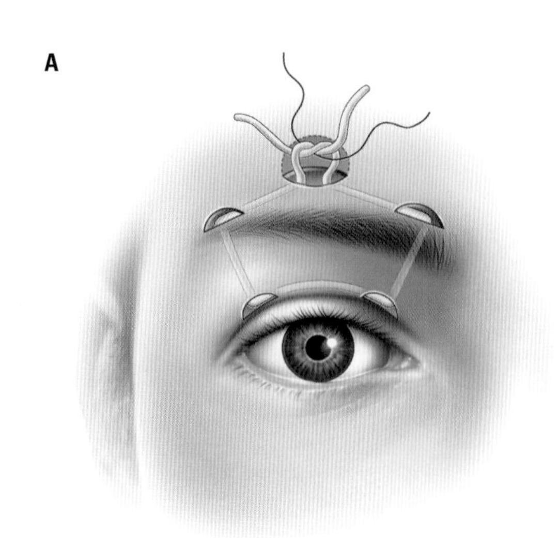

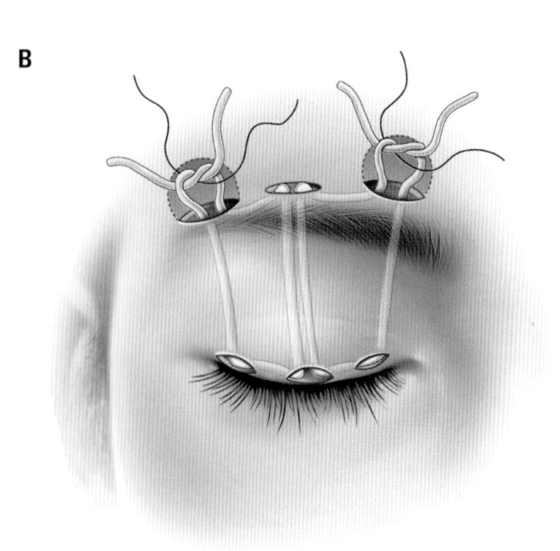

그림 5-6 이미근걸기술 방법
A. 오각형걸기모양. **B.** 이중장사방형모양(double rhomboid sling configuration)

구석성형술과 눈꺼풀처짐 교정술의 동시 수술로도 좋은 결과를 얻을 수 있기 때문에 수술 순서와 방법은 환자 개개인의 특성과 수술자의 경험에 맞춰 시행할 수 있다.

안쪽눈구석성형술

안쪽눈구석성형술은 대개 거꿀눈구석주름과 눈구석벌어짐을 같이 교정한다. Mustarde double Z plasty, inverted V plasty, epicanthoplasty V-Y flap, modified Y-V flap, Z plasty 그리고 그 외 다른 방법이 기술되어 왔다. 안쪽눈구석성형술과 함께 다양한 봉합을 이용하여 안쪽눈구석인대를 골막 쪽으로 당겨 고정시키는 방법이 필요하다. Mustarde는 눈구석벌어짐을 개선하기 위해서 코경유철사transnasal wiring를 이용하여 안쪽눈구석인대를 고정하는 방법을 기술했다. 그 외 콧대를 함께 교정하기 위한 추가적인 뼈이식편 삽입법도 제안되었다. 다양한 유형의 안쪽눈구석성형술의 공통 목적은 수평눈꺼풀틈새를 늘리고 눈구석벌어짐을 줄이는 것이다.

눈꺼풀처짐 교정술

눈꺼풀처짐 교정은 대개 안쪽눈구석성형술 후에 이루어진다. 안쪽눈구석성형술을 먼저 시행한 후에 눈꺼풀처짐을 교정하는 것이 더 효과적이라고 알려져 있다. 하지만 동시에 두 수술을 시행하는 것도 전신마취의 횟수를 줄이고 수술결과도 양호하므로 동시수술을 선호하기도 한다.

눈꺼풀올림근의 기능이 대부분 불량하므로 처짐 교정은 이마근걸기술을 시행하지만 눈꺼풀올림근절제술을 시행하는 경우도 있다. 이마근걸기에서 환자들의 눈구석부위를 효과적으로 올리는 데는 좀 더 강한 이중장사방형모양double rhomboid sling configuration이 필요할 수도 있지만 수평눈꺼풀틈새가 작아서 쉽지 않다. 이때는 오각형모양의 걸기술이나 눈꺼풀선절개lid crease incision 후 이마근걸기술을 시행한다**(그림 5-6)**.

만약 시력 발달이 정상이라면 환자에게서 자가근막을 얻을 수 있는 적정한 나이(3~5세)가 될 때까지 수술은 미룰 수 있다. 하지만 눈꺼풀처짐이 심해서 수술을 빨리 시행해야 하는 경우는 실리콘로드silicone rod나 보존대퇴근막banked fascia lata으로 조기에 수술을 시행한다. 실리콘로드를 이용하면 수술 후 토안 현상이 덜 나타나고, 필요하면 제거하기 쉬운 장점이 있지만 감염으로 인한 육아종 형성, 실리콘로드 돌출, 재발 등의 수술 후 합병증은 항상 유의해야 한다.

눈꺼풀틈새축소증후군은 전형적인 안과적 양상으로 쉽게 확인될 수 있지만 가족력은 주의 깊게 살펴 봐야 한다. 만약 눈꺼풀 소견이 분명하지만 가족력 없이 존재한다면 Noonan 증후군, Marden-Walker 증후군, Waadenburg 증후군, 18삼염색체성증Trisomy 18, Ohdo 증후군, 머리-안구-안면-수지 증후군cerebro-oculo-facial-digital syndrome과 같은 다른 증후군의 가능성도 염두에 두어야 한다.

턱-윙크 현상

턱을 움직일 때마다 눈꺼풀이 깜박이는 모습이 동반되는 연합운동성 눈꺼풀처짐을 마르쿠스건 턱-윙크 증후군이라고 한다. 눈꺼풀올림근을 지배하는 눈돌림신경과 다른 뇌신경 사이에 비정상적인 연결이 되어 눈꺼풀올림근이 이중 신경지배를 받는 상태를 말하며, 대부분 눈돌림신경과 날개근pterygoid muscle을 지배하는 삼차신경의 갈래인 아래턱신경 간의 연결에 의해 나타난다. 그 밖에 역 마르쿠스건 턱-윙크 증후군inverse Marcus Gunn jaw-winking syndrome이나 눈돌림신경과 얼굴신경 사이에 비정상적인 연결이 생긴 Marin-Amat 증후군, 눈돌림신경의 이상재생aberrant regeneration of the third nerve 등이 있으나, 이러한 질환들은 매우 드물기 때문에 연합운동성 눈꺼풀처짐이라는 용어는 주로 마르쿠스건 턱-윙크 증후군을 가리키는 의미로 사용된다.

배경

1883년 Marcus Gunn이 처음으로 15세 소녀에서 턱을 움직일 때마다 윙크하는 모습의 움직임이 동반된 선천성 눈꺼풀처짐의 특이한 유형을 보고하였는데, 이후로 이러한 연합운동성 턱-윙크synkinetic jaw winking 현상을 보이는 눈꺼풀처짐을 마르쿠스건 턱-윙크 증후군이라고 하게 되었다. 턱-윙크 증후군을 가지고 있는 환자는 대부분이 단안에 나타나지만 드물게 양안에서 나타나기도 하며, 다양한 정도의 눈꺼풀처짐을 보인다.

턱-윙크 현상은 눈꺼풀처짐이 있는 눈꺼풀과 같은 쪽의 날개근이 수축할 때 순간적으로 위눈꺼풀이 반대편의 눈꺼풀에 비하여 같은 높이 또는 그보다 더 높이 뒤당김이 발생하는 것을 말한다. 이러한 반응은 빠르게 원래의 위치로 돌아가게 되며, 아래를 볼 때 더욱 뚜렷하게 나타나는 경향이 있다(**그림 5-7**).

턱-윙크 현상은 입을 벌리거나 턱을 반대편이나 같은 편으로 돌릴 때, 턱을 앞으로 내밀 때, 씹을 때, 웃을 때 또는 젖을 빨 때 더욱 뚜렷하게 나타난다. 따라서 젖병을 빨거나, 모유를 먹을 때 턱-윙크 현상이 쉽게 관찰되므로 조기에 진단되는 경우가 많다.

마르쿠스건 턱-윙크 증후군은 거의 항상 산발성으로 발생하지만, 드물게 불규칙한 상염색체 우성 양상으로 유전되어 가족성으로 발생한 경우가 약 2%에서 보고된 바 있다.

병인

마르쿠스건 턱-윙크 증후군은 날개근에 분지하는 아래턱신경의 운동신경과 위눈꺼풀의 눈꺼풀올림근에 분지하는 눈돌림신경의 위쪽 분지 사이에 비정상적인 신경 연결이 존재하는 것으로 생각된다. 날개근과 눈꺼풀올림근이 동시에 수축되는 것이 근전도electromyography 검사를 통한 연구에서 밝혀졌으며, 날개근의 고유감각수용체proprioceptor에서 기인한 구심성신경자극afferent stimulus이 연합성 눈꺼풀올림근의 수축을 시작하게 한다고 한다. 이러한 비정상적 신경연결이 핵상부supranuclear인지 핵하부infranuclear의 문제인지는 아직 정확히 밝혀져 있지 않다.

또한 일부 연구에서는 턱-윙크 현상이 새로운 비정상적인 신경 연결이 발생하여 나타나는 것이 아니라, 원래 존재하는 아래턱신경과 눈돌림신경 사이를 연결

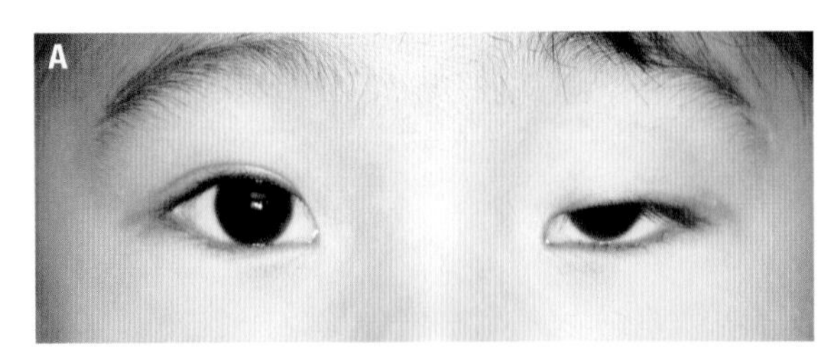

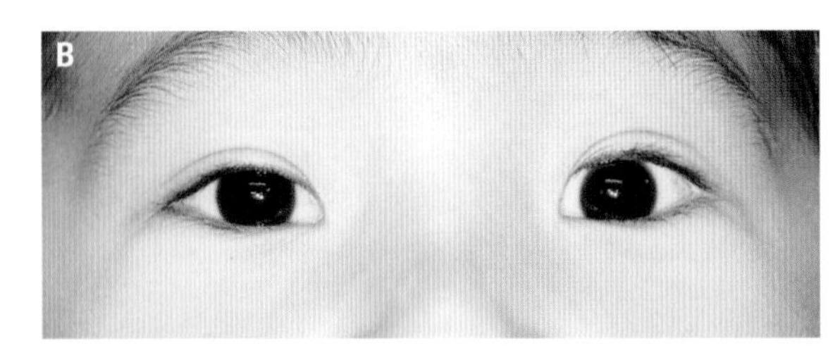

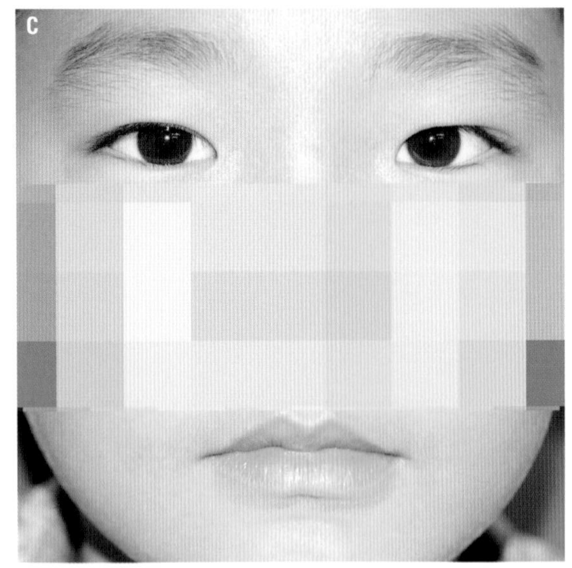

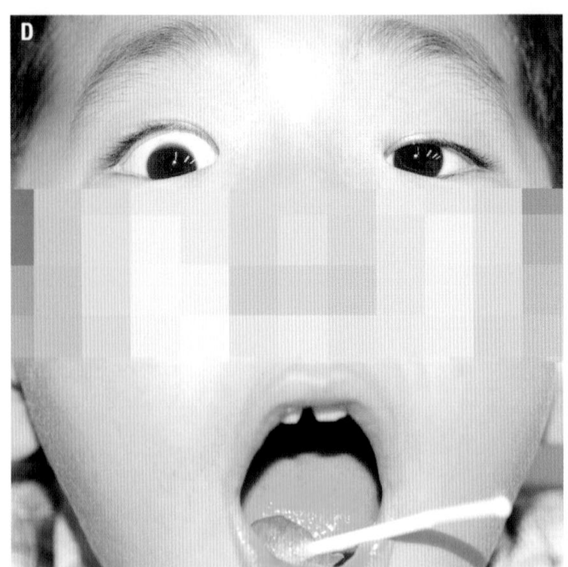

그림 5-7 턱-윙크 현상
A, B. 눈꺼풀처짐과 함께 턱-윙크 현상이 있는 경우. **C, D.** 눈꺼풀처짐없이 턱-윙크 현상이 있는 경우

하는 원초적인 기전이 억제되지 못하여 발생한다고 보고하였다. 즉, 턱-윙크가 없는 정상적인 사람도 먼 곳을 보거나 안약을 넣기 위해 눈을 크게 뜨면 입을 함께 벌리는 경우가 많은 것으로 보아, 아래턱신경과 눈돌림신경 사이를 연결하는 원초적인 기전을 가지고 있다고 생각하였다. 이들 사이의 삼차-눈돌림신경 간의 반응trigemino-oculomotor response을 중개하는 중뇌 억제 중간뉴런inhibitory interneuron이 비정상적으로 흥분되어 나타난다는 것이다.

드물지만 Hirschsprung 거대결장이 동반된 Waardenburg 증후군 환자에서 마르쿠스건 턱-윙크 증후군이 동반된 예가 있는데, 이러한 증례로 미루어 보아 발생과정 중 신경능선이동neural crest migration의 이상도 턱-윙크 증후군의 발생에 기여할 것으로 생각된다.

일반적으로 턱-윙크 현상은 눈꺼풀올림근의 비정상적인 신경 지배에 생기는 것이므로 눈꺼풀올림근에 대한 조직 검사에서는 정상적인 가로무늬근이 관찰된다.

대부분은 선천성이나 후천적으로 눈수술, 외상, 그리고 교뇌종양pontine tumor에 의해서도 발생할 수 있다.

임상양상

선천성 눈꺼풀처짐 중 마르쿠스건 턱-윙크 증후군의 빈도는 2~13%로 다양하게 보고되고 있으나, 일반적으로 약 5% 정도를 차지한다고 알려져 있다. 성별이나 좌우안의 차이가 없으나 여자에서, 그리고 좌안에 더 흔히 발생한다는 보고도 있다.

턱-윙크 현상이 나타나는 양상은 턱을 반대편으로 움직이거나 입을 벌릴 때 눈꺼풀이 올라가는 바깥날개근과 눈꺼풀올림근의 동시 수축 연합운동lateral pterygoid-levator synkinesis이 약 80%로 가장 흔하게 나타나며, 턱을 같은 편으로 움직이거나 입을 꼭 다물 때 눈꺼풀이 올라가는 안쪽날개근과 눈꺼풀올림근의 동시 수축 연합운동internal pterygoid-levator synkinesis이 약 10%에서 나타난다. 확실하게 구별되지 않는 경우도 약 10% 가량 된다.

턱-윙크 현상은 출생 때부터 젖병을 빨거나 젖을 먹을 때 뚜렷하게 관찰되므로 일찍 진단된다. 나이가 들면서 감소한다는 보고도 있으나, 눈꺼풀처짐과 윙크 현상을 은폐하고 양안시기능을 유지하기 위해 턱의 위치나 입 모양을 조절하는 방법을 터득하기 때문으로 보인다. 이렇게 환자가 턱의 움직임을 조절하여 눈꺼풀처짐이나 턱-윙크 현상을 덜 나타나게 할 수 있다. 이런 적응현상으로 눈꺼풀처짐이 실제보다 덜 심한 것처럼 보이는 것을 습관성 눈꺼풀처짐habitual ptosis이라고 한다. 대개 나이가 들면서 이러한 습관이 생기지만, 만 2세의 어린이에서도 습관이 형성된 예가 보고된 바 있으므로 진단에 유의해야 한다.

역 마르쿠스건 턱-윙크 현상inverse Marcus Gunn jaw-winking phenomenon은 입을 벌릴 때 눈꺼풀틈새가 작아지는 매우 드문 현상이다. 이 현상은 대부분 중추신경계의 선천적 이상보다는 후천적 이상으로 발생한다. 발생기전은 알려져 있지 않지만, 날개근에 분지하는 삼차신경이 눈꺼풀올림근에 분지하는 눈돌림신경을 억제하도록 연결된 것으로 알려져 있다.

Marin-Amat 증후군도 입을 벌릴 때 눈꺼풀처짐이 심해지므로 역 마르쿠스건 턱-윙크 현상과 자주 혼동되어 보고가 된다. 하지만 Marin-Amat 증후군은 얼굴신경 마비 후에 발생한 경우가 대부분으로, 얼굴신경 마비 후에 얼굴신경이 재생될 때 눈돌림신경에 잘못 연결되면서 발생하는 얼굴 연합운동facial synkinesis이다. 따라서 입둘레근이나 그 밖의 얼굴 근육이 수축할 때 불수의적으로 눈꺼풀틈새가 작아지는 현상이 나타난다.

눈돌림신경 이상재생이 있는 환자에서도 안구의 수평 운동 때 눈꺼풀올림근의 연합운동을 관찰할 수 있으며, 외상성 뇌 손상 환자의 약 15%에서 이상재생이 발생했다는 보고도 있다. 특히 안구를 내전시킬 때 눈꺼풀뒤당김, 가성 눈꺼풀내림지연 현상이 발생하는 것을 흔히 관찰할 수 있으며, 상전 및 하전 장애와 함께 수직운동을 하려고 할 때 안구후퇴retracted eyeball가 나타나기도 한다. 그 밖에도 수직운동을 하려고 할 때의 내전, 가성 아르길-로버트슨 동공pseudo Argyl-Robertson pupil, 수직 시운동반응vertical optokinetic response이 없어지는 증상 등이 동반될 수 있다. 외상력 없이 선천적으로 눈꺼풀올림근과 외안근 사이의 연합운동이 있는 경우도 있다(**그림 5-8**).

동반질환

마르쿠스건 턱-윙크 증후군에 관한 최근 보고에 따르면 수평사시 약 30%, 양올림근마비 5~10%, 상직근 마비 10~20%, 상사시 2%가 동반된다고 하였다. 양올림근마비가 흔히 동반되는 이유는 명확하지 않으나 핵상부의 장애가 있기 때문으로 생각되며, 이는 마르쿠스건 턱-윙크 증후군이 핵상부의 장애로부터 발생함을 의미한다. 또한 마르쿠스건 턱-윙크 증후군 환자의 약 25%에서 부등시가 동반되어 있다. 약시의 빈도는 20~30% 정도로 단순 선천눈꺼풀처짐 환자보다 조금 높게 보고되고 있으며, 대부분 사시 및 부등시와 연관되어 있고 눈꺼풀처짐에 의한 약시는 드물다. 그러므로 동반된 수평이나 수직사시를 먼저 교정하는 것이 눈꺼풀처짐의 저교정이나 약시를 예방하는 데 도움이 된다.

진단

병력청취

환자의 증상은 대부분 부모에 의해서 젖이나 젖병을 빨 때 처음 발견되는 경우가 많으며, 다양한 정도의 눈

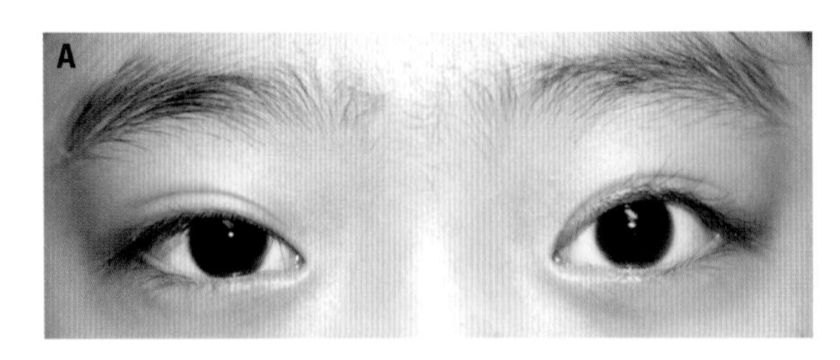

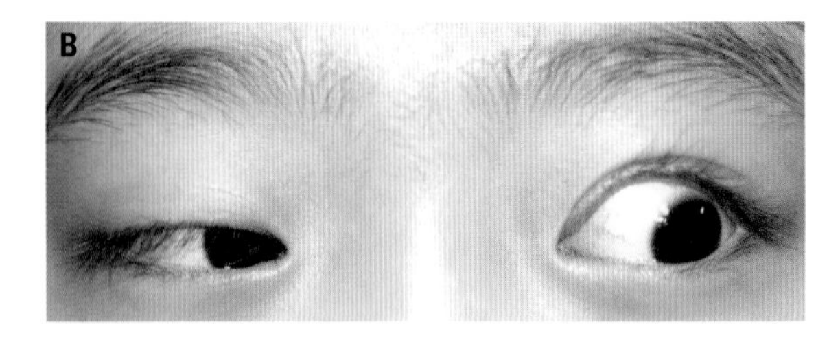

그림 5-8 안구를 외전시킬 때 눈꺼풀뒤당김이 나타나는 눈꺼풀연합운동

꺼풀처짐과 턱-윙크 현상을 보인다. 선천눈꺼풀처짐 환자에서 턱-윙크 현상을 인지하지 못하고 눈꺼풀처짐만을 교정하면 턱-윙크 현상이 심해질 수 있으므로 반드시 병력청취를 통해 확인해야 한다.

안과 검사

기본적인 안과 검사가 우선 시행되어야 하며 특히 약시나 사시 가능성을 염두에 두고 시력과 굴절 검사, 안운동 검사를 시행해야 한다. 안운동 검사에서는 상직근 마비나 양올림근 마비 등의 가능성에 주의하여 가림 검사, 벨 현상 등을 확인해야 한다. 머리의 위치도 중요한데, 눈꺼풀처짐 환자는 시야가 가리기 때문에 고개를 드는 경향이 있으므로 만약 중등도 이상의 눈꺼풀처짐이 있는 환자가 고개를 들지 않는다면 약시 가능성을 고려해야 한다.

눈꺼풀처짐에 대한 검사는 다른 눈꺼풀처짐 환자와 마찬가지로 눈꺼풀틈새의 크기, marginal reflex distanceMRD, 눈꺼풀올림근 기능을 측정해야 한다. 눈꺼풀처짐의 정도는 주시 방향이나 고개의 위치에 따라 변할 수 있으므로 턱을 움직이지 못하도록 고정시킨 상태로 눈꺼풀처짐의 정도를 측정해야 정확성을 높일 수 있다.

눈꺼풀 움직임의 연합운동을 확인하는 것이 중요하므로 유아의 경우에는 젖병을 빨게 하거나, 어린이의 경우에는 껌을 씹거나 사탕을 빨도록 시켜볼 수 있다. 협조가 되는 환자의 경우에는 입을 벌리거나, 턱을 좌우로 움직이거나 앞으로 내밀도록 하여 눈꺼풀의 움직임을 확인한다.

턱-윙크의 정도는 눈꺼풀 움직임이 2 mm 이하인 경우에는 경도mild, 3~5 mm인 경우에는 중등도moderate, 6 mm 이상인 경우는 중증도severe로 정량화 할 수 있다. 턱-윙크의 정도를 측정하는 것이 쉽지는 않지만 임상적으로 구별하는 것이 환자의 경과를 관찰하는 데 도움이 된다.

치료

약시가 있는 경우에는 눈꺼풀 수술 이전에 부등시 교정과 함께 약시 치료를 충분히 시행해야 한다. 사시가 동반된 경우에도 사시에 대한 수술이 우선되어야 하므로 이에 대하여 충분히 고려한 후에 눈꺼풀 수술을 결정한다.

눈꺼풀 수술은 반드시 환자의 가장 문제가 되는 상태가 눈꺼풀처짐인지 턱-윙크 현상인지 또는 두 가지 모두 인지에 대하여 환자 또는 부모의 의견과 의사의 의견이 일치될 때에 수술을 결정하는 것이 좋다. 마르쿠스건 턱-윙크 증후군 환자의 수술 방법은 다양한 술기가 있으므로 각각의 환자 상황에 맞추어 선택해야 한다. 눈꺼풀처짐과 연합운동의 정도는 다양하게 나타나지만 눈꺼풀처짐이 심한 환자에서 턱-윙크 현상이 뚜렷한 경우가 많다. 턱-윙크 현상이 2 mm 이상이면 미용적으로 문제가 될 수 있는 양으로 생각된다.

경도 턱-윙크 현상

턱-윙크 현상이 심하지 않아 미용적으로 크게 문제가 되지 않는 경우에는 턱-윙크를 없애기 위한 수술은 하지 않아도 되며, 이때 눈꺼풀처짐의 치료는 일반적인 눈꺼풀처짐의 치료와 마찬가지로 눈꺼풀올림근의 기능과 눈꺼풀처짐의 정도에 따라서 수술 방법을 선택할 수 있다. 그러므로 동반된 경도의 눈꺼풀처짐은 결막뮐러근절제술, 널힘줄교정술 혹은 눈꺼풀올림근절제술을 시행한다. 상직근의 마비가 동반되었거나 환자가 턱 움직임으로 눈꺼풀처짐이 덜 심하게 보이도록 한 경우는 수술 후 부족교정이 나타날 수 있으므로 일반적인 눈꺼풀처짐 환자에 비하여 조금 더 많은 양의 눈꺼풀올림근을 절제하기를 권하기도 한다.

중등도 이상의 턱-윙크 현상

턱-윙크 현상이 중등도 이상으로 심한 경우에는 우선 비정상적인 눈꺼풀 연합운동을 없애기 위하여 눈꺼풀올림근을 제거ablation해야 하며, 이후 이마근걸기술을 시행해야 한다. 눈꺼풀올림근절제술 단독으로 눈꺼풀처짐을 수술하는 것은 턱-윙크 현상이 해소되지 않거나 오히려 심해질 수 있어서 적절하지 않다.

지금까지 비정상적인 눈꺼풀 연합운동을 제거하기 위한 여러 가지 방법이 소개되어 왔다.

- **눈꺼풀올림근의 널힘줄을 눈꺼풀판부터 휘트날인대 부위까지 제거하는 방법** 가장 보편적으로 사용되지만 널힘줄이 주위 조직과 밀접하게 결합되어 있어 완전히 분리하기 힘들 수 있다. 일부에서 수술 후에도 경미한 턱-윙크 현상이 남을 수 있어 수술 전 환자와 보호자에게 충분한 설명이 필요하다(Pratt et al, 1984).
- **휘트날인대 위쪽의 눈꺼풀올림근 일부만 제거하는 방법** 휘트날인대 위쪽의 근육을 부분 절제하는 방법으로 상직근에 손상을 줄 수 있으며 턱-윙크 현상이 남을 가능성이 많다(Dillman and Anderson, 1984).
- **눈꺼풀올림근과 널힘줄을 안와첨orbital apex까지 완전히 절제하는 방법** 턱-윙크 현상을 비교적 완전히 제거할 수 있으나 상직근, 상사근이 손상 받을 위험이 많다(Bullock, 1980).
- **눈꺼풀올림근의 널힘줄을 절단하여 안와가장자리arcus marginalis에 봉합하는 방법** 눈꺼풀올림근 널힘줄의 위쪽에서 눈꺼풀올림근을 절단하고 절단 부분을 안와가장자리에 전위transposition하여 고정봉합하는 방법으로, 눈꺼풀올림근 기능을 충분히 제거할 수 있으며 필요에 따라 복원도 가능하다(Dryden et al, 1982) .
- **뒤쪽 결막 접근법을 이용하여 눈꺼풀올림근을 제거하는 방법** 결막접근은 피부절개 없이 휘트날인대 위쪽에 위치한 눈꺼풀올림근을 선택적으로 제거할 수 있으며 상직근과의 분리가 어렵지 않아 상직근의 손상을 줄일 수 있다. 그러나 휘트날인대 아래쪽 눈꺼풀올림근은 주변의 조직과 부착이 많고 가쪽은 경계가 불분명하여 완전히 제거하기 어렵기 때문에 수술 후 재유착으로 인한 연합운동의 재발이 나타날 수 있다(Bowyer and Sullivan, 2004).

눈꺼풀판부터 휘트날인대 부위까지 눈꺼풀올림근 및 널힘줄을 제거하는 방법이 해부학적으로 가장 익숙하게 눈꺼풀올림근의 기능을 제거할 수 있어 주로 사용되고 있다. 하지만 앞서 언급한 바와 같이 정상적인 눈꺼풀올림근 널힘줄은 휘트날인대 아래쪽에 많은 부착부위가 있고, 눈물샘을 두 부분으로 나누면서 지나기 때문에 널힘줄을 완전히 제거하기 어려워 수술 후 턱-윙크 현상이 남을 수 있다. 또한 완전히 제거한 이후에도 눈꺼풀올림근과 눈꺼풀판 사이에 섬유조직으로 연결되어 턱-윙크 현상이 다시 나타날 수 있다. 수술 중 눈물샘 또는 결막의 손상이 생길 수 있으므로 주의해야 한다.

눈꺼풀올림근의 기능을 제거한 후 시행하는 이마근걸기술은 일반적으로 눈꺼풀올림근 기능이 나쁜 선천눈꺼풀처짐 환자에서 시행하는 방법과 같다. 걸기 재료로는 자가대퇴근막, 보존대퇴근막, silicone rod, Supramid® 등을 사용할 수 있으며, 자가대퇴근막이 가장 재발이 적다. 이마근을 박리하여 판flap을 만들어 눈꺼풀판에 고정하는 방법도 있으며, 그 밖에 변형된 방법으로 연합운동을 보이는 눈꺼풀올림근을 상단 부위에서 절개한 후 아래쪽에 남은 눈꺼풀올림근을 이마로 당겨 이마근에 부착하여 걸기술을 시행하는 방법도 보고된 바 있다. 이 방법의 장점은 눈꺼풀올림근의 부착 부위를 손상시키지 않으므로 정상적인 눈꺼풀 윤곽을 유지할 수 있다는 점이다.

양안수술 결정여부

턱-윙크 현상은 대부분 단안에 발생하므로 많은 수술자들이 비정상적인 눈꺼풀 연합운동이 있는 눈꺼풀에만 눈꺼풀올림근 제거술 후 이마근걸기술을 시행하기도 한다. 단안에 수술을 시행하는 경우에는 정상적인 눈꺼풀에 수술을 하지 않는다는 장점이 있으며, 단안 수술 후 결과가 만족스럽지 않은 경우에 환자 또는 보호자와 상의하여 추가 수술을 고려할 수 있는 여지가 있다.

1965년 Beard는 양안 모두 눈꺼풀올림근을 제거한 후 이마근걸기술을 시행하였다. 이 방법은 정상 눈꺼풀에도 수술을 해야 하는 부담이 있기 때문에 수술자와 환자 및 보호자 사이에 충분한 교감이 있어야 한다. 반면에 1972년 Callahan은 Beard의 방법을 변형하여 턱-윙크 현상이 있는 눈만 눈꺼풀올림근을 제거하면서 양안의 이마근걸기술을 시행하였다. 이는 정면 주시 때는 정상적인 눈꺼풀올림근이 기능을 유지하도록 하고 아래를 주시할 때 양쪽 이마근걸기술로 눈꺼풀모양의 대칭을 유지하도록 하는 방법이다.

단안의 눈꺼풀올림근 제거술 후 이마근걸기술은 양안에 비해 정상안의 이마근 걸기 효과를 약하게 하여 대칭성이 좋지 않다는 주장도 있다. 하지만 정상안에서 노출성 각막염이나 건성안이 발생할 수 있는 위험도 고려해야 하기 때문에 수술 방법은 수술자의 경험이나 판단에 의해서 결정될 수 있다.

눈꺼풀올림근 제거술을 단안에서만 하고 단안과 양안의 이마근걸기술을 비교한 연구에서 눈꺼풀 위치와 대칭성의 성공률은 같으나 아래를 볼 때 눈꺼풀의 대칭성에 관한 성공률이 각각 78%와 25%로 양안 이마근걸기술이 훨씬 유리하다는 결과가 보고된 적이 있다.

동시수술 여부

일반적으로 눈꺼풀올림근을 제거하여 연합운동을 없애고, 보통 6~8주를 기다려서 눈꺼풀올림근 재부착으로 인한 턱-윙크 현상을 확인한 후에 이마근걸기술을 시행하여 눈꺼풀처짐을 교정하는 2단계 수술이 추천되기도 한다. 수술자에 따라서는 18개월 가량을 기다려 신경재생으로 인한 윙크 현상이 재발되는 지를 확인한 후 2차 눈꺼풀처짐 수술을 하는 것이 좋다고 하기도 한다. 하지만 많은 수술자들은 눈꺼풀올림근 제거술과 이마근걸기술을 동시에 시행하는 것을 더 선호한다. 이 방법으로 수술한 경우 약 절반은 턱-윙크 현상이 소실되었고, 나머지 절반에서는 1 mm 이하의 경미한 턱-윙크 현상이 남았다고 보고된 적이 있다. 그러므로 2단계 수술은 1차 수술 후 나타나는 눈꺼풀처짐의 불편함과 두 번의 수술에 대한 부담이 있으므로, 동시수술을 하는 것이 턱-윙크 현상도 무시할 정도로 남기 때문에 더 낫다고 주장되기도 한다.

합병증

수술 후 합병증은 일반적인 눈꺼풀처짐 수술과 마찬가지로, 눈꺼풀처짐의 부족교정이나 과교정, 흉, 비대칭, 감염, 눈꺼풀윤곽 이상, 눈꺼풀속말림 등이 발생할 수 있다. 눈꺼풀올림근절제술을 시행하여 눈꺼풀처짐만을 교정한 경우, 수술 후 윙크 현상이 더욱 심해지는 경우도 있다. 눈꺼풀올림근을 없애기 위해 눈꺼풀올림근 제거술을 휘트날인대 위쪽으로 시행한 경우에서 상직근의 손상이나 상사근의 마비가 발생할 수 있다.

눈돌림신경 이상주행

선천성 눈돌림신경마비는 매우 드물다. 배아기 발달 동안 발생하는 신경 분포의 결함은 신경성눈꺼풀처짐을 유발시킨다. 눈돌림신경 만의 단독 결함은 선천 뇌신경 마비 혹은 부전마비congenital third-nerve palsy or paresis에서 생길 수 있다. 완전 마비의 경우에는 눈꺼풀처짐, 안구 내전, 동공 확장 및 반사 소실이 나타나며 이상 재생현상aberrant regeneration은 거의 나타나지 않는다.

선천안와섬유화 증후군

눈꺼풀올림근뿐만 아니라 외안근까지 침범되는 광범위한 섬유화 증후군으로 매우 드물게 발생한다. 선천안와섬유와 증후군congenital orbital fibrosis syndrome은 산발적으로 혹은 가족성으로 나타나며, 전체 외안근이 모두 침범되거나 혹은 한두 개의 근육만 침범될 수 있다. 모든 환자에서 안구운동 장애가 나타나며 안구보호반사eye protective reflex가 저하된다. 중증 눈꺼풀처짐의 경우에서는 안구함몰을 동반하며, 어린이들에서는 이상두위를 보이거나 이마근육을 사용하기도 한다.

참고문헌

1. 김윤덕, 김윤석. Marcus-Gunn 현상을 가진 안검하수의 수술적 치료. 대한안과학회지 1993;34:900-6.
2. 손미아, 이태수. Synkinetic ptosis의 수술적 요법에 대한 임상적 고찰. 대한안과학회지 1989;30:429-35.
3. Allen CE, Rubin PA. Blepharophimosis-ptosis-epicanthus inversus syndrome (BPES): clinical manifestation and treatment. Int Ophthalmol Clin 2008;48:15-23.
4. Anderson RL, Baumgartner SA. Strabismus in ptosis. Arch Ophthalmol 1980;98:1062-7.
5. Baldwin HC, Manners RM. Congenital blepharoptosis: a literature review of the histology of levator palpebrae superioris muscle. Ophthal Plast Reconstr Surg 2002;18:301-7.
6. Beaconsfield M, Walker JW, Collin JR. Visual development in the blepharophimosis syndrome. Br J Ophthalmol 1991;75:746-8.
7. Beard C. A new treatment for severe unilateral congenital ptosis and for ptosis with jaw-winking. Am J Ophthalmol 1965;59:252-8.
8. Beard C. Ptosis. St. Louis: Mosby, 1981.
9. Beckingsale PS, Sullivan TJ, Wong VA, Oley C. Blepharophimosis: a recommendation for early surgery in patients with severe ptosis. Clin Experiment Ophthalmol 2003;31:138-42.
10. Berke RN. Resection of the levator palpebrae for ptosis with anatomic studies. Trans Am Ophthalmol Soc 1944;42:411-35.
11. Berke RN, Wadsworth JA. Histology of levator muscle in congenital and acquired ptosis. AMA Arch Ophthalmol 1955;53:413-28.
12. Beysen D, Vandesompele J, Messiaen L, De Paepe A, De Baere E. The human FOXL2 mutation database. Hum Mutat 2004;24:189-93.
13. Bowyer JD, Sullivan TJ. Management of Marcus Gunn jaw winking synkinesis. Ophthal Plast Reconstr Surg 2004;20:92-8.
14. Bullock JD. Marcus-Gunn jaw-winking ptosis: classification and surgical management. J Pediatr Ophthalmol Strabismus 1980;17:375-9.
15. Cadera W, Orton RB, Hakim O. Changes in astigmatism after surgery for congenital ptosis. J Pediatr Ophthalmol Strabismus 1992;29:85-8.
16. Cartwright MJ, Hassan TS, Frueh BR. Microdeletion of chromosome 7P syndrome ocular manifestations. Ophthal Plast Reconstr Surg 1995;11:139-41.
17. Cates CA, Tyers AG. Results of levator excision followed by fascia lata brow suspension in patients with congenital and jaw-winking ptosis. Orbit 2008;27:83-9.
18. Choi KH, Kyung S, Oh SY. The factors influencing visual development in blepharophimosis-ptosis-epicanthus inversus syndrome. J Pediatr Ophthalmol Strabismus 2006;43:285-8.
19. Chua HC, Tan CB, Tjia H. Aberrant regeneration of the third nerve. Singapore Med J 2000;41:458-9.
20. Cibis GW, Fitzgerald KM. Amblyopia in unilateral congenital ptosis: early detection by sweep visual evoked potential. Graefes Arch Clin Exp Ophthalmol 1995;233:605-9.
21. Clark BJ, Kemp EG, Behan WM, Lee WR. Abnormal extracellular material in the levator palpebrae superioris complex in congenital ptosis. Arch Ophthalmol 1995;113:1414-9.
22. Collin JR. New concepts in the management of ptosis. Eye (Lond) 1988;2:185-8.
23. Dawson EL, Hardy TG, Collin JR, Lee JP. The incidence of strabismus and refractive error in patients with blepharophimosis, ptosis, epicanthus inversus syndrome (BPES). Strabismus 2003;11:173-7.
24. De Baere E, Copelli S, Caburet S, Laissue P, Beysen D, Christin-Maitre S, Bouchard P, Veitia R, Fellous M. Premature ovarian failure and forkhead transcription factor FOXL2: blepharophimosis-ptosis-epicanthus inversus syndrome and ovarian dysfunction. Pediatr Endocrinol Rev 2005;2:653-60.
25. Demirci H, Frueh BR, Nelson CC. Marcus Gunn jaw winking synkinesis; clinical features and management. Ophthalmology 2010;117:1447-52.
26. Dillman DB, Anderson RL. Levator myectomy in synkinetic ptosis. Arch Ophthalmol 1984;102:422-3.
27. Doucet TW, Crawford JS. The quantification, natural course, and surgical results in 57 eyes with Marcus Gunn (jaw-winking) syndrome. Am J Ophthalmol 1981;92:702-7.
28. Dryden RM, Fleming JC, Quickert MH. Levator transposition and frontalis sling procedure in severe unilateral ptosis and the paradoxically innervated levator. Arch Ophthalmol 1982;100:462-4.
29. Duke-Elder S. Normal and abnormal development; congenital deformities. In: System of ophthalmology. St. Louis: Mosby, 1963.
30. Edmunds B, Manners RM, Weller RO, Steart P, Collin JR. Levator palpebrae superioris fibre size in normals and patients with congenital ptosis. Eye (Lond) 1998;12:47-50.
31. Fokstuen S, Antonarakis SE, Blouin JL. FOXL2-mutations in blepharophimosis-ptosis-epicanthus inversus syndrome

(BPES); challenges for genetic counseling in female patients. Am J Med Genet A 2003;117A:143-6.
32. Fox SA. Surgery of ptosis. Baltimore: Williams & Wilkins, 1986.
33. Friedhofer H, Nigro MV, Filho AC, Ferreira MC. Correction of blepharophimosis with silicone implant suspensor. Plast Reconstr Surg 2006;117:1428-34.
34. Gunn RM. Congenital ptosis with peculiar associated movements of the affected lid. Trans Ophthal Soc UK 1883;3:283-7.
35. Hepler RS, Hoyt WF, Loeffler JD. Paradoxical synkinetic levator inhibition and excitation. An electromyographic study of unilateral oculopalpebral and bilateral mandibulopalpebral (Marcus Gunn) synkineses in a 74-year-old man. Arch Neurol 1968;18:416-24.
36. Hornblass A, Adachi M, Wolintz A, Smith B. Clinical and ultrastructural correlation in congenital and acquired ptosis. Ophthalmic Surg 1976;7:69-76.
37. Iliff CE. Problems in ptosis surgery. In: Rycroft PV. Corneoplastic surgery. Oxford, UK: Pergamon, 1969.
38. Iliff CE. The optimum time for surgery in the Marcus Gunn phenomenon. Trans Am Acad Ophthalmol Otolaryngol 1970;74:1005-10.
39. Isenberg S, Blechman B. Marcus Gunn jaw winking and Duane's retraction syndrome. J Pediatr Ophthalmol Strabismus 1983;20:235-7.
40. Islam ZU, Rehman HU, Khan MD. Frontalis muscle flap advancement for jaw-winking ptosis. Ophthal Plast Reconstr Surg 2002;18:365-9.
41. Jampel RS, Fells P. Monocular elevation paresis caused by a central nervous system lesion. Arch Ophthalmol 1968;80:45-57.
42. Katowitz JA. Pediatric oculoplastic surgery. New York: Springer Science & Business Media, 2002.
43. Kersten RC, Bernardini FP, Khouri L, Moin M, Roumeliotis AA, Kulwin DR. Unilateral frontalis sling for the surgical correction of unilateral poor-function ptosis. Ophthal Plast Reconstr Surg 2005;21:412-6; discussion 416-7.
44. Khwarg SI, Tarbet KJ, Dortzbach RK, Lucarelli MJ. Management of moderate-to-severe Marcus-Gunn jaw-winking ptosis. Ophthalmology 1999;106:1191-6.
45. Kim CY, Zhao SY, Wu CZ, Yoon JS, Lee SY. Positional change of lower eyelid after surgical correction of congenital ptosis in the Korean population. JAMA Ophthalmol 2013;131:540-2.
46. Kirkham TH. Familial Marcus Gunn phenomenon. Br J Ophthalmol 1969;53:282-3.
47. Krastinova D, Jasinski MA. Orbitoblepharophimosis syndrome: a 16-year perspective. Plast Reconstr Surg 2003;111:987-99.
48. Larned DC, Flanagan JC, Nelson LE, Harley RD, Wilson TW. The association of congenital ptosis and congenital heart disease. Ophthalmology 1986;93:492-4.
49. Lee V, Konrad H, Bunce C, NelsonC, Collin JR. Aetiology and surgical treatment of childhood blepharoptosis. Br J Ophthalmol 2002;86:1282-6.
50. Lelli GJ Jr, Nelson CC. Early habituation of severe blepharoptosis in Marcus Gunn jaw-winking syndrome. J Pediatr Ophthalmol Strabismus 2006;43:38-40.
51. Lemagne JM. Transposition of the levator muscle and its reinnervation. Eye (Lond) 1988;2:189-92.
52. Mansour AM, Bitar FF, Traboulsi EI, Kassak KM, Obeid MY, Megarbane A, Salti HI. Ocular pathology in congenital heart disease. Eye (Lond) 2005;19:29-34.
53. Nakajima T, Yoshimura Y, Onishi K, Sakakibara A. One-stage repair of blepharophimosis. Plast Reconstr Surg 1991;87:24-31.
54. Nallasamy S, Kherani F, Yaeger D, McCallum J, Kaur M, Devoto M, Jackson LG, Krantz ID, Young TL. Ophthalmologic findings in Cornelia de Lange syndrome: a genotype-phenotype correlation study. Arch Ophthalmol 2006;124:552-7.
55. Neuhaus RW. Eyelid suspension with a transposed levator palpebrae superioris muscle. Am J Ophthalmol 1985;100:308-11.
56. Pang MP, Zweifach PH, Goodwin J. Inherited levator-medial rectus synkinesis. Arch Ophthalmol 1986;104:1489-91.
57. Pratt SG, Beyer CK, Johnson CC. The Marcus Gunn phenomenon. A review of 71 cases. Ophthalmology 1984;91:27-30.
58. Strømme P, Sandboe F. Blepharophimosis-ptosis-epicanthus inversus syndrome (BPES). Acta Ophthalmol Scand 1996;74:45-7.
59. Sutula FC. Histological changes in congenital and acquired blepharoptosis. Eye (Lond) 1988;2:179-84.
60. Teo L, Lee SY, Kim CY. Effect of upgaze on lower eyelid position in Korean patients with congenital ptosis. J Plast Reconstr Aesthet Surg 2017;70:380-4.
61. Townes PL, Muechler EK. Blepharophimosis, ptosis, epicanthus inversus, and primary amenorrhea. A dominant trait. Arch Ophthalmol 1979;97:1664-6.
62. Tsai CC, Lin TM, Lai CS, Lin SD. Use of the orbicularis oculi muscle flap for severe Marcus Gunn ptosis. Ann Plast Surg 2002;48:431-4.
63. Uhlenhaut NH, Treier M. Foxl2 function in ovarian development. Mol Genet Metab 2006;88:225-34.
64. Vincent AL, Watkins WJ, Sloan BH, Shelling AN. Blepharophimosis and bilateral Duane syndrome associated with a FOXL2 mutation. Clin Genet 2005;68:520-3.
65. Waller RR. Evaluation and management of the ptosis patient. In: McCord CD Jr. Oculoplastic surgery. New York: Raven Press, 1982.
66. Wong JF, Thériault JF, Bouzouaya C, Codère F. Marcus Gunn jaw-winking phenomenon: a new supplemental test in the preoperative evaluation. Ophthal Plast Reconstr Surg 2001;17:412-8.
67. Wong VA, Beckingsale PS, Oley CA, Sullivan TJ. Management of myogenic ptosis. Ophthalmology 2002;109:1023-31.

CHAPTER 06

널힘줄성눈꺼풀처짐

Aponeurotic ptosis

CONTENTS

널힘줄성눈꺼풀처짐은 후천눈꺼풀처짐 중 가장 흔한 형태로서 나이가 들면서 널힘줄이 늘어나거나 눈꺼풀판 부착부위로부터 떨어져 나타나는 퇴행성눈꺼풀처짐involutional ptosis이다. 노년층에서 가장 흔하기 때문에 노인성눈꺼풀처짐senile ptosis이라고도 한다.

젊은 사람에서는 퇴행성 변화 보다는 다른 다양한 기전에 의해 생길 수 있는데 외상, 안내 수술, 안와 및 눈꺼풀의 염증과 부종, 알러지와 같은 만성적인 눈의 염증, 임신, 콘택트렌즈 장기 착용, 거대유두 결막염 등에 의해 눈꺼풀올림근널힘줄에 손상이 생겨 발생한다.

널힘줄성눈꺼풀처짐이 선천성으로 나타나는 경우는 매우 드문 편이며, 선천성 역시 퇴행성과 마찬가지로 널힘줄이 눈꺼풀판 앞에 부착되지 못한 것이 원인이다. 출산 시 외상 특히 겸자 분만으로 인해 나타날 수 있다.

하지만 간혹 널힘줄이 눈꺼풀판으로부터 완전히 떨어져 힘을 전달할 수 없을 때에는 눈꺼풀올림근의 기능이 현저히 떨어지기도 한다. 널힘줄성눈꺼풀처짐은 상측 시야에 장애를 일으킬 뿐 아니라 널힘줄이 부착부위로부터 떨어지거나 늘어나 아래를 쳐다볼 때 눈처짐이 심해지는 lid drop on downgaze 현상이 나타나 독서에 지장을 주기도 한다.

눈꺼풀올림근널힘줄이 눈꺼풀판에서 떨어져 위로 이동되면서 눈꺼풀피부에 부착된 섬유가닥이 함께 위로 이동되어 쌍꺼풀선이 높게 나타날 수 있다(**그림 6-1**). 눈꺼풀판 위쪽의 눈꺼풀 두께가 얇아지면서 눈을 감았을 때 홍채 색깔이 비쳐 보일 수 있으며 눈꺼풀판 위쪽 경계부가 쉽게 만져지는 경우도 있다. 하지만 우리나라와 같은 동양인에서는 눈꺼풀이 불룩하기 때문에 이러한 특징이 거의 나타나지 않는다. 또한 안와사이막과 널힘줄앞지방이 위쪽으로 이동되어 눈꺼풀이 꺼져 보이는 깊은위눈꺼풀고랑deep superior sulcus이 나타나기도 한다(**그림 6-2**).

임상양상

널힘줄성눈꺼풀처짐은 단안성이나 양안성으로 나타날 수 있다. 눈꺼풀처짐이 점차적으로 진행할 수도 있지만 외상이나 안내 수술 후에 눈꺼풀처짐이 갑자기 심해지는 경우도 있다. 눈꺼풀처짐의 정도는 경도에서부터 중증도까지 다양하게 나타날 수 있으나, 눈꺼풀올림근의 기능은 대개 11 mm 이상으로 양호한 편이다.

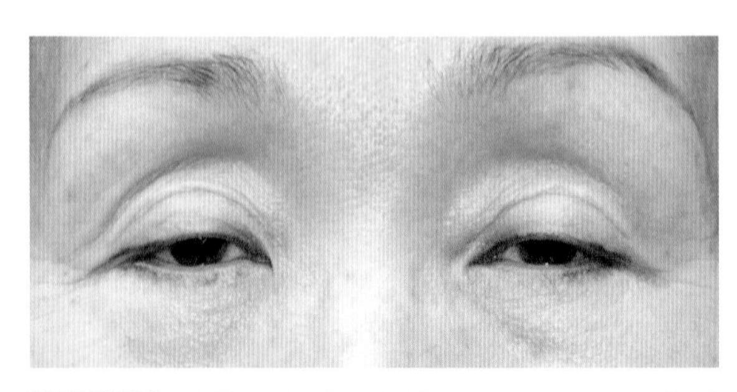

그림 6-1 널힘줄성눈꺼풀처짐환자에서 나타나는 높은 쌍꺼풀선

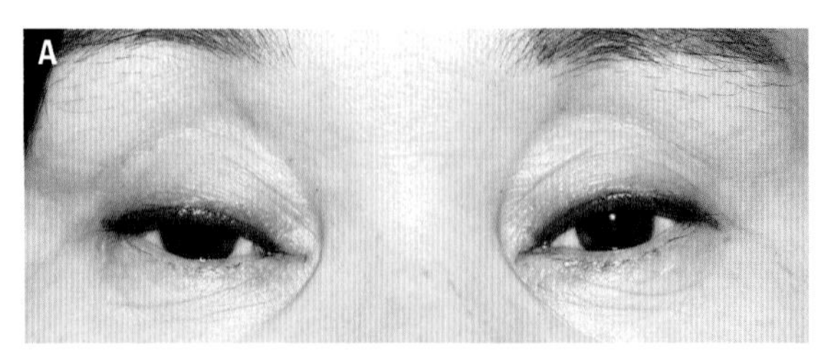

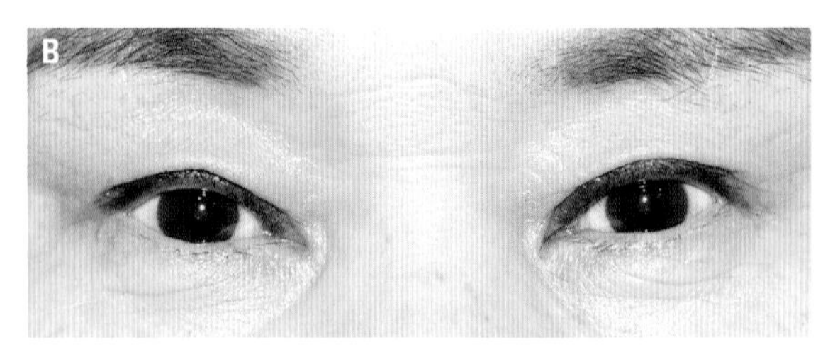

그림 6-2 널힘줄성눈꺼풀처짐환자에서 보이는 깊은 위눈꺼풀고랑과 눈꺼풀처짐 수술 후 호전된 모습

병리

널힘줄이 눈꺼풀판 부착부위로부터 분리disinsertion되면 눈꺼풀판 위쪽으로 널힘줄의 하얀 경계가 관찰되기도 한다.

눈꺼풀올림근과 뮐러근의 지방성 퇴행을 수술 시 쉽게 관찰할 수 있으며, 널힘줄이 늘어나 얇게 보이는 경우dehiscence or rarefaction도 있다. 위눈꺼풀 휘트날인대의 안쪽 분지medial limb가 약해지면서 눈꺼풀올림근과 위눈꺼풀판이 가쪽으로 이동된 것이 관찰되기도 한다. 이러한 변화로 널힘줄성눈꺼풀처짐을 일차성 근육병증primary myopathic process으로 보기도 한다.

현미경적으로는 널힘줄 내의 콜라겐다발과 주변 조직의 미세경색, 그리고 눈꺼풀올림근 근섬유가 지방조직으로 대체된 소견이 관찰된다.

분류

노인성

50대 이상의 나이에서 가장 흔히 나타나는 눈꺼풀처짐 형태로서 눈꺼풀올림근널힘줄이 부착부위인 눈꺼풀판으로부터 분리되거나 눈꺼풀올림근이 얇아져 눈꺼풀에 전달되는 힘이 약해짐으로써 나타난다. 이 외에도 노화과정에서 눈꺼풀올림근 자체에 지방 침윤으로 인한 근섬유소실로 눈꺼풀처짐이 유발될 수 있다.

콘택트렌즈의 장기 착용

Kerstein 등의 1995년 보고에 의하면 젊은 층에서 나타난 후천눈꺼풀처짐의 원인은 47%가 콘택트렌즈 장기 착용이었으며, 다음으로는 외상이 흔하게 나타났다.

콘택트렌즈유발 눈꺼풀처짐은 연성콘택트렌즈soft contact lens보다는 주로 경성콘택트렌즈rigid contact lens 착용으로 인해 발생한다. 콘택트렌즈를 착용하고 빼는 과정에서 위눈꺼풀에 가해지는 반복적인 견인으로 인해 널힘줄이 부착부위로부터 분리되어 나타날 수 있으며, 이런 양상은 수술 도중에 확인할 수 있는 경우가 많다. 하지만 콘택트렌즈 착용을 중단했을 때 눈꺼풀처짐이 호전되는 경우도 드물게 있어 널힘줄 분리 외에 콘택트렌즈로 인한 자극이나 눈꺼풀부종도 원인이 될 수 있음을 보여준다. 그 외 뮐러근의 섬유화로 인해 눈꺼풀처짐이 발생한다는 보고도 있다.

연성콘택트렌즈로 인한 눈꺼풀처짐의 원인은 잘 밝혀지지 않았지만 거대유두결막염giant papillary conjunctivitis, GPC이 한 원인으로 알려져 있다. 따라서 GPC가 동반된 눈꺼풀처짐에서는 콘택트렌즈 착용을 중지하면 경성콘택트렌즈에 비해 눈꺼풀처짐이 호전될 가능성이 더 높게 보고되어 수술을 고려하기 전에 콘택트렌즈의 착용을 중지시키고 일정기간 관찰해 보아야 한다.

콘택트렌즈유발 눈꺼풀처짐은 눈꺼풀올림근 기능이 양호하며 쌍꺼풀선이 높게 만들어지는 전형적인 널힘줄성눈꺼풀처짐의 양상을 보인다.

외상

널힘줄의 눈꺼풀판 부착부에 가해지는 외상과 스트레스는 널힘줄성눈꺼풀처짐을 유발한다. 충격과 같은 외상이나 알러지로 인한 지속적인 눈비빔과 같은 자극은 모두 원인이 될 수 있다. 이러한 분리현상은 특히 널힘줄 부착이 약한 눈에서 잘 발생한다. 깊은 눈꺼풀열상도 널힘줄에 직접적인 손상을 주어 눈꺼풀처짐을 일으킬 수 있다.

눈꺼풀, 안와, 혹은 뇌의 어느 부위라도 외상이 가해지면 눈꺼풀처짐을 초래할 수 있다**(그림 6-3)**. 눈꺼풀

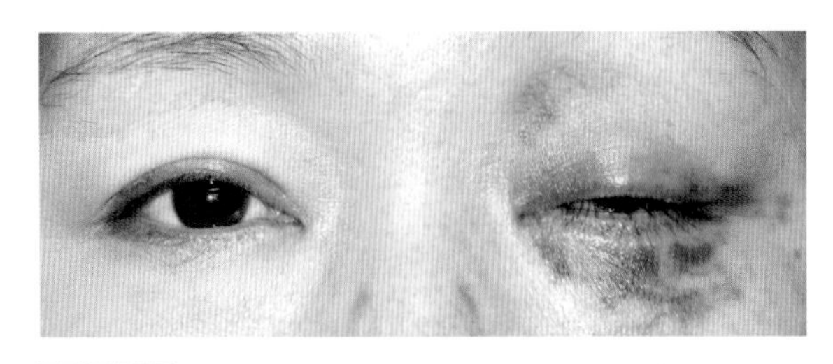

그림 6-3 좌안 수상 후 나타난 외상눈꺼풀처짐

외상으로 인해 널힘줄 열상이나 부종이 생겨 부착부위가 떨어질 때 눈꺼풀처짐이 나타날 수 있다. 이러한 분리현상은 특히 널힘줄 부착이 약한 눈에서 잘 발생한다. 충격과 같은 외상이나 알러지로 인한 지속적인 눈 비빔과 같은 자극도 원인이 될 수 있다.

안와 외상으로 눈돌림신경의 위분지 손상이나 뇌 외상으로 인한 눈돌림신경 손상 정도에 따라 눈꺼풀처짐의 정도도 다양하게 나타날 수 있다.

외상눈꺼풀처짐의 치료는 처짐의 정도, 붓기 정도, 그리고 개방창 존재 여부 등에 따라 달라질 수 있다. 눈꺼풀열상이 깊으면서 눈꺼풀처짐의 정도가 심하면 즉시 눈꺼풀올림근의 손상 여부를 확인해야 하며, 눈꺼풀올림근의 열상이나 부착부위 떨어짐이 있으면 이를 교정해 주어야 한다. 개방창이 없으면 수 주에서 수 개월에 걸쳐 부종이 가라앉으면서 눈꺼풀처짐이 호전될 수 있으므로 수술은 적어도 6개월 이상 기다린 후 시행하는 것이 좋다.

수술 방법은 다른 형태의 눈꺼풀처짐 수술처럼 눈꺼풀올림근의 기능에 따라 결정하여야 하지만, 외상성은 눈꺼풀올림근 절제양에 비해 교정 효과가 비교적 크다는 점을 알고 있어야 한다. 또한 외상으로 인한 섬유화 때문에 수술 후 과교정이 잘 나타날 수 있다.

안내 수술

백내장수술, 각막이식술, 녹내장 여과수술, 망막수술 등의 안내 수술을 받은 환자의 3~13%에서 수술 후 합병증으로 눈꺼풀처짐이 발생하였다고 보고된 바 있다. 1976년 Paris와 Quickert는 백내장 수술 후 발생한 눈꺼풀처짐 환자의 조직병리학적 연구에서 눈꺼풀올림근널힘줄의 부착부위 분리가 원인임을 보고하였으며, 특히 널힘줄이 약한 노인 환자에서 수술 후 지속적으로 눈꺼풀 염증반응과 부종이 나타날 경우 널힘줄이 더 쉽게 분리된다고 하였다.

국내 보고에서도 안내 수술 후 약 8%의 눈꺼풀처짐이 보고되었으며, 백내장 수술 후 6.0%, 녹내장 수술 후 9.8%, 그리고 삼중 수술triple surgery 후에는 13.0%로, 수술 시간이 길수록 또 환자의 나이가 많을수록 더 많이 발생하는 것으로 나타났다. 개검기speculum 사용, 마취방법, 그리고 상직근 견인봉합 등도 영향을 미치는 것으로 보고된 바 있다. 개검기를 사용하여 눈을 벌리면 반사적으로 눈을 감으려고 하는 눈둘레근의 수축이 발생하는데, 장시간 동안 개검기를 사용하면 눈둘레근의 수축에 의해 올림근널힘줄이 늘어나고 눈꺼풀판의 부착 부위로부터 분리되어 눈꺼풀처짐이 발생하는 것으로 알려져 있다. 따라서 가급적 wire로 된 개검기를 사용하여 눈꺼풀올림근에 손상이 덜 가도록 하는 것이 좋다.

상직근 견인봉합이 눈꺼풀처짐을 유발하는 기전은 수술 시 상직근 손상과 염증이 생기고 근육 내의 혈관 압박으로 혈류의 정체 및 울혈이 발생하는데, 이 때 생긴 삼출액이 눈꺼풀올림근과 상직근 복합체 간의 정상적 부착을 파괴하기 때문인 것으로 알려져 있다. 최근에는 백내장 수술 시 구후마취 대신 점안마취 만을 시행하고 상직근 견인봉합을 하지 않는 경우가 많아짐에 따라 안내 수술 후 눈꺼풀처짐의 발생 빈도도 많이 줄어들고 있다.

스테로이드유발 눈꺼풀처짐

스테로이드 안약을 장기 점안하였을 때 경미한 눈꺼풀처짐이 나타날 수 있다. 병리조직학적 연구가 뒷받침되지 않아 정확한 원인은 알 수 없지만 안약 점안 시 과도하게 눈꺼풀을 당겨 널힘줄이 분리되거나, 스테로이드유발 근육병증 그리고 결막염, 각막염, 포도막염 등의 질환으로 인해 이차성으로도 나타날 수 있다.

갑상샘질환

갑상샘질환과 동반되어 나타나는 눈꺼풀처짐은 흔하지는 않다. 갑상샘눈병증 급성기 때 눈꺼풀 부종으로 인해 널힘줄이 분리되어 나타날 수 있다. 갑상샘질환 때 동반되는 눈꺼풀후퇴 현상을 덜 보이게 하기 위해 반대편 눈에 나타나는 가성눈꺼풀처짐 가능성도 있다. 갑상샘질환이 있으면서 눈꺼풀처짐이 동반되는 경우 근육무력증 가능성에 대해 검사를 해야 한다.

임신

임산부에서 분만 직후 눈꺼풀처짐이 발생할 수 있다. 눈꺼풀처짐의 원인은 정확히 밝혀지지 않았지만, 높은 프로제스테론progesterone 수치로 인한 눈꺼풀내 장액interstitial lid fluid의 증가와 분만으로 인한 육체적 스트레스 등에 의해 눈꺼풀올림근널힘줄이 분리되어 발생한다고 알려져 있다.

눈꺼풀이완증

눈꺼풀이완증blepharochalasis의 반복적인 눈꺼풀부종은 눈꺼풀판에서의 널힘줄 부착에 손상을 일으키거나 널힘줄을 늘어나게 하여 결국은 눈꺼풀판에서 분리되어 눈꺼풀처짐을 유발한다.

참고문헌

1. 김경락, 이경택, 최웅철. 안과수술 후 발생한 안검하수에 대한 고찰 및 건막교정수술의 효과. 대한안과학회지 2002;43:2253-7.
2. 안대휘, 이영기, 김호겸, 홍영재. 백내장 및 녹내장 수술 후 발생한 안검하수. 대한안과학회지 1998;39:598-603.
3. 이동원, 안희배, 윤희성, 노세현. 공막돌륭술후 발생한 안검하수의 임상적 고찰. 대한안과학회지 1998;39:1588-93.
4. 이상열, 김윤덕, 곽상인, 김성주. 눈꺼풀성형술. 도서출판 내외학술, 2009.
5. 조양경, 김현승, 이영춘. 백내장 수술 후 안검하수 발생에 관한 고찰. 대한안과학회지 2000;41:1918-24.
6. 최준호, 송만성, 최기용. 단안 백내장 수술 후 양안 안검열 크기의 변화. 대한안과학회지 1998;39:2057-63.
7. Albert DM, Miller JW, Azar DT. Albert and Jakobiec's principles and practice of ophthalmology. Philadelphia: Saunders Elsevier, 2008.
8. Baroody M, Holds JB, Vick VL. Advances in the diagnosis and treatment of ptosis. Curr Opin Ophthalmol 2005;16:351-5.
9. Finsterer J. Ptosis: causes, presentation, and management. Aesthetic Plast Surg 2003;27:193-204.
10. Frueh BR, Musch DC, McDonald HM. Efficacy and efficiency of a small-incision, minimal dissection procedure versus a traditional approach for correcting aponeurotic ptosis. Ophthalmology 2004;111:2158-63.
11. Hirasawa C, Matsuo K, Kikuchi N, Osada Y, Shinohara H, Yuzuriha S. Upgaze eyelid position allows differentiation between congenital and aponeurotic blepharoptosis according to the neurophysiology of eyelid retraction. Ann Plast Surg 2006;57:529-34.
12. Kim CY, Lee SY. Distinct features in Koreans with involutional blepharoptosis. Plast Reconstr Surg 2015;135:1693-9.
13. McCord CD Jr, Tanenbaum M, Nunery WR. Oculoplastic surgery. New York: Raven Press, 1995.
14. Nerad JA. Oculoplastic surgery: The requisites in ophthalmology. St. Louis: Mosby, 2001.
15. Nesi FA, Lisman RD, Levine MR. Smith's ophthalmic plastic and reconstructive surgery, St. Louis: Mosby, 1998.
16. Paris GL, Quickert MH. Disinsertion of the aponeurosis of the levator palpebrae superioris muscle after cataract extraction. Am J Ophthalmol 1976;81:337-40.
17. Pereira LS, Hwang TN, Kersten RC, Ray K, McCulley TJ. Levator superioris muscle function in involutional blepharoptosis. Am J Ophthalmol 2008;145:1095-8.
18. Sanke RF. Blepharoptosis as a complication of pregnancy. Ann Ophthalmol. 1984;16:720-2.
19. Scoppettuolo E, Chadha V, Bunce C, Olver JM, Wright M; BOPSS. British Oculoplastic Surgery Society (BOPSS) national ptosis survey. Br J Ophthalmol 2008;92:1134-8.
20. Song MS, Shin DH, Spoor TC. Incidence of ptosis following trabeculectomy: a comparative study. Korean J Ophthalmol 1996;10:97-103.
21. Takahashi Y, Kakizaki H, Mito H, Shiraki K. Assessment of the predictive value of intraoperative eyelid height measurements in sitting and supine positions during blepharoptosis repair. Ophthal Plast Reconstr Surg 2007;2:119-21.
22. Tucker SM, Verhulst SJ. Stabilization of eyelid height after aponeurotic ptosis repair. Ophthalmology 1999;106:517-22.

CHAPTER 07

후천근성눈꺼풀처짐

Acquired myogenic ptosis

CONTENTS

근성눈꺼풀처짐은 상대적으로 드문 질환이지만, 눈꺼풀올림근의 기능이 저하되어 있으면서 외안근, 얼굴근, 혹은 신체 다른 부위의 근육 약화가 동반된 경우 반드시 의심해보아야 한다. 또한 진행성 눈꺼풀처짐이 나타나는 경우에는 널힘줄성, 신경성, 외상성 혹은 기계적인 원인으로 인한 눈꺼풀처짐과 반드시 감별되어야 한다. 근성눈꺼풀처짐은 원인에 따라 **표 7-1**과 같이 분류할 수 있다.

분류

사립체근병증

사립체근병증mitochondrial myopathy은 사립체에서 에너지생성에 관여하는 효소의 결핍에 의해 사립체 기능이상이 초래되어 나타난다. 사립체근병증이 근성눈꺼풀처짐의 가장 많은 부분을 차지하며, 사립체근병증에서는 CPEO가 가장 흔히 나타난다.

임상소견

눈꺼풀처짐과 외안근 운동장애가 거의 대부분 나타나고, 눈둘레근과 얼굴근 약화, 그리고, 전신 소견으로는 삼킴곤란dysphagia, 사지약화 순으로 나타날 수 있다. 삼킴곤란은 CPEO뿐 아니라 OPMD에서도 나타날 수 있다. 색소성망막증은 Kearns-Sayre 증후군KSS에서 주로 동반되지만 CPEO에서도 나타날 수 있으며, 심차단heart block은 KSS에서 나타난다. 난청은 사립체근병증을 의심할 수 있는 증상 중의 하나이며, MELAS나 CPEO에서 나타날 수 있다. 눈꺼풀처짐과 간헐성복시가 동반되어 나타나면 중증근육무력증과 같은 다른 원인을 반드시 감별해야 한다.

표 7-1 근성눈꺼풀처짐의 원인적 분류

Mitochondrial myopathies
Chronic progressive external ophthalmoplegia (CPEO)
Kearns-Sayre syndrome (KSS)
Mitochondrial myopathy, encephalopathy, lactic acidosis, stroke-like episodes (MELAS)
Mitochondrial encephalopathy with ragged red fibers (MERRF)
Myotonic dystrophy (MD)
Oculopharyngeal muscular dystrophy (OPMD)
Oculopharyngodistal myopathy (ODM)

만성진행성외안근마비

Chronic progressive external ophthalmoplegia, CPEO

눈꺼풀올림근 및 외안근에 근육이상증muscular dystrophy이 진행하는 질환으로서 1868년 Von Graefe에 의해 처음 기술되었다. CPEO의 원인에 대해서는 일반적으로 근육질환으로 알려져 있지만 신경위축이 동반되는 병리소견으로 보아 신경성 질환이라는 주장도 있다. 하지만 근육이상과 신경이상 둘다 어느 정도 영향을 미치는 것으로 알려져 있다.

초기증상으로 눈꺼풀처짐과 외안근 운동장애가 주로 학동기 혹은 청년기 때에 나타나서 서서히 진행한다. 가족력이 있는 경우가 약 50%에 달하며 성비의 차이는 없다. 모든 외안근으로 마비가 진행되며, 운동제한이 대칭적으로 나타나 복시가 없는 경우가 많지만, 비일치성 사시로 나타나는 경우는 복시가 나타날 수도 있다. 대부분 호전 및 악화가 반복되면서 진행하며, 눈둘레근이 침범되면 눈을 감기도 힘들어 진다. 눈꺼풀올림근과 외안근 외의 골격근 특히 머리와 목 부위의 골격근에 결국 침범되어 이마근을 사용하기 힘들게 되면 눈꺼풀처짐으로 인한 불편감이 더 증대될 수 있다.

일부에서는 망막질환도 동반되는데 광범위한 색소변성부터 후극부의 망막색소상피결손까지 다양한 형태로 나타난다. 또한 전신적으로는 소뇌실조증cerebellar ataxia, 눈떨림, 청력소실, 전정기능이상vestibular dysfunction, 그리고 지능감퇴 등과 같은 신경이상이 나타날 수 있다. 이와 같이 CPEO 환자의 임상적 혹은 병리적 소

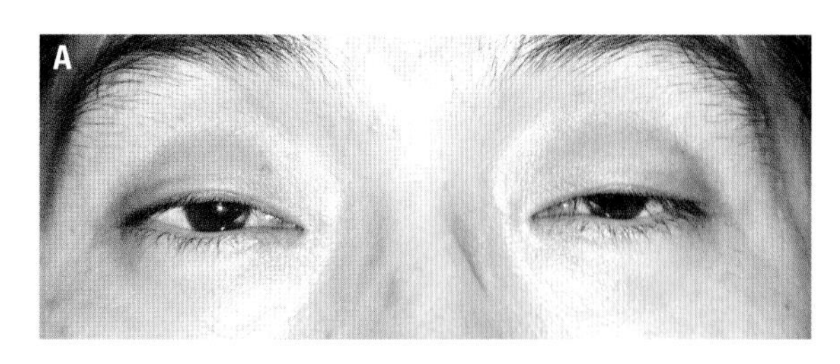
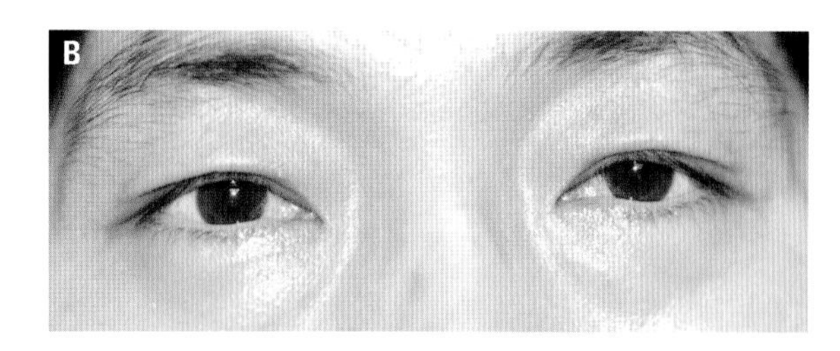

그림 7-1 CPEO 환자에서 실리콘로드를 이용한 이마근걸기술 수술 전후 모습

견이 근육에 국한되지 않고 망막, 심장, 내분비계, 그리고 중추신경계에 동반되어 나타나는 경우를 'CPEO-plus' 혹은 'ophthalmoplegia plus'라고 하며 Kearns-Sayre 증후군이 여기에 속한다.

전신적인 치료로 CPEO를 호전시킬 수 있는 방법은 없다. 전신 부신피질호르몬제 치료가 시도되었지만 좋은 반응을 보이지 않았다. 복시가 나타나는 경우는 흔치 않지만, 수술을 필요로 하는 경우도 있다.

눈꺼풀처짐으로 인하여 생활의 불편이 심하면 적극적으로 수술을 시행하기도 한다. 하지만 상직근 기능이 좋지 못하며, Bell 현상 소실, 그리고 계속 진행하는 특성상 눈 방어기전이 약화되기 때문에 수술 후 각막보호를 위한 관리가 중요하다. 눈꺼풀올림근 기능이 좋은 경우에서는 눈꺼풀올림근절제술을 실시할 수 있지만 대부분 기능이 나쁘기 때문에 이마근걸기술이 더 교정효과가 높다. 수술 후 심각한 각막 손상을 대비하여 실리콘로드와 같이 제거가 용이한 합성물질로 이마근걸기술을 시행하는 것이 좋으며, 저교정하는 것이 좋다(**그림 7-1**).

Kearns-Sayre 증후군, KSS

1958년 Kearns와 Sayre가 망막색소상피변성, 만성진행성외안근마비, 심차단의 세 가지 징후를 가지는 두 명의 환자를 보고한 이후로 Kearns-Sayre 증후군으로 불리고 있다. 최근에는 20세 이전에 발병하는 만성진행성외안근마비와 색소성망막병증, 그리고 심차단, 1 g/L 이상의 뇌척수액단백, 소뇌증상 중 한가지 이상의 소견이 있을 때 Kearns-Sayre 증후군으로 진단하기도 한다. 보고에 따르면 심차단은 수개월에서 36년 후에도 나타날 수 있기 때문에 심전도장애가 없다고 하여 진단을 배제하는 기준이 되지는 못한다. 이 증후군의 조기 진단은 심차단으로 인한 이상을 예방하는데 도움이 되기 때문에 중요하다.

대부분은 산발성으로 나타나지만, 드물게 상염색체 우성유전형으로 나타나기도 한다. 근본 원인은 밝혀지지 않았지만 oxidative phosphorylation의 loose coupling과 lactate와 pyruvate의 대사이상과 같은 사립체의 구조와 기능 장애, 지방대사이상, 그리고 일차 근육병증 등이 원인으로 생각된다.

광학현미경 소견은 Gomori trichrome 염색에서 사립체의 수와 크기가 증가되어 골격근섬유 주변부에 축적된 특징적인 붉은색상의 근섬유인 ragged-red fibers 소견을 보이며, oil red-O 염색에서는 lipid droplet이 나타난다. 전자현미경에서는 골격근 외에도 임상적으로 정상인 조직에서도 크기가 커진 사립체가 관찰될 수 있다(**그림 7-2**). 눈에서는 맥락막과 망막색소상피, 감각수용체에서도 inclusion을 포함한 사립체 비대소견이 관찰되기도 하며, 땀샘, 심장근막, 간, 소뇌에서도 유사한 사립체의 변화 소견을 보인다.

망막색소변성retinitis pigmentosa과 유사한 색소성망막증pigmentary retinopathy을 보이지만 망막주변부 bone spicule은 잘 나타나지 않으며, 색소침착과 망막색소상피의 탈색으로 인한 salt and pepper like appearance가 시신경유두주변에 가장 흔히 나타난다(**그림 7-3**). 시력감소의 정도는 다양하며 시신경위축도 가끔 나타

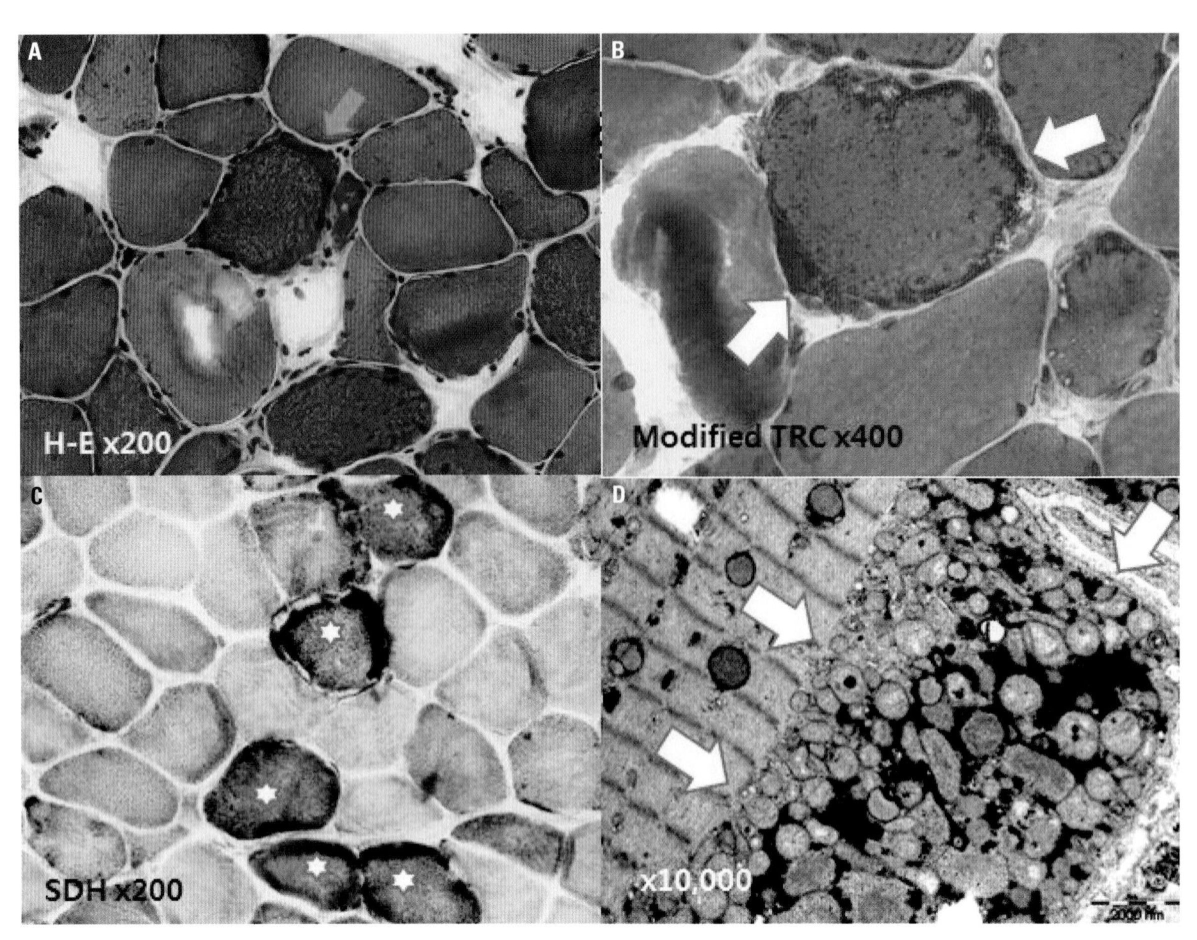

그림 7-2 Subsarcolemmal red ragged appearance를 보이는 degenerating fibers
A. H-E x200: arrow. **B.** Gomori modified TRC x400: arrows. **C.** Succinate dehydrogenase (SDH) staining에서 active enzyme activities를 보인다(SDH x200. stars). **D.** 전자현미경에서 subsarcolemmal area에서 large mitochondrial (megaconia) deposition이 관찰된다(x10,000 arrows). (연세의대 병리학교실 김세훈 교수 제공)

날 수 있지만 망막색소변성 보다 심하지 않다.

그 외에 감각신경성 청력 소실, 운동장애, 당뇨, 실조증ataxia, 골격근약화, 2차 성징secondary sexual characteristics의 발달 장애, 성장부진을 동반하며 그 밖에 여러 신경학적 혹은 내분비학적 이상을 초래할 수 있다.

동반된 결함을 교정할 수 있는 치료법은 없지만 심차단과 눈꺼풀처짐은 통상적인 만성진행성외안근마비 환자의 치료와 동일하다. 청소년에서 발생한 떨림tremor과 실조증은 thiamine 300 mg으로 좋은 반응을 보이고, extrapyramidal symptom과 눈꺼풀처짐은 파킨슨병 치료약물로 호전될 수 있다. Tocopherol (vitamin E)이 효과가 있다는 보고도 있다.

MELAS증후군

MELAS증후군Mitochondrial myopathy, encephalopathy, lactic acidosis, stroke-like episodes , MELAS은 아주 드문 사립체근병증으로 특징적인 붉은 색상의 근섬유를 따라 cytochrome-C oxidase 양성 섬유를 보인다. 가족력을 보이며, 눈꺼풀처짐 및 색소성망막증 외 뇌병증, 유산증lactic acidosis, 뇌경색 유사 증상stroke-like episodes, 청력 소실 등 다양한 전신증상이 동반될 수 있다.

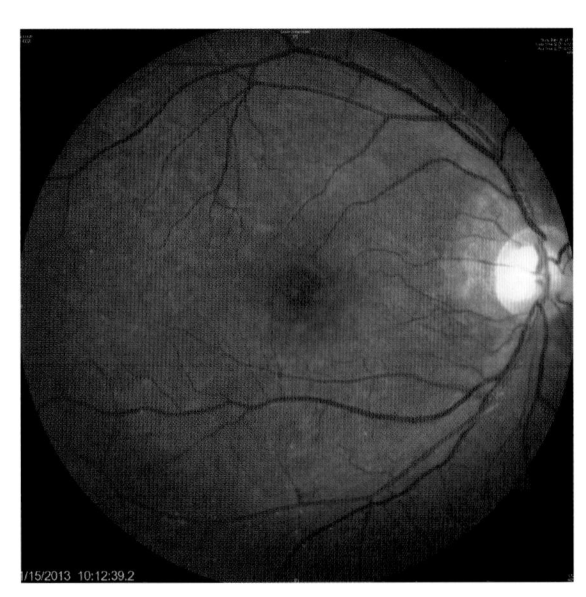

그림 7-3 Salt and pepper like appearance를 보이는 안저소견

근긴장성이영양증, 근육긴장퇴행위축

Myotonic dystrophy, dystrophicmyotonia, MD

근긴장증myotonia은 근육의 강한 자극이나 계속된 근섬유 활성 후 이완이 되지 않는 지속적인 근육 수축 현상으로서, 근긴장성이양증이 가장 흔한 근이영양증의 형태이다. 근긴장성이영양증은 상염색체우성유전에 의해 전달되며 염색체 19q13.3에서 특이한 분자결함을 보인다. 침범된 외안근을 포함한 가로무늬근의 조직소견이 초기에는 정상으로 나타날 수 있지만 나중에는 핵의 변화increased nuclei arranged in long rows centrally가 관찰되며, 병이 진행함에 따라서 근육섬유는 결체조직과 지방조직으로 대체된다.

이 질환은 만성적으로 서서히 진행하며, 출생부터 고령까지 어느 연령에서나 발생할 수 있다. 초기증상으로는 악수 후 손을 풀기 힘들거나 눈을 꼭 감은 후 뜨기 어려운 현상이 나타난다.

안과적 소견은 눈꺼풀처짐이 흔하고 이와 함께 눈둘레근의 전반적인 약화로 눈깜박임이 감소하고 눈을 감기가 어려우며, 일단 눈을 감으면 근긴장증으로 인하여 눈을 뜨기가 어렵다. 추적운동의 저하slowed saccade와 사시, 후낭하백내장, 동공반사의 감소 등이 나타나며, 홍채혈관기형으로 작은 외상에도 전방출혈이 발생하기 쉽다. 섬모체의 길이가 짧고, 저색소증hypopigmentation으로 인해서 저안압증이 발생할 수 있으며, 비특이적인 맥락막망막병증이 나타날 수 있다.

전신소견으로는 정신지체, 심장비대, 호흡근과 인후근의 약화, 골격근의 이상, 두개골비후, 혀의 위축, 고주파청력소실, 내분비계 장애(대머리, 고환위축) 등이 있고, 평활근의 약화로 인한 변비, 요실금incontinence, 분만지연 등이 나타날 수 있다.

현재 특별한 치료법은 없으며, 장기적으로 발생할 수 있는 여러 문제들 때문에 정확한 진단은 필수적이다. 가벼운 증상만 있는 환자들도 심전도이상, 인슐린저항 당뇨병과 같은 심각한 합병증이 발생할 수 있으므로 정기적인 진료를 받아야 하며, 높은 유전 성향 때문에 환자들이 유전상담을 받을 수 있도록 하는 것이 중요하다. 또한 잠재적인 마취의 위험에도 주의해야 한다.

안인두근이영양증

Oculopharyngeal muscular dystrophy, OPMD

이 질환은 CPEO의 변형으로서, 가족력이 있으며 French Canadian의 가계에서 처음으로 보고되었다. 진행성 눈꺼풀처짐, 안면근의 약화, 삼킴곤란이 특징적이다. 눈꺼풀처짐과 특징적인 삼킴곤란이 30~40대에서 시작되며, 외안근과 Bell 현상의 손상은 심하지 않다. 눈꺼풀올림근의 기능은 좋은 경우에서 나쁜 경우까지 다양하지만 CPEO보다 양호하다. 전자현미경 소견상 눈꺼풀올림근의 가로무늬근섬유의 감소와 근세포의 공포화vacuolization는 OPMD가 근육병증임을 시사한다.

안인두원위 근병증

Oculopharyngodistal myopathy, ODM

눈꺼풀처짐, 저작근, 얼굴근bulbar muscle 약화, 원위부 사지근육distal limb muscle의 약화가 40대에서 나타난다.

유전 및 가족력

유전적으로 CPEO와 KSS는 사립체 DNA의 deletion/insertion에 의해, 그리고 MELAS와 MERRF는 점돌연변이point mutation에 의해 나타난다. CPEO의 50~80%가 deletion, KSS는 거의 100%가 deletion에 의해 나타난다.

CPEO는 대부분 산발적으로 나타나지만 가족력을 가지는 우성유전으로도 전달된다고 보고된 바 있다. KSS도 산발적으로 나타나 바이러스감염이나 자가면역질환이 원인으로 제시되기도 했지만, 가족형 KSS가 보고되면서 유전적인 원인이 관여하는 것으로 생각되며, 알려진 것 보다 더 많은 경우에서 우성유전으로 전달된다고 보고된 적도 있다.

근긴장성이영양증은 상염색체 우성으로 유전되며 환자부모에서 50%의 확률로 자식에게 유전된다. 안인두근이영양증, 안인두원위 근병증 역시 상염색체 우성유전을 하며 눈꺼풀처짐의 가족력이 발견되었다. 그러나 경한 경우에서는 표현형 발현phenotype expression이 되지 않아 우성유전이 나타나지 않는 가족도 있다.

진단 검사

진단에는 시력 검사, 시야 검사, 눈운동 검사, 안저 검사, 전기생리 검사 등의 안과적 검사와 전신증상이나 신경학적증상에 대한 병력청취 및 이학적 검사가 필요하다. 사립체성 근병증이 의심될 때에는 모든 환자에서 신경계와 근육의 침범여부를 평가하고 외안근마비를 유발하는 다른 질환과 감별하기 위해서 신경과에 의뢰해야 한다. 그리고, 만성진행성외안근마비나 Kearns-Sayre 증후군을 가진 젊은 환자에서는 치명적인 심차단이 발생할 수 있으므로 심장 검사 또한 매우 중요하다. 다른 사립체질환에서와 같이 안정상태에서는 혈청 젖산serum lactate이 정상이다가 운동할 때 증가되는 것을 관찰할 수 있으며, 대부분 혈청크레아티닌serum creatinine은 정상이다. 그리고 edrophonium chloride (Tensilon®)나 neostigmine에 반응이 없다는 점 등이 진단에 도움이 된다.

사립체성 근병증의 근육생검상 발견되는 특징적인 조직학적 소견은 근육의 Gomori trichrome stain에서 나타나는 "ragged-red fibers"이다. 이 소견은 비정상 사립체의 축적으로 인한 것으로 보이며, 이는 주로 근섬유막 아래에 위치한다. 조직화학적으로 COX (cytochrome-c oxidase)의 손상으로 인한 COX-negative fibers를 관찰할 수 있다. 한편 안인두근이영양증의 근육생검 소견은 특징적으로 nuclear filamentous inclusion이 전자현미경에서 관찰되며, 안인두원위 근병증을 가진 환자는 근육조직에서 테를 두른 듯한 공포rimmed vacuole가 관찰된다. 근긴장성이영양증은 주로 임상적으로 진단 가능하므로 반드시 근육생검이 필요하지는 않으나 근육생검 결과 불규칙한 근원섬유myofibril의 배열을 보이고 리포푸신lipofusin의 증가를 보인다는 보고가 있다.

혈액 검사에서 안인두근이영양증 환자는 PABP2유전자 이상 검사에서 양성으로 나타나는 반면, 안인두원위 근병증 환자는 PABP2유전자 이상이 없다.

치료 및 관리

근성 눈꺼풀처짐 환자의 치료는 가족력, 혈액 검사, 근육생검 및 유전학적 검사 등의 여러 분야에 걸친 전반적인 접근이 필요하다. 근성 눈꺼풀처짐의 수술여부 결정과 수술 후 합병증 관리에는 많은 어려움이 있다. 따라서 눈꺼풀처짐은 장기적인 관점에서 보존적인 치료를 하는 것이 좋으며, 수술적 교정은 눈꺼풀처짐으로 인한 시력 장애가 있는 경우에 한해서 시행하는 것이 좋다.

눈꺼풀처짐 교정 시, 외안근의 움직임이 저하되어 Bell 현상이 좋지 않고, 눈둘레근의 위축으로 눈깜박임 반사가 약하다는 것을 반드시 염두에 두어야 한다. 따라서 근성눈꺼풀처짐 환자에서 눈꺼풀수술은 각막노출과 부적절한 Bell 현상에 따른 이차적인 합병증의 위험성으로 인해 양안의 시축이 가려진 경우에만 시행하는 것을 원칙으로 한다. 즉, 만성진행성외안근마비에서 눈꺼풀처짐 교정의 목표는 완전교정보다는 동공 바로 위까지 눈꺼풀을 올려주는 저교정을 하는 것이 원칙이다. 하지만 실리콘로드를 사용한 이마근걸기술을 시행했을 때 시간이 경과하면서 점차 눈꺼풀이 다시 내려오는 점을 감안한다면 충분히 교정하는 것을 미리 환자와 의논하여 고려할 수 있다.

수술 방법은 눈꺼풀올림근절제술을 시도할 수 있으나, 근성눈꺼풀처짐이 진행적인 점을 고려할 때 초기에 눈꺼풀올림근절제술을 시행하는 것은 장기적인 눈꺼풀처짐 교정 효과를 얻기 힘들다. 눈꺼풀을 충분히 올리기 위해 광범위하게 눈꺼풀올림근절제술을 시행하는 것은 벨현상이 좋지 않은 환자에서 토안의 위험성이 크기 때문에 추천되지 않는다.

이마근걸기술은 일반적으로 눈꺼풀올림근 기능이 4 mm 이하인 경우에 시행하지만, 근성 눈꺼풀처짐의 경우에서는 이보다 더 양호한 경우에도 시행할 수 있다. 근성 눈꺼풀처짐의 이마근걸기술 시 자가 혹은 보존 대퇴근막을 사용하기도 하지만, 각막노출의 위험성이 높기 때문에 실리콘로드가 더 선호되기도 한다. 이는 실리콘의 탄력성으로 인해 대퇴근막보다 눈꺼풀이 감기는 효과가 더 우수하여 눈을 깜박일 때와 잠잘 때 각막노출의 위험성을 감소시킬 수 있기 때문이다.

각막건조가 있는 환자는 인공눈물안약을 처방할 수 있으며, 노출각막병증이 나타난 경우 인공눈물안약으로 조절되지 않으면 눈꺼풀을 낮추거나 걸기재료를 제거하는 수술을 시행할 수 있다. 혹은 가쪽눈꺼풀판띠고정술이나 가쪽눈구석성형술을 통해 아래눈꺼풀을 올려주는 것도 눈꺼풀틈새를 줄일 수 있는 방법이다.

근성 눈꺼풀처짐 환자에서 완치를 위한 특별한 방법은 없고, 사립체성 근병증에서 coenzyme Q 복용이나 다른 다양한 비타민 투여가 시도되었으나 효과는 입증되지 않았다.

참고문헌

1. Bau V, Zierz S. Update on chronic progressive external ophthalmoplegia. Strabismus 2005;13:133-42.
2. Beard C. Ptosis. St. Louis: Mosby, 1981.
3. Collin JRO. A manual of systematic eyelid surgery, London: Churchill Livingstone, 1989.
4. Daut PM, Steinemann TL, Westfall CT. Chronic exposure keratopathy complicating surgical correction of ptosis in patients with chronic progressive ophthalmoplegia. Am J Ophthalmol 2000;130:519-21.
5. Harper PS. Myotonic dystrophy: present management, future therapy. Oxford University Press, 2004.
6. Holck DE, Dutton JJ, DeBacker C. Lower eyelid recession combined with ptosis surgery in patients with poor ocular motility. Ophthalmology 1997;104:92-5.
7. Holt IJ, Harding AE, Morgan-Hughes JA. Deletions of muscle mitochondrial DNA in patients with mitochondrial myopathies. Nature 1988;331:717-9.
8. Jackson MJ, Schaefer JA, Johnson MA, Morris AA, Turnbull DM, Bindoff LA. Presentation and clinical investigation of mitochondrial respiratory chain disease. A study of 51 patients. Brain 1995;118:339-57.
9. Johnson CC, Kuwabara T. Oculopharyngeal muscular dystrophy. Am J Ophthalmol 1974;77:872-9.
10. Leveille AS, Newell FW. Autosomal dominant Kearns-Sayre syndrome. Ophthalmology 1980;87:99-108.
11. Liquori CL, Ricker K, Moseley ML, Jacobsen JF, Kress W, Naylor SL, Day JW, Ranum LP. Myotonic dystrophy type 2 caused by a CCTG expansion in intron 1 of ZNF9. Science 2001;293:864-7.
12. Moraes CT, DiMauro S, Zeviani M, Lombes A, Shanske S, Miranda AF, Nakase H, Bonilla E, Werneck LC, Servidei S, et al. Mitochondrial DNA deletions in progressive external

ophthalmoplegia and Kearns-Sayre syndrome. N Engl J Med 1989;320:1293-9.
13. Nonaka I. Mitochondrial diseases. Curr Opin Neurol Neurosurg 1992;5:622–32.
14. Petty RK, Harding AE, Morgan-Hughes JA. The clinical features of mitochondrial myopathy. Brain 1986;109:915-38.
15. Richardson C, Smith T, Schaefer A, Turnbull D, Griffiths P. Ocular motility findings in chronic progressive external ophthalmoplegia. Eye (Lond) 2005;19:258-63.
16. Rodrigue D, Molgat YM. Surgical correction of blepharoptosis in oculopharyngeal muscular dystrophy. Neuromuscul Disord 1997;7:S82-4.
17. Schnitzler ER, Robertson WC Jr. Familial Kearns-Sayre syndrome. Neurology 1979;29:1172-4.
18. Shorr N, Christenbury JD, Goldberg RA. Management of ptosis in chronic progressive external ophthalmoplegia. Ophthal Plast Reconstr Surg 1987;3:141-5.
19. Wong VA, Beckingsale PS, Oley CA, Sullivan TJ. Management of myogenic ptosis. Ophthalmology 2002;109:1023-31.

CHAPTER 08

중증근육무력증

Myasthenia gravis

CONTENTS

중증근육무력증myasthenia gravis, MG은 신경근육접합부에서 신경전달synaptic transmission이 손상되어 뇌신경의 지배를 받는 수의근voluntary muscle의 약화와 피로를 특징으로 하는 만성 신경근육질환으로, 신경전달물질수용체acetylcholine receptor, AChR에 영향을 주는 자가면역질환의 일종이다. 눈꺼풀처짐과 외안근마비가 가장 흔히 나타나는 증상으로 초기에는 70~75%에서 나타나며, 나중에는 90% 이상에서 나타나게 된다. 후천눈꺼풀처짐 환자에서 반드시 감별진단 해야 할 중요한 질환이며, 진단과 치료에 있어서는 전신적인 접근이 필요하다.

눈중증근육무력증ocular MG은 눈꺼풀과 외안근 만을 침범하는 중증근육무력증의 한 형태를 말한다(표 8-1).

역학 Epidemiology

MG와 ocular MG의 유병률은 과거 10만 명 당 1명 이하였으나 최근에는 14.5명 가량으로 증가하는 경향을 보인다. 인종과 지역간 발생빈도의 차이는 없는 편이다.

MG는 어느 연령에서도 나타날 수 있지만, 여자는 평균 28세, 남자는 평균 42세에 발병하며, 10세 이하나 70세 이후에 발생하는 경우는 흔하지 않다. 40세 이전에는 여자에서 더 많이 발생하지만, 50세 이후에는 남자에서 더 많이 발생한다. 성별에 따른 발생비율은 여자가 남자보다 3:2 정도로 높지만, ocular MG는 남자에서 더 많이 발생한다. Ocular MG의 평균 발생연령은 38세로, 33세인 MG보다 늦게 나타난다.

눈중증근육무력증의 임상경과

Clinical course of ocular MG

초기에 눈 증상만 나타나는 환자의 80%는 2년 이내에 전신증상이 나타나게 된다. 1487명을 조사한 한 연구에서는 53%에서 눈꺼풀처짐과 복시의 눈 증상이 나타났으며, 평균 17년 간 추적한 결과 15%에서는 순전히 ocular MG의 증상을 유지하지만 85%에서는 비록 초기 증상이 눈에만 국한되는 것 같더라도 결국은 다른 부위의 근육까지도 침범되는 전신형으로 이행되는 것으로 보고되었다. 전신형으로 이행되는 환자의 절반 정도는 6개월 이내에, 80% 정도는 2년 이내에, 그리고 90% 정도는 3년 이내에 이행된다. 50세 이후에 발병하는 환자는 호흡곤란이나 사망을 초래할 수 있는 전신질환에 이행될 수 있는 고위험군에 속한다고 할 수 있다.

즉, 3년 이상 눈 증상만 지속될 경우 전신형으로 이행되는 가능성이 낮다고 할 수 있다. 10~20% 정도는 자연적으로 완화remission되기도 하지만 대부분 일시적인 호전에 불과하며 증상이 다시 나타나기도 한다.

표 8-1 MG의 임상 분류

Pediatric	
Neonatal, infantile	
Transient neonatal myasthenia	
Congenital myasthenia syndrome	
Familial	
Juvenile	
Adult-onset	
Stage I	Ocular manifestation only
Stage IIA	Mild generalized myasthenia (gradual onset of limb and bulbar involvement)
Stage IIB	Moderate generalized myasthenia (same as stage IIA but more severe limb and bulbar involvement)
Stage III	Acute fulminant myasthenia (rapid onset of severe limb and bulbar weakness, with respiratory muscle involvement)
Stage IV	Late severe generalized myasthenia (severe weakness develops after two or more years)

신경근육전달의 생리

Physiology of neuromuscular transmission

신경근육접합부neuromuscular junction, synapse는 말초신경의 신경종말과 근육섬유의 종판end plate으로 구성된 생리학적 구조로서, 말초신경의 활동전위action potential가 근육섬유의 활동전위로 전달되는 부위이다. 신경근육접합 질환 중에서 가장 흔하고 대표적인 질환이 중증근육무력증이다.

신경근육접합부의 생리학적 기능은 신경전달물질인 아세틸콜린acetylcholine, ACh에 의해서 나타난다. 말초신경에서 근육으로의 정보전달이 이루어지는 장소가 신경근육접합부인데, 이 부위에서 운동신경의 말단돌기terminal process가 근육섬유에 밀착되어 있다. 운동신경 축삭axon의 말단부위에는 많은 사립체mitochondria와 소포vesicle들이 존재하며, 소포 속에는 운동신경종말에서 합성된 ACh이 저장되어 있다. 운동신경 축삭의 말단막terminal membrane을 탈분극화depolarization 시키는 활동전위에 의해 신경근육전달이 시작되어 ACh을 분비하게 된다. ACh 분자는 확산diffusion되어 시냅스 공간을 건너 AChR과 결합하게 되고 시냅스후세포막postsynaptic membrane을 탈분극화 시킨다. AChR는 시냅스후 세포막에 존재하며, 시냅스전세포막에서 ACh이 분비되는 위치의 바로 반대편에 마주하고 있어 수용체와의 결합을 극대화하고 있다.

AChR는 근육세포에서 생성되어 세포막으로 이동하는데, 안정기에는 닫혀 있다가 운동신경말단부의 소포에 있던 ACh이 시냅스틈새synaptic cleft로 확산되어 수용체에 결합하면 그 수용체와 관련된 통로가 열리

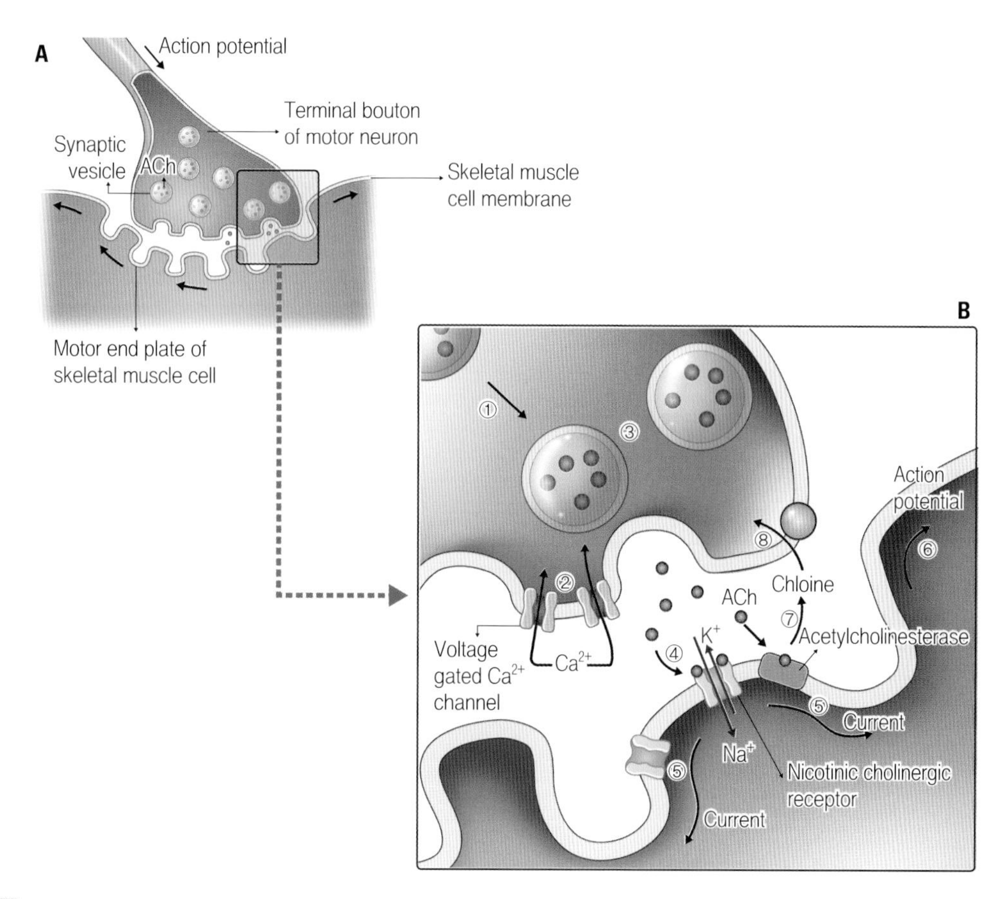

그림 8-1 **A.** 정상 신경근육접합부. **B.** 근육무력증 신경근육접합부

게 된다. 통로가 열리면 나트륨Na과 같은 양이온이 근육세포 내로 유입되어 근육세포의 탈분극을 일으키며, 이러한 탈분극이 충분하면 근육세포의 활동전위가 시작되고 전체 근육세포로 전파propagation되어 근육세포의 수축이 일어나게 된다(**그림 8-1**). 이후 기능을 다한 ACh은 시냅스틈새에 있는 아세틸콜린에스테라제acetylcholinesterase, AChE에 의해 가수분해hydrolysis되어 시냅스 공간에서 빨리 사라지게 된다. 가수분해된 ACh은 아세테이트acetate와 콜린choline으로 전환되고, 콜린은 운동신경세포 말단으로 재흡수되어 다시 ACh으로 변환될 준비를 한다.

Ocular MG에서 외안근의 생리학적 역할

중증근육무력증이 발생하면 외안근과 다른 골격근 사이의 생리학적 차이로 인해 다른 근육에 비해 외안근이 더 잘 침범된다. 외안근 섬유는 6가지의 다른 근육섬유가 있는 데 비해 다른 골격근은 3가지의 섬유 형태가 있는 것으로 보고되었다. 이 중 빠른 수축fast-twitch (twitch : 수축과 이완이 한번 일어나는 것), 그리고 느린 긴장성slow-tonic 근육섬유가 중증근육무력증과 관련이 있다는 것이 밝혀졌다. 외안근의 흥분 발사빈도firing frequencies는 신속운동saccades 동안 400 Hz를 초과하여, 최대 100~200 Hz인 골격근육 섬유보다 높게 나타난다. 사지 근육의 fast-twitch 근육의 수축-이완에 걸리는 시간의 절반도 안 되는 시간에 외안근 fast-twitch 근육은 수축-이완이 일어난다. 이러한 빠른 수축속도contraction kinetics와 높은 발사빈도로 인해 외안근이 중증근육무력증으로 인한 피로에 잘 침범되게 된다.

그리고 대부분의 근육은 단일 신경지배수축섬유single innervated twitch fiber인데 비해, 외안근은 하나의 근육섬유가 여러 시냅스 전달을 받는 다발신경지배섬유multiple innervated fiber가 존재하며 이 근육섬유는 피로에 더 약하다. 또한 외안근의 피로로 인해 시축에 경미한 변화라도 나타나면 복시를 유발하기 때문에 다른 근육보다 더 증상이 두드러지게 나타난다.

특히 눈꺼풀올림근과 같이 긴장성 신경지배를 받는 근육은 외안근보다 더 쉽게 피로에 노출되어 눈꺼풀처짐이 잘 나타난다.

병인

중증근육무력증의 정확한 원인은 모르지만 발병기전은 항체매개자가면역병이라고 잘 알려져 있다.

신경근육접합부의 생리학적 기능은 말초신경의 신경종말과 근육섬유의 종판 사이의 ACh에 의해서 나타나는데, 중증근육무력증은 AChR에 대한 항체가 시냅스후막에 파괴적인 염증 변화를 유발하여 AChR 농도를 감소시키고 수용체의 기능을 차단하여 일어나는 질환이다. 특징적으로 골격근의 약화가 나타나지만 정도는 일정치 않게 나타난다.

중증근육무력증의 병태생리

Pathophysiology of myasthenia gravis

유전학

대부분의 신생아 근육무력증은 AChR 구조, acetylcholinesterase, 또는 ACh 합성에 이상이 있는 유전적 이상과 동반된다. 태반을 통해 환자인 엄마에게서 받은

AChR 항체로 인해 발생한 이차적 근육무력증은 대부분 자연적으로 완화된다.

근육무력증의 발현은 인간의 주조직적합복합체major histocompatibility complex, MHC의 특이 유전자alleles 영향을 받으며, MHC class II 대립 유전자와 강한 연관관계가 있는 것으로 나타났다. 정상인에 비해 HLA-A24과 A2가 감소하고, HLA-A1, B8, C7 및 haplotype A1-B8, A1-B12, A2-B35, A3-B7이 근육무력증 환자에서 증가한 소견이 발견되었다. 또한 HLA-A1, B8, C7이 여성, 40세 이전 발생, 흉선과형성thymus hyperplasia과 연관성이 있는 것이 밝혀졌으며, 서양인에 비해 중국인에서 눈근육무력증이 3배 더 많은 것으로 나타나 인종에 의한 유전적 소인이 있다는 것을 말해준다.

항AChR 항체 Anti-acetylcholine receptor antibodies

신경근육접합부의 기능장애는 특이 AChR 항체에 의한 자가면역반응에 의해서 나타난다. AChR 항체에 의해서 신경근육접합부의 기능이 저하되는 이유는 다음과 같다.

- 교차결합이나 AChR의 빠른 세포내이입endocytosis으로 AChR의 회전율이 증가하기 때문에 AChR의 숫자 감소
- AChR에서 ACh과 결합하는 활동 부위가 항체에 의해 차단
- 항체-보체계antibody-complement system의 협동에 의한 시냅스후세포막의 손상

AChR의 평균 수명은 정상인에서 7~11일인 반면에, 근육무력증 환자에서는 단 하루에 불과하다. AChR를 억제하는 항체는 근육무력증 환자의 약 85%, 눈근육무력증 환자의 50% 가량에서 나타난다.

AChR 항체 외에도 다양한 자가항체가 발견되었는데, 갑상샘글로불린 항체thyroglobulin antibodies가 32~35%, 항핵항체antinuclear antibody가 10~37.5%, 항근육 면역글로불린antimuscle immunoglobulins 23%, 류마티스인자rheumatoid factor 4.5~6%가 나타났으며, 이는 근육무력증 환자의 자가면역 경향성을 보여준다.

세포매개 면역 Cell-mediated immunity

근육무력증 환자의 흉선에서 T 세포가 감소하고, B 세포가 증가하는 림프구 분율population 변화가 발견되어 세포매개 면역의 기전이 제시되었지만, 근육무력증의 병태생리에서의 세포매개 면역의 역할은 아직 분명하지 않다.

조직병리학 Histopathology

근육무력증 환자를 대상으로 한 조직병리학적 연구에서 대부분 환자에서 정상인에 비해 신경근육 접합부에서 AChR의 숫자가 70~89% 감소하였으며, 시냅스틈새가 넓어지고, 시냅스후막의 주름이 줄어들고 얇아지는 변화가 특징적으로 나타났다.

전자현미경 연구에서는 접합부 주름의 파괴적 변화가 약 87%에서 나타났다. 이 접합부 주름이 파괴되면 AChR가 풍부한 막이 시냅스 공간에 버려지고, 새로운 AChR가 존재하는 막 표면이 감소된다.

연관된 흉선 질환 Associated thymic disorders

흉선과형성thymic hyperplasia과 흉선종thymoma은 근육무력증과 관계가 있다. 흉선과형성은 근육무력증 환자의 65~70%에서 발견되며 특히 젊은 환자에서 많이 발견된다. 흉선종은 근육무력증 환자의 5~20%에서 발생하고, 나이에 따라 증가한다. 또 흉선종 환자 약 1/2~1/3

에서 근육무력증이 나타난다.

흉선종은 AChR 항체가 높은 혈청반응 양성 환자에서 더 많이 발견된다. 흉선종 환자의 23%가 연관된 자가면역 질환을 가지고 있으며, 흉선종이 있는 근육무력증 환자의 예후가 더 나쁘다.

혈청음성 근육무력증 Seronegative myasthenia gravis

근육무력증 환자의 일부에서 AChR 항체가 나타나지 않기도 한다. AChR 항체가 발견되지 않은 환자와 항체가 있는 환자를 비교한 결과 성별, 유병률, 질병 심각도와 흉선 병리학에서 유의한 차이를 발견했다. 두 그룹간에 눈근육무력증과 전신 근육무력증에 대한 차이는 발견되지 않았다.

- AChR 항체 양성은 여성, 흉선과형성증 또는 흉선종, 다른 자가 항체, EMG 양성 결과와 관련이 있다.
- AChR 항체 음성은 남성, 정상적인 흉선, 자가항체의 결핍, EMG 음성 결과와 관련이 있다.

임상양상

근육의 지속적이거나 반복적인 수축으로 근육의 약화가 나타나며, 휴식하면 좋아지는 것이 MG의 전형적인 특징이다. 복시와 눈꺼풀처짐이 가장 흔히 나타나며 그 외에 외안근, 얼굴근육 그리고 입인두근oropharyngeal muscle이 흔하게 침범된다. 초기에는 눈꺼풀올림근과 외안근이 70~75%에서 침범되고, 결국에는 90% 이상 나타난다.

눈꺼풀처짐

눈꺼풀처짐이 피곤하거나 오후로 갈수록 심해지는 등 근육피로 정도가 일정하지 않게 나타나는 경우에서는 우선 MG를 의심해야 한다. 이러한 눈꺼풀처짐은 단안 혹은 양안에 나타날 수 있으며, 양안의 경우는 종종 비대칭성으로 나타난다.

Lid fatigue test처럼 위를 오랫동안 주시하도록 하면 눈꺼풀처짐이 유발되거나 악화된다. 양안 비대칭 눈꺼풀처짐이 있는 경우 한쪽의 눈꺼풀을 들어 올리면 Hering's law에 의해 반대쪽 눈꺼풀처짐이 더 심해지는 것을 볼 수 있으며 이를 "enhanced ptosis" 혹은 "see-saw ptosis"라고 한다. 눈꺼풀처짐이 있는 눈꺼풀에서 간혹 눈꺼풀떨림fluttering or hopping이 나타날 수 있는데, 특히 바깥쪽을 주시하는 동안에 잘 나타난다.

Cogan's lid twitch sign은 아래를 보게 하다가 정면을 보게 하면 위눈꺼풀이 일시적으로 위쪽으로 더 올라가는 overshoot을 보인 후 몇 번의 움찔수축lid twitch과 함께 다시 처진 위치로 돌아오는 현상으로, ocular MG에서 흔히 나타난다. 이는 눈꺼풀올림근이 쉽게 피로해 지고 빠르게 회복되는 것으로 인해 나타난다. 오랫동안 위를 보게 한 후에 눈을 감을 때에도 유사한 눈꺼풀수축이 나타나기도 한다.

MG에서 갑상샘질환이 동반되지 않더라도 Cogan's lid twitch sign 때나, 지속적으로 위를 보거나 정면을 보게 하면 일시적으로 눈꺼풀처짐이 심하지 않은 쪽 눈꺼풀에서 눈꺼풀뒤당김이 나타나는 경우가 있다. Graves' disease와 동반된 MG에서는 눈꺼풀뒤당김이 4~10%에서 나타난다.

외안근마비

외안근마비ophthalmoplegia로 인한 복시는 두 번째로 흔한 증상으로 나중에는 환자의 약 90%에서 나타나고,

보통 눈꺼풀처짐과 동반된다. 내직근, 하직근 상사근마비가 흔히 나타나지만, 어느 외안근이든 침범될 수 있다. 상직근마비도 ocular MG의 초기 증상으로 나타날 수 있으며, 마비정도에 따라서 벨현상은 감소될 수 있다. 운동제한이 나타나지 않더라도 지속적으로 주변주시를 하는 경우에서는 쉽게 피로로 인한 복시를 호소할 수 있다.

다른 눈 증상 Other ocular findings

눈둘레근의 약화가 가끔 나타날 수 있어서, 눈을 꽉 감으라고 한 뒤 검사자가 눈을 벌려보면 저항이 적은 것을 알 수 있다. 또한 눈을 가볍게 감고 있으면 눈둘레근의 피로로 인해 저절로 실눈을 뜨게 되는데 이를 "peek sign"이라고 한다.

눈둘레근의 약화에도 불구하고 노출성각막병증은 거의 나타나지 않는다. 그러나 눈깜빡임의 장애로 인한 눈물흘림이나 눈둘레근의 피로로 인한 아래 눈꺼풀겉말림이 나타날 수 있다. 동공반사 및 조절운동장애가 보고된 적이 있지만 임상적 의의는 크지 않다. 그 외 신속눈운동이상saccadic eye movement이나 안구진탕이 나타날 수 있다.

MG에 영향을 주는 요소

MG의 증상과 증세는 온도변화(찬 것은 호전, 뜨거운 것은 악화), 발열, 감정변화, 바이러스성질환, 수술, 월경, 임신, 면역, 감염, 갑상샘이상 그리고 여러 약제 등에 의해 영향을 받을 수 있다.

어린이 중증근육무력증

중증근육무력증은 주로 어른들에서 나타나지만 어린이에게도 나타날 수 있다. 어린이 중증근육무력증pediatric MG은 어른에 비해 더 다양한 임상양상을 띄고 있으며, 발병시기는 2~3세 경이며 대부분 5세 이전에 나타난다.

임상양상으로 눈꺼풀처짐(90% 이상), 사시(80%), 단안안구운동장애(70%), 그리고 약시(20%) 등이 나타난다. 사시는 나타나는 양상이 다양하지만, 외사시가 가장 흔하며 수직사시가 같이 나타나는 경우도 많다. 사시가 흔히 나타나는데 비해 복시를 호소하는 경우는 10% 정도로 많지 않다. 이는 어린이라서 복시를 잘 느끼지 못할 수도 있으며 또는 억제suppression로 인한 것일 수도 있다. 전신증상이 나타나는 경우는 7~15% 정도로 어른들에 비해 높지 않지만, 호흡곤란, 천식의 악화, 음식 삼킴 장애, 혹은 빈번한 낙상 등을 주의 깊게 살펴야 한다.

진단 검사로 neostigmine 검사, edrophonium 검사, 반복신경자극 검사, 혈청 AchR 항체 검사 등이 있지만 edrophonium 검사가 90% 이상으로 가장 높은 양성반응을 보인다.

치료로는 pyridostigmine을 일차적으로 주로 사용하며 스테로이드를 추가로 투여하기도 한다. 어른과 달리 눈에 나타나는 증상 대부분이 안정되며, complete resolution이 거의 되지 않는 어른과 달리 치료가 끝난 뒤에도 중증근육무력증의 눈 증상이 나타나지 않는 complete resolution이 15~20%에서 나타난다.

신생아 중증근육무력증 Infantile MG

신생아 중증근육무력증은 어른과는 다른 양상을 보인다. MG를 가진 모체에서 출생 즉시 발생하는 transient MG가 가장 흔하지만 MG를 가진 모체에서 출생하더라도 모든 신생아에서 나타나는 것은 아니다. 혈액내 순환하는 모체의 AChR 항체로 인해 발생하며, 생후 12주 이내에 소실된다. 다른 형태의 선천성 MG는 아주 드물며 AChR 항체보다는 다른 면역이상으로 나타난다.

Ocular MG와 generalized MG의 차이

MG 환자의 대부분은 눈꺼풀처짐이나 복시와 같은 눈의 증상이 나타난다. 눈 증상이 나타난 환자의 절반 정도는 6개월 이내에, 약 80%에서는 2년 이내에, 그리고 90% 정도는 3년 이내에 전신형으로 이행된다. MG의 첫 증상으로 눈꺼풀처짐과 복시가 일정치 않게 나타나며 피로할 때 더 심해진다. 연령, 성별 혹은 질환 발병시기 등은 ocular MG나 generalized MG 사이에 차이를 보이지 않는다.

MG 환자들은 제 1형 당뇨병, Graves' disease, Hashimoto disease, systemic lupus erythematosus, rheumatoid arthritis, Sjögren증후군, 혹은 다발성 경화증과 같은 면역질환들의 발생이 증가할 수 있다. Generalized MG에서 자가면역질환이 동반되는 경우는 약 20%로, 약 14%의 ocular MG에 비해서는 높게 나타나지만 큰 차이를 보이지는 않는다. 흉선종은 ocular MG에서 4%, generalized MG에서 12%에서 나타난다.

Ocular MG와 generalized MG 전체에서 나타나는 눈 증상으로 눈꺼풀처짐이 87%, 복시가 93% 정도로 높게 나타나는데, 눈꺼풀처짐과 복시가 단독으로 나타나는 경우보다는 동시에 나타나는 경우가 훨씬 많다. Ocular MG에서는 눈꺼풀처짐 혹은 복시가 거의 대부분 나타나지만, generalized MG 환자의 7% 정도는 눈꺼풀처짐이나 복시가 나타나지 않는다.

눈 통증, 시력 장애, 눈물과 같은 다른 눈 증상들은 두 군 모두에서 나타날 수 있지만 차이는 보이지 않는다. 건성안, 노출성각막염, 눈꺼풀뒤당김, 눈꺼풀부종, 백내장, 녹내장, 그리고 중심성장액성맥락망막증 등이 MG나 동반된 전신자가면역질환으로 인한 근육약화 혹은 장기간의 스테로이드 치료로 인해 나타날 수 있다.

항AChR 항체 검사의 민감도는 generalized MG에서는 약 80~90%로 ocular MG의 50~60%에 비해 높게 나타나며, 반복자극 검사의 민감도는 generalized MG에서는 약 70~80%로 높게 나타나지만 ocular MG에서는 20~35%로 낮게 나타난다. Neostigmine 검사의 민감도는 generalized MG에서는 95~100%, ocular MG에서는 70~90% 정도로 높게 나타나 차이는 크지 않다.

스테로이드 복용은 ocular MG에서 generalized MG로의 진행을 줄이거나 늦출 수 있으며, remission을 유도하기 위해서는 고용량의 스테로이드를 복용해야 한다.

진단 검사

얼음 검사 Ice test

MG 환자의 눈꺼풀처짐 때 얼음주머니를 눈꺼풀 위에 올려놓으면 눈꺼풀처짐이 호전되는 것을 볼 수 있다. 이는 낮은 온도에서는 AChE 활성도가 낮아져, 신경근육접합부에서 ACh의 양이 증가하여 운동종판에서 탈분극이 유도되기 때문이다. 장갑이나 비닐주머니에 얼음을 넣어 눈꺼풀 위에 올려 놓고 2분간 기다린 후 2 mm 이상 눈꺼풀처짐이 호전되면 양성이라고 판정한다.

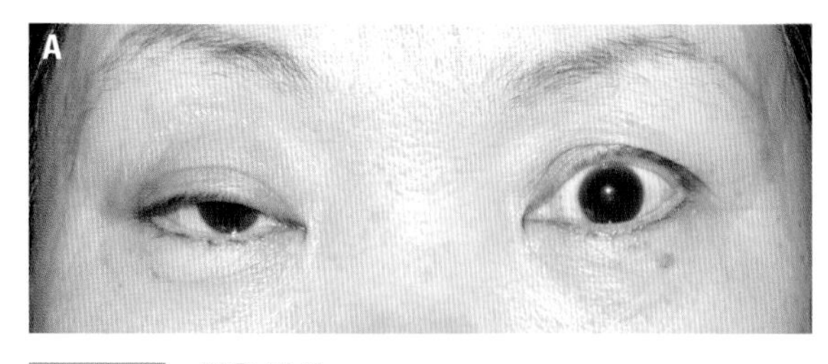

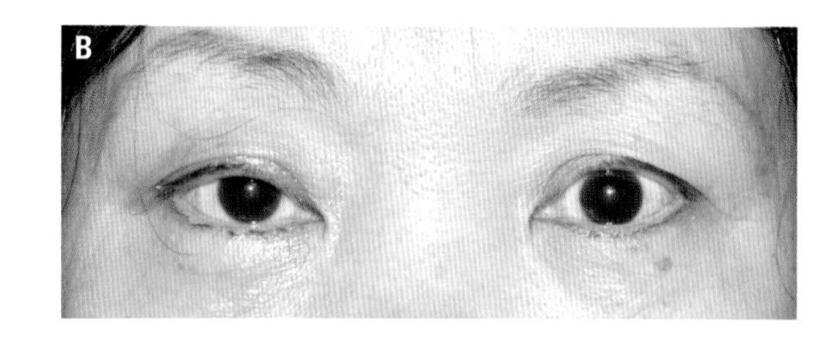

그림 8-2 얼음 검사
A. 오른쪽 눈에 눈꺼풀처짐이 있는 중증근육무력증 환자. **B.** 얼음 검사 후 오른쪽 눈의 눈꺼풀처짐이 호전되고 왼쪽 눈의 눈꺼풀후퇴가 호전된 모습

Ocular MG에서 민감도가 80%, 특이도specificity가 94~100%로 높게 나타나며 Tensilon test나 anti-Ach-Ab 검사에서 음성으로 나온 경우에도 양성으로 나타나는 환자가 있어 MG의 진단에 신뢰성이 있는 검사 중 하나이다. 또한 침습적이지 않고 시간이 많이 들지 않으며 특별한 장비가 필요치 않아 쉽게 할 수 있다. 그러므로 눈꺼풀처짐이 있는 환자에서 이 질환이 의심되면 가장 먼저 시행해 볼 수 있는 검사이다(그림 8-2).

쉼 검사 Rest test

Generalized MG에서 보다 ocular MG에서 민감도가 높아 진찰실에서 이용할 수 있는 좋은 검사방법이다. 환자로 하여금 2~5분 정도 눈을 감으면서 쉬게 하여 눈꺼풀처짐의 호전이 있는지 검사한다. 암실에서 30분간 눈을 감고 안정을 취하게 한 후에 눈꺼풀처짐이나 안구운동장애의 호전여부를 평가하는 수면 검사sleep test도 있다.

항AChR 항체

항AChR 항체는 MG환자의 약 80~90%에서 검출되지만, ocular MG에서는 약50~60%에서만 관찰되기 때문에 이 항체가 검출되지 않는다고 해서 MG가 아니라고 할 수는 없다. 눈중증근육무력증에서 민감도는 50~75%이나, 특이도가 아주 높아서 양성의 결과를 보일 때는 매우 의미 있는 검사이다.

항아세틸콜린에스테라제 검사

Anti-acetylcholinesterase test, anti-AChE test

ACh는 AChE에 의해서 분해된다. 따라서 anti-AChE를 투여하면 신경근육접합에서 ACh의 양이 증가하기 때문에 MG가 일시적으로 호전되는데 이러한 약리학적 현상을 진단에 적용하는 것이 anti-AChE 검사이다.

Edrophonium 검사

Edrophonium (Tensilon®)은 빠르게 작용하고 신속하게 가수분해되는 항아세틸콜린에스테라제로서 어린이는 0.15 mg/kg을, 성인에서는 2회(2 mg, 8 mg)내지 3회(1 mg, 3 mg, 6 mg)로 나누어 30~45초 간격으로 정맥주사 후 임상증상 호전이 확인되면 양성으로 판단하고 검사를 중단한다. 두세 단계로 나누는 이유는 일부 환자에서 실신이나 느림맥과 같은 심한 부작용이 나타날 수 있기 때문이며, 따라서 항상 anticholinergic agent인 아트로핀 주사를 미리 준비해두어 부작용이 심할 경우 투여해야 한다. 이외에도 복통, 구역, 설사, 침 분비, 근육다발수축 등의 콜린choline 부작용도 관찰될 수 있다. 이 검사를 위해서는 호전여부를 확실하게 관찰할 수 있는 증상이나 근육을 사전에 선택하는 것이 좋다. 즉, 눈꺼풀처짐, 눈운동장애와 같은 검사지표를 분명히 하여 평가하는 것이 진단에 도움이 된다.

Edrophonium 검사는 ocular MG에서 86%, generalized MG에서는 95%의 높은 민감도sensitivity를 보인다. 따라서 이 검사에서 음성이면 다른 질환의 가능성을 먼저 생각해야 한다. 위양성 반응이 종양, 다발성경화증, 당뇨성 뇌신경마비와 같은 여러 질환에서 보고된 바 있다. 하지만 실제로는 국내에서 Edrophonium (Tensilon®)을 수입하는 회사가 없기 때문에 효과가 느리고 작용시간이 긴 neostigmine (Prostigmin®)을 사용한다.

Neostigmine 검사

Neostigmine은 어린이는 0.04 mg/kg, 성인은 1.0~1.5 mg을 근육주사 후 15분 간격으로 1시간 동안 증상의 호전여부를 관찰하는데, 부작용과 주의사항은 edrophonium의 경우와 같다. 안구운동장애와 사시와 같이 긴 시간의 관찰이 필요한 경우에는 edrophonium보다 neostigmine이 더 효과적이다. 특히 어린이와 경미한 눈 증상이 있는 환자에서 유용하다.

만일 증상변화가 애매해서 위약효과인지 참효과 인지를 판정하기 어려운 경우에는 neostigmine 주사 전의 아트로핀 처치에 의한 반응이 판단에 도움이 되는데, 아트로핀을 전 처치한 경우에서 반응이 더 나타나면 위약효과로 생각할 수 있다.

반복신경자극 검사 Repetitive nerve stimulation, RNS

근육 내로 바늘을 삽입 후 반복적으로 신경을 자극하여 얻어지는 활동전위action potential를 기록하는 검사이다. 중증근육무력증에서는 근육의 활동전위가 전형적으로 4번째나 5번째 반응에서 10% 이상 감소하는 현상을 나타낸다(**그림 8-3**). Generalized MG에서는 60~85%로 민감하게 나타나고, ocular MG에서 민감도가 18~35%로 낮게 나타난다.

단일섬유근전도 검사

Single fiber electromyography, SF-EMG

Single fiber electrode를 근육 내로 삽입하여 두 개의 인접한 근섬유에서 발생되는 활동전위를 측정한다. 정상적으로는 근육섬유 활동전위 사이의 시간적 거리가 일정하지만, MG에서는 신경근육접합부의 불안정성 때문에 이 거리의 분산이 넓어지는 흔들림 현상jittering이 나타난다.

SF-EMG는 감수성이 90% 이상으로 아주 높다는 장점이 있지만, 검사기술의 난이도에 비해 특이성이 낮아서 감별진단적 가치는 높지 않다.

감별진단

다른 질환과 구별되는 중증근육무력증의 특징은 변화variability와 피로fatigability인데 이러한 특성은 다른 질환에서도 어느 정도 나타나는 경우가 있다. 예를 들어 중증근육무력증이 아닌 눈꺼풀처짐에서도 하루 중 저녁무렵에는 중증근육무력증보다는 정도가 약하지만 눈꺼풀처짐 증세가 조금 더 심해지는 경우를 종종 볼 수 있다. 눈꺼풀처짐, 눈둘레근 약화, 그리고 외안근 약화 등의 세 소견이 보이면 신경계통질환보다는 중증근육무력증을 더 의심하여야 하는데 이는 두 가지 이상의 뇌신경 이상이 동시에 발생했을 가능성이 높지 않기 때문이다.

중증근육무력증은 특징적인 병력과 눈 증상이 있으면서 얼음 검사나 neostigmine 검사에서 확실하게

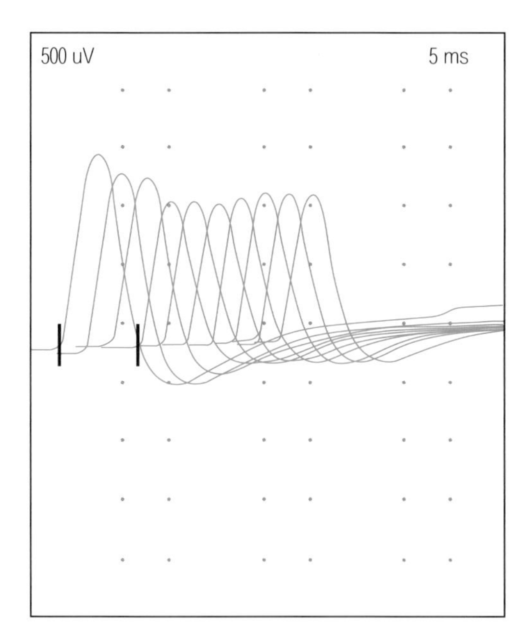

Stim Mode: Train / Single

Stim Frag: 5 Hz	No. in Train: 10
Stim Dur: 0.1 ms	Stim Rjct: 2 ms
Stim Site:	
Time: 13:04:07	
Comment:	

Pot No.	Peak Amp mV	Peak Amp mV	Area mVms	Area Decr %	Stim Level
1	1.65	0	6.56	0	38.0 mA
2	1.53	7	5.67	14	38.0 mA
3	1.43	13	5.23	20	38.0 mA
4	1.24	25	4.47	32	38.0 mA
5	1.20	27	4.41	33	38.0 mA
6	1.18	28	4.29	35	38.0 mA
7	1.24	25	4.48	32	38.0 mA
8	1.28	22	4.71	28	38.0 mA
9	1.25	24	4.63	29	38.0 mA
10	1.27	23	4.59	30	38.0 mA

그림 8-3 중증근육무력증환자의 눈둘레근에 대한 repetitive nerve stimulation 양성 검사 소견
비정상적으로 활동전위가 감소하는 소견을 보임

양성반응을 보이면 쉽게 진단할 수 있다. 이러한 환자에서 AChR 항체 검사는 확진을 위해서 유용한데, 항체 검사에서 양성으로 나오면 흉선종을 진단하기 위한 CT 이외의 다른 검사는 대부분 필요하지 않다. 만약 항체 검사에서 음성이 나오면 반복신경자극 근전도 검사나 단일섬유근전도 검사를 시행하여야 한다.

임상양상이 증상의 변화나 피로도 면에서 전형적이지 않거나, 통증, 감각이상, 동공이상, 시력저하, 안구돌출 등이 동반되어 있거나, 한 눈에만 국한되거나, 혹은 계속적으로 진행하는 경우에는 다른 질환의 가능성이 있으므로 신경영상학적인 검사가 필요하다.

치료

중증근육무력증의 치료 목적은 눈꺼풀처짐과 사시를 경감시켜 삶의 질을 높이며, ocular MG에서 generalized MG로의 진행을 막으며, 그리고 근육무력증 위기 myasthenic crisis가 오지 않도록 예방하는 것이다. 근육무력증 위기란 중증근육무력증에서 근육무력 증상이 급격히 악화되어 호흡장애를 일으켜 생명을 위협하는 경우이다. 중증근육무력증 환자의 15~20%에서 발생하며, 질병의 자연적인 악화, 감정적인 흥분, 상기도 감염, 임신, 수술 혹은 진정제와 같은 약제가 원인이 될 수 있다. 중환자실 치료가 필요하며, 조기 기관내삽관을 통한 기계호흡, 혈장교환, 면역글로불린 정맥주사, 면역억제제 투여 등으로 치료한다.

중증근육무력증의 치료는 국소적으로 증상의 호전을 얻기 위한 치료에서부터 항아세틸콜린에스테라아제나 면역조절제 등을 이용한 전신적인 치료까지 다양하다. 원칙적으로 신경과 협진을 통하여 치료하는 것이 좋으며, 안과의사도 이에 대한 개념을 이해하고 있어야 한다.

눈꺼풀처짐, 사시, 눈둘레근약화에 의한 토안과 건성안에 대한 보존적인 치료가 필요하며, 토안은 인공눈물 안약과 눈물연고를 사용한다. 눈꺼풀처짐이 심하면 테이프를 붙여 눈꺼풀을 올릴 수 있으나 건성안이 심해질 수 있고 피부에 자극이 올 수 있다. 복시 현상이 있을 때는 한쪽 눈을 가리거나 프리즘안경을 착용할 수 있다.

약물치료는 증상 호전을 위한 항콜린에스테라아제 치료와 자가면역 과정에 영향을 주며 근육무력증 위기를 예방할 수 있는 면역조절 치료로 나뉘어 진다(**표 8-2**). 그 외, 근육무력증 위기로 호흡부전이 올 때는 항콜린에스테라아제, 혈장분리교환술plasmapheresis, 면역글로불린치료immunoglobulin, 호흡관리 등의 응급처치가 필요하다.

표 8-2 중증근육무력증에 쓰이는 약제

신경근전달의 조절
• Pyridostigmine bromide
• EN101 antisense
면역조절제
• Oral steroids
• Azathioprine
• Mycophenolate mofetil
• Cyclosporine A
• Tacrolimus
• Cyclophosphamide
• Rituximab
• Etanercept
단기간의 면역조절immunomodulation
• Plasmapheresis
• Intravenous immunoglobulin

항콜린에스테라아제

항콜린에스테라아제anti-AChE는 콜린에스테라아제 작용을 막아 신경근육접합체에서 아세틸콜린의 농도를 높여 감소되어 있는 AChR 작용을 증진시킴으로 신경근육 전도를 촉진시키는 약제이다.

항콜린에스테라아제는 눈중증근육무력증에 대한 일차치료로 투여되며 눈꺼풀처짐 등의 증상을 호전시킬 수 있지만 중증근육무력증 질환 자체를 관해remission시키거나 진행을 막지는 못한다. 만약 이 약제로 증상의 호전이 없으면 약제 투여를 중단한다. 때로는 눈꺼풀처짐 호전이 일시적일 수도 있고 불완전할 경우도 있으며 대개는 단독투여 보다는 다른 약제와 복합치료가 필요하다. Pyridostigmine (Mestinon®)이 가장 흔하게 사용되며 부작용으로는 소화기계통의 콜린성자극으로 인한 복통, 설사가 가장 흔하다.

면역요법 Immunotherapy

부신피질호르몬제

근육무력 증상이 아세틸콜린에스테라아제에 반응하지 않거나 부작용이 심한 경우에 적응이 된다. 부신피질호르몬제의 사용으로 눈꺼풀처짐이나 복시 등의 증상이 호전될 수 있고, 눈중증근육무력증이 전신질환으로 진행하는 것을 막을 수 있으며, 질환의 관해를 가져올 수 있다. 눈중증근육무력증에서 치료도입단계induction phase와 치료유지단계maintenance phase에서 약 6개월에서 2년 정도 단독으로 사용할 수 있다.

눈중증근육무력증에서는 prednisolone 60 mg 투여로 큰 부작용 없이 시작할 수 있고 증상이 호전되면 20~30 mg 이하로 줄일 수 있으며, 전신근육 약화가 심한 경우는 하루 약 80~100 mg을 사용할 수 있다.

부신피질호르몬제의 사용으로 약 10%의 환자에서 완전 관해가 올 수 있으며, 2년 이상의 장기 치료가 필요한 환자의 약 20~30%에서는 약제에 반응하지 않게 되고, 약 38% 환자에서 장기 사용에 따른 부작용이 있을 수 있다.

면역억제제

2년 이상의 부신피질호르몬제 치료가 필요하거나 이에 대한 부작용이 심하면 면역억제제cytotoxic agents를 사용할 수 있다. 부신피질호르몬제 이외에 흔히 사용되는 면역억제제로는 azathioprine, cyclosporine, mycophenolate mofetil, tacrolimus 등이 있다. 이 중 azathioprine이 가장 자주 사용되는 비교적 안전한 약제인데, 주로 부신피질호르몬제의 용량감소 및 치료효과의 강화목적으로 투여하지만 때로는 단독투여만으로도 충분한 효과를 기대할 수 있다. 그러나 약 10%의 환자는 발열을 동반한 감기 비슷한 증상, 골수억제, 간기능 장애 등의 특이반응을 보이게 되므로 이 때에는 투약을 중단해야 한다.

흉선절제술

흉선종이 없는 한 눈중증근육무력증에서 흉선절제술 thymectomy은 시행하지 않으나, 내과적인 치료에 전혀 반응하지 않고 생활에 큰 지장을 주는 경우에는 고려해 볼 수 있다. 하지만 장기간을 통한 연구 결과로는 흉선절제술이 병의 경과에 큰 영향을 미치지 않는 것으로 보고되고 있다.

눈꺼풀처짐에 대한 수술적 치료

항콜린에스테라아제 치료에 반응하지 않는 경우와 경구 부신피질호르몬제에 반응이 없거나 후유증이 심한 눈꺼풀처짐 환자에서 기능적이나 외모상의 개선을 위하여 시행할 수 있다.

수술 방법의 선택

안구운동장애와 눈둘레근 약화에 의한 토안으로 인하여 수술 후 노출각막염이 발생할 가능성이 있으므로 수술 전 각막의 보호기능을 검사해야 하고, 특히 Bell 현상이 없는 환자에게는 수술 전 충분한 설명이 필요하다.

수술 방법은 보통의 눈꺼풀처짐에서와 같이 눈꺼풀올림근의 기능을 측정하여 결정하는데, 눈꺼풀올림근의 기능은 눈꺼풀처짐 정도보다 덜 손상된 경우가 많다. 원칙적으로 눈꺼풀올림근 기능이 좋은 경우에는 눈꺼풀올림근절제술, 기능이 나쁜 경우에는 이마근걸기술이 필요하지만, 눈꺼풀처짐의 정도가 더 진행할 가능성도 있기 때문에 눈꺼풀올림근절제술은 눈꺼풀올림근 기능이 7 mm 이상일 때 시행하는 것이 좋다.

이마근걸기술은 다양한 재료가 이용될 수 있으나 이 중 silicone rod가 자주 이용되는데, silicone rod는 탄력성이 좋아서 토안이 비교적 덜 나타나 노출각막염 예방에 도움이 되기 때문이다. 또한 부족교정이나 과교정이 나타난 경우 재교정을 위해 silicone rod를 당기거나 늦추어 눈높이를 조절하기 쉬우며, 노출각막염이 심한 경우 제거하기 쉬운 장점이 있다. 하지만 silicone rod를 이용한 이마근걸기술은 재발이 나타날 가능성이 상당히 높다는 점을 환자에게 충분히 설명하여야 한다. Silicone rod를 이용한 이마근걸기술 후 노출각막염이 심하게 나타나지 않으면 재발 시 자가근막의 사용도 고려할 수 있다.

수술 중 유의할 점

일반적인 눈꺼풀처짐 교정수술에서와 같은 방법으로 수술을 시행한다. 단, 눈꺼풀올림근절제술을 시행할 때 눈둘레근 절제를 최소한으로 하여 눈둘레근의 기능을 최대한 보존하도록 한다. 안구운동장애로 인하여 Bell 현상이 없는 경우에는 필요하면 아래눈꺼풀에 3개 정도의 frost suture를 해 두었다가 각막 상태를 검사하고 하나씩 단계적으로 풀어서 수술 후 나타나는 토안에 각막이 잘 적응하도록 하는 방법도 있다.

수술 후 관리

눈 보호기능이 손상된 경우가 많아 수술 후 노출각막

염의 발생이 예상되므로 주기적인 관찰과 인공눈물 및 눈물연고를 사용한 적극적인 치료로 노출각막염의 발생을 줄여야 한다.

합병증

- **토안 및 노출각막염** 이마근걸기술을 한 경우 삽입된 걸기재료를 약화시키고 아래눈꺼풀올림술을 시행하여 토안으로 인한 증상을 완화시킬 수 있다.
- **눈꺼풀처짐의 재발** 질환이 진행됨에 따라 눈꺼풀처짐이 재발할 수 있으며 이 경우 눈꺼풀올림근절제술이나 이마근걸기술을 다시 반복하여 교정할 수 있다.
- **복시의 심해짐** 눈꺼풀처짐 교정으로 인해 주변시야가 넓어져 복시가 심해질 수 있다. 이는 사시 교정수술을 하거나 프리즘 안경을 처방할 수 있다.

예후

진단 초기에 ocular MG 환자의 약 80%에서 전신 중증근육무력증으로 진행하게 된다고 알려져 있고, 처음 진단 후 약 1~2년 내의 비교적 짧은 기간에 전신질환으로 진행하는 경우가 많다. 갑자기 호흡곤란이 오는 경우 치사율이 높기 때문에 진단 후 초기에 전신질환으로 진행될 가능성을 유의하여야 한다. 특히 항AChR 항체 양성을 보이면서 진행성인 눈중증근육무력증 환자 중 팔 근육에서 비정상의 단일섬유근전도 결과를 보이는 환자는 전신질환으로 이환될 가능성이 높으므로 질환의 초기에 적극적인 내과적 치료가 필요하다.

눈중증근육무력증 환자에서 20년 경과를 보면 약 반수에서는 증상의 변화가 크지 않지만, 아주 적은 수에서 증상이 심해지기도 하며 호전을 보이기도 한다. 회복률은 남자보다 여자에서 더 높은 것으로 보고되었다.

참고문헌

1. 황상준, 이태수, 박병우. 안검하수를 보이는 중증근무력증 진단에 있어서의 얼음검사의 유용성. 대한안과학회지 2005;46:1611-7.
2. Antonio-Santos AA, Eggenberger ER. Medical treatment options for ocular myasthenia gravis. Curr Opin Ophthalmol 2008;19:468-78.
3. Benatar M. A systematic review of diagnostic studies in myasthenia gravis. Neuromuscul Disord 2006;16:459-67.
4. Bever CT Jr, Aquino AV, Penn AS, Lovelace RE, Rowland LP. Prognosis of ocular myasthenia. Ann Neurol 1983l;14:516-9.
5. Bradley EA, Bartley GB, Chapman KL, Waller RR. Surgical correction of blepharoptosis in patients with myasthenia gravis. Ophthal Plast Reconstr Surg 2001;17:103-10.
6. Chatzistefanou KI, Kouris T, Iliakis E, Piaditis G, Tagaris G, Katsikeris N, Kaltsas G, Apostolopoulos M. The ice pack test in the differential diagnosis of myasthenic diplopia. Ophthalmology 2009;116:2236-43.
7. Chavis PS, Stickler DE, Walker A. Immunosuppressive or surgical treatment for ocular myasthenia gravis. Arch Neurol 2007;64:1792-4.
8. Elrod RD, Weinberg DA. Ocular myasthenia gravis. Ophthalmol Clin North Am 2004;17:275-309.
9. Grob D, Brunner N, Namba T, Pagala M. Lifetime course of myasthenia gravis. Muscle Nerve 2008;37:141-9.
10. Kim JH, Hwang JM, Hwang YS, Kim KJ, Chae J. Childhood ocular myasthenia gravis. Ophthalmology 2003;110:1458-62.
11. Kubis KC, Danesh-Meyer HV, Savino PJ, Sergott RC. The ice test versus the rest test in myasthenia gravis. Ophthalmology 2000;107:1995-8.
12. Kupersmith MJ, Ying G. Ocular motor dysfunction and ptosis in ocular myasthenia gravis: effects of treatment. Br J Ophthalmol 2005;89:1330-4.
13. Lee AG. Ocular myasthenia gravis. Curr Opin Ophthalmol 1996;7:39-41.
14. Lindstrom J. 'Seronegative' myasthenia gravis is no longer seronegative. Brain 2008;131:1684-5.
15. Mullaney P, Vajsar J, Smith R, Buncic JR. the natural history and ophthalmic involvement in childhood myasthenia gravis at the hospital for sick children. Ophthalmology 2000;107:504-10.
16. Ortiz S, Borchert M. Long term outcomes of pediatric ocular myasthenia gravis. Ophthalmology 2008;115:1245-8.
17. Pineles SL, Avery RA, Moss HE, Finkel R, Blinman T, Kaiser L, Liu GT. Visual and systemic outcomes in pediatric ocular myasthenia gravis. Am J Ophthalmol 2010;150:453-9.
18. Reddy AR, Backhouse OC. "Ice-on-eyes", a simple test for myasthenia gravis presenting with ocular symptoms. Pract Neurol 2007;7:109-11.
19. Roh HS, Lee SY, Yoon JS. Comparison of clinical manifestations between patients with ocular myasthenia gravis and generalized myasthenia gravis. Korean J Ophthalmol 2011;25:1-7.
20. Weinberg DA, Lesser RL, Vollmer TL. Ocular myasthenia: a protean disorder. Surv Ophthalmol 1994;39:169-210.

CHAPTER 09

신경성눈꺼풀처짐

Neurogenic ptosis

CONTENTS

신경성눈꺼풀처짐은 핵상supranuclear 마비, 눈돌림신경의 핵성nuclear, 다발성fascicular, 핵하infranuclear 마비, 그리고 교감신경 장애로 인한 호르너증후군 등이 그 원인이나, 이 중 눈돌림신경의 마비로 인한 눈꺼풀처짐이 대부분이다.

눈돌림신경마비는 다양한 원인이 있다.

- **핵상마비** 주로 혈관 혹은 종양에 의한 것이 많으며, 주시장애를 동반한다.
- **핵성마비** 외안근마비와 연관이 있으며 눈꺼풀처짐은 항상 양측성으로 나타난다. 원인으로는 혈관성 경색, 말이집탈락demyelination, 전이성 병변metastatic disease 등이 있다.
- **핵하마비** 뇌간, 해면정맥굴, 위안와틈새 혹은 안와병변에 의해서 발생한다. 원인으로는 선천성, 종양(비인후 악성종양, 뇌수막종, 거짓종양, 전이성종양), 혈관성(동맥류, 목동맥해면굴샛길carotid cavernous fistula), 당뇨, 편두통, 동맥염, 감염(수막염, 대상포진), 외상성(출생 시 외상, 뇌 손상) 등이 있다.

핵상 눈꺼풀처짐

대뇌반구cerebral hemisphere에 병변이 있을 때 드물게 눈꺼풀처짐이 나타날 수 있는데 이를 핵상 혹은 뇌성 눈꺼풀처짐cerebral ptosis, cortical ptosis이라 하며 대부분 일과성이다. 핵상 눈꺼풀처짐이 단안에 오는 경우 반대쪽 대뇌반구에 병변이 있으며 뇌졸중stroke, 종양, 동정맥기형arteriovenous malformation 등의 원인이 있다.

양측성 핵상 눈꺼풀처짐은 양측 대뇌반구에 병변이 있거나 편측인 경우 주로 열성인 오른쪽 대뇌반구에 광범위한 병변이 있는 경우에 나타날 수 있는데, 이 경우 눈꺼풀뿐 아니라 중간선 전위midline shift, 오른쪽으로의 주시편위gaze deviation to right, 왼쪽 편마비hemiparesis와 같은 오른쪽 대뇌 반구 기능장애의 징후들이 동반된다. 양측성 핵상 눈꺼풀처짐은 종종 비대칭적으로 나타나는데 이는 핵상 신경자극의 비대칭성 때문이거나 편측 얼굴신경마비가 동반되기 때문이다.

핵상 눈꺼풀처짐과 감별해야 하는 질환에는 눈뜨기행위 상실증apraxia of eyelid opening, AEO이 있다. AEO는 눈꺼풀처짐이나 눈꺼풀연축이 없는데도 수의적으로 눈을 뜰 수 없는 상태로 환자들은 머리를 뒤로 젖히거나head thrust, 손으로 눈꺼풀을 들어올리는 행동을 한다. 진행핵상마비progressive supranuclear palsy나 파킨슨병에서 가장 흔히 볼 수 있는데 그 임상적 특징은 다음과 같다.

- 수의적인 눈뜨기를 시작하지 못하지만 반사적인 눈뜨기는 정상이다.
- 눈꺼풀연축과 달리 눈둘레근의 수축은 없다.
- 눈뜨기를 시도할 때 이마근을 수축시킨다.
- 다른 신경이나 근육병증 장애의 징후는 없다

AEO의 근전도 검사상 소견은 자발적으로 눈을 감았을 때 간헐적 눈꺼풀올림근 억제intermittent levator palpebralis inhibition, ILPI나 눈꺼풀앞 눈둘레근 활동상태의 지속pretarsal motor persistence, PMP이 나타난다.

눈돌림신경마비

눈돌림신경마비는 복시, 눈꺼풀처짐, 동공산대를 일으키는데, 병변의 위치에 따라 완전 혹은 불완전 마비의 형태로 다양하게 나타나므로 해부학적 경로에 대한 이해가 필요하다.

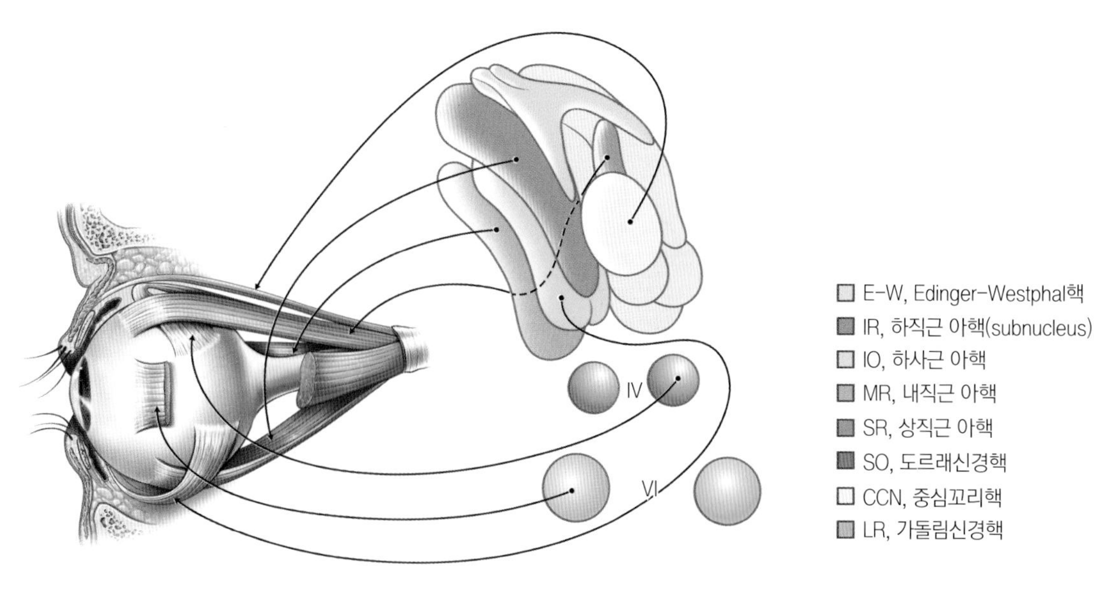

그림 9-1 눈돌림신경핵 복합체

눈돌림신경의 경로

눈돌림신경의 핵은 중뇌의 윗둔덕superior colliculus의 등쪽dorsal부분 수관주위 회색질periaqueductal gray matter 앞쪽에 위치한다. 이 핵은 여러 개의 아핵subnuclei으로 구성되어 눈돌림신경핵 복합체를 형성하고 중뇌의 앞쪽 대뇌다리사이 오목interpeduncular fossa을 통해 지주막하 공간으로 진입한다.

- 눈돌림신경핵 복합체oculomotor nuclear complex는 윗둔덕 높이에 위치하는데 눈꺼풀올림근이나 외안근과 같은 가로무늬근을 조절하는 기능을 한다. 외안근을 지배하는 신경핵은 양쪽 각각으로 가는 한 쌍의 신경핵으로 이루어지는 반면, 눈꺼풀올림근의 경우는 하나의 중심꼬리핵central caudal nucleus, CCN에서 양쪽 눈꺼풀올림근을 지배하므로 신경핵의 병변이 있는 경우 양안 눈꺼풀처짐으로 나타난다 **(그림 9-1)**.
- Edinger-Westphal핵은 섬모체신경절ciliary ganglion을 통해서 홍채괄약근과 섬모체근으로 부교감신경 섬유를 보낸다.

신경핵에서 나온 신경다발이 지주막하 공간으로 나오기 전 뇌간을 가로질러 통과하는 부분을 눈돌림신경다발fascicle이라 한다. 눈돌림신경다발은 적색핵red nucleus, 흑색질substantia nigra과 대뇌다리cerebral peduncle 내의 피질척수로corticospinal tract 근처를 통과하여 대뇌다리의 배쪽ventral 표면에서 나온다. 신경다발의 병변은 주위 여러 구조의 손상을 일으켜 다양한 신경학적 징후를 동반하게 된다**(그림 9-2)**.

지주막하 공간으로 나온 눈돌림신경은 위소뇌동맥superior cerebellar artery과 후뇌동맥posterior cerebral artery 사이로 나와서 뒤교통동맥posterior communicating artery 바깥쪽에서 나란히 주행한다. 지주막하 공간을 주행할 때 눈돌림신경의 표면 쪽에 동공운동섬유가 위치하게 되는데 이러한 해부학적 특성으로 인해 동공신경섬유는 압박성 병변에는 쉽게 손상 받을 수 있으나 허혈성 병변에서는 영향을 받지 않는 경우가 많다.

해면정맥굴의 위 바깥쪽 벽을 따라 주행한 눈돌림신경은 위안와틈새를 통해 안와로 들어간 후 두 개의 가지로 나뉜다. 위가지superior ramus는 상직근과 눈꺼풀올림근으로, 아래가지inferior ramus는 하직근, 하사근과 섬모체신경절을 통해 홍채괄약근으로 신경분포한다.

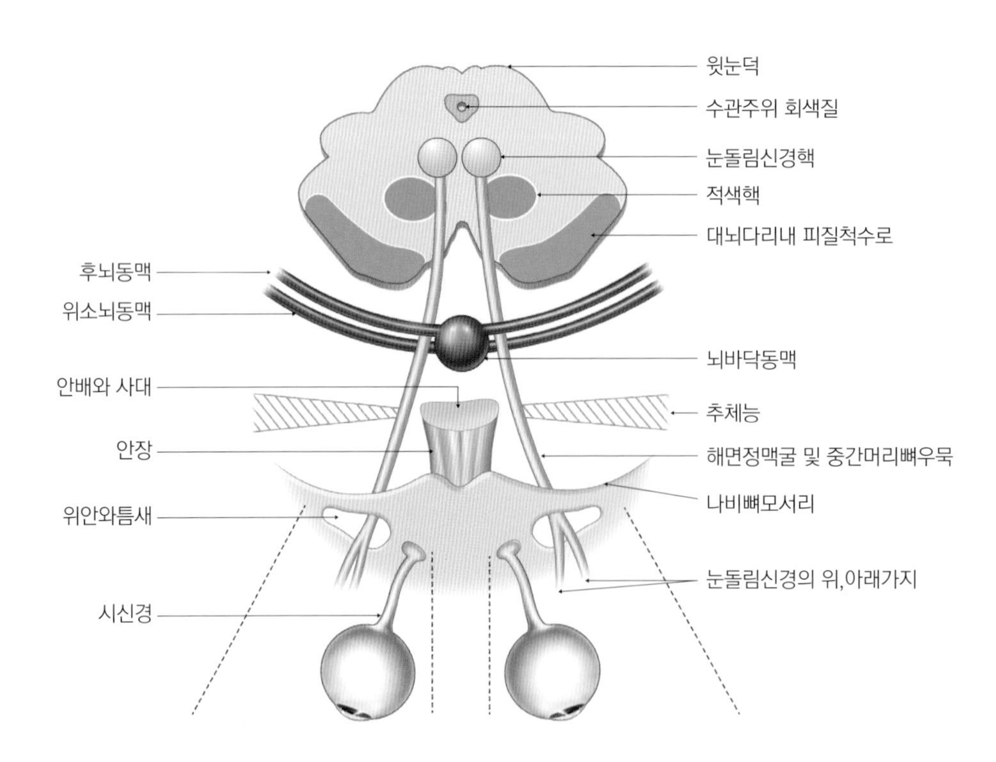

그림 9-2 중뇌에서 눈돌림신경의 경로와 주변구조

핵성마비

눈꺼풀올림근은 눈돌림신경핵 중 중심꼬리핵으로부터 양쪽이 동시에 신경지배를 받는다. 그러므로 눈돌림신경핵 전체 마비인 경우는 병변과 같은 쪽 눈돌림신경의 완전마비와 양안에 대칭성 눈꺼풀처짐이 나타나며, 중심꼬리핵에 국한된 마비에서는 양안에 눈꺼풀처짐만이 나타난다. 상직근은 반대편 눈돌림신경 아핵에서 신경지배를 받으므로 동측 눈꺼풀처짐과 반대편 상전장애가 나타날 경우에는 핵성마비의 강력한 징후가 될 수 있다.

다발성마비

눈돌림신경의 다발성마비는 뇌경색, 뇌출혈, 말이집탈락 등이 원인이다. 순수한 다발성 마비는 같은 쪽의 눈돌림신경마비만 일으키지만 주위 뇌간 구조를 포함할 때는 눈돌림신경의 마비 이외에도 다양한 증상을 동반하게 된다. 대표적인 예는 다음과 같다(**그림 9-3**).

- **Weber 증후군** 배쪽 중뇌에 병변이 있을 때 대뇌다리 내 피질척수로의 손상으로 인해 반대쪽 반부전마비hemiplegia를 동반한다.
- **Benedikt 증후군** 적색핵, 흑색질을 포함하는 병변이 있을 때 반대쪽 무도병형choreiform 운동 또는 떨림tremor을 일으킨다.

핵하마비

전형적인 완전 눈돌림신경마비는 심한 눈꺼풀처짐, 상 · 하전 및 내전마비로 안구가 아래 · 바깥쪽으로 편위되고, 동공확장과 동공반사 소실 등의 징후가 나타난다(**그림 9-4**). 그러나 병변에 따라 증상들이 완전, 또는 불완전 마비의 다양한 형태로 나타날 수 있으며, 드

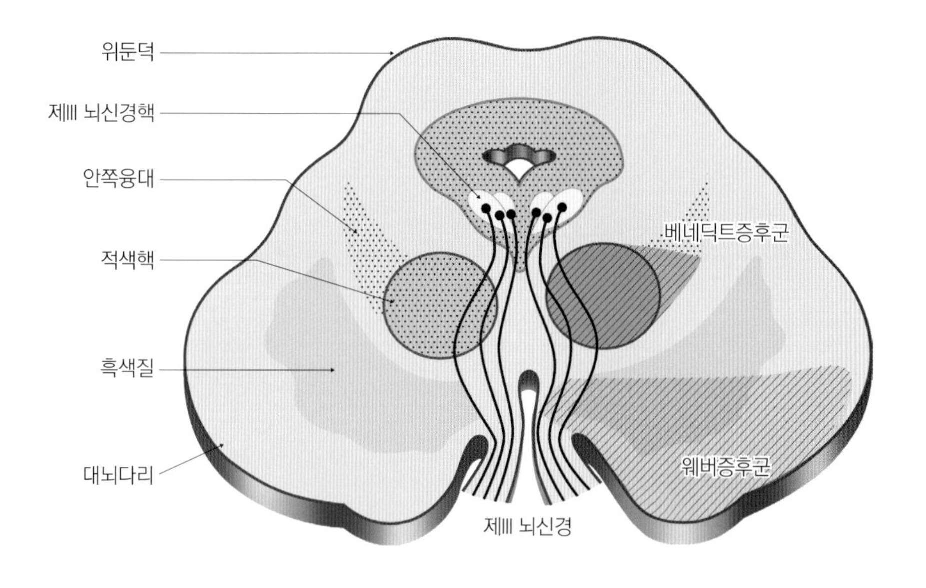

그림 9-3 중뇌증후군

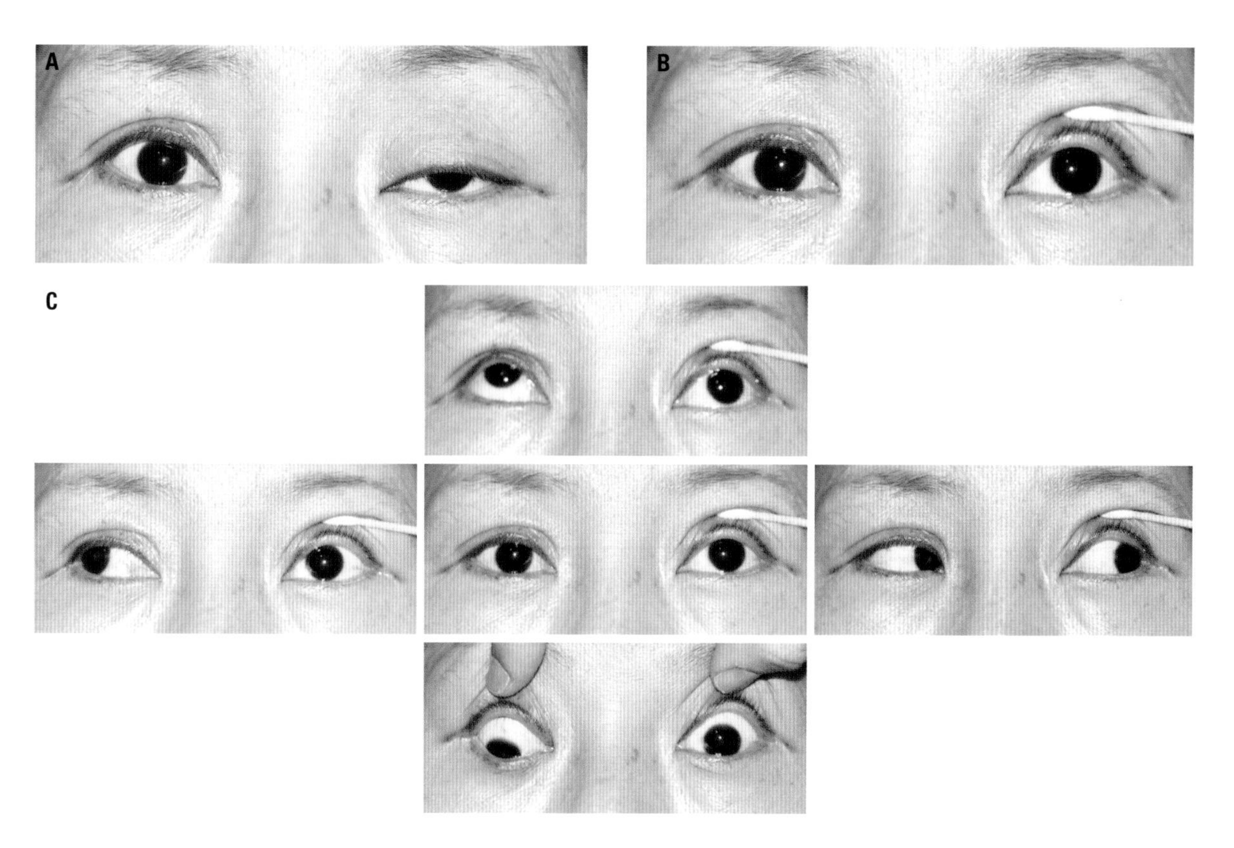

그림 9-4 좌안의 눈꺼풀처짐(**A**)과 동공확장(**B**)을 보이는 좌측 눈돌림신경마비 환자. **C.** 제1안위에서 좌안이 외편위 되어 있고 상 · 하전과 내전장애가 관찰된다.

물지만 뒤교통동맥 동맥류, 뇌하수체종양 혹은 해면정맥굴 내의 수막종 등에서는 눈꺼풀처짐이 최초 증상으로 나타나기도 한다. 이런 경우 주의 깊게 관찰하면 상직근 마비가 동반된 눈돌림신경의 상측 분지 마비가 확인되기도 한다. 신경 경로에 동맥류나 종양 외에도 허혈성, 염증성, 침윤성 질환도 원인이 될 수 있다.

동공마비를 동반하지 않는 완전 외안근 및 눈꺼풀올림근 마비는 대부분 당뇨와 같은 허혈성질환이 원인이다. 허혈성질환은 눈돌림신경의 심부에 허혈을 일으키므로 신경의 표면에 위치하는 동공운동섬유는 영향을 받지 않을 수 있기 때문이다(**그림 9-5**). 그러나 동공마비를 동반하지 않더라도 동맥류와 같은 압박성 원인을 배제하기 위해 뇌영상 검사를 시행하는 것이 좋다.

치료방법

치료는 장애와 외관상 문제의 정도에 따라 달리해야 한다. 후천 눈돌림신경마비 환자의 66%에서 자연치유되었다는 보고가 있으며, 후천성보다 선천성일때 억제suppression로 복시현상이 덜 나타나기 때문에 수술 적응증이 되는 경우가 많다. 후천성인 경우 수술은 최소 6~12개월 정도 기다려 상태가 안정된 후에 시행하는 것이 좋다. 환자의 장애 정도를 자주 측정하면서 상태의 변화를 파악하여야 하며, 약시 위험이 예상되면 조기 치료도 필요하며, 눈꺼풀을 들어올리는 crutch glasses로 눈꺼풀처짐을 완화시키기도 한다.

수술로 좋은 결과를 오래 유지하기는 쉽지 않다. 수술 방법은 이마근걸기술이 필요하며, 걸기재료로는 silicone이나 supramid 같은 합성재료를 사용하지만, 탄력성이 좋아 토안을 덜 유발하는 silicone rod가 수술 후 노출각막염을 예방하는데 도움이 된다. 수술한 경우 각막의 합병증은 약 30%에서 나타났다고 보고된 바 있다. 각막 손상이 계속 나타나 적응이 쉽지 않으면 걸기재료를 제거하여 토안을 완화시키는 것이 좋다. 하지만 이러한 합성재료로 이마근걸기술을 시행하면 재발되는 경우를 대비해야 한다. 지속되는 각막의 노출에도 불구하고 각막상태가 잘 유지되면 자가근막을 사용한 이마근걸기술로 대치할 수 있다.

심한 사시가 있는 경우 눈꺼풀처짐 수술은 신중해야

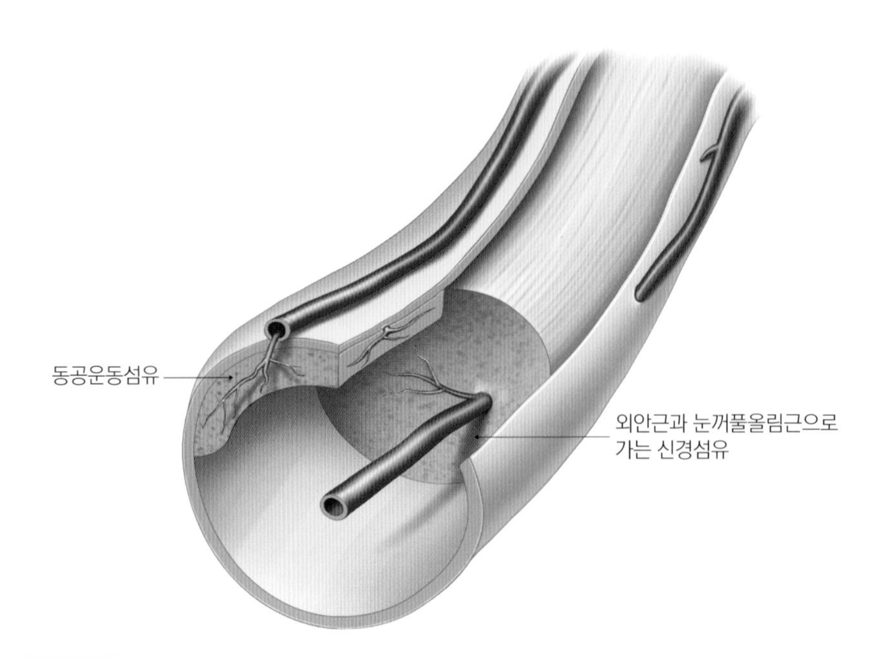

그림 9-5 눈돌림신경의 동공운동섬유의 위치

한다. 눈꺼풀처짐 수술로 노출각막염 위험과 함께 복시와 외관상 사시가 더 뚜렷이 나타나는 결과를 가져오기 때문에 교정하지 않는 편이 더 유리할 수도 있다.

호르너증후군 Horner's syndrome

눈꺼풀 및 동공 교감신경의 경로

눈에 분포하는 교감신경은 세 계통의 신경세포로 이루어져 있다.

- 첫 번째 혹은 중추성 신경세포first or central order neuron는 시상하부에서 뇌간의 바깥쪽과 경부척수cervical cord를 경유하여 lower cervical – upper thoracic cord (C8~T2)까지 주행하며 섬모체척수중추ciliospinal center of Budge and Waller에서 두 번째 신경세포와 시냅스 한다.
- 두 번째 신경세포second order neuron 혹은 신경절이전신경preganglionic neuron은 섬모체척수중추에서 시작하여 폐의 첨부를 지나 상부로 주행하여 윗목신경절superior cervical ganglion에서 세 번째 신경세포와 시냅스 한다.
- 세 번째 신경세포third order neuron 혹은 신경절이후신경postganglionic neuron은 윗목신경절에서 시작하며, 동공확장근과 눈꺼풀근육으로 가는 신경섬유는 속목동맥internal carotid artery과 함께 주행하면서 파열공foramen lacerum을 통과하여 경동맥관carotid canal과 해면정맥굴로 들어간다. 아래쪽 얼굴로 가는 땀

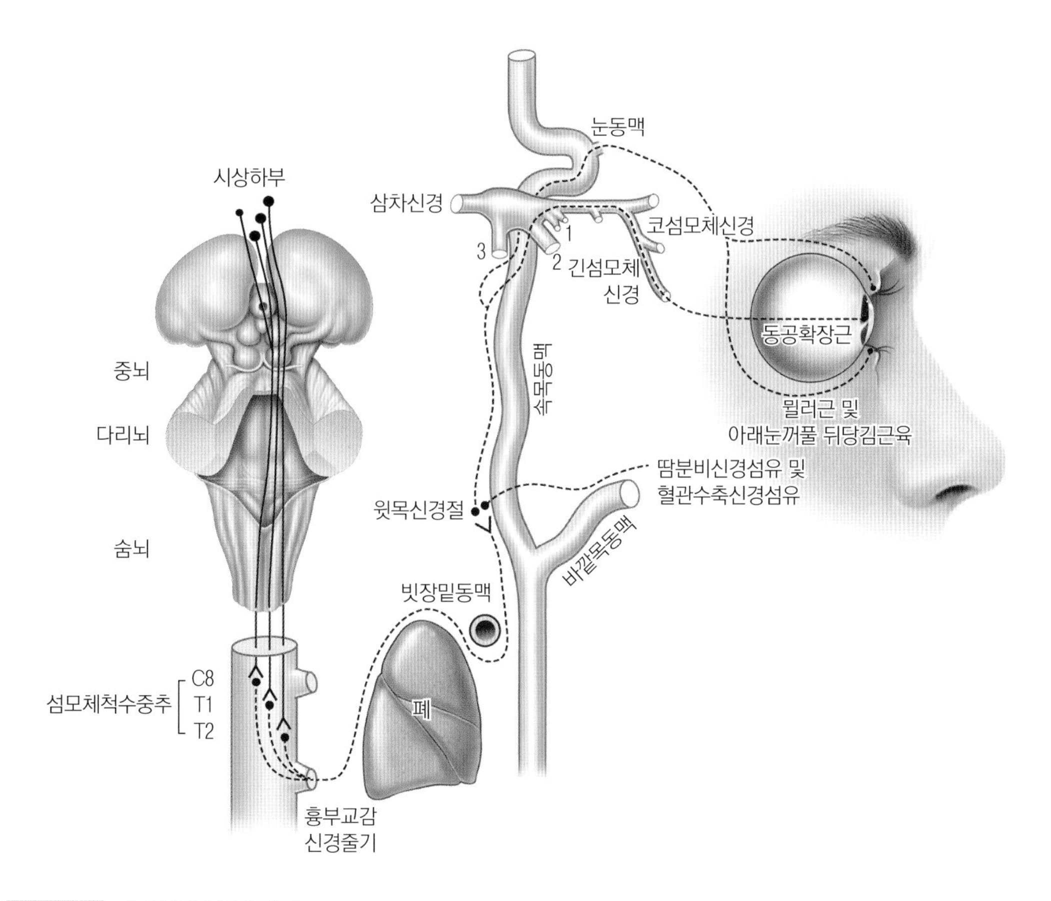

그림 9-6 눈의 교감신경 경로

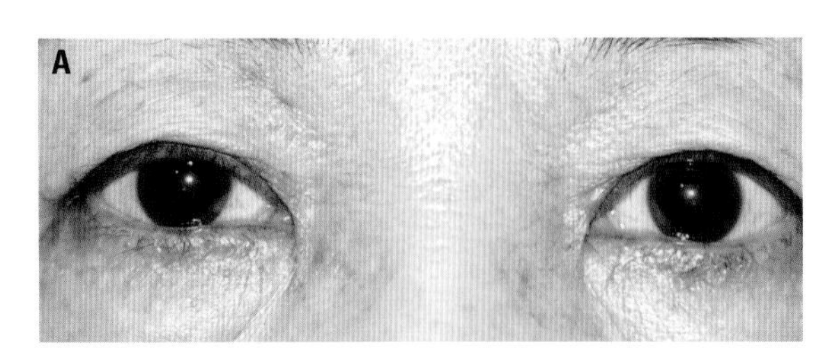
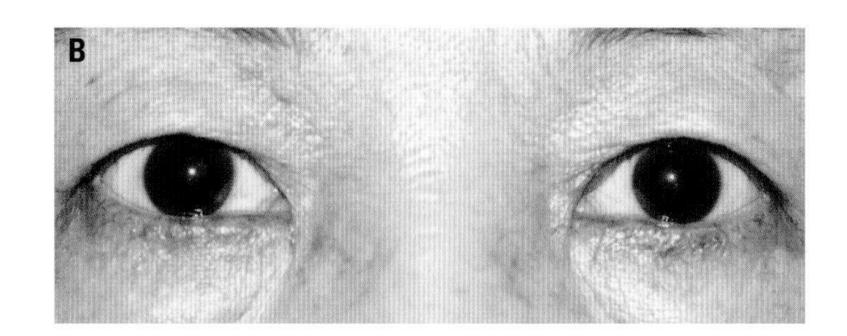

그림 9-7 **A.** 우안에 경도의 눈꺼풀처짐과 동공축동으로 동공부등을 보이는 호르너증후군 환자. **B.** 0.5% apraclonidine 점안 후 우안의 눈꺼풀처짐이 회복되고 동공이 확장되어 동공부등의 역전이 관찰된다.

분비신경섬유sudomotor nerve fiber와 혈관수축신경섬유는 바깥목동맥external carotid artery과 함께 주행한다. 해면정맥굴 내에서는 가돌림신경abducens nerve과 잠시 함께 주행하다가 삼차신경 눈분지의 코섬모체신경nasociliary nerve과 함께 위안와틈새를 통해 안와로 들어간다. 동공확장근으로 가는 신경섬유는 섬모체신경절을 시냅스 없이 통과하고 긴섬모체신경long ciliary nerve에 포함되어 동공확장근으로 신경분포하게 된다. 눈꺼풀근육으로 가는 신경섬유는 눈동맥을 따라 주행한 후 뮐러근과 아래 눈꺼풀의 뒤당김근육으로 신경분포한다(**그림 9-6**).

호르너증후군의 증상

호르너증후군은 시상하부로부터 안와에 이르는 교감신경 경로의 어느 부위라도 이상이 있을 경우 병변이 있는 쪽의 눈꺼풀처짐과 동측의 축동이 나타난다(**그림 9-7A**). 가끔 다른 신경학적 증상과 함께 나타나기도 하지만 다른 이상 없이 단독으로 나타나기도 한다.

눈꺼풀처짐은 교감신경의 지배를 받는 뮐러근의 마비로 인해 나타나며, 정도는 1~2 mm 정도로 경미하다. 아래눈꺼풀에 있는 동종근육의 마비로 인해 아래 눈꺼풀이 위로 올라가는 현상upside-down ptosis이 동반되기도 하여 눈꺼풀틈새가 좁아지며 안구함몰이 생긴 것 같은 모습을 띤다. 목동맥갈림carotid artery bifurcation 이전에 병변이 있을 경우 병변과 같은 쪽에 땀없음증anhidrosis을 일으킨다. 홍채색소 변화가 나타나기도 하는데 주로 선천성에서 나타나며, 그 외 상대적인 저안압relative ocular hypotony, 그리고 조절력 증가 등이 나타나기도 한다.

동공의 산동은 홍채확장근의 마비에 의해 나타나기 때문에 동공부등anisocoria은 희미한 빛으로 비추었을 때 더 뚜렷이 나타나며 밝은 빛에서는 차이가 적게 나타난다. 이는 호르너증후군이 홍채괄약근constrictor muscle을 지배하는 부교감신경에는 이상이 없기 때문이다.

호르너증후군의 원인

호르너증후군은 이 세 가지 신경경로의 어느 부분이라도 이상이 있으면 발생한다. 중추, 신경절이전신경, 혹은 신경절이후신경의 위치에 따른 발생빈도는 보고에 따라 차이가 있지만, 원인을 밝힐 수 있었던 한 보고에서는 중추성이 13%, 신경절이전신경이 44%, 그리고 신경절이후신경이 43%로 보고된 바 있다.

이상부위의 위치에 따라 원인이나 증상이 다르게 나타날 수 있으며, 질병의 심각성과 예후에도 차이가 있으므로 호르너증후군을 일으키는 원인이 어느 부위에서 나타났는지 규명하는 것이 중요하다. 신경절이후 호르너증후군은 주로 양성 질환에 의해 나타나는데 비하여, 중추성이나 신경절이전 호르너증후군은 주로 악성질환이나 다른 심각한 질환에 의해 나타난다. 중추성 호르너증후군은 혈관폐쇄, 종양, 경추질환 등이 흔한 원인이며, 신경절이전 호르너증후군은 Pancoast 증후군과 같은 폐첨부의 종양, 전이성 폐종양, 흉부 대동맥류, 상완신경총의 손상 등과 같은 원인이 많다. 신경절이후 호르너증후군은 목동맥 주변의 퇴행성 변화나 수술, 또는 안목동맥 박리, 해면동맥굴 종양 등이 원인이다.

호르너증후군의 진단

호르너증후군 환자를 검사할 때 첫 단계로서 다른 신경학적 이상이 동반되었는지를 잘 보아야 하는데 예를 들면 뇌줄기brain stem나 해면정맥굴에 이상이 있으면 이 부위의 구조에 장애가 있는 증상이 동반될 수 있다. 다음 단계는 병력이나 여러 검사로도 이상부위가 확실치 않을 때는 약물 검사를 통해 이상의 위치를 파악해 볼 수 있다.

약물 검사를 통한 진단은 두 단계로 접근할 수 있다. 첫 단계는 호르너증후군을 확인하는 검사로서 10% cocaine을 5분 간격으로 정상안을 포함한 양안에 점안한 후 15분 간격으로 45분 간 동공의 크기를 관찰한다. Cocaine은 홍채확장근의 신경근접합부에서 노르에피네프린norepinephrine의 재섭취reuptake 차단으로 신경전달물질이 지속적으로 축적되어 정상안의 동공은 산동되는데 비해, 교감신경의 이상이 있는 경우는 홍채의 근육신경 접합부에서 방출되는 노르에피네프린의 양이 적어 산동되지 않는다. 코카인 점안 후 동공 크기 차이가 1 mm 이상이면 호르너증후군으로 진단할 수 있다.

코카인 검사로 호르너증후군이 확인되면 교감신경의 이상 위치가 신경절이후신경인지 아니면 신경절이전신경 혹은 중추성인지 확인해야 한다. 코카인 검사와 다른 날 신경절이후신경 말단에서 노르에피네프린을 직접 방출시키는 1% hydroxyamphetamine hydrobromide 용액(Paredrine®)을 양쪽 눈에 점안한다. 정상안이나 신경절이전신경 혹은 중추성 이상이 있는 경우는 신경절이후신경에서 노르에피네프린을 방출하기 때문에 동공이 산동된다. 하지만 신경절이후신경에 이상이 있으면 신경전달물질이 없기 때문에 산동되지 않는다.

코카인을 구할 수 없을 때는 0.5% apraclonidine (iopidine®)이 유용하게 사용될 수 있다. Apraclonidine은 α2-아드레날린 작용으로 녹내장 치료에 사용되는데, 약한 α1-아드레날린 작용이 있다. 이는 정상 동공확장근에는 별 영향이 없으나 호르너증후군의 동공확장근에서는 탈신경과민denervation hypersensitivity현상이 나타나므로 약한 α1-아드레날린 작용으로도 동공이 확장되어 정상동공보다 동공이 더 커지는 동공부등의 역전reversal of anisocoria이 일어나며 눈꺼풀처짐이 회복된다(**그림 9-7B**). 양안에 한 방울씩 0.5% apraclonidine을 점안 후 40분 후 동공의 크기를 측정한다.

코카인이나 Paredrine을 점안하면 자극 증상이 있어 reflex blepharospasm을 유발시킬 수 있기 때문에 정상안보다 이상이 있는 눈에 먼저 점안하는 것이 약을 넣기 쉽다. 각막이 손상된 상태에서 이 약들을 점안하는 것은 좋지 않기 때문에 안압측정이나 각막지각 검사 등은 나중에 하는 것이 좋으며, 동공은 너무 밝지 않은 불빛으로 검사하는 것이 좋다.

호르너증후군의 치료

호르너증후군 때의 눈꺼풀처짐은 눈꺼풀올림근의 기능이 좋으며 처진 정도는 경미한 경우가 많으므로 적은 양의 근막을 당기거나 결막뮐러근절제술을 하기도 한다. 근막교정은 눈꺼풀피부절개를 통해야 하지만 눈꺼풀처짐 교정 정도를 수술 시 직접 확인할 수 있는 장점이 있다. 그에 비해 결막뮐러근절제술은 결막을 통해 진행하기 때문에 피부절개 없이 간단히 할 수 있는 장점이 있는 반면에 눈꺼풀처짐 교정 정도를 수술 시 직접 확인할 수 없는 단점이 있다. 수술 시 에피네프린이 포함된 국소마취제를 사용하면 눈꺼풀이 올라가 눈꺼풀처짐 교정 양을 결정하기가 쉽지 않으므로 에피네프린이 포함되지 않은 국소마취제를 사용하는 것이 좋다. 수술을 하지 않은 경우라도 중요한 사진촬영이나 모임과 같이 사회활동 시에는 페닐에프린을 희석시켜 점안하는 방법도 고려할 수 있다.

참고문헌

1. Averbuch-Heller L, Leigh RJ, Mermelstein V, Zagalsky L, Streifler JY. Ptosis in patients with hemispheric strokes. Neurology 2002;58:620-4.
2. Bosniak SL. Principles and practice of ophthalmic plastic and reconstructive surgery. Philadelphia: WB Saunders, 1996.
3. Brazis PW, Masdeu JC, Biller J. Localization in clinical neurology. Philadelphia: Lippincott Williams & Wilkins, 2007.
4. Esteban A, Traba A, Prieto J. Eyelid movements in health and disease. The supranuclear impairment of the palpebral motility. Neurophysiol Clin 2004;34:3-15.
5. Martin TJ, Yeatts RP. Abnormalities of eyelid position and function. Semin Neurol 2000;20:31-42.
6. McCord CD Jr, Tanenbaum M, Nunery WR. Oculoplastic surgery. New York: Raven Press, 1995.
7. Miller NR, Newman NJ. Biousse V, Kerrison JB. Walsh & Hoyt's clinical neuro-ophthalmology. Philadelphia: Lippincott Williams & Wilkins, 2005.
8. Lee AG, Brazis PW. Clinical pathways in neuro-ophthalmology: an evidence-based approach. New York: Thieme, 2003.

CHAPTER 10

무안구증 눈꺼풀처짐

Anophthalmic ptosis

CONTENTS

무안구증 환자에서 발생하는 눈꺼풀처짐은 일반적인 눈꺼풀처짐과는 다른 발생기전을 가지고 있다. 무안구증 환자에서의 문제점을 제대로 파악하기 위해서는 여러 구조적인 그리고 기능적인 요소들의 복잡한 상호관계를 이해해야 한다. 즉, 안와삽입물의 크기나 위치가 적당한지의 여부, 눈꺼풀올림근의 기능, 아래눈꺼풀의 위치와 의안의 무게를 지탱하기 위한 지지력, 결막주머니의 깊이, 그리고 의안의 부피와 모양 등을 복합적으로 고려해야 한다. 무안구증 눈꺼풀처짐 치료 시 이러한 요소들을 모두 고려하여 문제점을 정확히 파악한 후에 적절한 방법을 선택해야 한다(**그림 10-1**).

무안구증 환자에서 눈꺼풀올림근의 해부학적 및 기능적 변화

정상 눈과 무안구에서 눈꺼풀올림근의 기능을 비교한 연구를 살펴보면, 정상 눈보다는 무안구의 눈꺼풀올림근 기능이 낮은 것으로 보고되어 있다. 눈꺼풀처짐이 없는 무안구증 환자 32명의 눈꺼풀올림근 기능을 연구한 보고에서, 정상 눈은 12.74 ± 1.81 mm인데 비해 무안구는 10.43 ± 1.48 mm로 유의하게 낮았다. 이는 안구적출로 인해 눈꺼풀올림근의 해부학적 및 기능적 변화가 일어나기 때문으로 해석할 수 있다.

안구가 있는 정상 안와에서는 눈꺼풀올림근이 접형골의 소날개lesser wing of sphenoid에서 시작하여 안와상벽을 따라 상직근과 평행하게 36~40 mm를 앞으로 향하다가, 안구적도 뒤에서 수직으로 방향이 바뀌어 휘트날인대를 지난 후 얇은 눈꺼풀올림근 널힘줄이 되어 눈꺼풀판으로 뻗어 부착하게 된다. 즉 눈꺼풀올림근은 평행에서 수직으로 바뀌는 운동방향을 갖게 된다.

안구가 적출되어도 안와 상벽 골막에 부착되어 있는 휘트날인대가 눈꺼풀올림근의 정상적인 운동방향을 유지하도록 도와주고, 상측 안와를 따라 눈꺼풀올림근으로 뻗어 있는 결합조직들이 눈꺼풀올림근을 지지해주기 때문에 어느 정도는 눈꺼풀올림근의 구조가 유지된다. 그러나, 안구가 없으면 상직근복합체가 아래쪽으로 이동하게 되어 평행하게 달리던 눈꺼풀올림근의 운동방향이 비스듬한 경사로 변형이 된다(**그림 10-2**). 따라서, 근육 축의 운동방향이 바뀌고 눈꺼풀이 올라가는 수직방향의 수축력이 줄어든다. 또한, Starling's length-tension curve에 의하면 근육이 팽팽하면 수축력도 증가하게 되는데, 근육의 주행이 비스듬해지면서 지지가 감소하여 근육자체가 느슨해진다. 따라서 휴식 상태의 긴장도resting tension와 수축력이 감소하게 되며, 이러한 해부학적 변화로 인해 눈꺼풀올림근의 기능에도 변화가 발생하게 된다.

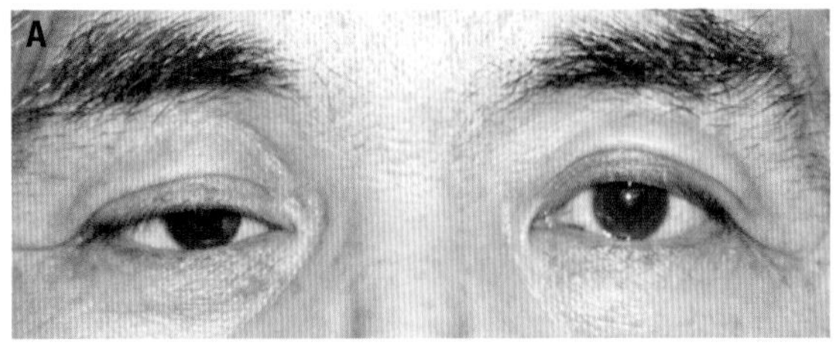

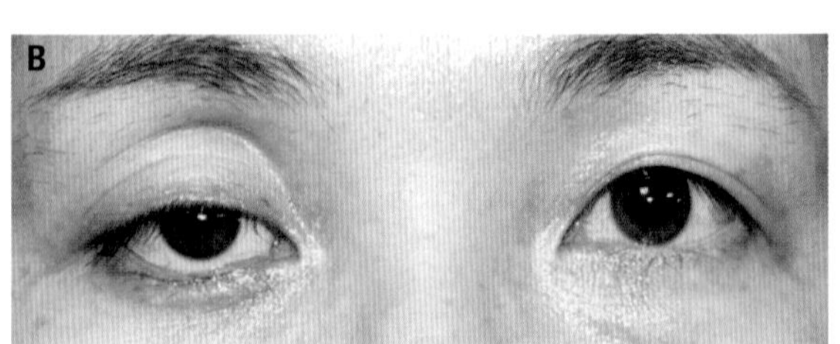

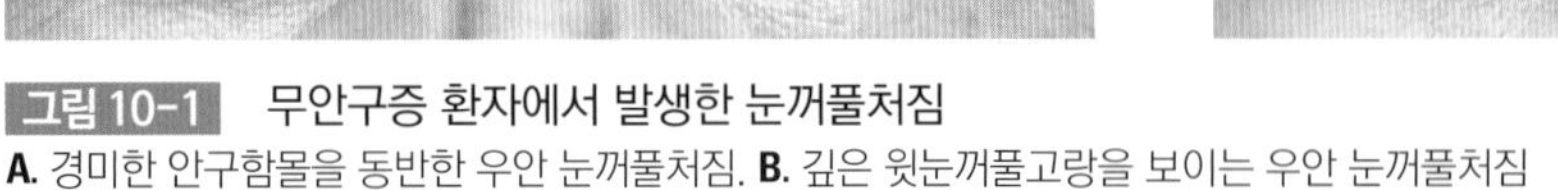

그림 10-1 무안구증 환자에서 발생한 눈꺼풀처짐
A. 경미한 안구함몰을 동반한 우안 눈꺼풀처짐. **B.** 깊은 윗눈꺼풀고랑을 보이는 우안 눈꺼풀처짐

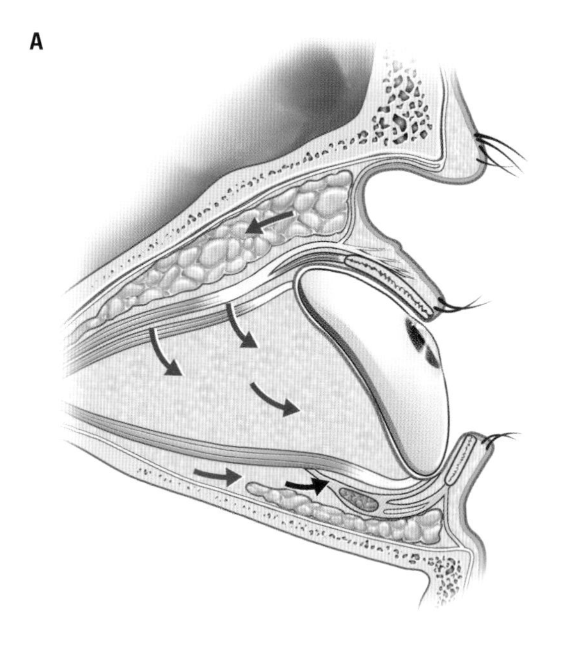

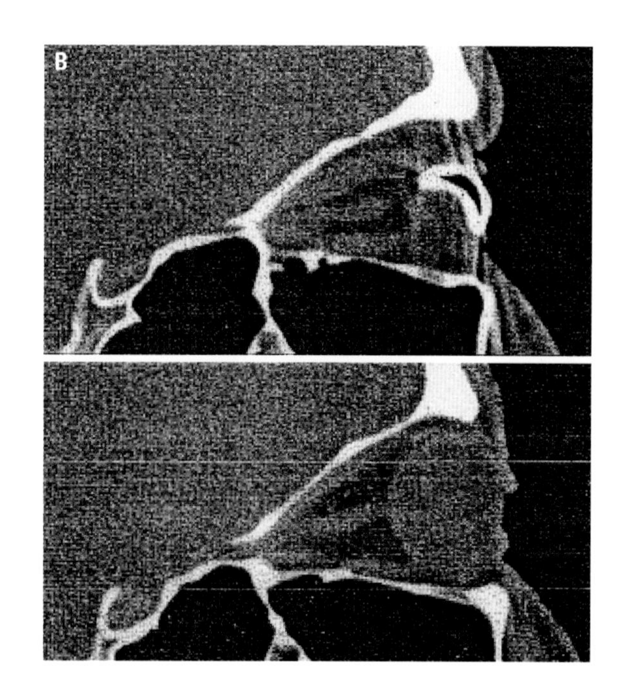

그림 10-2 무안구 안와의 해부학적 변화

A. 원추내 연조직(intraconal soft tissue)의 회전과 눈꺼풀올림근의 지지력 감소. **B.** CT상의 안와상부조직의 후방회전과 상직근-눈꺼풀올림근 복합체의 아래쪽 이동 모습(위), 정상 안와 모습(아래)

원인

안구적출 후 눈꺼풀올림근의 해부학적 및 기능적인 변화를 초래하는 원인은 다양하다. 주된 원인은 안구적출로 인한 안와용적의 감소이며, 이로 인해 상직근-눈꺼풀올림근 복합체의 지지가 약해질 뿐만 아니라 안와 내 조직이 후방으로 회전되거나 아래로 처져 눈꺼풀처짐이 발생하게 된다. 따라서 적절한 크기의 안와삽입물을 보충하지 못하면 눈꺼풀처짐의 발생을 초래할 수 있다. 또한 유리나 실리콘 재질의 안와삽입물이 오래되었을 경우 안와 내의 중심위치에서 바깥쪽으로 이동migration되면서 안와구조의 변화를 일으켜 눈꺼풀처짐이 발생할 수 있다(**그림 10-3**).

눈꺼풀올림근과 상직근은 같은 근막으로 싸여있기 때문에 안구적출술 또는 안구내용물제거술 시 상직근을 분리하는 과정 중에 눈꺼풀올림근에 생긴 손상으로도 눈꺼풀처짐이 발생할 수 있다. 의안 착용기간이 길수록 눈꺼풀올림근의 부착 부위가 떨어져 눈꺼풀처짐 발생 가능성이 높으며, 이차 안와충전물삽입술을 시행한 경우가 일차 안와충전물삽입술 환자보다 눈꺼풀처짐 교정 수술이 더 많이 시행되었다는 보고도 있다.

그 외 눈꺼풀처짐의 위험인자로는 심한 결막주머니의 위축, 부적절한 의안 착용, 안와골절로 인한 안구함몰, 안구적출 전 외상의 정도, 수술에 의한 손상 정도 그리고 motility peg의 부적절한 위치 등이 있을 수 있다.

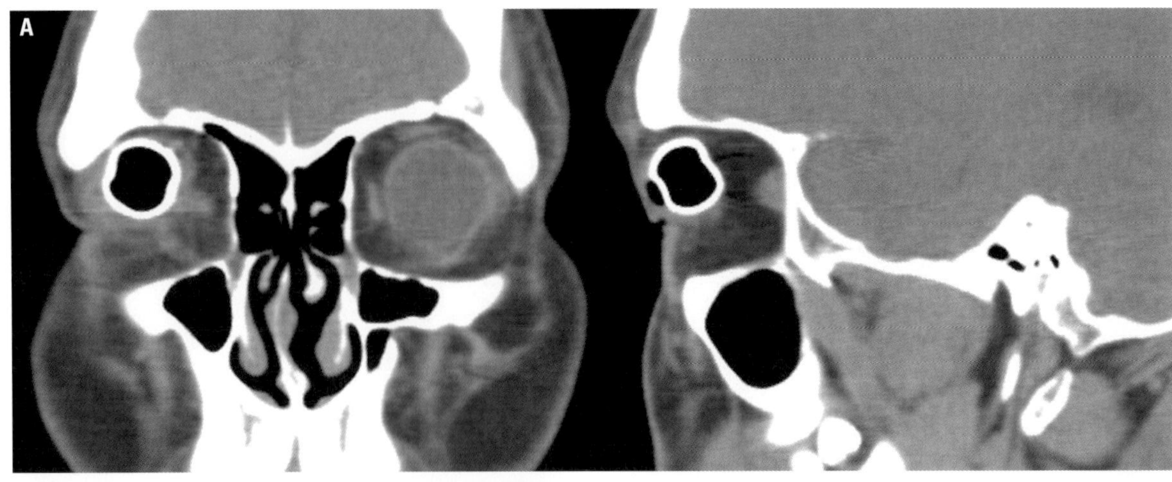

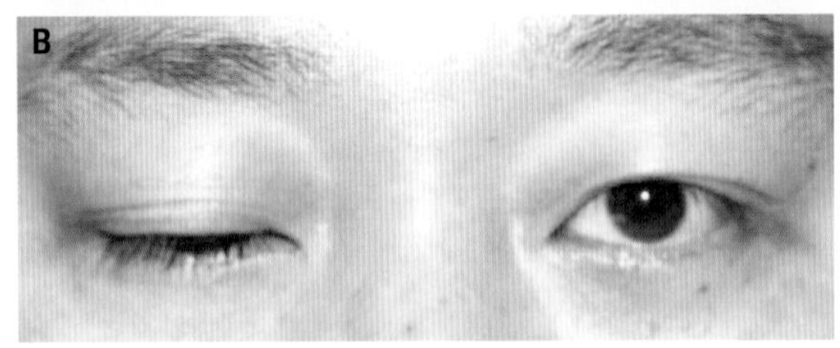

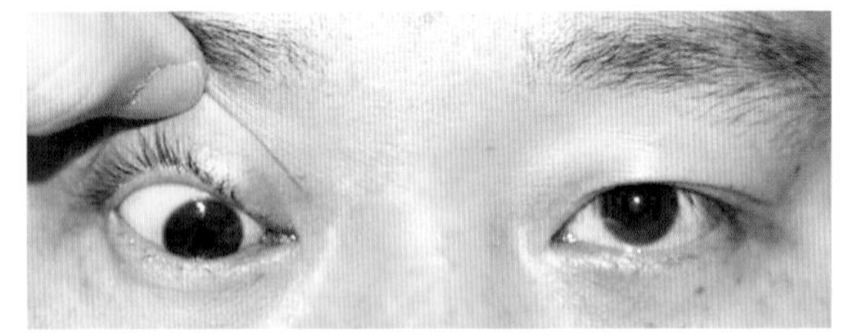

그림 10-3 안와삽입물의 위치 이동으로 인한 눈꺼풀처짐
A. CT에서 glass implant가 안와 상이측으로 이동된 모습. **B.** 삽입물 이동으로 인한 안와구조 변화로 의안의 아래쪽 편위와 동반된 눈꺼풀처짐

치료

의안의 조정 Prosthesis modification or augmentation

무안구증 눈꺼풀처짐에서 가장 먼저 고려해 볼 수 있는 방법은 의안의 조정이다. 안구적출후 적절한 크기의 의안을 착용할 경우, 휘트날인대 부근의 눈꺼풀올림근을 최대한 제위치에 있도록 하여 가능한 정상 안와와 유사한 resting tension을 유지할 수 있게 된다. 의안의 수직길이가 짧아지면 눈꺼풀올림근에 대한 지지 효과가 떨어져서 안와내에서 안와상벽을 따라 평행하게 주행하는 눈꺼풀올림근의 경로가 아래로 처지게 되어 눈꺼풀처짐이 생기게 된다.

의안 윗부분을 보강하여 크기를 조정하면 안와 위쪽의 부피가 증가되고, 상직근-윗눈꺼풀올림근 복합체의 후방 지지를 강하게 하여 눈꺼풀올림근의 주행방향을 유지하도록 함으로써 눈꺼풀처짐을 교정할 수 있다. 의안 크기의 조절은 부족한 안와조직으로 인한 함몰의 정도에 따라 결정된다**(그림 10-4A, B)**. 안와 위 조직의 꺼짐이 심하지 않은 경우에는 의안의 높이 조절로 눈꺼풀올림근에 대한 의안의 받침 효과push-up를 얻어 눈꺼풀처짐을 교정할 수 있다**(그림 10-4C)**. 함몰 없이 눈꺼풀처짐만 경한 경우에는, 의안의 각막 윗부분만을 보강하여 윗눈꺼풀을 받쳐주면서 올라가도록 하는 방법도 있다**(그림 10-4D)**.

의안의 크기나 부피를 조절하려고 할 때 아래결막주머니의 깊이와 아래눈꺼풀의 이완 정도가 중요하다. 의안의 크기나 무게를 견딜 수 없을 정도로 아래결막주머니가 얕고 아래눈꺼풀이 이완되어 있다면, 우선 아래결막주머니재건술 또는 아래눈꺼풀수평강화술을 시행한 후에 의안을 조정하는 것이 더 효과적으로 눈꺼풀처짐을 교정할 수 있다.

아래결막주머니재건술로는 입술 안쪽 점막, 경구개

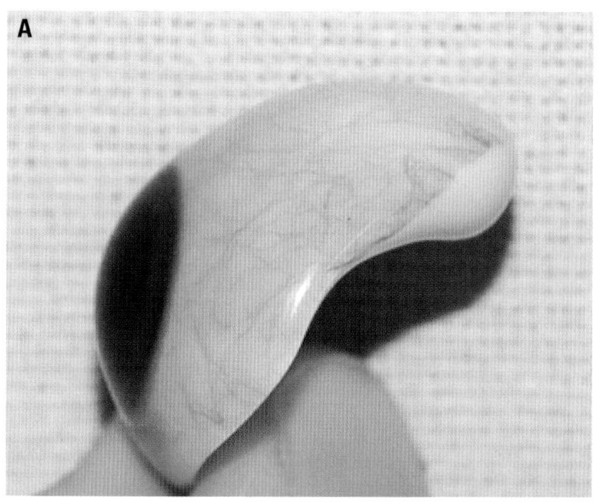

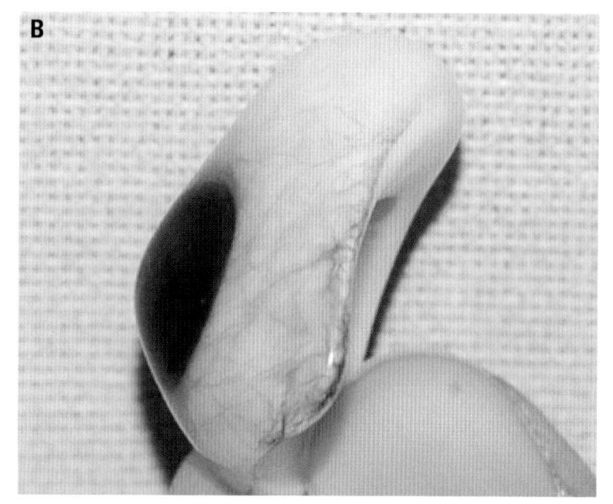

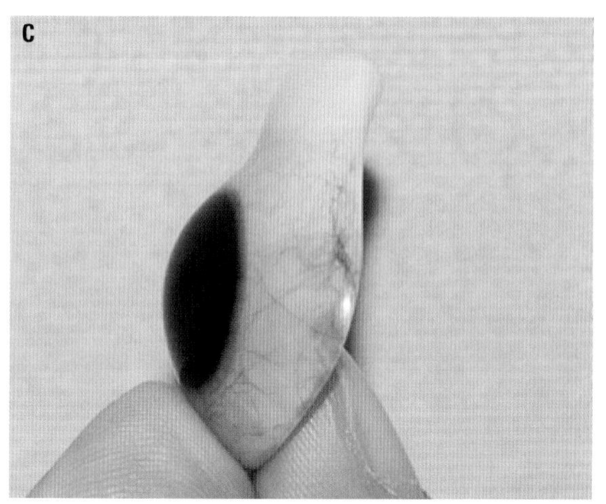

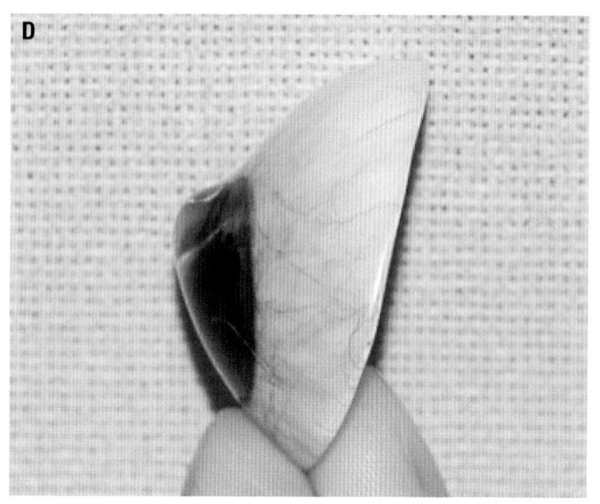

그림 10-4 의안의 크기와 부피를 조정하여 눈꺼풀처짐을 교정할 수 있다.
A. 안와삽입물이 아주 작거나 없어서 함몰이 심한 경우. **B.** 불충분한 안와조직으로 인한 중등도의 상부 함몰. **C.** 함몰이 경한 경우. **D.** 안구함몰 없이 경도의 눈꺼풀처짐만 있는 경우 사용되는 의안

점막, 뺨 안쪽 점막, 코 연골 점막 등 자가조직을 이식하여 길이를 늘려주는 것이 효과적이다(**그림 10-5**). 자가조직 이식이 어려운 경우 무세포성 진피 동종이식acellular dermal allograft을 사용하기도 한다. 이때 이식편이 수여부 혈관에 잘 접촉하고 깊은 아래결막주머니를 형성할 수 있도록 망막스폰지나 실리콘밴드를 고정물bolster로 사용하여 아래결막구석에 고정하고 의안이나 형태유지물confomer을 삽입하는 것이 좋다.

아래눈꺼풀 수평강화를 위해서는 가쪽눈구석강화술lateral canthal tightening이 가장 유용하며, 아주 심한 경우에는 대퇴근막걸기술fascia lata sling을 시행하기도 한다.

안와부피의 증강 Orbital volume augmentation

중등도 또는 심한 눈꺼풀처짐을 의안 만으로 교정하기 위해 의안의 부피를 과도하게 늘린 경우에는 일시적으로는 눈꺼풀처짐 교정효과가 있지만 의안의 중량으로 인해 점차 의안이 아래로 처지고, 비스듬히 기울어지면서, 눈이 잘 감기지 않고, 아래눈꺼풀이 아래로 처지는 현상sagging of lower eyelid이 나타나게 된다. 이때 눈꺼풀처짐의 원인이 안와용적을 충분히 보충하지 못해 발생한 경우라면 의안을 조정하기 보다는 부족한 안와용적을 채워 함몰을 교정하는 것이 더 효과적이다. 수술

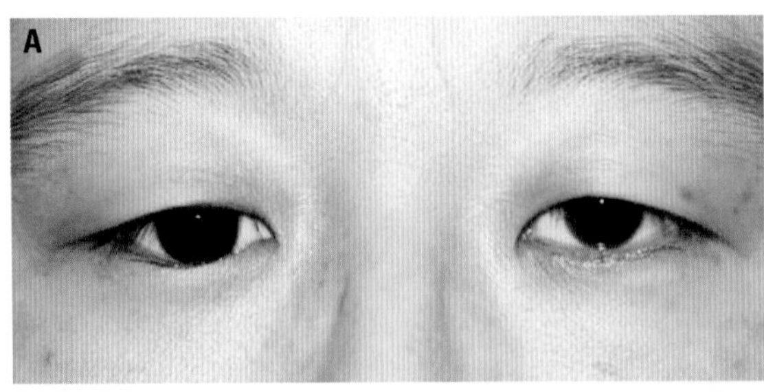
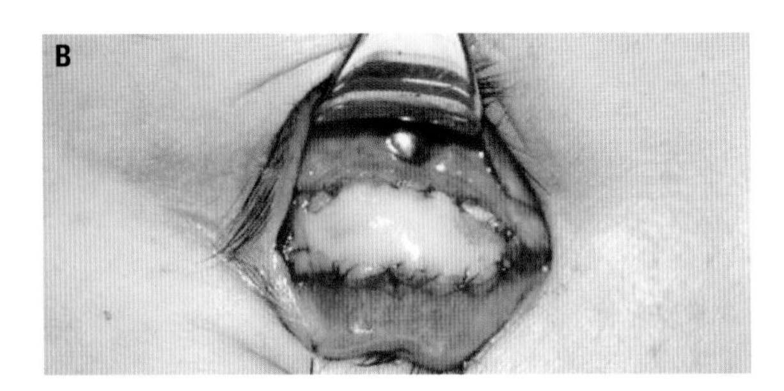
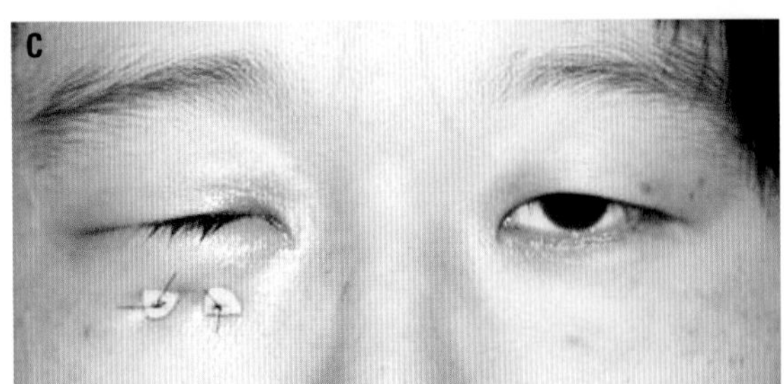
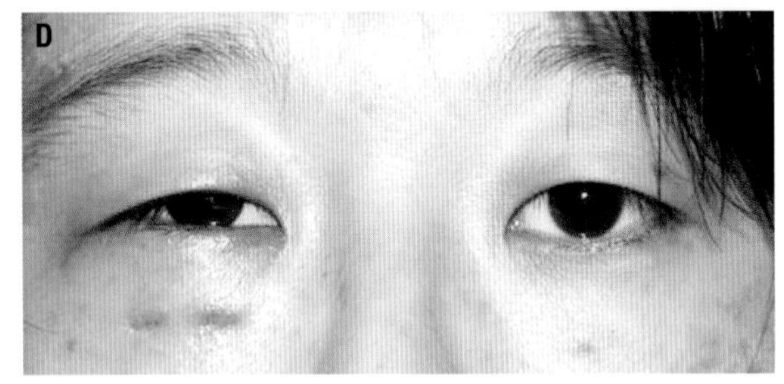

그림 10-5 우안의 무안구성 결막주머니 위축으로, 자가 구강 점막을 이용한 아래결막주머니재건술을 시행한 모습
A. 아래결막주머니 위축으로 인한 우안 아래눈꺼풀처짐과 의안의 위치 이상. **B.** 환자의 뺨 안쪽에서 채취한 점막을 6-0 흡수성 봉합사를 이용하여 주변 결막에 봉합한 후. **C.** 5-0 비흡수성 봉합사를 이용하여 두 개의 아래결막주머니 강화 봉합(inferior fornix-deepening suture)을 시행하여 실리콘스폰지(retinal sponge bolster)에 고정한다. **D.** 수술 1개월 후 아래결막주머니 재건으로 아래눈꺼풀처짐이 호전되고 의안의 위치가 교정된 모습

을 하기 이전에 우선 함몰의 원인을 명확히 파악해야 하는데, 함몰이 안와내 삽입물이 없거나 삽입물이 매우 작기 때문이라면 이차 안와삽입물 충전술 또는 교체술을 먼저 시행하여야 한다**(그림 10-6)**.

삽입물은 적절한 크기이나 위쪽 안와조직이 불충분하여 의안이 뒤로 기울어지는 형태라면, high-density porous polyethylene (Medpor®) wedge 삽입물을 아래 안와골막하에 삽입하는 수술이 효과적이다 **(그림 10-7)**. 이 밖에도 Proplast II, silicone, injectable cross-linked collagen (Zyplast®), Hydroxyapatite Tricalcium Phosphate (HA-TCP) ceramic implant, Prefabricated methylmethacrylate subperiosteal implant 등 안와조직을 보충하여 안와 부피를 늘릴 수 있는 다양한 biocompatible material의 사용이 소개되었다. 만약, 안와골절이 있어서 함몰이 있는 경우에는 오래된 골절이라도 골절정복술 후 안와삽입물로 교정하는 것이 필요하다.

안와용적의 40%만을 교정한 환자에서 80%를 교정한 환자보다 2배 이상의 눈꺼풀처짐이 발생하였으며, 이차 안와삽입물충전술을 시행받은 환자의 30%에서 눈꺼풀처짐이 호전되었다는 보고가 있다. 안와용적이 부족한 환자에서 눈꺼풀올림근 수술만을 시행하면 의안이 뒤틀어지는 현상이 발생하여 미용적인 만족도가 오히려 더 떨어질 수 있다. 그러나 모든 경우에서 안와용적의 보충만으로 모든 눈꺼풀처짐을 해결할 수는 없으므로 추가적인 눈꺼풀수술이 병행되어야 하는 경우가 많다.

눈꺼풀 수술

무안구증 눈꺼풀처짐 환자의 눈꺼풀 수술로는 다양한 방법이 소개되고 있지만, 눈꺼풀올림근절제술 또는 눈꺼풀올림근널힘줄교정술이 가장 많이 사용되는 방법

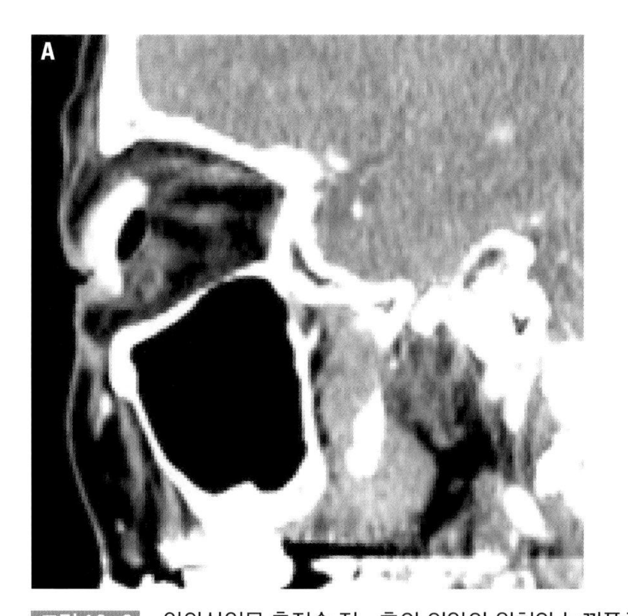

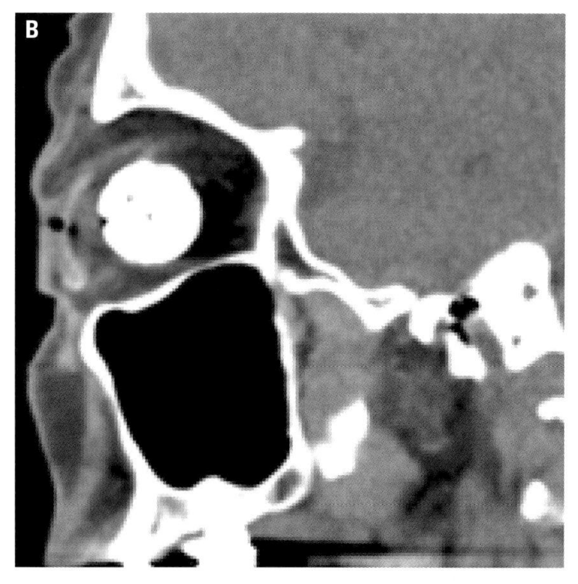

그림 10-6 안와삽입물 충전술 전 · 후의 의안의 위치와 눈꺼풀처짐의 정도 비교
A. 수술 전 안와내 삽입물이 없어 의안이 뒤로 기울어 처지고 눈꺼풀처짐이 발생한 모습. **B.** 이차 안와삽입물 충전술 후 위쪽 안와조직의 지지가 가능해진 모습

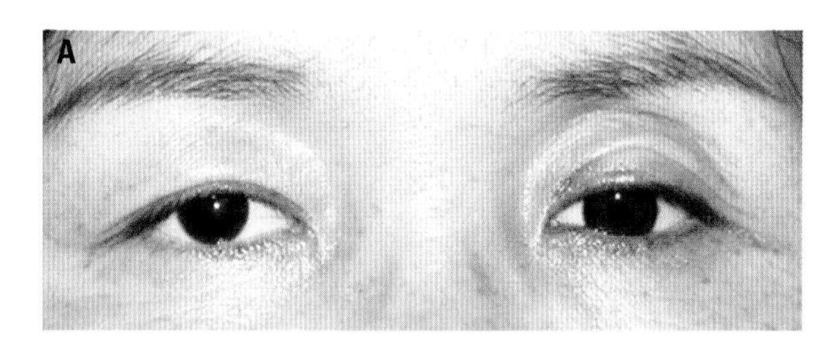

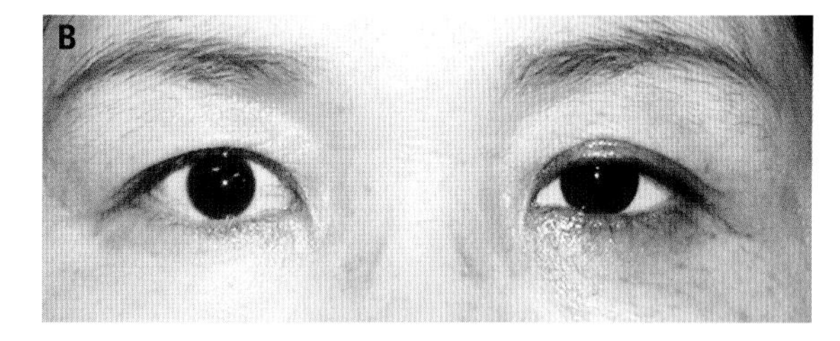

그림 10-7 Wedge implant로 안와용적증대 수술 전과 후 사진(좌안)

이다(**그림 10-8**). 무안구증 눈꺼풀처짐 환자는 눈꺼풀올림근 기능이 정상인 경우가 많으나 실제보다 낮게 측정되는 경향이 있다. 이유는 눈꺼풀올림근 기능이 의안 크기에 영향을 받기 때문인데, 즉 의안 크기가 작아서 후방지지가 불충분할 경우에는 눈꺼풀올림근 기능이 낮게 측정되기 때문이다. 그러므로 일반적인 눈꺼풀처짐 환자를 수술할 때처럼 눈꺼풀올림근을 과다하게 절제하면 수술 후 과교정 될 위험이 있으므로 수술 전 눈꺼풀올림근 기능을 정확히 측정하는 것이 중요하다(**그림 10-9**).

무안구증 환자는 정상안에 비하여 눈꺼풀피부의 여분이 적은 경우가 많으므로, 수술 시에 가능한 피부절제를 최소화하고, 연부조직의 절제 또한 최소화하는 것이 중요하다.

눈꺼풀처짐 수술은 의안을 착용한 상태에서 시행하여야 수술 후 눈 크기를 예측할 수 있다. 그래서 수술 시 눈꺼풀처짐을 교정하기 위해 만들어진 의안보다는 현재의 안와 및 결막주머니에 맞는 의안을 착용하는 것이 좋다. 의안의 부피나 무게가 과도하여 의안의 위치가 변하고 양쪽 동공의 수평축이 평행하지 않은 상

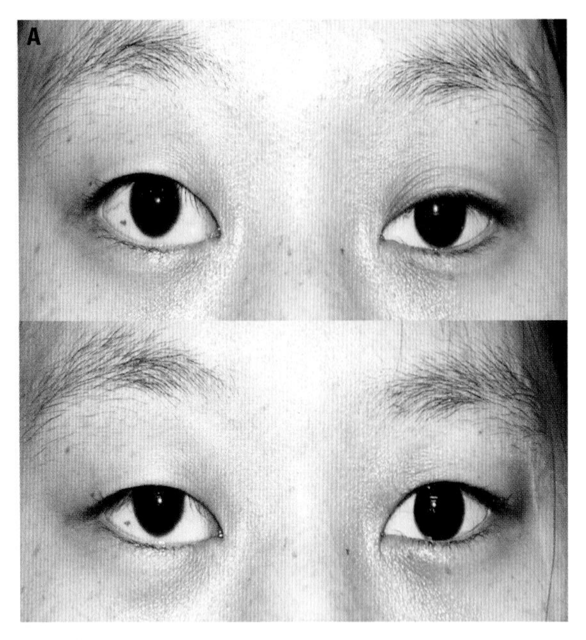

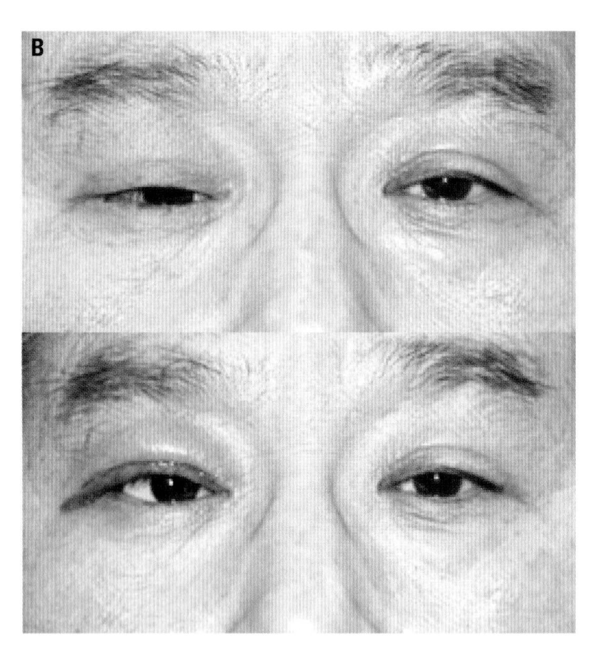

그림 10-8 눈꺼풀올림근절제술을 시행받은 무안구증 눈꺼풀처짐환자의 수술 전후 모습
A. 수술 전(위), 수술 후 1개월 째(아래). **B.** 수술 전(위), 수술 후 1주일 째(아래).

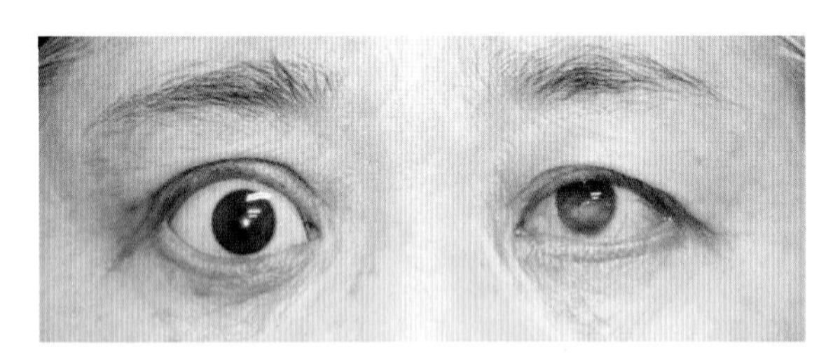

그림 10-9 우안 눈꺼풀올림근절제술 후 과교정된 모습

태에서는 눈꺼풀처짐 수술보다는 의안을 먼저 교정하는 것이 좋다. 그러나, 눈꺼풀 수술은 결과 예측이 어렵기 때문에 수술 후 다시 의안을 교정하게 되는 경우도 있다.

참고문헌

1. 대한성형안과학회. 성형안과학. 도서출판 내외학술, 2015.
2. Dortzbach RK. Ophthalmic plastic surgery: prevention and management of complications. New York: Raven Press, 1994.
3. Ha SW, Lee JM, Jeung WJ, Ahn HB. Clinical effects of conjunctiva-Müller muscle resection in anophthalmic ptosis. Korean J Ophthalmol 2007;21:65-9.
4. Kaltreider SA, Shields MD, Hippeard SC, Patrie J. Anophthalmic ptosis: investigation of the mechanisms and statistical analysis. Ophthal Plast Reconstr Surg 2003;19:421-8.
5. Kim CY, Woo YJ, Lee SY, Yoon JS. Postoperative outcomes of anophthalmic socket reconstruction using a buccal mucosa graft. J Craniofac Surg 2014;25:1171-4.
6. Shah CT, Hughes MO, Kirzhner M. Anophthalmic syndrome: a review of management. Ophthal Plast Reconstr Surg 2014;30:361-5.
7. Workman CL. Prosthetic reduction of upper eyelid ptosis. Adv Ophthalmic Plast Reconstr Surg 1990;8:184-91.

CHAPTER 11

눈꺼풀올림근널힘줄 수술

Levator aponeurosis surgery

CONTENTS

눈꺼풀올림근널힘줄 수술은 눈꺼풀올림근의 기능이 비교적 양호한 눈꺼풀처짐 환자를 교정하는 수술 방법으로 성인의 퇴행눈꺼풀처짐 환자에서 가장 많이 시행된다. 이외에도 외상, 안내 수술 후, 안와 및 눈꺼풀의 염증과 부종, 알러지와 같은 만성적인 눈의 염증, 임신, 콘택트렌즈 장기 착용, 혹은 거대유두 결막염 등에 의해 눈꺼풀올림근널힘줄에 손상이 있는 경우에도 시행된다.

수술 후 원하는 눈꺼풀 모양이나 높이를 얻기 위하여서는 눈꺼풀 해부학과 수술 과정에 대한 정확한 이해가 필수적이다. 수술 중 눈높이에 영향을 미치는 많은 요인이 있기 때문에 경험이 풍부한 수술자라고 하더라도 원하는 결과를 얻지 못하여 재수술이 필요한 경우도 종종 있다. 따라서 수술 전 환자 및 보호자에게 충분히 설명하고 이해시키는 것이 필요하다.

수술 방법

마취

눈꺼풀올림근널힘줄 수술은 대부분 성인의 퇴행눈꺼풀처짐에서 시행되기 때문에 국소마취하에서 수술한다. 따라서 수술 중 환자의 협조가 가능하기 때문에 눈을 뜨게 하여 눈꺼풀의 높이와 모양을 보면서 조정이 가능하지만, 정맥마취제를 사용하여 의식진정conscious sedation 마취를 하는 경우는 수술 중 환자로 하여금 눈을 뜨고 감는 것을 요구할 때 이를 따르지 못할 정도로 마취가 깊지 않도록 주의하여야 한다. 보통 수술 전 처치를 하지는 않지만 진정작용과 통증 완화를 위하여 수술 60~90분 전에 valium 10 mg과 vicodin® (acetaminophen 500 mg + hydrocodone 5 mg) 1알을 복용하기도 한다.

국소마취제는 1:100,000 epinephrine이 포함된 2% lidocaine (xylocaine®)을 가장 많이 사용한다. Hyaluronidase를 사용하는 경우에는 2% lidocaine 10 ml에 150 units을 섞어서 사용하는데, hyaluronidase는 조직 투과성과 마취제 확산을 증가시켜 마취 효과가 빨리 나타나고 마취제 사용량을 감소시킨다. 수술 시간이 긴 경우는 2% xylocaine과 0.5 혹은 0.75% bupivacaine을 1:1 로 혼합하여 사용한다. 국소마취제는 중추신경계와 심혈관계 독성이 나타날 수 있으며 심혈관계 독성이 더 위험하다. 눈꺼풀 수술 시 흔하지는 않지만 중추신경계 독성이 나타나기도 하며, 이명, 어지러움, 안면근경련facial spasm 등이 초기에 나타나고 심한 경우에는 발작, 무의식, 호흡정지 등이 나타날 수 있다. 심혈관계 독성은 서맥, 저혈압, 심장근육수축 저하가 나타날 수 있다. 국소마취제에 혼합하는 혈관수축제인 epinephrine의 경우는 지혈효과가 있지만 관상동맥질환이나 갑상샘중독증 환자에서는 부작용이 있을 수 있으니 주의하여야 한다.

정맥 마취제를 이용한 의식진정 마취는 보통 수면마취라고 알려져 있는데 수술 중 긴장하지 않고 안정된 상태로 스스로 호흡하며, 말이나 물리적 자극에 의해 쉽게 소통할 수 있으므로 수술 시 협조가 가능하다. 또한 수술에 대한 기억을 하지 못하고 국소마취제 주입 시 통증이 감소하여 환자의 불안을 감소시킬 수 있는 장점이 있다. 보통 많이 사용되는 midazolam은 중추신경억제제로 작용시간이 짧으며 진정, 항불안, 단기 기억 소실 등의 작용이 있다. Propofol도 중추신경억제제로서 마취 효과가 빠르고 대사가 빨라서 체내 축적이 적고, 마취에서 빨리 깨는 장점이 있어 국소마취 전에 많이 사용한다. 반면에 호흡억제, 저혈압 등이 발생할 수 있으므로 주의하여야 한다. Ketamine은 해리성 수면을 유발하는 마취제로 강력한 진통작용이 있으면서 호흡억제가 없고 안정역safety margin이 넓은 특징으로 소아에서 짧은 시간 수술 시에 기도 삽관을 하지 않아도 되는 장점이 있다. 하지만 분비물의 증가, 불쾌감, 악몽 등이 나타날 수 있으며 혈압 및 심박동수 상승을 초래할 수 있으므로 고혈압 환자에서는 주의하여야 한다. 따라서 의식진정 마취를 하는 경우에는 반드시 산소포화도, 심전도, 혈압 등을 모니터 하면서 수술하여야 한다.

보통 의식진정 마취 시에는 midazolam, propofol, ketamine이 병용되어 함께 사용되고 있다. Propofol은 진정효과가 나타나는 혈중농도의 범위가 좁기 때문에 midazolam을 병용하기도 하며, ketamine은 강력한 진통작용으로 병행하기도 한다. 일반적으로 투여 방법은 0.5~2 mg의 midazolam을 정맥주사로 전처치하고, propofol 0.5 mg/kg을 정맥 주사한 후 국소마취를 시행한다. 수술 시간이 긴 경우는 propofol을 지속적으로 정맥 주사한다.

도안 및 피부절개

쌍꺼풀선이나 절개선의 도안은 환자가 누운 상태에서 할 수도 있지만 앉은 상태에서 하는 것이 좋다. 쌍꺼풀을 만드는 경우 우리나라 성인의 절개선은 위눈꺼풀테의 중앙에서 5~7 mm 상방에, 서양사람은 8~10 mm 상방에 도안하도록 한다**(그림 11-1, 11-2)**. 쌍꺼풀을 만들지 않는 경우에는 위눈꺼풀테에서 3~4 mm 상방에 절개선을 도안한다. 단안 눈꺼풀처짐 수술 시에는 반대 눈에 쌍꺼풀이 있으면 같은 높이에 절개선을 잡기도 하지만 눈꺼풀처짐의 정도가 심한 경우에는 피부절제를 약간 하는 것을 고려하여 반대 눈보다 쌍꺼풀 높이를 1 mm 정도 낮게 잡는 것이 좋다. 반대 눈에 쌍꺼풀이 없는 경우 대칭을 위해 반대 눈에 쌍꺼풀을 만들 수 있는데, 눈꺼풀의 피부 처짐, 지방이나 피하조직

그림 11-1 절개선의 도안
A. 가쪽 눈꺼풀피부처짐이 없는 경우. **B.** 가쪽 눈꺼풀피부처짐이 있는 경우

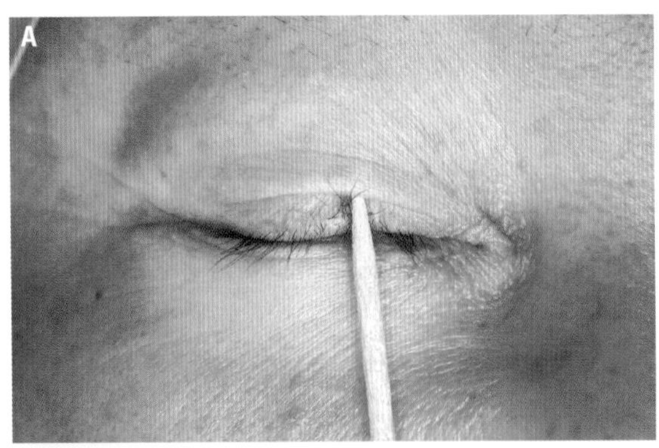

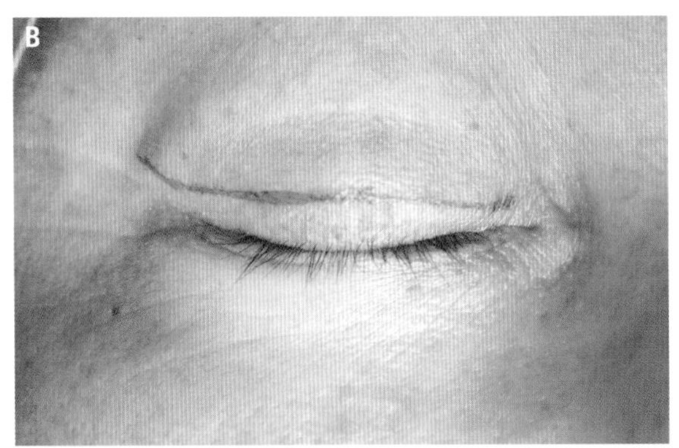

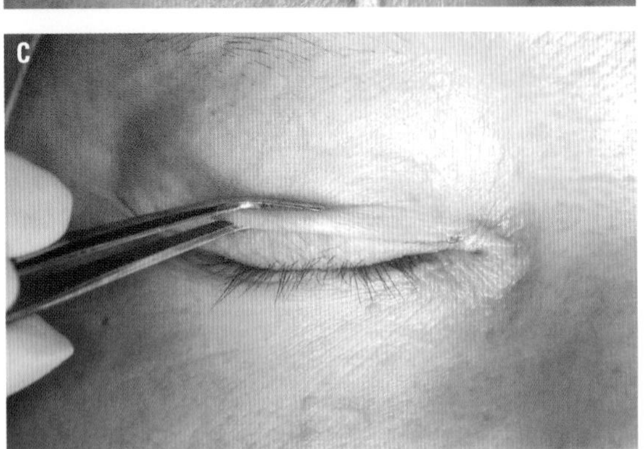

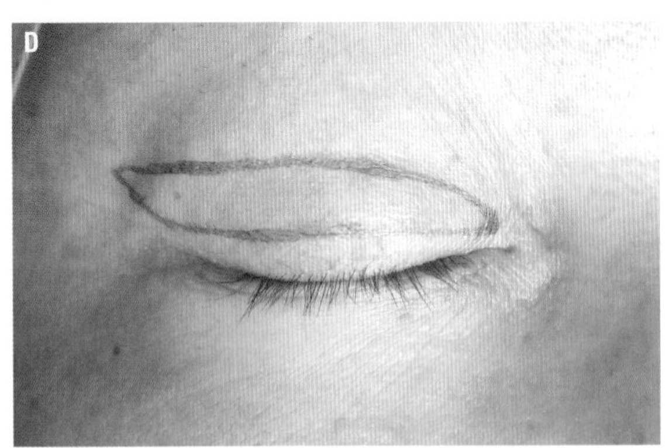

그림 11-2 절개선의 도안
A. 쌍꺼풀의 높이 결정. **B.** 결정된 쌍꺼풀의 높이대로 절개선을 그린다. **C.** 유구집게를 이용하여 제거할 피부 양을 결정한다. **D.** 제거할 피부의 양이 결정된 후 위쪽 절개선을 그린다.

의 양에 따라서 매몰법 혹은 절개법을 선택할 수 있다.

어른의 경우 피부 처짐이 있으면 이를 동시에 제거할 수 있도록 도안을 하는데 눈꺼풀 가쪽은 dog-ear가 남지 않도록 도안한다. 어린이의 경우는 피부처짐이 없으므로 피부를 제거하지 않거나 1 mm 정도 제거할 수 있도록 도안하는데 경우에 따라서 눈꺼풀올림근을 교정하고 나서 눈꺼풀피부 처짐의 정도에 따라서 제거하기도 한다. 피부절개는 절개선 부위의 피부가 함몰되지 않도록 팽팽하게 당긴 상태에서 #15 수술용 칼, radiofrequency unit (Ellmann®) 혹은 CO_2 laser를 이용할 수 있다.

피부 및 눈둘레근 제거

절개된 피부를 먼저 제거한 후에 눈둘레근을 절개하면서 안와사이막으로 접근한다(**그림 11-3**). 수술자에 따라서는 피부와 안와사이막앞 눈둘레근을 한꺼번에 제거 하기도 한다. 이때 너무 깊게 제거하여 눈꺼풀올림근널힘줄이 손상되는 것을 주의하여야 한다.

안와사이막 절개와 눈꺼풀올림근널힘줄의 노출

피부와 눈둘레근이 제거되고 나면 그 아래로 널힘줄앞 지방을 싸고 있는 안와사이막이 노출된다. 눈꺼풀올림근이 손상되지 않도록 주의하면서 노출된 안와사이막을 안쪽눈구석에서 가쪽눈구석까지 열어준다(**그림 11-4**). 안와사이막을 완전히 열고 나면 하얗게 비치는 눈꺼풀올림근널힘줄이 보이며 널힘줄앞 지방이 많은 경우에는 지방의 일부를 제거한다.

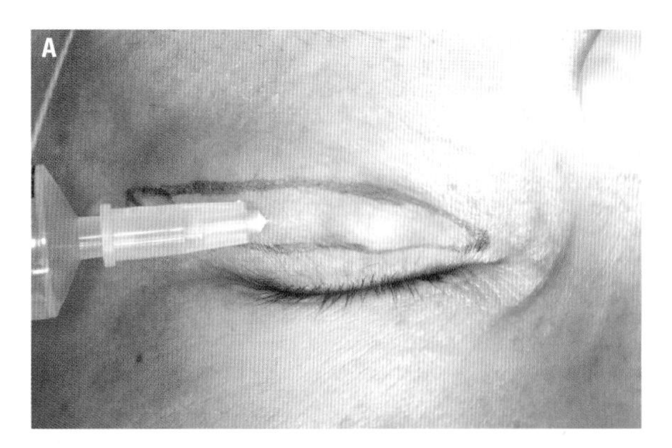

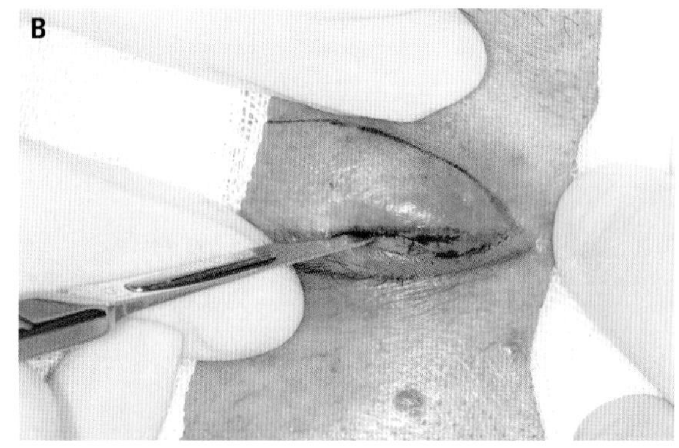

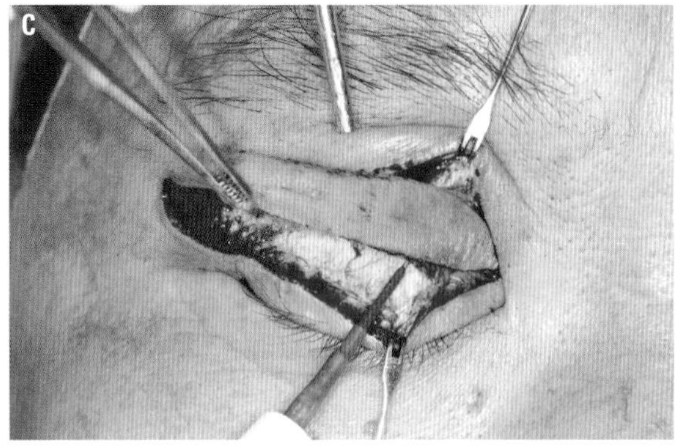

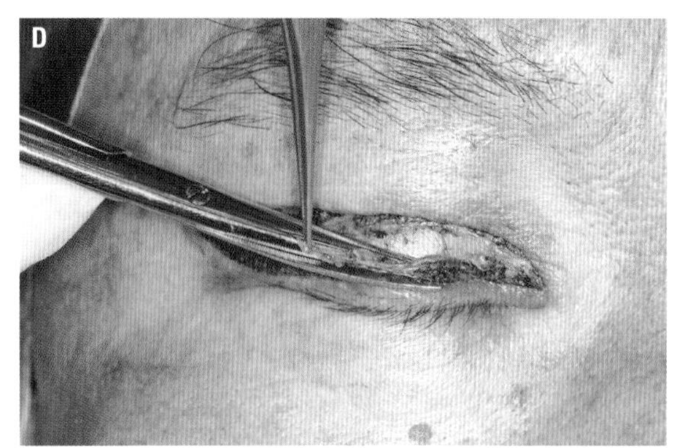

그림 11-3 눈꺼풀 마취 후에 #15 수술용 칼을 이용하여 도안된 절개선을 따라 피부를 절개한 후 피부와 눈둘레근을 제거한다. 필요한 경우 눈꺼풀판앞 눈둘레근을 일부 제거한다.

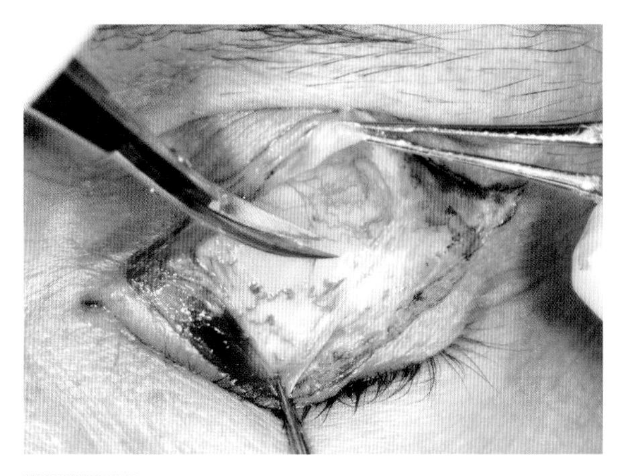

그림 11-4 안와사이막절개 모습
안와사이막을 절개하면 안와지방이 보이고, 그 아래에 하얗게 비치는 눈꺼풀올림근널힘줄이 관찰된다.

눈꺼풀올림근널힘줄 박리

눈꺼풀판 상부 1/3에서 가위나 소작기를 이용하여 눈꺼풀올림근널힘줄을 눈꺼풀판으로부터 분리하고 눈꺼풀올림근널힘줄을 뮐러근 및 결막으로부터 조심스럽게 위쪽으로 박리한다(**그림 11-5**). 눈꺼풀판 앞의 눈둘레근과 눈꺼풀올림근널힘줄을 제거하여 눈꺼풀판에 봉합사 바늘이 정확한 깊이로 통과 할 수 있도록 눈꺼풀판을 노출시킨다. 박리는 가위, 전기소작기, 혹은 고열소작기hot temperature cautery를 사용할 수 있으며, 이 과정에서 아래의 안구를 보호하기 위하여 각공막보호대corneoscleral protector, cornea shield를 사용하는 것이 좋다. 뮐러근은 눈꺼풀결막과 단단히 붙어 있으므로 결막으로부터 박리할 때 결막에 구멍button hole이 생기지 않도록 주의하여야 한다. 눈꺼풀올림근을 박리하는 높이는 눈꺼풀올림근의 기능과 눈꺼풀처짐의 정도에 따

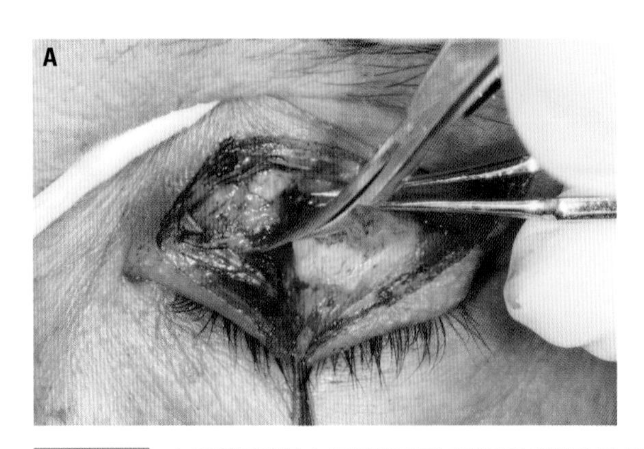

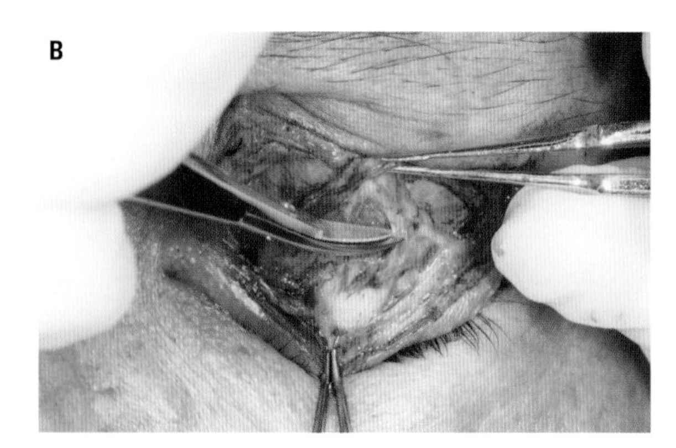

그림 11-5 눈꺼풀판에서 눈꺼풀올림근널힘줄을 위쪽으로 박리하여 결막으로부터 분리하는 모습

라 조절한다.

눈꺼풀올림근널힘줄 단축 봉합

위눈꺼풀판 중앙 부위의 상부 1/3 지점에 눈꺼풀올림근널힘줄을 단축시켜 고정한다(**그림 11-6**). 이 지점에 double armed 6-0 nylon, prolene, silk 등의 비흡수성 봉합사의 바늘 끝을 눈꺼풀판에 부분층 두께partial thickness로 관통시키고 눈꺼풀을 뒤집어 봉합사의 관통 여부를 확인하여야 한다. 만약 눈꺼풀판을 관통하였다면 봉합사로 인한 각막 손상이 올 수 있기 때문이다. 눈꺼풀판을 통과한 double armed 봉합사를 박리된 눈꺼풀올림근널힘줄의 적당한 위치에 뒤쪽에서 앞쪽으로 통과시킨다. 봉합사를 임시로 묶은 후 환자를 앉혀서 눈을 뜨게 한 후 눈꺼풀틈새의 크기와 윤곽을 확인한다. 만약 눈꺼풀틈새의 크기와 윤곽이 만족스럽지 않다면 눈꺼풀올림근널힘줄 봉합 위치를 가장 적당하도록 조정하고 영구 봉합한 후 안쪽과 가쪽에도 같은 방법으로 봉합을 추가한다. 단축하고 남은 눈꺼풀올림근널힘줄은 절제한다.

피부봉합 및 쌍꺼풀 만들기

널힘줄앞지방이 과다할 경우 지방을 일부 제거하는 것이 좋으며, 피부가 남을 경우는 여분의 피부는 절제한다. 쌍꺼풀을 만드는 경우에는 6-0 nylon 혹은 prolene을 이용하여 3~4개의 쌍꺼풀 고정을 시행한다. 쌍꺼풀 고정 봉합은 대개 피부-눈꺼풀올림근널힘줄-피부의 방법을 이용하고 나중에 봉합사를 제거하지만 수술자에 따라서는 절개선 아래쪽의 눈꺼풀피부밑조직을 눈꺼풀올림근널힘줄 혹은 눈꺼풀판에 고정하여 봉합사가 매몰되도록 하기도 한다(**그림 11-7**). 피부는 같은 봉합사를 이용하여 연속 또는 단속봉합 한다.

수술 시 눈꺼풀 높이의 결정

널힘줄성눈꺼풀처짐은 대부분 성인에서 나타나기 때문에 국소마취로 수술을 진행한다. 수술 시 눈꺼풀의 높이를 결정하기 위해서는 수술 전 눈꺼풀올림근의 기능, 눈꺼풀틈새의 크기, 그리고 수술 중의 여러 조건 등과 같은 수술 결과에 영향을 미치는 모든 요인들을 고려해야 한다.

수술 중 많은 요인들이 수술 중 혹은 수술 후 눈꺼풀틈새 크기에 변화를 줄 수 있다. 눈꺼풀올림근의 단축 정도, 눈꺼풀판의 고정 위치, 봉합 강도 등의 요인들

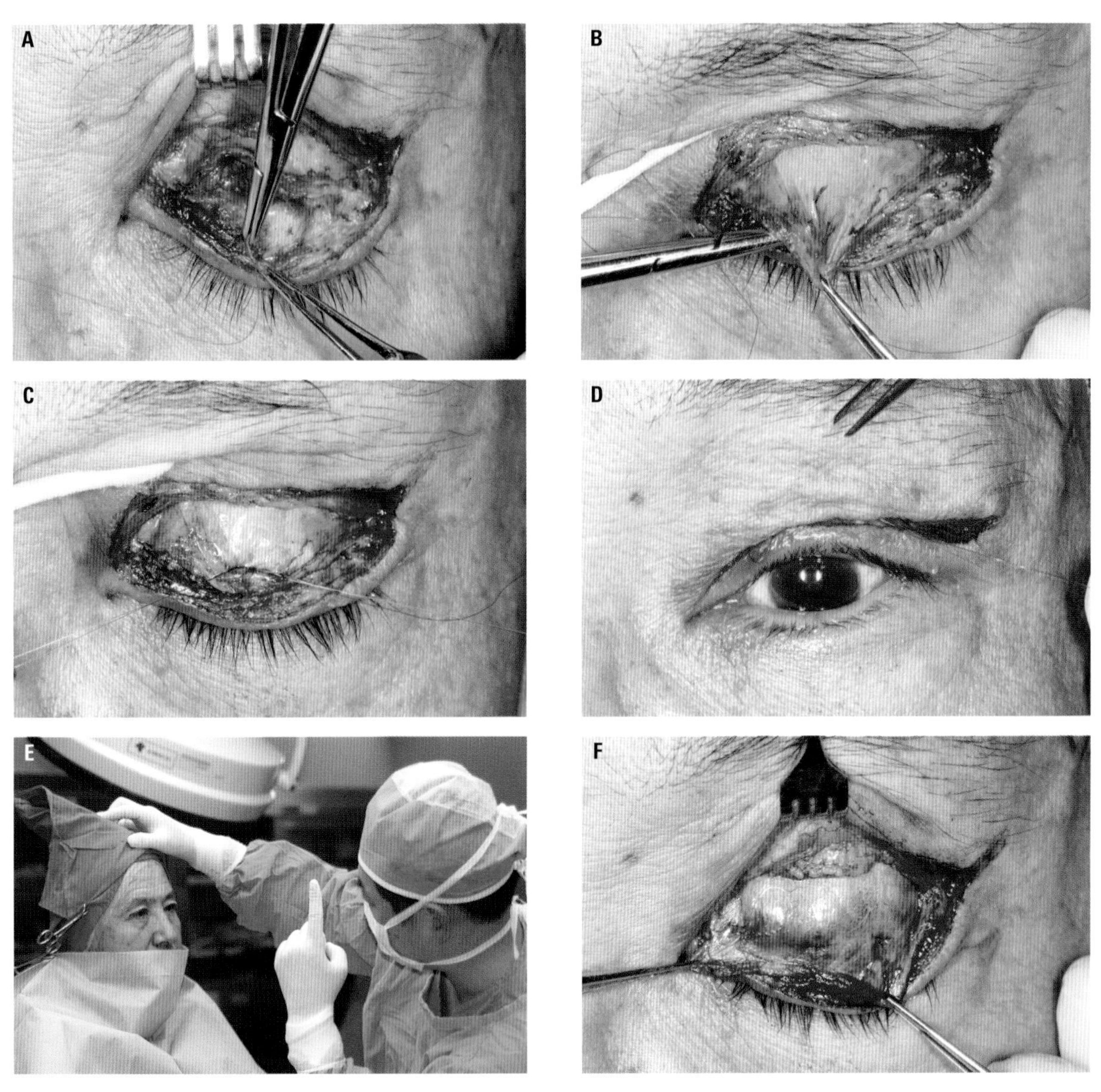

그림 11-6 6-0 prolene으로 눈꺼풀판의 1/2 정도의 두께로 통과한 후에 눈꺼풀처짐을 교정하고자 하는 만큼 눈꺼풀올림근널힘줄을 단축 봉합하고 눈꺼풀처짐의 교정 정도를 확인한 후 고정 봉합한다.

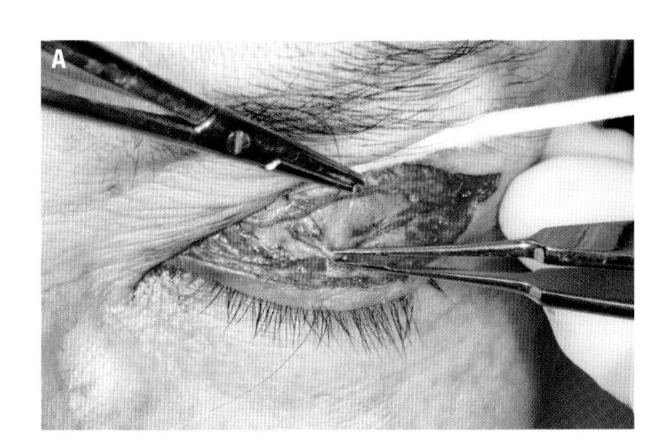

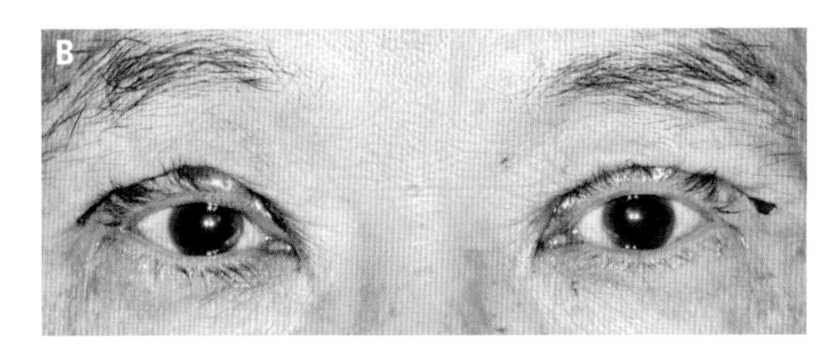

그림 11-7 피부-눈꺼풀올림근널힘줄-피부를 봉합하여 쌍꺼풀을 만들고 눈모양을 확인한다.

이 직접적으로 눈꺼풀처짐 교정 정도에 관여한다. 그 외 수술환경과 연관된 여러 요소들이 수술결과에 영향을 미친다. 수술 중 눈꺼풀틈새가 커져서 수술 후 부족교정을 유발할 수 있는 요인으로는 눈둘레근의 마취효과, 에피네프린에 의한 뮐러근의 자극, 환자의 불안으로 인한 교감신경 항진상태 등이 있을 수 있다. 또한 수술 중 눈꺼풀틈새가 작아져 수술 후 과교정을 유발할 수 있는 요인으로는 눈꺼풀올림근과 뮐러근의 마취효과, 밝은 조명과 불편으로 인한 눈의 찌푸림, 과도한 출혈이나 부종 그리고 과도한 수면마취효과 등이 있을 수 있다.

따라서 눈꺼풀처짐 수술 후 원하는 눈높이를 얻기 위하여는 이에 영향을 줄 수 있는 요소에 대하여 충분한 이해가 필요할 뿐 아니라 수술자 개개인의 경험에 따른 결과 예측과 조정이 필요하다.

수술 중 눈꺼풀의 높이는 인종, 연령, 성별 혹은 수술자의 특성에 따라 다소 다를 수 있다. 서양인의 기준에서 제시된 높이를 보면 국소마취제에 의한 눈둘레근의 마취효과와 에피네프린에 의한 뮐러근의 자극효과로 양안인 경우 각막위가장자리나 이보다 1 mm 아래에 위치시키고, 단안인 경우 반대 눈보다 약간 높게 과교정하는 것이 좋은 것으로 알려져 있다. 과교정하는 정도는 일반적으로 1 mm가 적당하다는 보고가 많지만 저자에 따라서는 1.5~2 mm까지도 제시되기도 했다.

수술 중 눈꺼풀틈새 크기의 변화를 보면서 눈꺼풀의 위치를 변형시키는 것이 좋다는 의견도 있다. 수술 전에 눈꺼풀의 위치를 정확히 측정하고, 국소마취제를 주사하고 약 10분이 경과한 후 다시 눈꺼풀 위치를 측정하여 국소마취제가 눈꺼풀 위치에 미친 영향을 본다. 수술을 진행하면서 안와사이막을 열고 눈꺼풀올림근널힘줄을 분리시키기 직전 눈꺼풀의 위치를 다시 측정하여 수술 전보다 눈꺼풀틈새의 크기가 크면 과교정하는 것이 좋으며, 수술 전과 눈꺼풀틈새의 크기가 비슷하면 원하는 눈 높이에 위치시키는 것이 좋다는 방법이다.

동양인에서 널힘줄교정술 후 눈꺼풀 높이 변화를 관찰한 보고에서는 수술 중 앉은 상태에서의 MRD_1은 수술 6주 후의 MRD_1과 유의한 차이를 보이지 않았으며, 앉은 상태에서의 눈꺼풀틈새가 누운 상태보다 수술 결과를 예측하는데 더 도움이 되는 것으로 나타났다. 이 보고의 결과는 수술 중 과교정이 필요 없다는 것을 보여주고 있다.

McCord는 눈꺼풀올림근 기능이 11~12 mm인 경우는 눈꺼풀처짐 양에 2 mm를, 13~14 mm이면 1 mm를 더하고, 15 mm 이상인 경우 처진 양만큼만 눈꺼풀올림근널힘줄을 단축하는 방법을 제시하였다. 하지만 이러한 공식들은 이 수술에 많은 경험 없이 처음 시작할 때 적용해 볼 수 있지만, 수술자 개개인이 수술 술기에 따른 결과를 보면서 이 공식들을 변형시켜 자신의 수술 기준을 가져야 한다.

단안 눈꺼풀처짐 수술을 할 경우 반대쪽 눈의 10~20%가 Hering's law의 영향을 받는 것으로 보고되고 있으므로 수술하지 않은 눈이 추후 눈꺼풀처짐이 발생할 가능성을 환자 및 보호자에게 수술 전 설명하는 것이 좋다. 특히 눈썹올림이 심하게 동반된 경우에서는 예방적 눈꺼풀처짐교정술을 병행하는 것을 고려하는 것이 필요하다.

표 11-1

부족교정을 유발할 수 있는 수술 중 요인
• Anesthetized orbicularis muscle • Epinephrine stimulation of Müller muscle • Patient anxiety with increase sympathetic tone • Gravity
과교정을 유발할 수 있는 수술 중 요인
• Anesthetized levator muscle • Anesthetized Müller muscle • Unconscious patient squinting because of discomfort or light brightness • Excessive hemorrhage or edema, • Increased sedation

수술 후 눈꺼풀틈새의 변화 및 재수술

눈꺼풀올림근널힘줄 수술 후 원하는 결과를 얻는 것은 쉬운 일이 아니다. 실제 수술 후 원하는 크기의 눈꺼풀 틈새를 얻은 경우는 70~95%로 다양하게 보고되고 있으며, 재수술은 약 9%에서 시행되었다고 보고된 바 있다. 재수술의 대부분은 과교정된 경우였으나, 눈꺼풀처짐 정도가 심할수록 부족교정 될 가능성이 높았다고 하였다.

재수술 시기는 이상의 정도와 특징에 따라 수술 후 3일, 1주 그리고 수 주 이내 등으로 다양하게 제시되어 왔으며, 재수술을 피하기 위하여 조정봉합adjustable suture을 하고 수술 후 48시간 이내에 교정하는 방법이 소개 되기도 하였다. Doxanas와 Linberg는 수술 후 1주의 결과가 최종 결과 예측에 가장 중요한 지표이기 때문에 수술 후 1주째 재수술하는 것이 좋다는 의견을 보였으나, Jordan과 Anderson은 심한 과교정, 눈꺼풀 윤곽이상, 부족교정의 경우에는 수술 3주에 하는 것이 좋다고 하였다.

Tucker와 Verhulst는 수술 1주에 원하는 MRD_1을 얻는 경우는 40%에 이르며, 52%는 1주 이후에 평균 1.1 mm 커져 수술 후 6주가 되어야 최대 MRD_1에 도달한다고 하였다. 이를 바탕으로 재수술 시기는 눈꺼풀 부종이 심하지 않은 경우에 MRD_1이 0.5 mm 이상 과교정, 1 mm 이상 부족교정, 그리고 양안의 차이가 1 mm 이상인 경우에 한하여 1주째 하는 것이 좋으며, 눈꺼풀 부종이 심한 경우는 좀 더 기다려서 하는 것이 좋다고 하였다. 조기 재수술은 1~3주사이에 시행하는 것으로 알려져 있으나, 명확한 기준은 없다. 수술 후 1주에는 수술 부위가 절개 없이도 쉽게 벌어지고 조정이 용이한 반면에 3주 이후에는 창상 치유과정이 상당히 진행되어 다시 수술하는 것과 같은 박리가 필요할 수 있어 조기 재수술은 1주를 기준으로 하는 것이 합당할 것으로 보인다. 따라서 수술자의 경험에 따라서 달라질 수 있으나 눈꺼풀부종이 심한 경우를 제외하고 재수술은 부족교정, 과교정, 눈꺼풀 윤곽이상이 현저한 경우에는 수술 후 1주 정도에 하는 것이 좋을 것으로 생각된다.

경도의 과교정에서는 눈꺼풀 마사지를 시행해 볼 수 있으나, 현저한 과교정에서는 절개tenotomy, 후퇴recession와 같은 수술이 필요하다. 그러므로 눈꺼풀올림근널힘줄 단축 후 남은 부분을 완전히 절제하지 않고 일부 남겨둠으로써 혹시 발생할 수 있는 과교정을 대비하는 것도 한 가지 방법이다.

눈꺼풀틈새가 시간이 지나면서 감소하는 경우는 눈꺼풀올림근널힘줄 봉합에 사용되는 봉합사가 영향을 미친다는 의견이 있었다. 흡수성 봉합사를 사용할 경우 수술 후 2~4개월에 눈꺼풀틈새가 감소하였다는 보고도 있지만, Anderson은 봉합사가 원인이 아니라 눈꺼풀올림근널힘줄의 상태가 중요하다는 의견을 제시하였다. 눈꺼풀올림근널힘줄의 분리 역시 중요한데 눈꺼풀올림근을 단축부위까지 충분히 분리하지 않고 단축봉합을 하면 눈꺼풀올림근널힘줄의 단축보다는 중첩plication 효과가 나타나서 수술 초기에는 괜찮더라도 시간이 지나면서 눈꺼풀틈새 감소의 원인이 될 수 있다.

작은 절개창과 최소박리에 의한 눈꺼풀처짐 교정

현재 널리 시행되는 눈꺼풀올림근널힘줄 수술은 눈꺼풀 전체 길이를 따라 절개하는 방법인데, 1999년 Lucarelli와 Lemke는 10 mm 정도의 작은 피부절개를 하고 눈꺼풀판을 노출시킨 뒤 해리되거나 떨어진 눈꺼풀올림근널힘줄을 눈꺼풀판의 한 군데에서만 봉합하는 방법을 소개 하였다. 이 방법은 짧은 수술시간과 회복기간, 적은 출혈과 부종, 좋은 수술 결과 등의 장점을 가진 것으로 보고되고 있다. 그러나 눈꺼풀피부처짐이 많거나 눈꺼풀이 두툼하여 눈꺼풀피부, 눈둘레근이나 지방을 제거해야 하는 경우, 그리고 심한 눈꺼풀처짐에서는 시행하기 어려워 제한된 경우에서 사용될 수 있다.

참고문헌

1. 이상열, 김윤덕, 곽상인, 김성주. 눈꺼풀성형술. 도서출판 내외학술, 2009.
2. Epstein G, Putterman AM. Acquired blepharoptosis secondary to contact-lens wear. Am J Ophthalmol 1981;91:634-9.
3. Jordan DR, Anderson RL. A simple procedure for adjusting eyelid position after aponeurotic ptosis surgery. Arch Ophthalmol 1987;105:1288-91.
4. Jung Y, La TY. Blepharoptosis repair through the small orbital septum incision and minimal dissection technique in patients with coexisting dermatochalasis. Korean J Ophthalmol 2013;27:1-6.
5. Linberg JV, Vasquez RJ, Chao GM. Aponeurotic ptosis repair under local anesthesia; prediction of results from operative lid height. Ophthalmology 1988;95:1046-52.
6. Lucarelli MJ, Lemke BN. Small incision external levator repair: technique and early results. Am J Ophthalmol 1999;127:637-44.
7. McCord CD Jr, Tanenbaum M, Nunery WR. Oculoplastic surgery. New York: Raven Press, 1995.
8. Nerad JA. Oculoplastic surgery: The requisites in ophthalmology. St. Louis: Mosby, 2001.
9. Shorr N, Seiff SR. Cosmetic blepharoplasty; an illustrated surgical guide. New Jersey: Slack Inc., 1986.
10. Takahashi Y, Kakizaki H, Mito H, Shiraki K. Assessment of the predictive value of intraoperative eyelid height measurements in sitting and supine positions during blepharoptosis repair. Ophthal Plast Reconstr Surg 2007;2:119-21.
11. Tucker SM, Verhulst SJ. Stabilization of eyelid height after aponeurotic ptosis repair. Ophthalmology 1999;106:517-22.

CHAPTER 12

눈꺼풀올림근절제술

Levator resection

CONTENTS

눈꺼풀올림근을 단축 후 절제하여 눈꺼풀처짐을 교정하는 수술로서 선천눈꺼풀처짐 수술의 가장 중요한 한 축을 담당하고 있다. 이 수술의 적응증은 눈꺼풀올림근의 기능이 5 mm 이상인 경우이지만, 눈꺼풀올림근의 기능은 개인, 연령 혹은 인종에 따른 차이가 있기 때문에 어떤 기준을 일률적으로 적용하기 보다는 수술자의 경험과 판단에 따라 달리 적용할 수 있다. 예를 들어 4 mm 정도의 기능이 있더라도 눈꺼풀처짐의 정도가 심하지 않고 이마근의 기능을 너무 강하게 사용하지 않으면 눈꺼풀올림근절제술을 적용하는데 무리가 없을 수도 있으며, 넓게는 2~3 mm 정도로 눈꺼풀올림근 기능이 많이 불량한 경우에서도 적용할 수 있다는 보고도 있다.

눈꺼풀올림근 기능이 3~4 mm 정도로 불량한 경우에서 응용할 수 있는 눈꺼풀올림근절제술의 수술 방법으로는 눈꺼풀올림근을 약 25 mm 절제하는 최대눈꺼풀올림근절제술maximal levator resection, 30 mm 이상 절제하는 초최대 눈꺼풀올림근절제술super-maximum levator resection, 그리고 Whitnall ligament를 눈꺼풀판에 고정하는 Whitnall걸기술Whitnall's sling 등이 소개된 바 있다.

수술 과정

절개선 도안

어린이에서 쌍꺼풀을 만들 경우 눈꺼풀 절개선은 눈꺼풀테로부터 4~5 mm 상방이면 적당하지만, 쌍꺼풀을 만들지 않을 경우는 약간 아래인 3~4 mm 상방에 절개선 도안을 한다. 도안기lid crease maker로 쌍꺼풀을 만들어보면서 가장 쌍꺼풀이 자연스럽게 형성되는 선을 따라 도안을 하면 된다(**그림 12-1**). 서양인의 경우 눈꺼풀판의 수직길이를 측정하여 이 높이 상방에 절개선을 도안하여 어린이의 경우 5~7 mm, 어른의 경우 8~9 mm 상방에 도안을 하기도 한다.

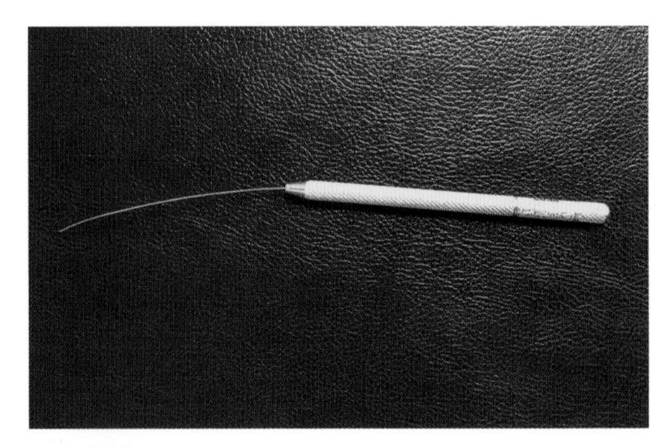

그림 12-1 도안기

상직근 당김봉합

상직근에 5-0 흑견사를 사용하여 당김봉합을 하기도 한다. 눈꺼풀올림근을 위로 많이 분리할 경우 상직근이 손상될 위험이 있기 때문에 이를 예방하기 위한 조치이나, Whitnall ligament 위로 아주 높게 눈꺼풀올림근을 절제하지 않는다면 꼭 필요한 과정은 아니다.

피부 및 눈둘레근 절제

피부절개 후 눈둘레근을 절제 혹은 분리해 가면서 눈꺼풀판 앞쪽의 눈꺼풀올림근널힘줄까지 도달하며, 피부절개를 조금 깊게 하여 피부와 눈둘레근을 한꺼번에 절제하기도 한다. 이 과정에서 눈꺼풀올림근이 손상되지 않도록 조심하여야 하는데 눈꺼풀판 위쪽에서 눈둘레근을 절개하면서 지방층으로 접근해 들어가면 다칠 위험이 적어진다. 또한 눈꺼풀테에 너무 가까이 절개하면 속눈썹이 손상될 가능성이 있으므로 유의하여야 한다.

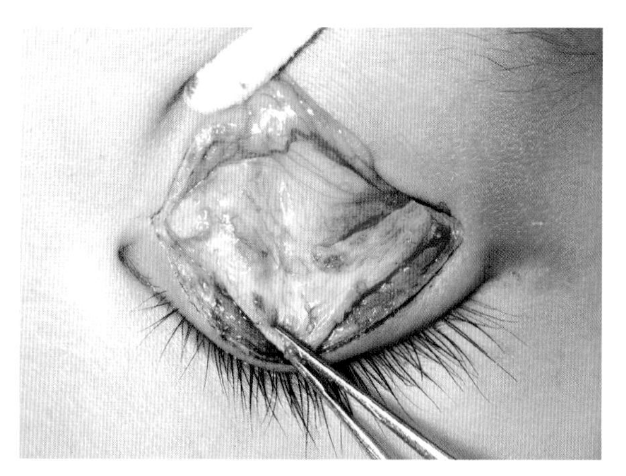

그림 12-2 안와사이막을 열고 난 후의 눈꺼풀올림근 모습

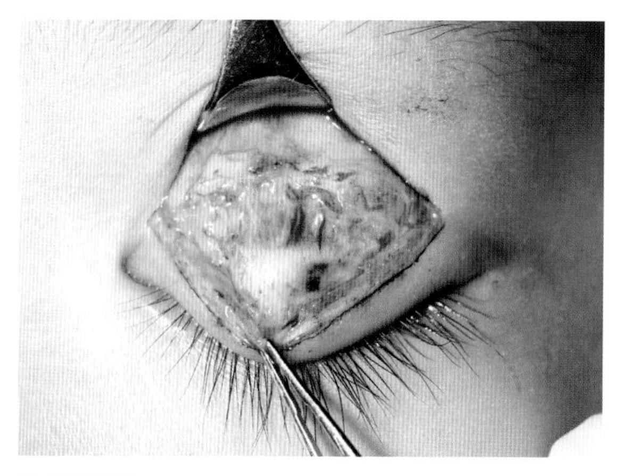

그림 12-3 눈꺼풀판앞 조직을 제거한 후 눈꺼풀판에서 눈꺼풀올림근을 분리한 모습

안와사이막 절개

눈둘레근을 절개하면서 안와사이막에 접근하면 지방층이 보이며, 이 지방층 뒤쪽에 눈꺼풀올림근이 위치한다. 안와사이막은 아래로 뻗어가면서 지방층이 끝나는 지점에서 눈꺼풀올림근널힘줄과 합쳐진다. 눈꺼풀판 위가장자리의 눈꺼풀올림근널힘줄과 지방앞안와사이막을 집게로 잡아 당기면서 가위로 안와사이막을 위 · 뒤 방향으로 절개하여 열어준다. 이때 눈꺼풀올림근이 손상되지 않도록 주의하여야 하며, 안와사이막 절개 틈으로 가위를 넣어 안쪽 및 가쪽으로 절개를 연장한다(**그림 12-2**).

이 과정에서 불룩하게 솟아 나온 지방은 지혈겸자로 잡고 약 1~2 mm 정도 남기고 절제한 후 전기소작한다. 겸자로 지방을 잡을 때는 피부나 눈꺼풀올림근이 끼지 않았는지 확인하여야 한다. 지방 절제 후 지혈겸자를 풀 때는 바로 풀지 말고 집게로 지방을 잡아 지방이 안와 속으로 수축되어 들어가기 전에 출혈 부위가 있는지 확인하여야 하며 출혈 부위가 있으면 추가적으로 전기소작 해야 한다.

눈꺼풀올림근 분리

눈꺼풀올림근을 분리하기에 앞서 눈꺼풀을 뒤집은 후 국소마취제를 눈꺼풀결막에 약간 주사하여 결막을 결막앞조직으로부터 분리시킨다. 이는 눈꺼풀올림근의 분리를 용이하게 해주어 눈꺼풀올림근과 결막의 손상을 방지하는 역할을 한다.

먼저 눈꺼풀판에 직접 봉합을 넣을 수 있도록 눈꺼풀판앞 조직을 제거한다. 눈꺼풀올림근을 분리하는 방법은 눈꺼풀판 중앙의 위 가장자리에서 눈꺼풀올림근을 가위로 절개하여 눈꺼풀판에서 분리시킨 후 안쪽과 가쪽으로 절개를 연장하여 전체 길이의 눈꺼풀판으로부터 눈꺼풀올림근과 뮐러근을 분리시킨다. 절개한 눈꺼풀올림근널힘줄과 뮐러근을 유구집게로 잡고 살짝 당기면서 위쪽으로 박리하여 결막으로부터 분리시킨다(**그림 12-3**). 다른 방법으로는 안쪽이나 가쪽의 눈꺼풀올림근에 절개를 가해 구멍을 만들고 눈꺼풀처짐겸자ptosis clamp를 결막과 눈꺼풀올림근 사이로 넣어 눈꺼풀올림근을 잡고 눈꺼풀판으로부터 절개하여 분리시킨다. 눈꺼풀올림근을 잡은 눈꺼풀처짐겸자를 위로 당기면서 눈꺼풀올림근과 뮐러근을 결막으로부터 분리 한다. 이때 결막에 button hole을 만들지 않도록 조심하여야 한다. 피부접근을 통한 눈꺼풀올림근절제술은 결

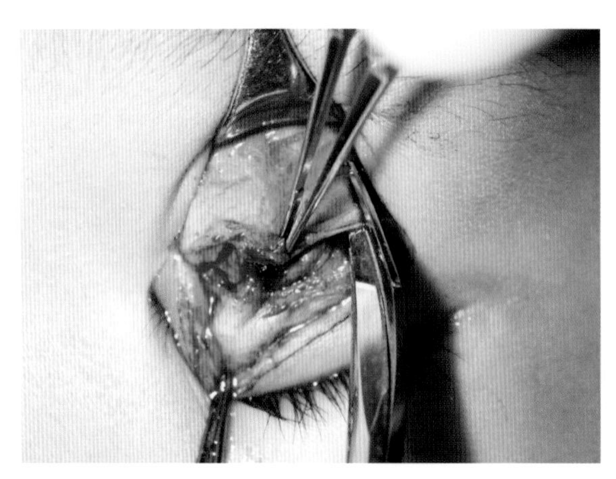

그림 12-4 눈꺼풀올림근의 가쪽 뿔을 절개하는 모습

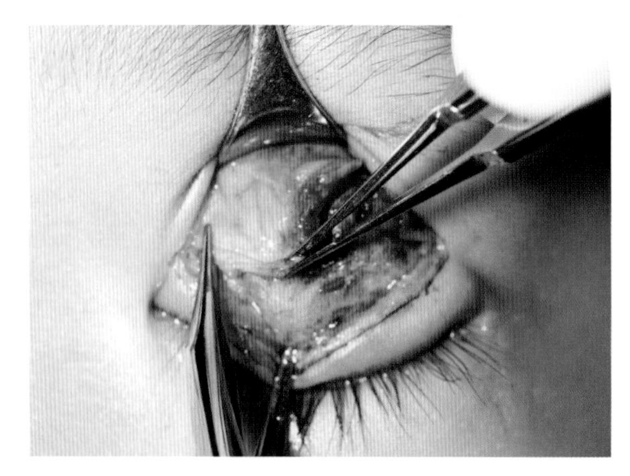

그림 12-5 눈꺼풀올림근의 안쪽 뿔을 절개하는 모습

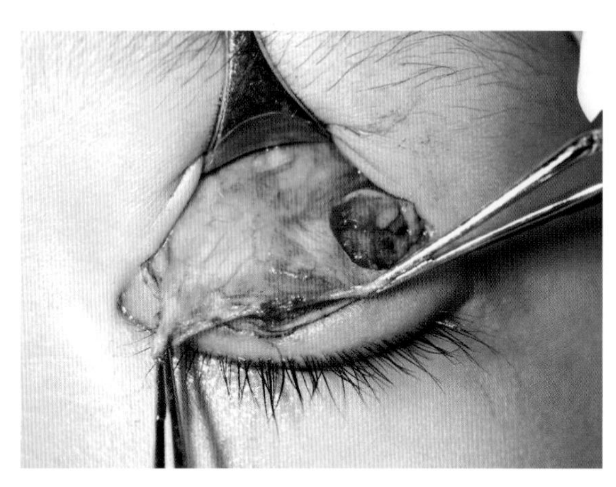

그림 12-6 눈꺼풀올림근의 가쪽과 안쪽 뿔을 절개한 후 모습

막을 절개하거나 손상시키지 않아도 되는 장점이 있다.

눈꺼풀올림근은 단축시킬 높이까지 앞쪽 면과 뒤쪽 면을 분리하여 단축시키는 봉합을 할 때 주변 조직이 끼지 않도록 해야 한다. 눈꺼풀올림근을 조금 단축시킬 때는 눈꺼풀올림근의 양쪽 뿔horns을 절개하지 않아도 되나 많이 단축시킬 때는 양쪽 뿔을 수직방향으로 절개하는 것이 좋다. 눈꺼풀올림근을 잡은 집게나 겸자를 약간 안쪽으로 당기면서 가쪽 뿔을 수직방향으로 절개하고, 다시 가쪽으로 당기면서 안쪽 뿔을 절개한다. 이때 안쪽은 상사근 pulley 그리고 가쪽은 눈물샘이 손상되지 않도록 조심해야 한다(**그림 12-4, 12-5, 12-6**).

눈꺼풀올림근을 20 mm 이상 높게 분리할 때는 앞쪽은 특별히 조심할 부분이 없지만, 뒤쪽은 상사근과 상직근이 있어 분리할 때 손상되지 않도록 조심하여야 하며, 상직근에 흑견사로 당김봉합을 하여 쉽게 눈에 띄도록 하기도 한다.

눈꺼풀올림근 단축

눈꺼풀판 중앙 부위의 위 1/3 지점에 double armed 6-0 비흡수성 봉합사 바늘을 넣는다. 이때 너무 얕으면 단축봉합이 떨어질 수 있으며, 너무 깊어 눈꺼풀판을 관통하면 봉합사로 인한 각막 손상이 유발될 수 있다. 단축시킬 지점의 눈꺼풀올림근 뒷면에서 앞면으로 양쪽 바늘을 통과시킨 후 임시로 묶어 눈꺼풀이 올라간 정도를 관찰하고, 저교정이라 판단되면 더 높은 지점에, 과교정이라 판단되면 더 낮은 지점의 눈꺼풀올림근에 봉합바늘을 통과시켜 다시 눈꺼풀 높이의 적정 여부를 판단한다(**그림 12-7**). 눈꺼풀 높이를 조절하는 다른 방법으로 눈꺼풀판 봉합 위치를 조절하기도 하는데, 눈꺼풀판 약간 아래 부위에 봉합바늘을 넣으면 눈꺼풀올림근의 단축 효과가 증대된다. 눈꺼풀올림근을 눈꺼풀판에 봉합할 때 눈꺼풀테쪽으로 너무 가까이 하는 경우 눈꺼풀겉말림이 발생할 수 있으며, 눈꺼풀판

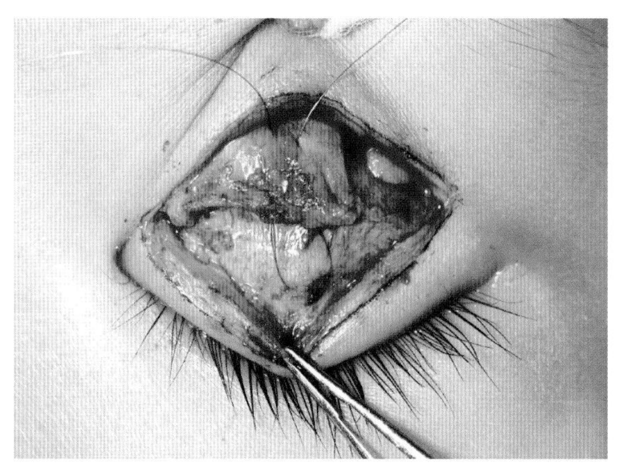
그림 12-7 눈꺼풀판에 눈꺼풀올림근을 봉합하는 모습

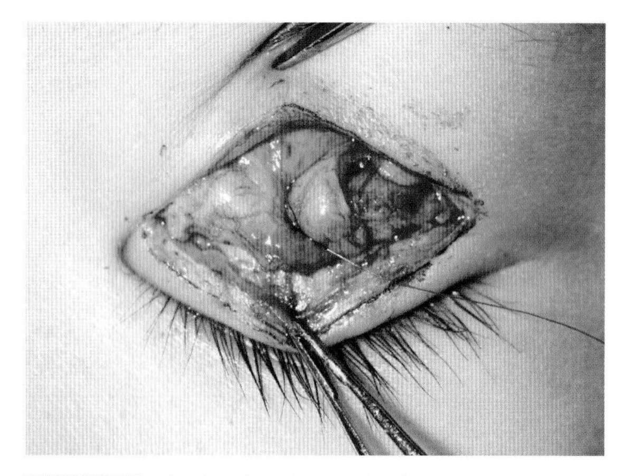
그림 12-8 눈꺼풀판 중앙에 눈꺼풀올림근을 봉합한 모습

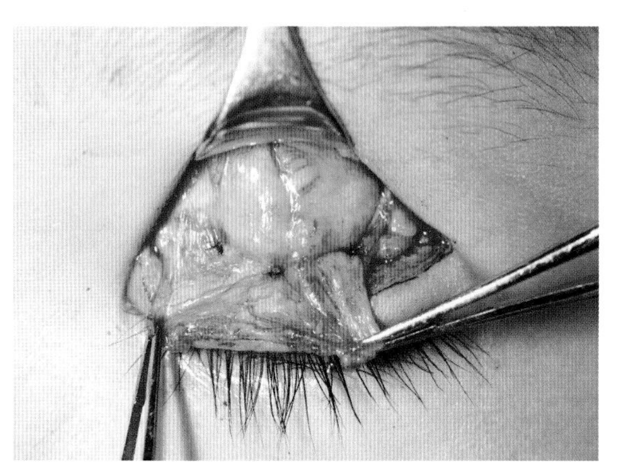
그림 12-9 눈꺼풀판에 눈꺼풀올림근을 세 군데 봉합한 후 모습

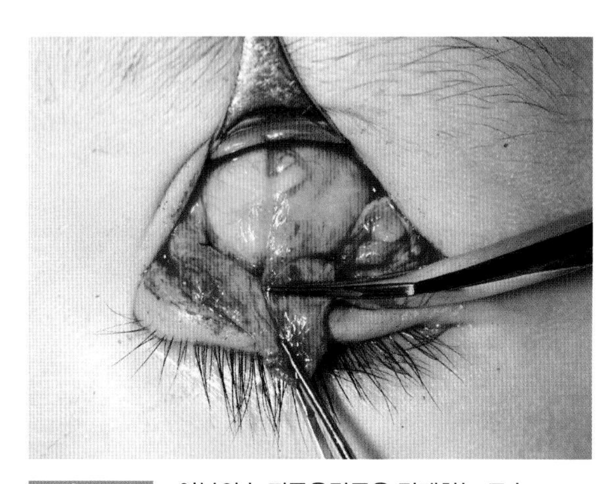
그림 12-10 여분의 눈꺼풀올림근을 절제하는 모습

위가장자리쪽으로 봉합하는 경우 눈꺼풀속말림이 발생할 수 있으므로 봉합 시에 눈꺼풀테의 모양을 잘 관찰하여야 한다.

눈꺼풀판 중앙 지점의 눈꺼풀올림근 단축으로 적절한 높이의 눈꺼풀틈새가 만들어지면 안쪽과 가쪽에 2~3개 정도의 눈꺼풀올림근 단축봉합을 추가한다(**그림 12-8, 12-9**). 봉합의 간격이나 추가 봉합 수는 형성되는 눈꺼풀 높이나 윤곽에 따라 다르므로 환자 개인마다 차이가 있을 수 있다. 이렇게 눈꺼풀올림근을 단축시켜 눈꺼풀판에 봉합한 후 남은 눈꺼풀올림근은 약 2 mm를 남기고 절제한다(**그림 12-10**). 따라서 계획된 눈꺼풀올림근절제양으로 눈꺼풀처짐을 교정할 경우 단축하고자 하는 눈꺼풀올림근 양보다 약 2 mm 위쪽의 눈꺼풀올림근에 봉합을 넣는다. 눈꺼풀올림근을 절제한 후 눈꺼풀틈새 크기와 윤곽의 변화가 생길 수 있으므로 절제한 후에 윤곽을 다시 확인하는 과정이 필요하다.

여분 피부 제거 및 쌍꺼풀 형성

수술 과정을 통해 눈꺼풀틈새가 커지면 피부의 여분이 생기게 되며 특히 심한 눈꺼풀처짐에서 교정을 많이 할 경우 여분은 더 많아지게 된다. 이 여분의 피부 및 눈둘레근을 적당한 양 만큼 절제하는 것이 수술 후 피부가 늘어지는 hooding 현상 예방에 도움이 되지만 과도하게 절제하는 것은 피해야 한다.

서양인의 눈은 쌍꺼풀이 대부분 존재하기 때문에 만들어 주어야 하며, 동양인에서도 쌍꺼풀을 만들면 속눈썹처짐lash ptosis이 적고 좀 더 시원해 보이는 효과가 있다. 하지만 쌍꺼풀이 있는 것을 싫어하는 환자도 있으니 수술 전 상담을 통해 미리 파악해야 한다.

쌍꺼풀을 만드는 과정은 먼저 눈꺼풀 중앙에 6-0 비흡수성 봉합사로 절개선 아래피부-눈꺼풀올림근-절개선 위피부 봉합을 한다. 이 때 기능이 불량한 눈꺼풀올림근에 봉합을 할 경우 쌍꺼풀이 잘 형성되지 않거나 수술 후 풀어지는 경우가 있어 눈꺼풀올림근 대신에 눈꺼풀판에 봉합하기도 한다. 적절한 간격을 두고 2~3개의 추가 봉합을 하여 쌍꺼풀을 만든다. 쌍꺼풀 모양이 양쪽 눈 대칭을 보이는지 비교해 보고 만약 모양이나 크기가 다를 경우 눈꺼풀올림근 고정 위치를 조정해 볼 수 있다. 쌍꺼풀이 반대쪽 눈보다 작게 형성된 경우 절개 위 피부를 약간 더 제거하면 쌍꺼풀이 크게 되는 효과를 얻을 수 있다. 어린이에서 봉합사 제거를 하지 않기 위해서는 눈꺼풀올림근이나 눈꺼풀판을 절개선아래 피부밑 조직과 봉합하고 피부는 6-0 fast absorbing gut으로 봉합을 한다.

눈꺼풀올림근 기능이 불량한 환자에서의 눈꺼풀올림근절제술

눈꺼풀올림근 기능이 불량한 심한 눈꺼풀처짐 환자의 수술 방법은 일반적으로 이마근걸기술이 시행되고 있지만 많은 양의 눈꺼풀올림근을 단축시키는 방법을 적용하기도 한다.

Mauriello 등은 약 25 mm 정도의 많은 양을 단축하는 최대눈꺼풀올림근절제술을, Epstein과 Putterman은 30 mm 이상을 단축하는 초최대눈꺼풀올림근절제술을, 그리고 Anderson 등은 Whitnall's ligament까지 단축시켜 눈꺼풀판과 고정하는 Whitnall 걸기술을 제시한 바 있다.

하지만 이렇게 많은 양의 눈꺼풀올림근을 절제하는 수술은 시간이 오래 지남에 따라 다시 눈꺼풀이 처지는 재발 현상이 나타나는 것에 유의해야 한다.

최대눈꺼풀올림근절제술

눈꺼풀올림근을 약 25 mm 정도 분리하여 단축하는 방법으로 Mauriello 등의 보고에 의하면 18개월 간의 추적에서 32안 중 28안(88%)에서 좋은 결과를 보였으며, 실패한 경우에는 이마근걸기술을 시행하였다. 토안으로 인한 각막노출이 심각해질 것을 우려하여 성인에서나 Bell 현상이 불량한 환자에는 시행하지 않는 것이 좋다고 하였다.

수술 방법은 일반적인 눈꺼풀올림근절제술과 같으나 Whitnall ligament와 부착된 근막은 절개하였으며, 상직근에 걸었던 견인봉합을 아래로 당기면서 눈꺼풀올림근을 분리하면 위쪽으로의 분리가 용이하며 상직근 손상도 피할 수 있다. 눈꺼풀올림근의 안쪽 뿔을 절개할 때는 상사근의 손상을 피하기 위해 약간 가쪽으로 절개하는 것이 좋으며, 가쪽 뿔을 절개할 때는 눈물샘의 손상을 피하기 위해 약간 안쪽으로 절개하는 것이 좋다.

전신마취 하에서 눈꺼풀 높이는 각막위가장자리나 약간 더 위에 맞추는 것이 좋으며, 수술 중 근육이 당겨짐으로 인해 눈꺼풀올림근이 늘어나기 때문에 눈꺼풀올림근의 정확한 단축 양은 측정하기 힘들다. 수술 2~3개월 정도 지나야 눈꺼풀 높이가 안정되며 이 시기에는 수술 2~3주 후 눈꺼풀 높이에 비해 약 1 mm 정도 떨어진다고 하였다.

초최대눈꺼풀올림근절제술

눈꺼풀올림근의 기능이 불량한 심한 눈꺼풀처짐 환자에서 시행할 수 있는 수술이다. 25 mm까지 눈꺼풀올림근을 절제하는 최대눈꺼풀올림근절제술이 보고 되었지만, 이 수술로 눈꺼풀틈새가 만족스럽게 올라가지 않을 때는 30 mm 이상 눈꺼풀올림근을 절제하는 초최대눈꺼풀올림근절제술이 대안으로 제시되었다.

Epstein과 Putterman은 눈꺼풀올림근 절제 양을 정상안과 처진 눈의 MLD 차이에 3을 곱한 수치로 결정하였다. 눈꺼풀올림근의 기능이 불량한 눈의 MLD 차이는 보통 9 mm 정도 된다고 하였으며, 이 계산대로라면 27 mm의 눈꺼풀올림근을 절제하게 되나 수술 중 눈꺼풀틈새의 크기를 조정하는 Berke 방법에 따라 심한 눈꺼풀처짐에서는 각막위가장자리에 눈꺼풀 높이를 맞추는 방안을 추가적으로 적용하면 더 많은 양의 눈꺼풀올림근을 절제하게 된다. 하지만 이 방법은 눈꺼풀틈새의 크기가 큰 서양인에서 MLD의 차이가 많이 나서 적용되었지만, 동양인에서는 심한 눈꺼풀처짐 환자라도 MLD 차이가 이 만큼 나지는 않아서 적용하기 힘들 것으로 보인다.

수술 과정이나 수술 시 주의할 점은 최대눈꺼풀올림근절제술과 비슷하다. 수술 후 8안 중 6안에서 좋은 결과를 보였다는 보고가 있지만 합병증에 유의해야 한다. 아래를 쳐다볼 때 위눈꺼풀이 따라 내려가지 않는 공막노출 현상과 반대 눈과 비대칭적으로 보이는 것은 합병증이라기 보다 피할 수 없는 문제점이다. 그리고 각막 노출로 인한 각막염도 흔히 나타날 수 있기 때문에 잠잘 때 안연고로 잘 관리를 해 주어야 한다.

눈꺼풀올림근과 상직근은 공통근막으로 연결되어 있기 때문에 많은 양의 눈꺼풀올림근을 절제하기 위해 아래로 당기면 상직근도 같이 아래로 이동하게 되어 하사시가 발생할 수 있다. 이러한 합병증을 줄이기 위해서는 두 근육 사이의 근막을 잘 박리해 주어야 한다.

많은 양의 눈꺼풀올림근을 절제할 때는 결막탈출 conjunctival prolapse 현상이 나타날 수 있다. 이 현상은 결막구석에서 피부 방향으로 전층봉합을 한 후 피부 위에 bolster를 대고 묶어주어 발생을 줄일 수 있다.

Whitnall 걸기술

Whitnall 인대 아래의 눈꺼풀올림근을 절제한 후 Whitnall 인대와 뒤쪽의 눈꺼풀올림근을 눈꺼풀판에 고정시키는 수술 방법으로, 최대눈꺼풀올림근절제술에 비해 눈꺼풀올림근, 뮐러근, 그리고 Whitnall 인대가 덜 손상된다.

널힘줄앞 지방과 눈꺼풀올림근 사이에 약하게 부착되어 있는 조직들을 박리하면서 위로 올라가면 가로 방향으로 지나는 하얀 띠 모양의 Whitnall 인대에 도달하게 된다. 눈꺼풀올림근을 분리하는 또 다른 방법으로 Whitnall 인대 바로 아래의 눈꺼풀올림근 중앙 부위를 가위로 절개한 후 뮐러근이 손상되지 않도록 주의하면서 안쪽과 가쪽으로 절개를 연장한다. 절개된 눈꺼풀올림근을 눈꺼풀판까지 뮐러근으로부터 분리하여 절제하고, Whitnall 인대와 눈꺼풀올림근을 눈꺼풀판에 고정 봉합한다. 추가로 2~3개의 봉합을 하여 눈꺼풀이 올라가는 것과 좋은 윤곽을 이루는 것을 확인하고 쌍꺼풀 봉합 및 피부 봉합을 시행한다.

1990년 Anderson 등의 보고에 의하면 수술 1주 후 약 3 mm의 눈꺼풀처짐 교정이 있었으나 수술 1년 후에는 눈꺼풀이 다시 처지는 재발 현상이 나타났는데 눈꺼풀올림근 기능이 나쁠수록 더 많이 나타났다. 또한 Whitnall 인대의 발달이 좋을수록, 그리고 수술 중 눈꺼풀이 쉽게 올라가고 Whitnall 인대 고정 후 아래로 당겼을 때 저항이 높을수록 교정 효과가 높은 것으로 나타났다. 이 보고에서는 눈꺼풀올림근 기능이 3 mm 보다 적은 경우는 이마근걸기술을 하는 것이 좋다고 하였으며, 3~4 mm인 경우 수술 중 눈꺼풀이 잘 올라가지 않으면 약간의 눈꺼풀판절제tarsectomy를 추가하는 것이 교정 효과를 높인다고 하였다. 합병증으로 저교정 외에도 각막 손상, 눈꺼풀 윤곽 이상, 쌍꺼풀 형성 이상, 그리고 결막탈출 등이 보고되었다.

수술 중 눈높이 결정

선천눈꺼풀처짐의 교정은 대부분 어린이에서 이루어지기 때문에 전신마취 하에서 수술이 진행된다. 전신마취 중의 눈꺼풀 높이 결정은 국소마취 때와 달리 환자를 앉혀 실제 눈높이를 확인할 수 없기 때문에 수술 중 교정 정도와 완전히 회복한 후의 실제 눈높이와는 차이가 나타나는 경우가 많아 수술 결과를 예측하기 어려우며 부족교정, 과교정, 혹은 윤곽이상과 같은 합병증의 위험이 항상 뒤따른다.

수술 중 눈꺼풀틈새 크기의 조정은 수술 결과와 직접적인 관련이 있다. 하지만 이에 대한 연구는 매우 드물다. 1958년 Berke가 발표한 논문에 눈꺼풀올림근절제술 후 눈꺼풀올림근 기능에 따른 수술 결과가 보고되었지만, 이후에는 참고할 수 있는 좋은 보고를 찾아보기 힘든 실정이다. 하지만 이 논문마저도 서양인을 대상으로 한 임상결과이기 때문에 눈꺼풀틈새가 상대적으로 작고 눈꺼풀올림근의 기능도 떨어지는 동양인에게 똑같이 적용하기는 힘들다. 따라서 동양인을 대상으로 한 수술 결과뿐 아니라 수술자 개인의 수술 특성에 따른 결과가 필요하다고 하겠다.

전신마취 하에서의 눈꺼풀올림근절제술의 결과는 예측하기 어렵고 만족스럽지 않아 재수술을 하는 경우가 많은데, 여기에는 몇 가지의 영향을 미치는 요인들이 있다.

- 어린이에서 눈꺼풀올림근의 기능이나 눈꺼풀처짐 정도 등의 수술 전 검사를 정확히 하기 어려운 경우가 있다. 눈꺼풀올림근 기능 측정에 협조가 안 되거나 환자가 고개를 들고 있어 눈꺼풀처짐 정도를 잘못 측정할 수 있으므로 적정 교정 양의 판단에 착오가 생길 수 있다.
- 눈꺼풀올림근을 단축시켜 절제할 때 근육 자체가 당겨지면서 늘어날 수 있다. 특히 근육의 발육부전과 지방침윤 등이 많은 심한 눈꺼풀처짐 환자에서는 이러한 현상이 더 잘 나타나 수술 중 계획된 근육의 단축 양과 실제 단축된 근육의 양에 차이를 보일 수 있다.
- 심한 눈꺼풀처짐 환자에서 많은 양의 눈꺼풀올림근을 절제하면 시간이 경과함에 따라 단축된 근육은 지속적인 눈꺼풀의 움직임으로 인해 탄력이 떨어지고 약해져 눈꺼풀이 다시 처질 수 있으며, 이는 눈꺼풀올림근의 기능 및 상태, 그리고 절제 양에 따라 달라질 수 있다.
- 인종이나 개인에 따라 눈꺼풀 틈새의 크기, 눈꺼풀처짐의 특성 및 정도 그리고 눈꺼풀올림근의 기능 및 특성이 다를 수 있어 수술 결과에 오차가 있을 수 있다. 양안의 눈꺼풀처짐 환자에서 눈꺼풀올림근 기능과 눈꺼풀처짐 정도가 비슷하여 동일한 양의 눈꺼풀올림근을 절제 하더라도 수술 후 양안이 대칭되는 결과를 얻기가 쉽지 않은데, 이는 양안의 눈꺼풀올림근의 발달 정도에도 차이가 있을 수 있기 때문이다.

눈꺼풀올림근 근육섬유와 기능과의 상관관계

눈꺼풀처짐 정도나 교정 정도는 가로무늬근육섬유의 숫자와 연관이 있다. 눈꺼풀올림근절제술 후의 조직학적 검사에서 눈꺼풀올림근 기능 2.5 mm인 경우 7%의 근육섬유가 있었으며, 11 mm인 경우 75%의 근육섬유가 있었다는 보고가 있다. 즉 눈꺼풀올림근의 기능이 좋을수록 정상적인 가로무늬근육섬유가 많이 존재하며, 또한 이 근육섬유가 많을수록 눈꺼풀올림근절제술의 효과가 더 좋을 것으로 생각된다.

눈꺼풀올림근의 육안소견이 수술결과에 미치는 영향

수술 중 눈꺼풀올림근의 육안소견은 눈꺼풀올림근 기능이나 가로무늬근육섬유 존재와 직접적인 연관 없이 다양하게 나타날 수 있으며, 수술 결과에 영향을 주는 신뢰할 수 있는 요소는 아닌 것으로 보고 되었다. 기능이 2.5 mm인 눈꺼풀올림근의 28%에서 수술 중 육안 소견은 좋은 것으로 나타났으나 이 중 75%는 부족교정 되었다. 따라서 눈꺼풀올림근의 육안소견으로 교정양을 결정하지 않는 것이 더 좋다고 하였다.

수술 중 눈꺼풀틈새 크기 조정

수술 후 눈꺼풀처짐 교정 정도는 눈꺼풀올림근 기능 및 수술 중 조정한 눈꺼풀틈새의 크기와 직접적인 연관이 있다. 수술 후 눈꺼풀틈새의 최종 크기는 눈꺼풀올림근의 기능이 나쁠수록 수술 중 조정한 눈꺼풀 높이보다 작아지며, 기능이 좋을수록 더 커지게 된다. 눈꺼풀올림근의 기능이 2.5 mm인 경우 수술 후 눈꺼풀틈새가 커진 경우가 없었으나, 11 mm인 경우에는 82.5%에서 더 커졌다는 보고가 있었다. 또한 눈꺼풀올림근의 기능이 불량한 경우 93%에서 수술 후 눈꺼풀높이가 더 낮아졌으나, 기능이 양호한 경우 12%에서만 떨어졌다. 따라서 눈꺼풀올림근의 기능이 나쁠수록 과교정을, 그리고 양호할수록 저교정을 하는 것이 더 좋은 수술결과를 얻을 수 있다.

수술 시 교정된 눈꺼풀틈새가 수술 후 변화되는 양을 보면 눈꺼풀올림근 기능 2.5 mm인 경우 평균 2.6 mm, 4.5 mm인 경우 0.5 mm가 떨어졌으며, 11 mm인 경우 평균 1.3 mm가 올라갔다. 반면에 눈꺼풀올림근 기능이 7.2 mm인 경우 수술 후 변화가 없는 것으로 보고되었다. 따라서 눈꺼풀올림근의 기능이 양호한 경우 수술 중 저교정 함으로써 수술 후 나타나는 과교정을 예방할 수 있으며, 기능이 불량한 경우 수술 중 과교정하는 것이 수술 후 부족교정을 예방하는 방법이다 **(그림 12-11)**.

그 외에도 눈꺼풀올림근 기능과 눈꺼풀처짐 정도에 따라서 수술 방법과 눈꺼풀높이를 조정하는 방법, 눈꺼풀올림근 기능에 따른 눈꺼풀테의 위치를 조절하는 방법, 그리고 MRD에 따라서 눈꺼풀올림근 절제양을 조절하는 방법이 보고된 바 있다**(표 12-1, 12-2, 12-3)**.

하지만 이러한 결과들은 모두 서양인을 대상으로 한 통계로서 모두 신뢰하여 수술에 적용하기는 무리가 있다. 이 통계들은 하나의 참고자료로 이용하고 각 수술자들은 자신의 수술환경에 맞는 적절한 교정방법을 찾아야 한다.

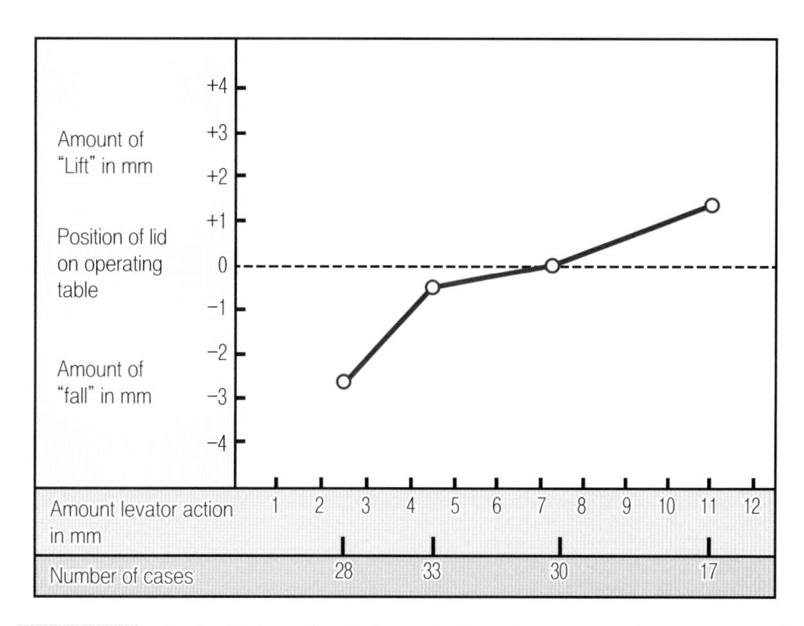

그림 12-11 눈꺼풀올림근 기능에 따른 수술 후 눈꺼풀 높이 변화(Berke RN. 1959)

표 12-1 눈꺼풀올림근 기능과 눈꺼풀처짐 정도에 따른 수술 방법과 눈꺼풀높이 조정

	눈꺼풀올림근 기능		
눈꺼풀처짐 정도	Good (≥8 mm)	Fair (4~7 mm)	Poor (≤4 mm)
2 mm (mild)			
수술 방법	Small levator advancement	Medium levator resection	Large levator resection
눈꺼풀테 위치	동공	동공과 각막가장자리 사이	각막가장자리
3 mm (moderate)			
수술 방법	Medium levator resection	Large levator resection	Frontalis suspension or Whitnall's sling
눈꺼풀테 위치	동공과 각막가장자리 사이	각막가장자리	각막가장자리
4 mm (severe)			
수술 방법	Large levator resection	Whitnall's sling	Frontalis suspension
눈꺼풀테 위치	각막가장자리	각막가장자리	각막가장자리

표 12-2 눈꺼풀올림근 기능에 따른 눈꺼풀테의 위치(based on Berke, 1959)

눈꺼풀올림근 기능	눈꺼풀테의 위치
2~3 mm (poor function)	각막위가장자리
4~5 mm (poor function)	각막위가장자리 1~2 mm 아래
6~7 mm (fair function)	각막위가장자리 2 mm 아래
8~9 mm (good function)	각막위가장자리 3~4 mm 아래
10~11 mm (good function)	각막위가장자리 5 mm 아래

표 12-3 MRD에 따른 눈꺼풀올림근 절제량(based on Beard, 1981)

수술 전 MRD_1	눈꺼풀올림근 절제량
3~4 mm (mild ptosis)	10~13 mm
2~3 mm (moderate ptosis)	14~17 mm
1~2 mm (marked ptosis)	18~22 mm
0~1 mm (severe ptosis)	> 23 mm

참고문헌

1. 김주엽, 김윤덕. 국소마취 하에 실시한 눈꺼풀올림근절제술 후 시간에 따른 눈꺼풀 높이 변화. 대한안과학회지 2007;48:1303-11.
2. 안재홍, 김상진, 한용섭, 양홍석. 소아 안검하수 환아에서 MLD를 이용한 눈꺼풀올림근절제술의 결과. 대한안과학회지 2000;41:2247-53.
3. 이대성, 정화선. 경도 혹은 중등도의 단안 안검하수 환자에서 상안검거근 절제술의 효과. 대한안과학회지 2002;43:1250-5.
4. 이상열, 김윤덕, 곽상인, 김성주. 눈꺼풀성형술. 도서출판 내외학술, 2009.
5. 이언경, 정화선. 상안검거근 기능이 불량한 안검하수 환자에서 실시한 상안검거근 절제술의 효과. 대한안과학회지 1998;39:1062-8.
6. Berke RN. Results of resection of the levator muscle through a skin incision in congenital ptosis. AMA Arch Ophthalmol 1959;61:177-201.
7. Chen WP. Oculoplastic surgery: the essentials. New York: Thieme, 2001.
8. Dortzbach RK. Ophthalmic plastic surgery: prevention and management of complications. New York: Raven Press, 1994.
9. Dortzbach RK. Superior tarsal muscle resection to correct blepharoptosis. Ophthalmology 1979;86:1883-91.
10. Epstein GA, Putterman AM. Super-maximum levator resection for severe unilateral congenital blepharoptosis. Ophthalmic Surg 1984;15:971-9.
11. Kim CY, Lee SY. Determination of the amount of ptosis correction in levator resection surgery for pediatric congenital ptosis. Aesthetic Plast Surg 2017, E-pub.
12. Mauriello JA, Wagner RS, Caputo AR, Natale B, Lister M. Treatment of congenital ptosis by maximal levator resection. Ophthalmology 1986;93:466-9.
13. Nerad JA. Oculoplastic surgery: The requisites in ophthalmology. St. Louis: Mosby, 2001.

CHAPTER 13

이마근걸기술

Frontalis suspension surgery

CONTENTS

이마근걸기술은 눈꺼풀올림근의 기능이 불량한 눈꺼풀처짐의 수술적 교정에 가장 효과적인 방법이다. 기능이 좋지 않은 눈꺼풀올림근을 수술하기 보다 눈꺼풀판과 이마근을 연결하여 이마근의 역할로 눈꺼풀이 올라가는 효과를 얻는 수술이다.

자가대퇴근막이 가장 이상적인 걸기재료로 알려져 있으며, 그 외 대용품으로 보존대퇴근막과 silicone rod, nylon polyfilament (Supramid Extra®), polytetrafluoroethylene (PTFE, Gore-Tex®) 등의 여러 합성물질이 소개되고 있다.

이마근걸기술의 적응증

이마근걸기술의 가장 보편화된 적응증으로는 눈꺼풀올림근의 기능이 4 mm 이하인 눈꺼풀처짐이나, 이 기준은 수술자의 생각이나 경험에 의해 달라질 수 있다. 즉, 눈꺼풀올림근의 기능이 불량하더라도 최대눈꺼풀올림근절제술이나 Whitnall걸기술 등의 수술 방법을 선호하는 수술자도 있다. 하지만 눈꺼풀올림근이 4 mm 이하이면서 눈꺼풀처짐의 정도가 심한 경우에는 이마근걸기술을 적용하는 것이 가장 좋다고 하겠다.

걸기술의 재료로 silicone rod는 탄력성이 좋아서 토안으로 인한 노출성각막염이 덜 발생하고 부족교정이나 과교정 되었을 때 교정하기가 쉽기 때문에 눈돌림신경마비, CPEO, 중증근육무력증 혹은 Bell 현상 장애 등에서와 같이 눈 보호기능이 손상된 눈꺼풀처짐 환자가 좋은 적응증이 된다.

눈꺼풀올림근의 기능 불량의 정도가 경계선상에 있더라도 과거 여러 번의 눈꺼풀올림근절제술을 시행하였던 환자에서 재수술을 고려할 경우에는 눈꺼풀올림근절제술에 비해 수술결과가 예측가능하며 토안이 적고 수술 도중 상직근의 손상 가능성이 적은 이마근걸기술을 시행하는 것이 더 좋다고 하겠다. 중증근육무력증과 같이 진행성의 근증myopathy이 있어 눈꺼풀올림근의 기능이 중간 정도로 약해진 경우에는 눈꺼풀올림근절제술로 교정이 가능하더라도 눈꺼풀올림근의 기능이 점차 떨어져 반복되는 수술이 예상되기 때문에 이마근걸기술을 고려할 수 있다.

그 외, Marcus-Gunn 턱윙크현상 때 눈꺼풀올림근 제거 후 이마근걸기술을 시행하며, 눈꺼풀틈새축소증후군 그리고 본태눈꺼풀연축essential blepharospasm 때도 이마근걸기술을 시행할 수 있다.

걸기재료

이마근걸기술의 걸기재료suspension materials로 흔하게 사용되는 자가대퇴근막autogenous fascia lata은 재발이나 부작용이 적어 가장 이상적인 물질로 알려져 있으며, 측두근막temporalis fascia 혹은 긴손바닥건palmaris longus tendon 등도 자가물질로 이마근걸기술에 사용된 바 있다. 하지만 자가대퇴근막은 영 · 유아에서는 얻기가 어렵고 안과의사들이 다리 수술을 진행하는데 부담을 느끼기 때문에 대용재료로 사체에서 채취한 대퇴근막을 방사선으로 처치한 보존대퇴근막preserved or banked fascia lata이나 동결건조freeze dried 처리한 lyophilized fascia lata가 사용되고 있다.

합성물질인 alloplastic materials로는 chromic gut, silk, nylon monofilament, polypropylene 등의 봉합사, silicone rod, nylon polyfilament (Supramid Extra®), polytetrafluoroethylene (PTFE, Gore-Tex®), 그리고 mersilene mesh 등이 소개된 바 있다(**그림 13-1**).

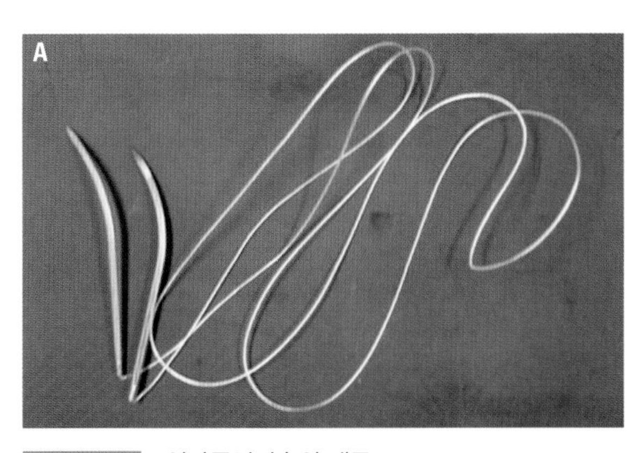
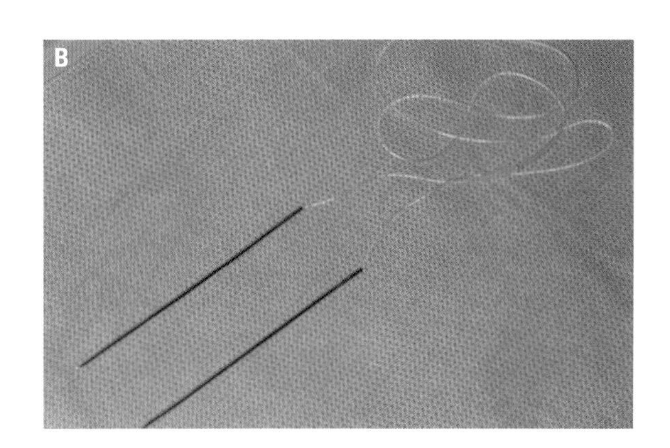

그림 13-1 이마근걸기술의 재료
A. Supramid Extra®. **B.** Silicone rod

자가대퇴근막

이마근걸기술의 걸기재료로 가장 이상적인 물질로 알려져 있는 자가대퇴근막은 1909년 Payr가 선천눈꺼풀처짐 환자에서 처음으로 이마근걸기술에 사용하였으며, 1922년 Wright에 의해 다시 소개되었다. 1977년 Crawford는 약 20년 간에 걸쳐 자가대퇴근막을 이용한 이마근걸기술을 활발히 시술한 결과 재발이나 합병증이 적은 가장 이상적인 걸기재료라고 하였다.

조직학적 연구에서 자가대퇴근막은 다른 alloplastic materials에 비해 염증반응이 적게 나타나는 것으로 보고되고 있다. 우리 몸의 정상적인 섬유아세포와 염증세포가 자가대퇴근막으로 자라 들어가 결합되는 것으로 알려져 있으며, 이마근걸기술 후 42년이 경과한 자가대퇴근막도 형체를 유지하고 있는 것으로 확인된 바 있다. 따라서 자가대퇴근막은 다른 걸기재료에 비해 월등한 생체적합성biocompatibility을 보이고, 이식 후에도 근막조직 자체에 변화를 나타나지 않으면서 정상 콜라겐섬유 배열을 보이는 living tissue 상태로 생존해 있는 것으로 알려져 있다. 이러한 특성의 결과로 자가대퇴근막은 대용품인 보존대퇴근막이나 합성물질에 비해 재발률이 낮으며 미용적인 측면에서도 우수한 결과를 보이는 것으로 보고되고 있다.

다리의 길이가 짧은 3세 미만의 어린이에서는 충분한 길이의 자가대퇴근막을 얻기가 힘들다고 하였지만, 눈꺼풀과 눈썹 위 절개를 한 후 눈꺼풀판과 이마근에 근막을 직접 고정하는 수술 방법인 Morax and Benia의 open sky technique이나 Spoor의 눈꺼풀판 · 이마근 직접고정술direct tarsal and frontalis fixation을 시행할 경우에는 짧은 자가대퇴근막으로도 수술이 가능하기 때문에 더 어린 나이에서도 시행할 수 있다.

보존대퇴근막

이마근걸기술에 자가대퇴근막의 효용성에 대해서는 이견이 없었지만 자가대퇴근막을 얻는 과정에 부담을 느낀 안과의사들은 대체재료를 필요로 했다. 1956년 Crawford는 2살 미만의 어린이에서 충분한 길이의 자가대퇴근막을 얻기 어려워 보존대퇴근막을 대체재료로 하는 연구를 시작하여 1968년에 좋은 결과를 발표하였으나 재발, 감염, 육아종 형성 등의 문제점을 내포하고 있다(**그림 13-2**).

보존대퇴근막의 처리 방법이나 이식 위치에 따라 다른 반응이 나타날 수 있다. 정상적인 섬유아세포와 염증세포 그리고 정상적인 콜라겐섬유 배열을 보이는 자가대퇴근막과 달리 이식된 보존대퇴근막에는 상당한 세포염증반응이 나타나며, 부분적으로 흡수와 섬유

그림 13-2 보존대퇴근막

조직으로 대치되는 과정이 진행된다.

보존대퇴근막을 처리하여 보존하는 방법은 여러 가지가 있다. 1968년 Toronto Eye Bank에서 Crawford는 20~50세 사이의 사체에서 사망한 지 6시간 이내에 대퇴근막을 채취했으며, 종양, 패혈증, 바이러스 감염 질환이 있는 경우는 제외하였다. 대퇴근막을 5 mm 폭의 띠를 만든 후 생리식염수 용액에 담근 후 1~2 ml polyethylene 용액을 넣은 polyethylene 포장을 하였다. 이 보존대퇴근막을 다시 cobalt source의 gamma radiation로 처리하여 실온에 보관하였다. 1982년 Broughton 등은 동결건조 처리하여 사용하였으며, 2006년 Sydney Eye Bank에서 얻은 보존대퇴근막은 채취 즉시 gentamicin sulfate가 함유된 생리식염수에 담가 두었다가 70% ethanol에 보관하였다.

합성물질

Silicone rod

Silicone rod는 1966년 Tillett이 처음으로 이마근걸기술에 이용한 걸기재료로서, 상품화 되어 있어 쉽게 구할 수 있으며 눈 높이의 조절이 용이하다. 우리 몸과 조직반응이 비교적 적어 수술 후 붓기가 적은 장점이 있다. 또한 보존대퇴근막과 달리 합성물질은 간염viral hepatitis이나 후천면역결핍증후군AIDS 등과 같은 감염 질환이 이환될 수 있는 위험성은 없다. 특히, 탄력성이 좋아 노출성각막염의 발생을 줄일 수 있기 때문에 CPEO, 근육무력증, 혹은 눈돌림신경마비와 같이 Bell 현상이 손상된 심한 눈꺼풀처짐 환자의 수술에 이상적인 재료로 인식되고 있다.

자가대퇴근막을 얻기 어려운 어린이 눈꺼풀처짐 환자에서도 조기 수술이 필요할 때 좋은 재료로 사용할 수 있으나 시일이 지나면서 재발되거나 감염 혹은 육아종 형성 등과 같은 문제점이 발생할 수 있다. 하지만 이러한 문제들이 발생했을 때 쉽게 제거할 수 있으며 주변 조직변화가 적기 때문에 다른 수술을 시행하기가 용이하다.

Supramid Extra®

Supramid Extra®는 4-0 nylon polyfilament로 만들어진 cable 형태의 봉합사로서 스키 모양의 바늘이 부착되어 있다. 상품화 되어 있어 쉽게 구할 수 있으며 수술 과정도 간단하여 영 · 유아의 선천눈꺼풀처짐 환자에서 눈꺼풀올림근절제술이나 자가근막을 사용한 이마근걸기술을 시행하기 전에 사용할 수 있는 좋은 재료이다.

하지만 재발률이 50% 이상으로 상당히 높으며 육아종 형성이 자주 발생하는 단점이 있다. 재발의 원인으로 봉합사가 조직 속으로 파고드는 cheese-wiring 현상 때문이라고 보고된 바 있다. 또한 Supramid 이마근걸기술 후 재발된 환자에서 제거된 Supramid를 주사전자현미경scanning electronmicroscope으로 관찰한 결과 Supramid의 표면과 polyfilament에 많은 손상과 함께 흡수되는 양상이 나타났다. 이로 미루어 Supramid 자체의 변성으로 인해 장력이 떨어지는 것이 눈꺼풀처짐

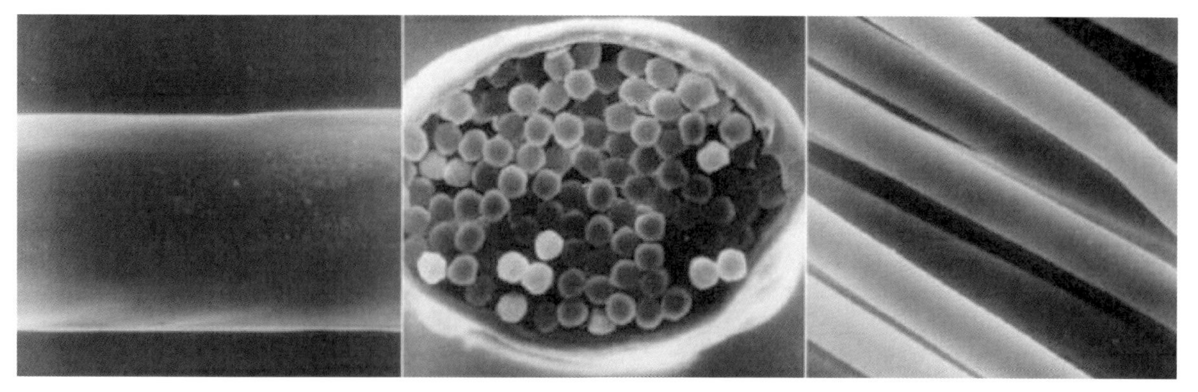

그림 13-3 사용하기 전 Supramid Extra®의 주사전자현미경 소견

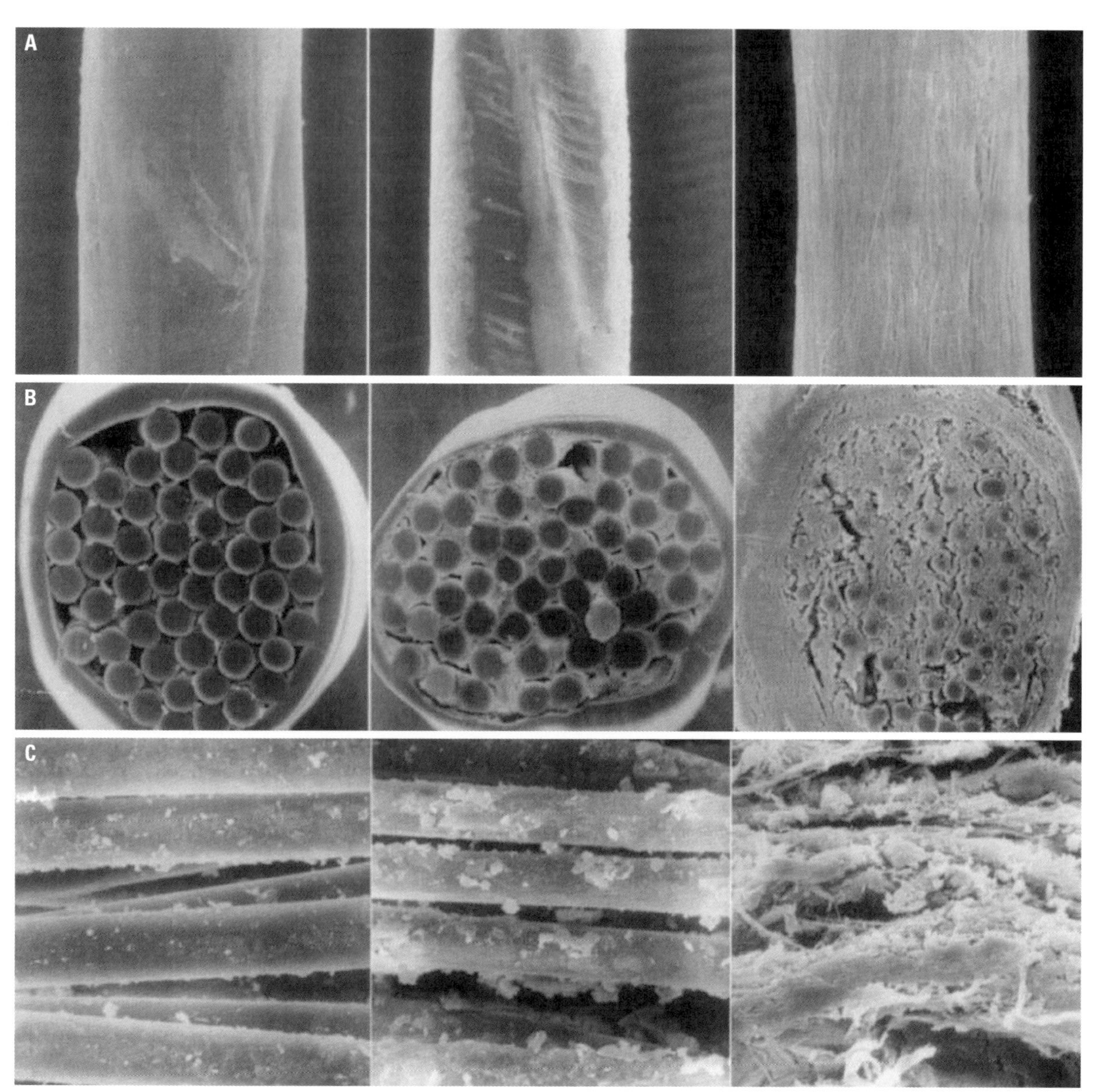

그림 13-4 이마근걸기술 후 나타난 Supramid Extra®의 주사전자현미경 소견

A. 표면: 거친 표면과 함께 균열이 나타난 모습. **B.** 단면: 규칙적이며 일정한 모습의 polyfilament가 사라지고 손상된 모습. **C.** Polyfilament: 균열과 함께 손상되고 흡수되고 있는 모습

재발의 또 다른 원인 중 하나로 생각할 수 있다(**그림 13-3, 13-4**).

Mersilene® Mesh

Polyester fiber 성분으로 그물모양으로 만들어진 Mersilene® mesh는 오래 전부터 외과수술에 많이 사용되어 왔으나 1989년 처음으로 눈꺼풀처짐의 이마근걸기 재료로 사용되었다. Mersilene® mesh를 사용하였을 경우 섬유혈관조직들이 그물망 속으로 파고 들어가 눈꺼풀조직과 연결되어 영구적인 효과를 가져올 수 있는 것으로 알려져 있다.

하지만, 수술 2년 후 약 75%에서 기능적으로 좋은 결과를 유지하였으며, 20%에서 감염이나 삽입물의 노출이 있었다는 보고가 있다. 재수술이 필요할 경우 주변조직과의 유착으로 인해 수술 구조를 분간하기가 힘들 수 있으며 제거하기도 어려운 단점이 있다.

Polytetrafluoroethylene (PTFE, Gore-Tex®)

Polytetrafluoroethylene로 만들어진 Gore-Tex®는 얼굴성형수술에 주로 사용되었지만 이마근걸기재료로는 1986년부터 사용되고 있다. Gore-Tex®는 다양한 크기 및 두께의 제품이 있는데 보통 1 mm 두께의 제품을 2 mm 넓이, 10 cm 길이의 크기로 잘라 사용하면 된다.

비교적 생체적합성이 우수한 재료로 알려져 있으며, 신체조직이 이 재료 속으로 파고들어 결합되기 때문에 걸기 효과가 오래 지속되는 것으로 알려져 있다. 재발률에 관해서 장기간 관찰에 대한 보고는 없지만 상당수에서 재발하는 것으로 알려져 있다.

눈꺼풀의 소절개와 눈꺼풀선 전체절개

이마근걸기술 중의 눈꺼풀절개는 눈꺼풀 테 2~3 mm 위에 2~4곳의 작은 절개를 한 뒤, 이 절개창을 통하여 걸기재료를 통과시킨 후 이마 쪽으로 빼내는 소절개방법과 눈꺼풀선을 따라 절개를 한 후 눈둘레근을 절개하고 눈꺼풀판을 노출시켜 걸기재료를 직접 눈꺼풀판에 봉합사로 고정하는 눈꺼풀선 전체절개법으로 나눌 수 있다.

소절개법

수술 방법에 따라 눈꺼풀 가장자리 2~3 mm 위에 2~4개의 소절개를 하고, Wright needle이나 큰 half circle cutting needle에 걸기재료를 끼운 후 소절개를 통해 걸기재료를 통과시킨다. Wright needle은 이마근걸기술 용으로 고안되었지만 cutting needle에 비해 크기 때문에 조작하기가 불편하며 안구 천공의 위험성이 있다. 이에 비해 cutting needle의 끝은 안구로부터 멀어지는 방향으로 향하기 때문에 안구 천공의 위험성이 적으며 조작하기가 편리하다.

오각형 형태의 걸기를 할 때의 눈꺼풀 소절개 위치는 눈꺼풀처짐 교정 후 눈의 윤곽이 잘 형성될 수 있는 위눈꺼풀테 2~3 mm 위의 안쪽과 가쪽 두 곳을 정한다. 두 소절개의 간격이 넓으면 눈꺼풀 중앙이 편평해지고flattening, 좁으면 눈꺼풀 중앙이 뾰족한 모양peaking을 띄게 된다.

소절개를 통하여 걸기재료를 끼운 Wright needle을 눈꺼풀판 앞으로 통과시킨다. 이마 부위에는 3개의 소절개를 하게 된다. 유아의 심한 눈꺼풀처짐 때 약시 예방을 위한 목적으로 조기에 수술하는 경우 비교적 눈꺼풀 구조의 변화를 덜 초래하는 오각형 형태의 이마근걸기술이 많이 시행된다. 어른에서 소절개법으로 이마근

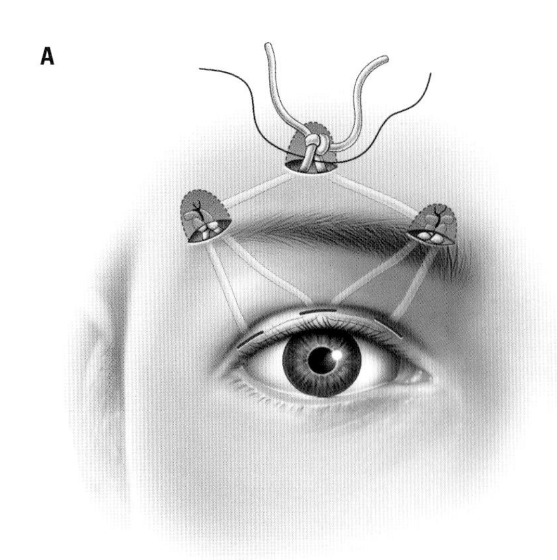

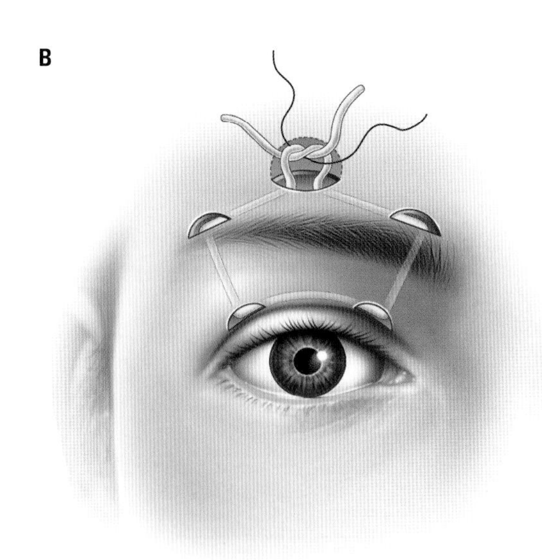

그림 13-5 소절개를 통한 이마근걸기술

걸기술을 하는 경우 눈꺼풀의 뒤층판이 위로 올라가면서 피부와 눈둘레근의 앞층판은 아래로 처져 눈꺼풀이 불룩해 보이는 hooding 현상이 자주 나타날 수 있다.

걸기재료 끈을 접어 base down 형태의 삼각형 모양으로 안쪽과 가쪽에서 2개의 걸기를 할 때는 눈꺼풀에 3~4개의 소절개를 한 후 걸기재료를 통과시킨다(**그림 13-5**).

눈꺼풀선 전체절개법

눈꺼풀선을 따라 피부를 절개하여 눈꺼풀판을 노출시킨 후 걸기재료를 직접 눈꺼풀판에 봉합 고정하여 이마근걸기술을 시행하는 수술 방법이다. 이 방법은 많은 수술자들이 선호하고 있는데 open sky technique (Morax, 1986) 혹은 눈꺼풀판 · 이마근 직접봉합술 (Spoor, 1990)로 불리기도 한다(**그림 13-6**).

이 수술의 장점으로는

- Wright needle로는 걸기재료를 눈꺼풀의 위 · 뒤 방향으로 위치시키기 힘든데 비해 눈꺼풀 절개를 시행한 경우 걸기재료를 깊숙이 지나게 할 수 있다.
- 걸기재료의 장력이나 눈꺼풀판 고정 위치를 조절하면서 눈꺼풀 높이 및 모양 조절이 더 용이하여 peaking 현상과 같은 윤곽 이상을 예방하기 쉽다.
- 걸기재료를 눈꺼풀판에 단단히 고정할 수 있어 눈꺼풀처짐 교정 효과가 더 오래 지속될 수 있다.
- 여부의 피부 및 눈둘레근을 제거하는 눈꺼풀성형술을 동시에 시행할 수 있어 여분의 피부로 인한 피부 처짐 현상을 줄일 수 있으며, 특히 어른에서는 hooding 현상으로 인한 눈 모양 이상을 방지할 수 있어 미용적으로 더 우수하다.
- 쌍꺼풀을 만들 수 있어 속눈썹처짐lash ptosis이나 안검내반의 발생 가능성이 더 적다.

하지만 눈꺼풀선 전체절개법은 수술이 더 까다로우며 수술 시간이 많이 소요되는 단점도 있다.

그림 13-6 눈꺼풀전체절개를 통한 이마근걸기술

벌어지는 현상이 나타날 수 있다. 이러한 벌어짐 현상은 특히 이마가 두드러졌거나 안구가 안와 깊숙이 위치했을 때 더 빈번히 나타난다. 수술 중 이 현상을 방지하기 위해 안구가 벌어지기 직전까지만 걸기재료를 위로 당겨 이마에 고정하기도 하지만 부족교정이 나타날 위험이 있다.

안와사이막 뒤쪽의 지방층을 지난 후 arcus marginalis 근처의 안와사이막을 뒤쪽에서 앞쪽으로 뚫고 이마 부위로 통과시키는 septal pulley technique은 눈꺼풀을 올릴 때 위·뒤쪽방향으로 눈꺼풀이 올라가기 때문에 눈꺼풀의 생리학적 운동방향에 더 가깝다고 할 수 있다. 장점으로는 눈꺼풀 벌어짐 현상이 적으며, 걸기재료가 두드러져 보일 가능성이 적다.

걸기재료의 통과 위치

눈꺼풀판과 이마근을 연결하는 걸기재료의 눈꺼풀 속 통과 위치는 수술 후의 눈 모양이나 윤곽에 중대한 영향을 미친다. 안와첨에서 눈꺼풀올림근이 시작되어 안와로 나올 때는 앞·뒤 방향으로 근육의 수축운동이 일어나지만, Whitnall 인대를 지난 후 눈꺼풀올림근의 작용은 위·뒤쪽 방향으로 바뀌게 된다. 이렇게 근육의 운동 방향이 변하는 것은 구조적으로 Whitnall인대가 도르래pulley 역할을 하기 때문이다.

이러한 눈꺼풀올림근의 정상적인 수축방향으로 보아 이마근걸기재료의 통과 위치나 방향은 수술 후 눈 모양에 많은 영향을 미칠 수 있다. 이마근걸기술 시행 중 걸기재료를 안와사이막 앞쪽의 표층을 지나서 이마 부위의 절개창으로 통과시키기도 하지만, 안와사이막 뒤쪽으로 깊게 통과시키기도 한다.

표층으로 통과하는 경우 눈꺼풀올림근의 생리적인 작용방향인 위·뒤쪽 방향보다 위쪽 혹은 위·앞쪽 방향으로 힘이 전달되어, 위눈꺼풀이 안구로부터

수술 방법

현재 소개되어 있는 이마근걸기술은 대부분 1956년 Crawford가 발표한 안쪽과 가쪽 두 개의 base down 삼각형 모양double base down triangle pattern이나 1966년 Fox가 발표한 오각형 모양pentagonal pattern의 이마근걸기술을 응용하고 변형시킨 방법이다.

두 개의 base down 삼각형 모양

1956년 Crawford가 발표한 수술 방법으로 double pentagon 걸기술로도 불린다. 자가대퇴근막을 fascia stripper를 이용하여 채취하여 수술하였으며, 길이는 10~12 cm, 넓이는 3 mm 정도되는 끈을 만들어 한쪽 눈에 두 개의 삼각형 모양의 이마근걸기를 하였다(**그림 13-8**).

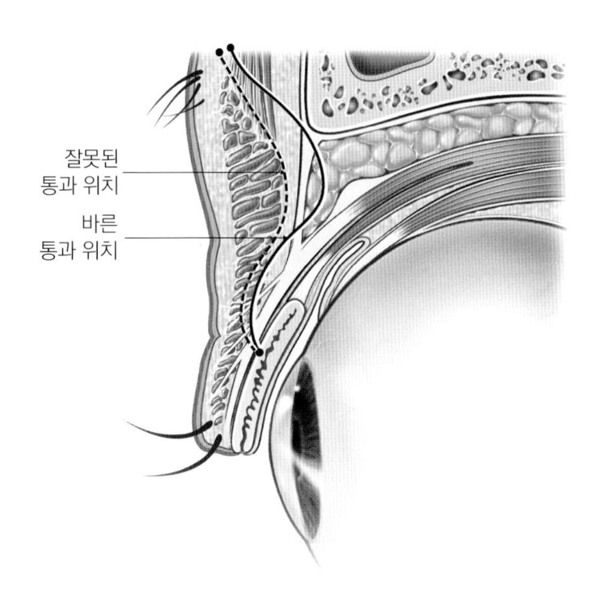

그림 13-7 이마근걸기술 시 걸기재료의 통과 위치

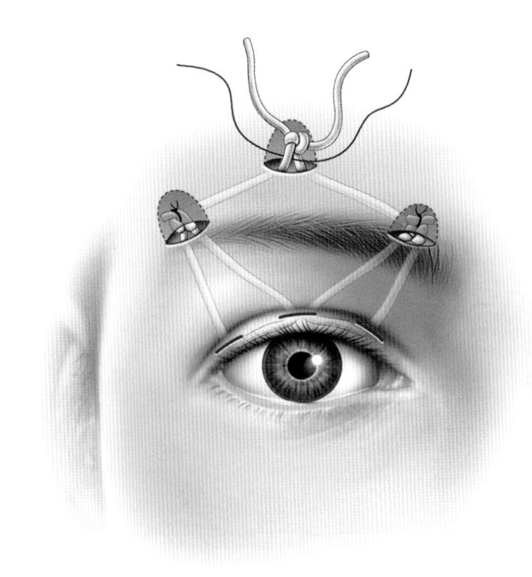

그림 13-8 Double base down triangle pattern

눈꺼풀 및 이마 절개

위눈꺼풀테 2~3 mm 위의 중앙, 안쪽, 가쪽의 3곳에 3~4 mm 길이의 피부 소절개를 한다. 이마부위 절개는 눈썹 위 3~5 mm 지점에 눈꺼풀 안쪽 절개 부위보다 좀 더 안쪽에, 그리고 눈꺼풀 가쪽 절개 부위보다 좀 더 가쪽에 두 곳의 절개를 한 후, 세 번째의 중앙부 절개를 안쪽과 가쪽 절개보다 좀 더 위쪽에 한다.

눈꺼풀절개는 눈꺼풀 모양이 가장 잘 형성되는 위치를 선정하여 안쪽 및 가쪽 절개를 하며, 두 절개 중앙에 세 번째 절개를 한다. 네 곳의 소절개를 하여 안쪽 두 곳의 절개는 안쪽 삼각형 걸기를, 가쪽 두 곳의 절개는 가쪽 삼각형 걸기를 하기도 한다. 이마절개는 이마근이 노출되도록 깊숙이 해야 하며, 눈썹 털이 자라는 방향으로 비스듬하게 절개하여 눈썹 털주머니hair follicle가 손상되지 않도록 해야 한다. 이마절개를 너무 눈썹 가까이서 할 경우 특히 성장하는 어린이에서는 흉터 주변에 눈썹이 나면서 흉터가 두드러져 보이는 경우가 있으니 유의하여야 한다.

이마근걸기

- Wright needle을 이마 가쪽 절개 부위에서 넣어 눈꺼풀 가쪽 절개부위로 빼내고 대퇴근막을 바늘 구멍에 끼운 후 Wright needle을 위로 빼낸다. 이때 눈꺼풀받침대lid plate를 안구 위에 넣어 Wright needle에 의한 안구천공의 위험을 방지해야 한다.
- 눈꺼풀 중앙 절개 부위에서 가쪽 절개 부위로 Wright needle을 넣어 근막을 끼운 후 빼낸다.
- 다시 Wright needle을 이마 가쪽 절개 부위에서 눈꺼풀 중앙 절개부위로 빼내고 대퇴근막을 바늘 구멍에 끼운 후 위로 빼낸다.
- 같은 방법으로 안쪽에도 대퇴근막의 다른 끈을 이용하여 삼각형 모양으로 이마근걸기를 시행한다.
- 안쪽과 가쪽 이마 절개 부위로 나온 근막을 당겨 적절한 눈꺼풀 높이 및 윤곽을 만든 후 매듭을 지으며, 이 매듭은 풀어지지 않도록 5-0 vicryl이나 6-0 prolene으로 묶어준다.
- 매듭지어진 안쪽과 가쪽의 근막 한 끈을 이마 중앙 절개 부위로 빼내어 다시 매듭을 짓고 5-0 vicryl이나 6-0 prolene으로 묶어 근막이 풀어지지 않도

록 한다.

- 이마 피부 밑 조직과 피부를 잘 봉합하여 흉터를 최소화 하도록 한다. 눈꺼풀 절개 부위는 봉합하지 않아도 괜찮으나 6-0 fast absorbing suture나 6-0 prolene으로 봉합하기도 한다.

이와 같은 이마근걸기 모양으로 보아 triple triangle 이마근걸기술로도 불린다. 안쪽과 가쪽의 이마 절개부위에서 매듭을 한 후 다시 이마 중앙의 절개부위로 근막을 빼내어 고정하는 것은 근막과 이마근이 접촉되는 면적이 늘어나 눈꺼풀을 올리는 이마근 작용이 더 강화되는 효과가 있다고 보고된 바 있다.

Fox의 pentagonal pattern

눈꺼풀 안쪽과 가쪽에 두 곳의 절개와 이마에 안쪽, 중앙, 가쪽 세 곳에 약 3 mm 길이의 소절개를 한다. 이마 중앙부 절개는 안쪽 및 가쪽 절개 부위보다 좀 더 위쪽에 하며, 걸기재료가 깊숙이 위치할 수 있도록 깊게 절개하거나 위쪽으로 주머니pocket를 만든다.

Wright needle를 이용하여 걸기재료를 눈꺼풀 절개부위로 통과시킨 후, 안쪽 걸기재료는 안쪽 이마 절개부위로 통과시키고 다시 이마 중앙 절개부위로 빼낸다. 가쪽 걸기재료도 같은 방법으로 통과시킨 후 걸기재료를 당겨 적당한 크기의 눈꺼풀틈새를 만든 후 매듭을 짓는다. 매듭 지어진 걸기재료는 풀리지 않도록 단단히 봉합하고, 다시 double armed 4-0 봉합사로 걸기재료 매듭을 통과시킨 후 봉합사를 이미 만들어진 주머니를 통하여 이마 중앙 절개부위 1 cm 위로 빼내어 bolster 위에 고정하기도 한다(**그림 13-9**).

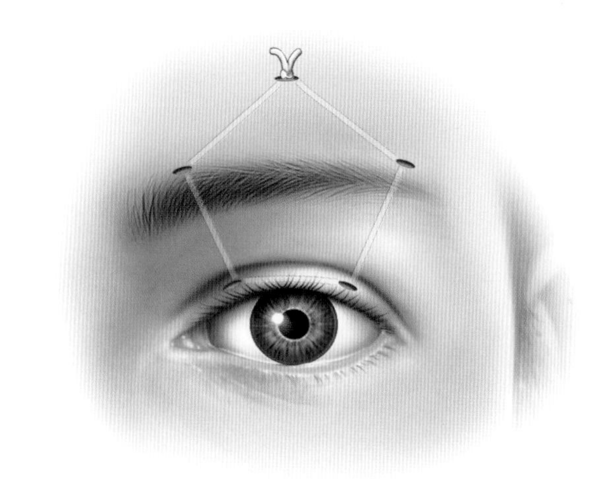

그림 13-9 오각형걸기술

수술 방법의 변형

Crawford식 수술 방법에 의한 이마근걸기술은 비교적 좋은 결과를 낳았지만 수술자에 따라서는 좀 더 간편한 수술을 원하기도 했으며 수술 후 발생하는 문제점들을 줄일 수 있는 방법으로 변형하기도 했다. 수술 후 문제점들로는 부족교정 및 과교정이 가장 흔하며, 그 외 쌍꺼풀선의 소실과 눈꺼풀속말림 발생 등이 있다.

Double triangle pattern without central brow incision

이마에 세 군데의 절개 대신에 안쪽과 가쪽에 두 개의 절개만 하고 Crawford 방법과 같이 눈꺼풀 안쪽과 가쪽에서 각각의 걸기재료를 삼각형 모양으로 위치시킨다. 걸기재료를 안쪽과 가쪽의 이마 절개 부위로 빼낸 후 적당한 장력으로 당겨 보면서 가장 좋은 눈꺼풀 모양과 윤곽을 유지하도록 걸기재료를 눈꺼풀판 그리고 이마근과 고정 봉합한다. 이마 중앙에 절개를 하지 않기 때문에 이마 중앙에 흉터가 없는 장점이 있다.

Silicone rod를 이용한 이마근걸기술

Silicone rod는 탄력성이 좋아 토안 유발이 적어서 눈의 방어 기전이 손상되어 있는 눈꺼풀처짐 환자에서 추천되는 걸기재료로서 수술 후 심한 각막 손상이 발생할 경우에 쉽게 제거할 수 있는 장점도 있다. 또한 2세 이전의 심한 선천눈꺼풀처짐 환자에서 약시를 예방하기 위한 목적으로 주로 사용된다. 어린이에서는 전신마취가 필요하지만 어른에서는 국소마취로 충분하며, 일반적으로 오각형 모양의 이마근걸기술을 해주면 좋은 결과를 얻을 수 있다.

Silicone rod는 1 mm 직경의 상품화되어 있는 제품이 있으며 바늘과 같이 붙어 있으므로 사용하기가 편리하다.

피부절개

눈꺼풀테 약 3 mm 위의 눈꺼풀선에 눈꺼풀틈새의 모양이 가장 잘 형성되는 위치를 선정하여 안쪽 및 가쪽 두 군데에 약 3 mm의 작은 절개창stab incision을 넣는다. 이마 부위는 눈썹 바로 위 안쪽과 가쪽에 약 3 mm의 작은 절개창을 넣고, 중앙에는 sleeve가 위치할 수 있도록 약 5 mm의 절개창을 만든다(**그림 13-10, 13-11**). 이 중 중앙 부위의 절개는 안쪽이나 가쪽에 비해 약 1 cm 정도 높게 위치하도록 한다. 눈꺼풀선을 따라 절개lid crease incision를 한 뒤 silicone rod의 이탈과 silicone rod의 힘이 앞층판에 작용하여 눈꺼풀이 들리는 현상을 방지하고, 이마근걸기술의 효과를 오래 지속시키기 위해서 눈꺼풀판에 silicone rod를 직접 고정 봉합하기도 한다. 절개 부위의 위치나 절개창 사이의 간격은 환자마다 약간씩 차이가 날 수 있다는 점도 항상 고려하여야 한다.

Silicone rod 통과 및 고정

Silicone rod에 부착된 바늘을 눈꺼풀의 피부절개 부위를 통해 눈둘레근과 눈꺼풀판 사이로 통과시킨 후, 눈꺼풀판 혹은 눈꺼풀판위조직에 6-0 비흡수성 봉합사로 silicone rod를 고정 봉합한다(**그림 13-12, 13-13**). Silicone rod 양끝에 달린 바늘 각각을 눈꺼풀피부절개창에 삽입하여 눈꺼풀올림근 널힘줄 앞쪽의 공간을 지나서 안쪽 및 가쪽 이마 절개 부위로 빼내거나 혹은 silicone rod 양끝에 달린 바늘 대신에 Wright needle을 이용하여 절개부위로 빼낸 후 눈꺼풀윤곽을 확인한다(**그림 13-14, 13-15**). 바늘 각각을 안쪽 및 가쪽

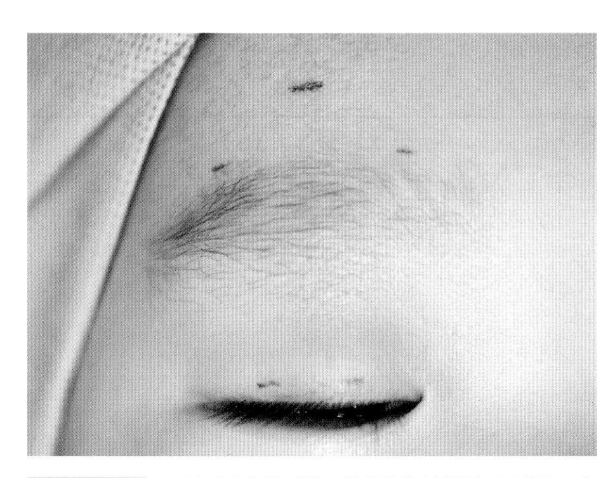

그림 13-10 다섯 군데의 작은 피부절개 부위를 표시한 모습

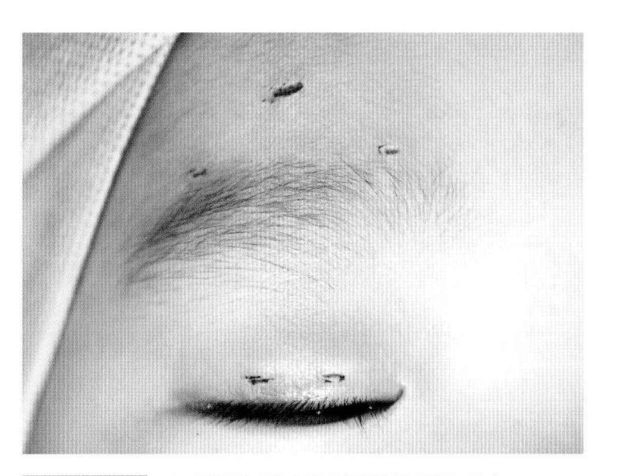

그림 13-11 눈꺼풀과 이마에 절개창을 만든 모습

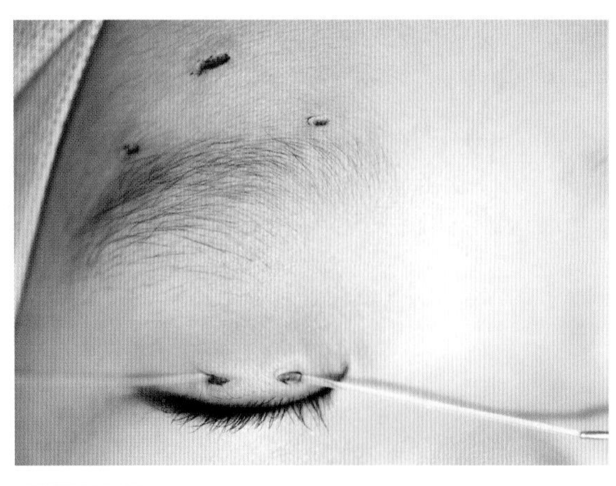

그림 13-12 Silicone rod에 부착된 바늘을 눈꺼풀의 피부절개 부위를 통해 눈둘레근과 눈꺼풀판 사이로 통과시킨 모습

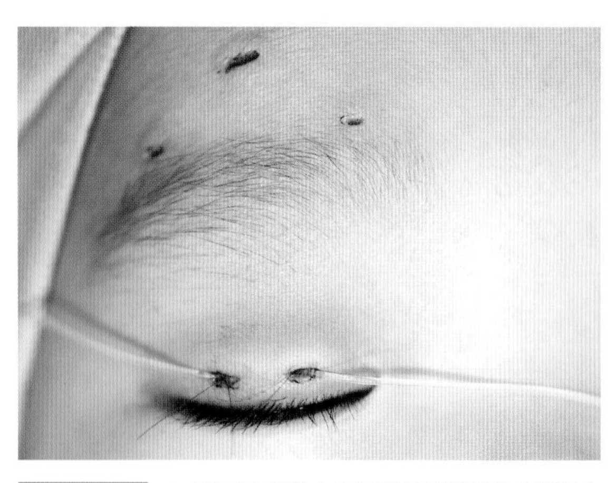

그림 13-13 눈꺼풀판 혹은 눈꺼풀판위조직에 6-0 비흡수성 봉합사로 silicone rod를 고정 봉합한 모습

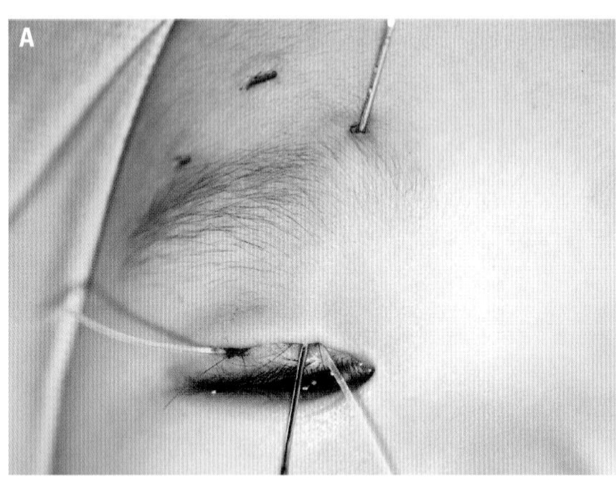

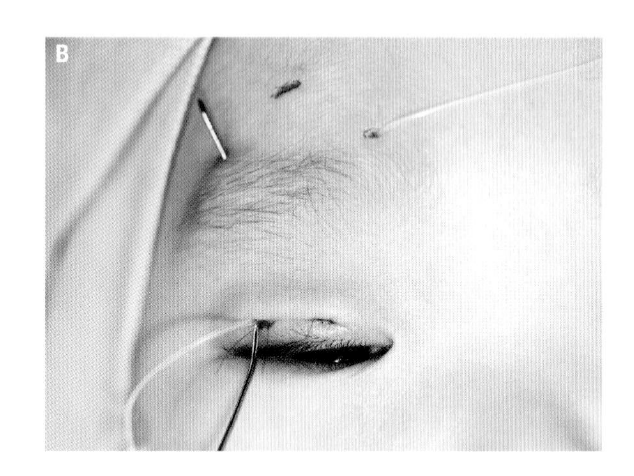

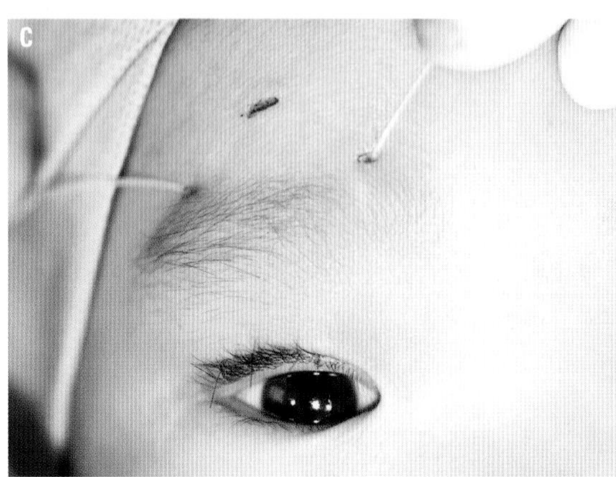

그림 13-14 Silicone rod 양끝에 달린 바늘을 이용하여 이마 절개부위로 빼낸 모습

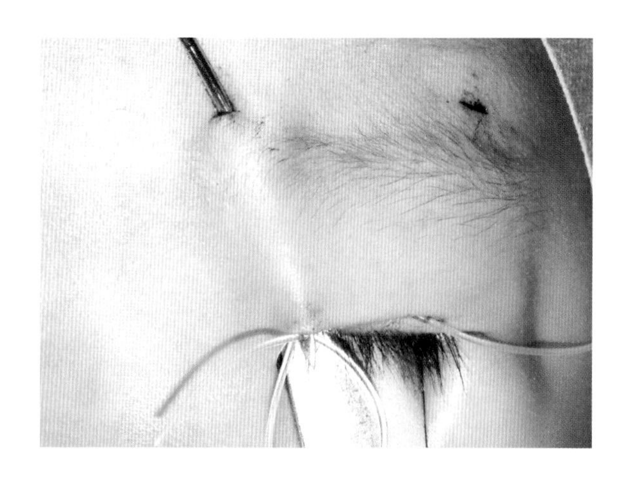

그림 13-15 Silicone rod 양끝에 달린 바늘 대신에 Wright needle을 이용하여 이마절개부위로 빼내기도 한다.

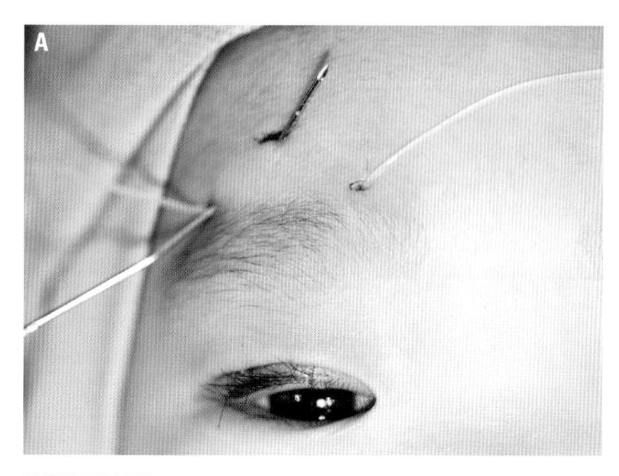
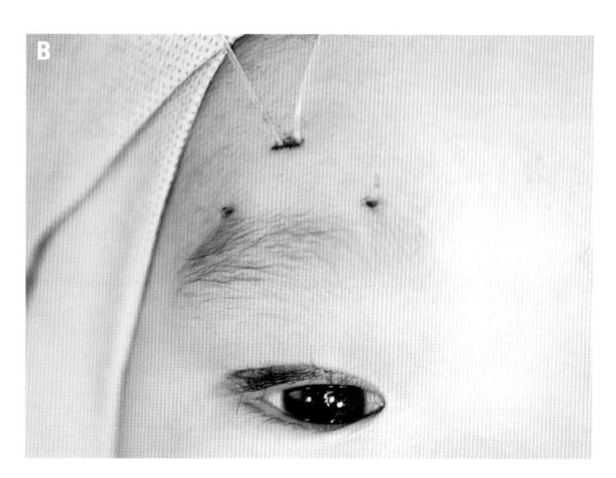

그림 13-16 바늘 각각을 안쪽 및 가쪽 이마 절개 부위에서 중앙부 이마 절개 부위로 빼낸 모습

이마 절개 부위에서 중앙부 이마 절개 부위로 빼내고 silicone rod 양쪽 끝을 sleeve 속으로 통과시킨 후 눈꺼풀이 적당한 높이가 되도록 당긴다(**그림 13-16, 13-17**). Sleeve를 이마 중앙절개창 속으로 밀어 넣은 후 올라간 눈꺼풀의 높이를 확인하며, 국소마취로 수술하는 경우는 환자를 앉혀서 위눈꺼풀의 높이를 확인하기도 한다.

Silicone rod가 sleeve로부터 이탈되는 것을 방지하기 위하여 6-0 비흡수성 봉합사로 sleeve를 묶어주기도 하지만, 최근 silicone rod가 sleeve에서 이탈되는 현상은 없는 것으로 보고된바 있다. 남는 silicone rod는 추후 눈꺼풀높이 조정이 필요한 경우를 대비하여 약 5~7 mm 남기고 절단하고 중앙부위 절개창으로 밀어 넣는다(**그림 13-18, 13-19**).

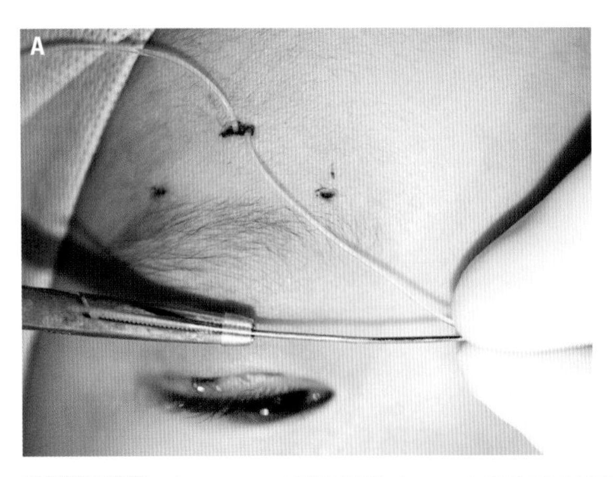

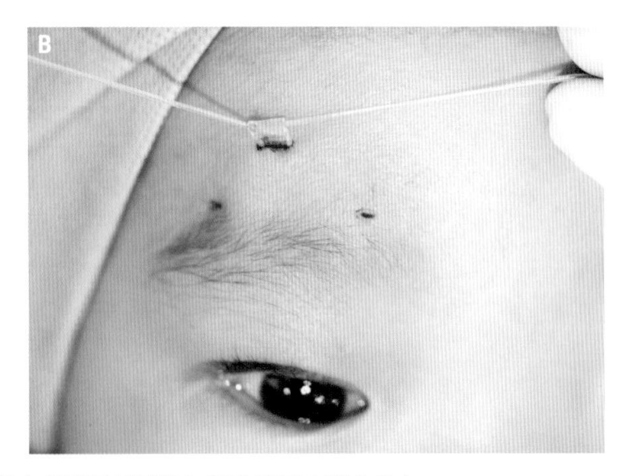

그림 13-17 Silicone rod 양쪽 끝을 sleeve 속으로 통과시킨 후 눈꺼풀이 적당한 높이가 되도록 당긴 모습

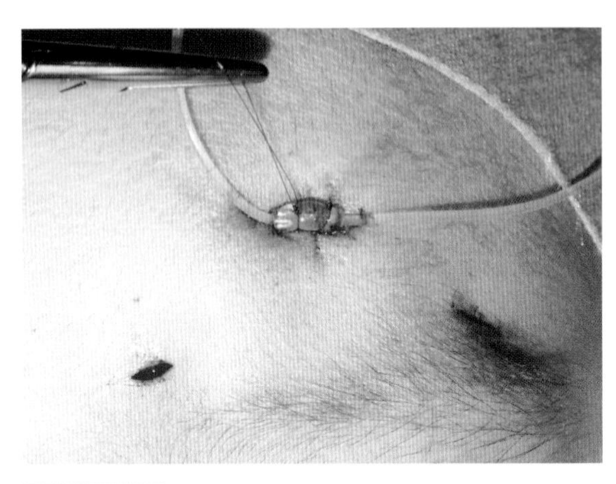

그림 13-18 6-0 비흡수성 봉합사로 sleeve를 묶어주는 모습

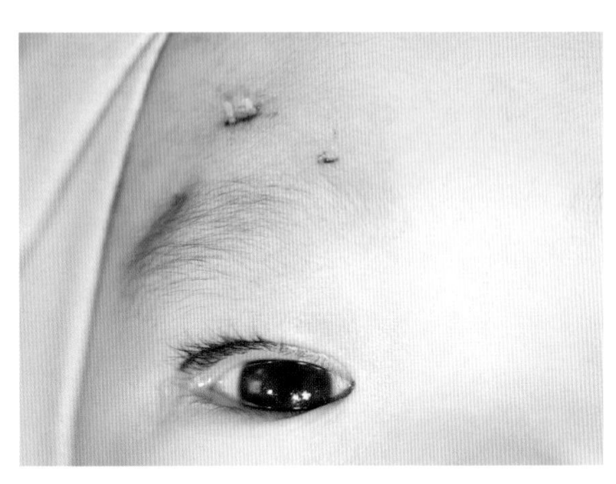

그림 13-19 남는 silicone rod는 재수술을 대비하여 약 5~7 mm 남기고 절단한다.

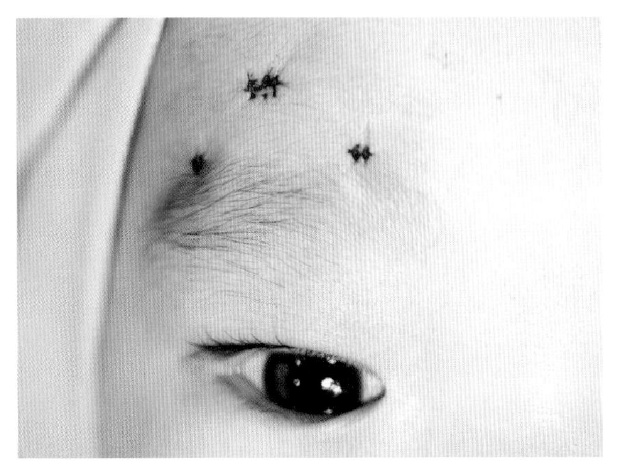

그림 13-20 눈썹 위 이마절개와 이마 중앙절개부위 봉합한 모습

피부 봉합

눈썹 위 이마절개 부위를 봉합한다**(그림 13-20)**. 이때 이마 중앙절개부위에서는 silicone rod의 sleeve가 절개창 깊숙이 위치하도록 한 후 피부밑조직과 피부를 봉합한다. 눈꺼풀 절개 부위는 봉합하지 않아도 된다.

자가대퇴근막을 이용한 이마근걸기술

자가대퇴근막 얻기 Harvesting autogenous fascia lata

이마근걸기술에서 자가대퇴근막이 가장 이상적인 재료라 하더라도 다리에서 자가대퇴근막을 얻기 위한 추가적인 수술을 부담스럽게 여기는 안과의사들이 있을 수 있다. 그래서 익숙할 때까지 정형외과 의사나 경험이 있는 안과의사의 도움을 받기를 권하기도 하지만, 자가대퇴근막은 비교적 표층에 위치하여 접근하기가 쉽고, 얻는 과정도 그렇게 어렵지 않으며, 그리고 합병증이 잘 발생하지 않아 안과의사가 시행하는데 무리는 없다.

자가대퇴근막 수술에 따른 합병증으로 수술 후 혈종postoperative hematoma, 감염, 그리고 근육 탈출muscle herniation로 인해 다리가 불룩해 보이는 현상이 나타날 수 있으나, 이는 자가대퇴근막을 크게 절개했을 때 드물게 나타날 수 있다. 많은 환자들이 걸을 때 다리에 통증을 느끼거나 다리를 절뚝거리기도 하나 수술 후 며칠 내 소실되는 것이 보통이다. 장기적으로 볼 때 이 외의 다른 심각한 합병증은 없으나 다리의 절개 부위에 생기는 흉으로 인한 미용적 문제는 경미하지만 약 38%에서 나타나는 것으로 보고되고 있으며 가끔 비후성 반흔hypertrophic scar이 나타나기도 한다.

피부절개는 무릎관절 위 대퇴부 가쪽에서 종아리뼈머리fibula head와 앞위엉덩뼈능선anterior superior iliac crest 사이를 잇는 선상에 한다. 다리를 미리 내회전internal rotation시켜 반창고로 고정시켜 놓으면 절개부위를 더 정확히 할 수 있으며 대퇴근막이 펴지기 때문에 절제하기 용이해진다.

피부절개 길이는 이마근걸기 수술 방법이나 환자의

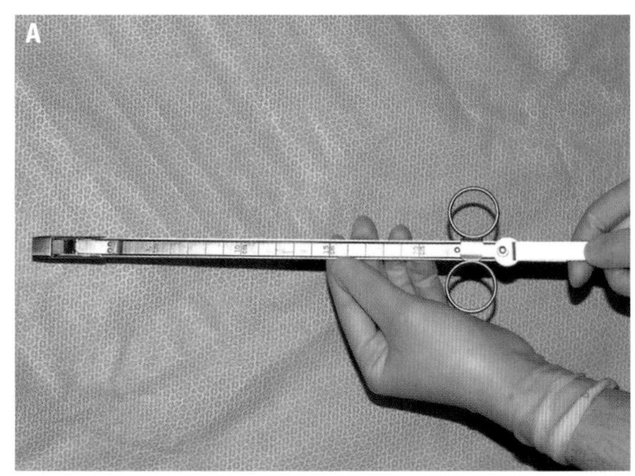

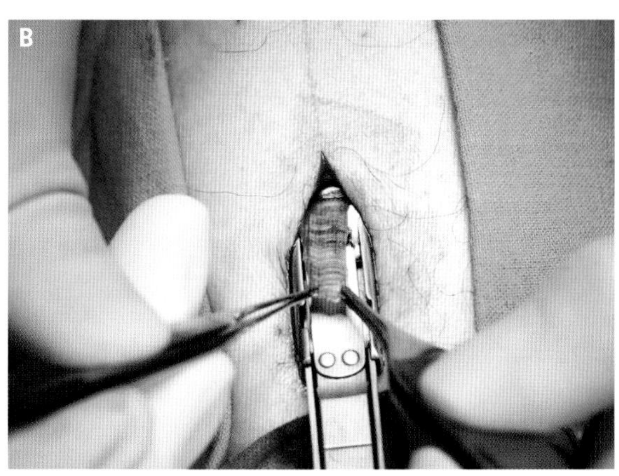

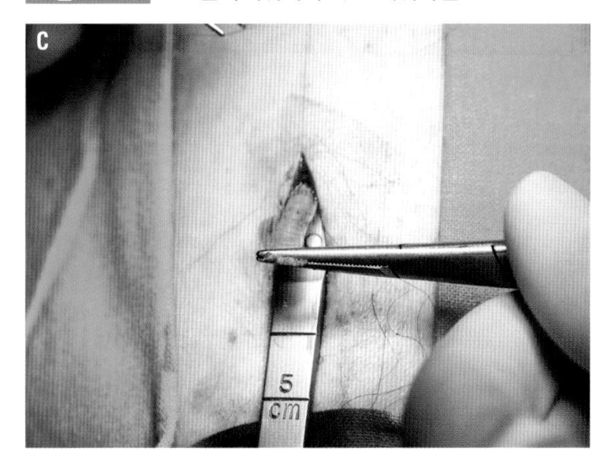

그림 13-21 **A.** 근막채취기와 **B, C.** 채취사진

나이, 그리고 근막채취기fascial stripper 사용 여부에 따라 달라질 수 있다. 오각형 형태의 이마근걸기술을 위해서는 길이 7~9 cm 정도의 자가대퇴근막이 필요하기 때문에 6~8 cm의 절개가 필요하지만 근막채취기를 사용하면 3~4 cm 정도만 피부절개를 해도 된다(**그림 13-21**). 다른 방법으로서 5 cm 간격을 두고 길이 2~2.5 cm 절개를 위 · 아래 두군 데에 시행하여 근막채취기를 사용하지 않고도 충분한 길이의 자가대퇴근막을 얻기도 한다. 눈꺼풀판에 자가대퇴근막을 직접 고정하는 이마근걸기술을 시행할 때는 약 3 cm 정도만 절개해도 충분하다. 오각형 형태의 이마근걸기술 때 필요한 자가대퇴근막의 폭은 한쪽 눈에 약 3~4 mm 정도, 또 눈꺼풀판 직접고정술 때는 8 mm 정도가 필요하지만 수술자 개개인의 방법에 따라 약간씩 다를 수 있다.

피부절개 후 아래쪽에 있는 피부밑지방층을 박리하면 하얗게 반짝이는 대퇴근막을 쉽게 찾을 수 있다(**그림 13-22, 13-23**). 원하는 크기만큼 15번 칼로 자가대퇴근막 결을 따라 평행하게 절개를 하고 밑의 대퇴근과 분리 후 자가대퇴근막을 채취한다(**그림 13-24**).

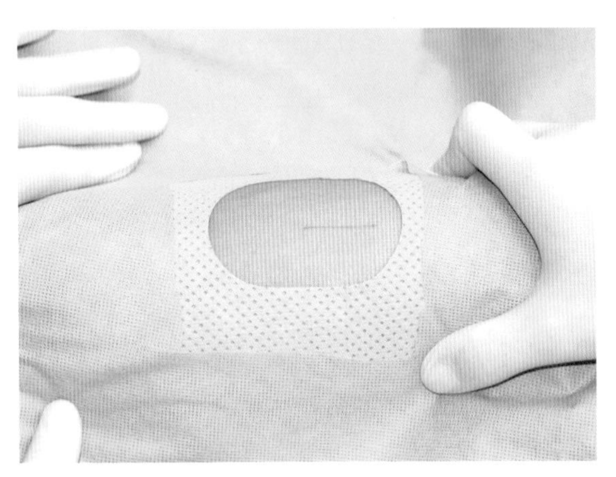

그림 13-22 대퇴근막을 얻기 위한 피부절개선을 그린 모습

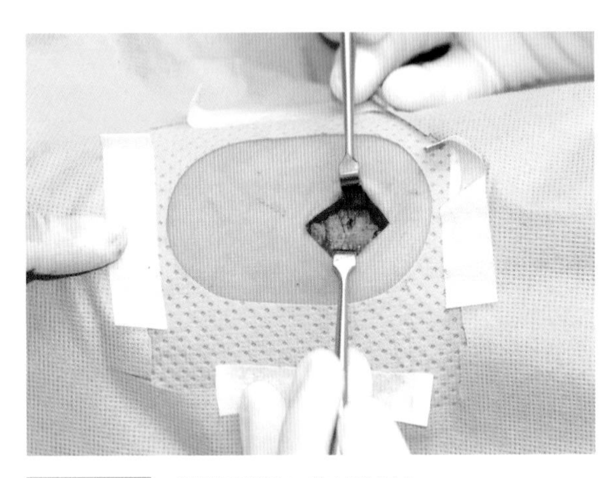

그림 13-23 대퇴근막을 노출시킨 모습

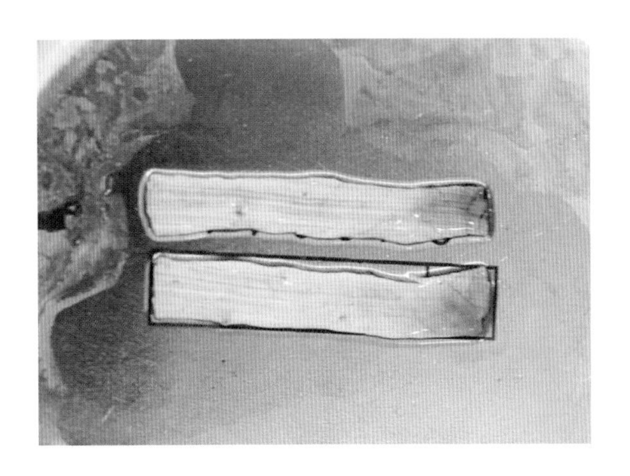

그림 13-24 10 × 30 mm 크기로 채취한 자가대퇴근막을 두 가닥으로 나눈 모습

자가대퇴근막을 이용한 눈꺼풀판 및 이마근 직접고정술

쌍꺼풀선을 따라 피부절개를 하고 눈꺼풀판을 노출시킨 뒤 걸기재료를 눈꺼풀판 및 이마근에 직접 고정시키는 이마근걸기술의 한 수술 방법이다. 수술 시간이 오래 걸리는 단점이 있지만 여분의 피부 및 지방을 제거하는 눈꺼풀성형술을 동시에 시행할 수 있으며, 더 뚜렷한 쌍꺼풀선을 형성할 수 있고, 또 눈꺼풀의 형태나 윤곽을 조절하기 쉬운 장점들이 있다. 걸기재료로는 자가대퇴근막이 가장 좋으며 보존대퇴근막도 사용할 수 있다.

피부절개

쌍꺼풀을 만들 것을 고려하여 일반적인 눈꺼풀성형술과 같은 피부절개선과 눈썹 바로 위 두 군데에 약 5 mm 길이의 피부절개선을 표시하고 절개를 한다. 성인의 경우 여분의 눈꺼풀피부를 제거할 수 있도록 표시하며 어린이의 경우에는 절개선만 그리거나 혹은 1~2 mm 정도의 피부를 제거할 수 있도록 표시하기도 한다 **(그림 13-25)**.

눈꺼풀판에 걸기재료 고정

피부절개선 아래로 눈둘레근을 절개하여 눈꺼풀판의 앞면을 노출시킨다 **(그림 13-26)**. 지방 제거가 필요한 경우는 안와사이막을 절개한 후 지방을 제거한다. 6-0 비흡수성 봉합사를 이용하여 자가대퇴근막의 한쪽 끝을 눈꺼풀판에 고정봉합한다 **(그림 13-27)**. 고정 위치는 눈꺼풀 모양이 가장 잘 형성되는 위치를 선정하며, 눈꺼풀처짐 형태나 걸기재료의 모양에 따라 차이가 있다. 수술자의 선호도에 따라 여러 가지 모양으로 걸기재료를 고정시킬 수 있다 **(그림 13-28)**.

이마근에 고정

눈꺼풀판에 고정된 자가대퇴근막의 반대편을 Wright needle이나 작은 지혈겸자를 사용하여 안와사이막 뒤쪽과 안와가장자리 앞쪽으로 통과시켜 눈썹위 피부절개창으로 빼낸다 **(그림 13-29)**. 적당한 높이의 눈꺼풀 위치와 모양을 만든 후 6-0 비흡수성 봉합사로 자가대퇴근막을 이마근에 고정시킨다 **(그림 13-30, 13-31)**.

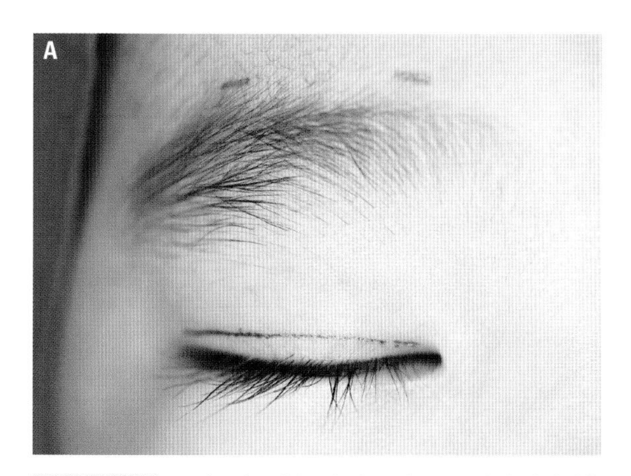

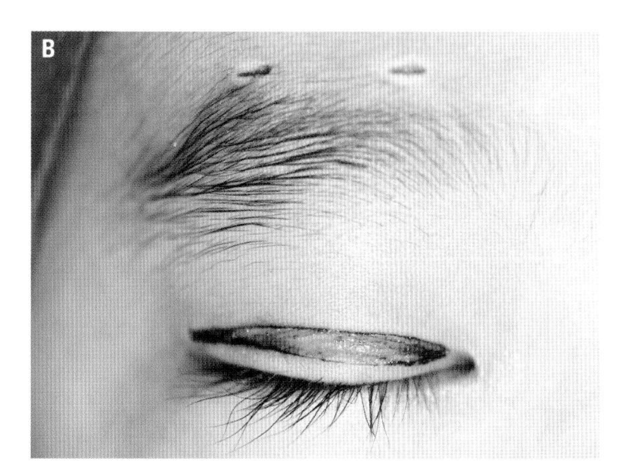

그림 13-25 **A.** 눈꺼풀과 눈썹 바로 위 두 군데에 절개선을 표시한 모습. **B.** 눈꺼풀 절개선과 눈썹위 절개한 모습

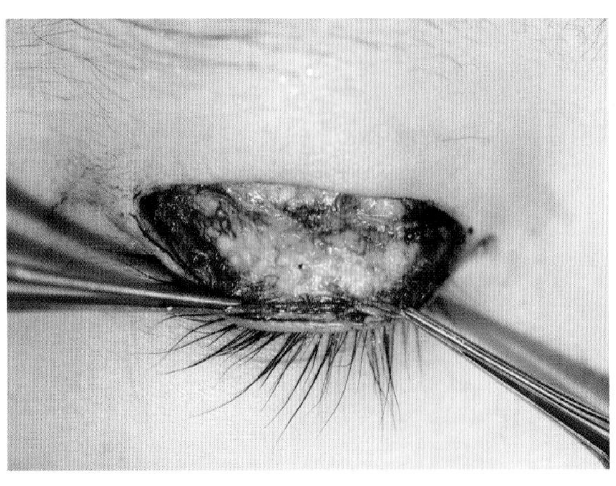

그림 13-26 눈꺼풀판의 앞조직을 제거한 후 눈꺼풀판이 노출된 모습

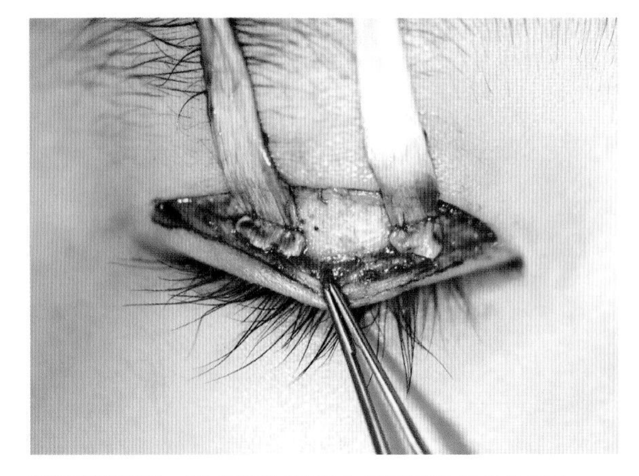

그림 13-27 자가대퇴근막을 눈꺼풀판에 봉합한 모습

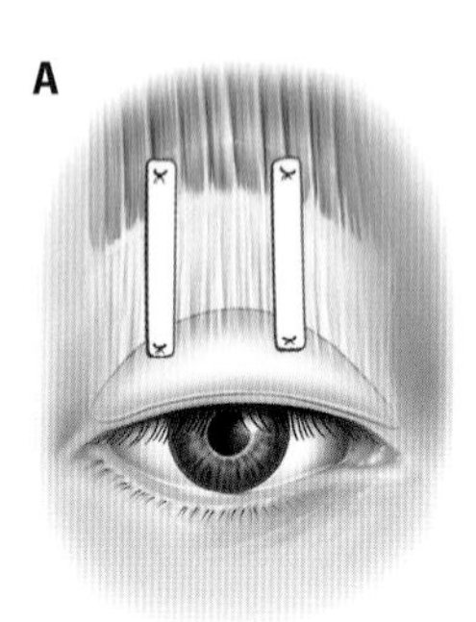

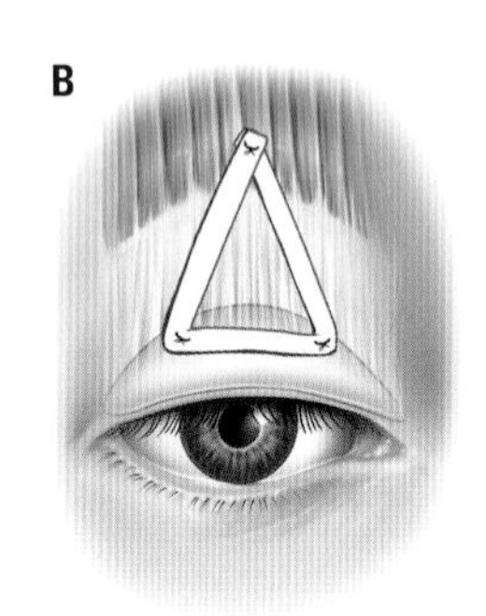

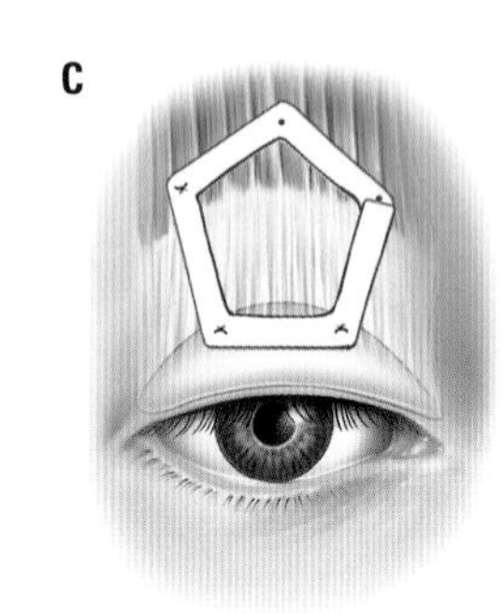

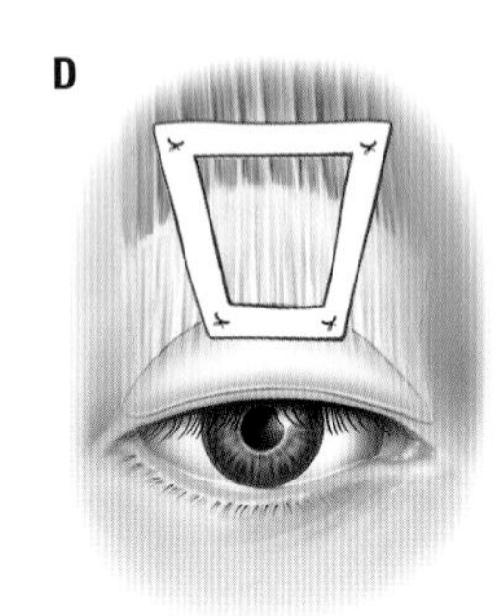

그림 13-28 눈꺼풀판 및 이마근에 여러 모양으로 걸기재료를 고정시킨 모습

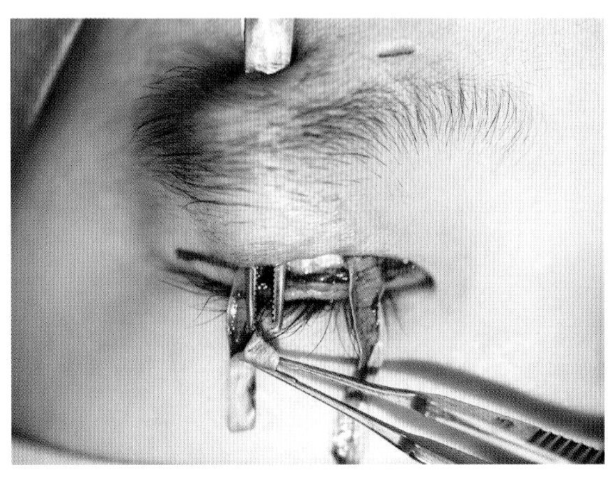

그림 13-29 자가대퇴근막을 눈썹위 피부절개창으로 빼내는 모습

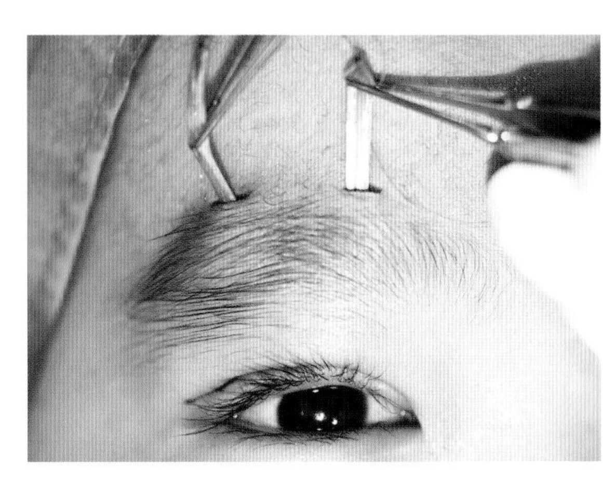

그림 13-30 대퇴근막을 당겨 눈꺼풀 위치와 모양을 확인하는 모습

그림 13-31 대퇴근막을 당겨 눈꺼풀 위치와 모양을 확인하고 이마근에 봉합한 모습

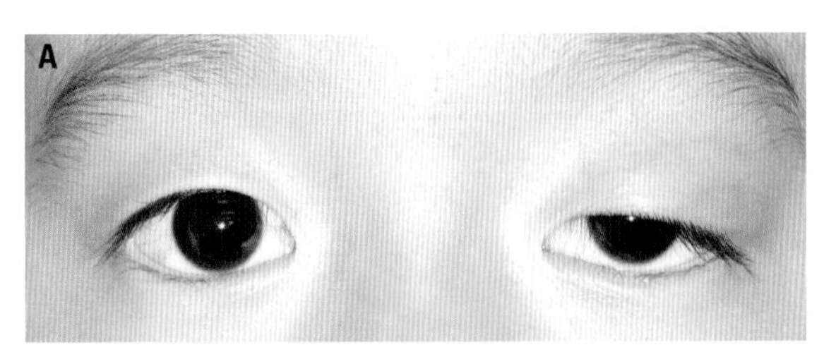

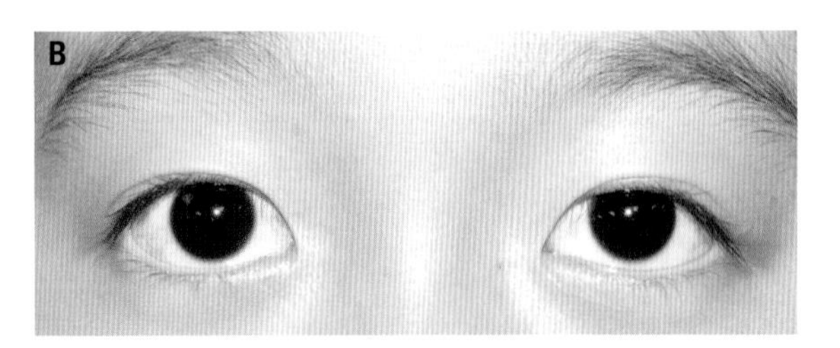

그림 13-32 자가대퇴근막을 이용하여 이미근걸기수술을 시행한 환자의 수술 전(**A**), 수술 후(**B**) 모습

쌍꺼풀 만들기 및 절개창 봉합

이 수술이 적용되는 환자들은 눈꺼풀올림근의 기능이 약하기 때문에 정상 환자들 같이 피부와 눈꺼풀올림근을 부착시켜 쌍꺼풀을 만들면 잘 풀어진다. 봉합사를 제거하기 힘든 어린이에서는 6-0 비흡수성 봉합사로 눈꺼풀판 앞면을 먼저 뜬 후 아래 절개창의 피부밑조직과 봉합한 후 매듭은 매몰시킨다. 피부는 6-0 fast absorbing plain gut으로 연속 봉합한다. 이 과정은 자가대퇴근막을 이마근에 고정하기 전에 시행하면 더 편하게 할 수 있다(**그림 13-32**).

전신마취하 이마근걸기술의 눈꺼풀 높이 결정

이마근걸기술 수술 중 눈꺼풀 높이를 어느 위치에 맞추어야 하는 지에 관해서 몇몇 보고가 있지만 아직 정확하지 않으며 예측하기가 어려운 힘든 숙제이다. 특히 선천눈꺼풀처짐 환자의 수술적 교정은 대부분 전신마취 하에서 진행되기 때문에 국소마취로 수술할 때와 같이 환자로 하여금 눈을 뜨게 하여 수술 중에 눈꺼풀 높이를 맞출 수가 없기 때문에 부족교정, 과교정 혹은 윤곽이상 등의 위험이 늘 뒤따르게 된다.

이마근걸기술에서 수술 중 눈꺼풀 높이를 어디에 맞출 것인지에 대해 여러 기준이 제시되어 있지만 이들 대부분은 수술자의 경험에 근거한 것으로 아직까지 정립된 원칙은 없는 실정이다. Putterman 등은 자가근막을 이용한 이마근걸기술에서 눈꺼풀테를 수술 후 목표로 하는 위치보다 조금 높게 위치시키는 것이 좋다고 하였고, Nerad는 각막의 위가장자리에 맞추는 것이 좋다고 하였다. 이에 반해 Chen은 눈꺼풀올림근의 기능에 따라 눈높이 위치 설정을 달리하도록 하였는데, 눈꺼풀올림근 기능이 3~4 mm인 경우 위눈꺼풀의 위치를 수술 후 목표로 하는 높이에 맞추고, 0~2 mm인 경우 목표치보다 1 mm 상방에 위치시키며, 5 mm 정도인 경우는 목표치보다 1 mm 정도 낮게 위치시키는 것이 좋다고 하였다. Leibovitch 등은 양안 눈꺼풀처짐인 경우 각막위가장자리보다 1 mm 낮은 높이에 맞추고, 단안 눈꺼풀처짐인 경우 반대 정상안과의 대칭성을 고려하도록 하였다.

하지만 자가대퇴근막을 사용한 눈꺼풀판 · 이마근 직접 고정술로 이마근걸기 수술 후 위눈꺼풀의 목표치를 정량적으로 분석한 한 연구에서 눈꺼풀처짐의 정도와 전신마취 하에서 발생하는 토안이 수술 후 눈높이의 변화에 영향을 주는 주요 요인으로 나타났으며, 눈꺼풀올림근 기능은 그다지 영향을 미치지 못하는 것으로 보고된 바 있다. 이 연구에서 수술 중 눈꺼풀틈새의 교정 양과 수술 후 교정 양은 대체로 비례하기 때문에 눈꺼풀처짐의 정도가 심한 눈에서 더 많이 교정해야 하는 것으로 나타났다. 수술 중 눈꺼풀의 교정을 3 mm 미만으로 적게 한 경우 실제 눈높이의 변화는 그보다 약간 더 크게 나타났고, 수술 중 교정 양이 3~4 mm인 경우는 수술 후 눈꺼풀틈새 변화가 거의 비슷하였으며, 눈처짐의 정도가 심하여 4 mm 이상 많이 올린 경우 실제 수술 후 눈높이는 그보다 약간 적게 교정되는 것으로 나타났다.

또한 많은 눈꺼풀처짐 환자에서 전신마취 유도 후 토안이 나타났으며, 이 토안을 기준점으로 한 수술 중 눈높이의 변화 양이 실제 눈높이의 변화 양과 비슷하게 나타나, 마취 때 토안이 나타나면 토안의 크기만큼 더 교정하는 것이 눈꺼풀처짐을 교정하는데 더 도움을 주는 것으로 나타났다.

눈꺼풀처짐의 눈높이에 여러 요인들이 영향을 미칠 수 있기 때문에 단순하게 일반화시키기에는 한계가 있다. 따라서 여러 연구결과들을 바탕으로 이마근걸기술의 재료나 수술 방법에 따른 각각의 교정정도를 표준화 할 수 있으면 좀 더 좋은 수술 후 결과를 얻을 수 있을 것이다. 또한 수술자 개개인의 경험도 수술 결과에 많은 영향을 미치므로 수술자 스스로 최선의 결과를 얻기 위한 수술 기준을 만들 필요가 있다.

눈꺼풀의 기능적 중심 Functional eyelid center

정상적인 눈에서 윗눈꺼풀의 가장 높은 지점은 동공 혹은 동공의 바로 내측으로 알려져 있으나, 실제 눈꺼풀을 올리는 최적의 지점은 그보다 가쪽이라는 연구결과가 있었다. 실리콘로드를 이용한 오각형 모양의 이마근걸기술 시 실리콘을 눈꺼풀에 고정하는 두 지점을 동공을 지나는 선을 중심으로 하는 것보다 약 4.3 mm 가쪽을 중심으로 하는 것이 기능적으로나 미용적으로 더 우수하다는 내용이 보고되었다. 이 지점을 눈꺼풀의 기능적 중심이라 하였다.

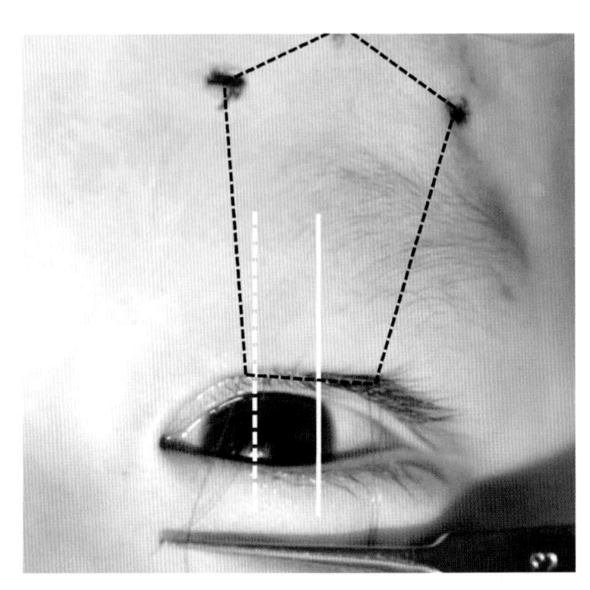

그림 13-33 위눈꺼풀의 기능적중심(실선)은 동공(점선)의 가쪽에 위치하며, 이를 중심으로 오각형 이마근걸기술을 시행하면 좋은 결과를 얻을 수 있다.

참고문헌

1. 김상덕, 강필성, 배진한, 김재덕. 안검하수 교정을 위한 실리콘관 전두근 걸기술. 대한안과학회지 2000;41:2521-6.
2. 선덕영, 지용훈, 김윤덕. 2세 미만의 안검하수 환자에서 보존대퇴근막을 이용한 전두근걸기술. 대한안과학회지 2001;42:950-4.
3. 오주연, 김철, 정호경, 곽상인. 선천눈꺼풀처짐 환자에서 보존대퇴근막의 눈꺼풀판 고정이 이마근걸기술의 결과에 미치는 영향. 대한안과학회지 2006;47:1-6.
4. 윤진숙, 김민, 이상열. 자가대퇴근막을 이용한 이마근걸기술 후 눈꺼풀틈새크기의 변화에 관한 연구. 대한안과학회지 2007;48:193-204.
5. 이동욱, 장재우, 이상열. 선천성안검하수 환자에서 Supramid Extra2®를 이용한 전두근 걸기의 결과. 대한안과학회지 1999;40:3253-7.
6. 이상열, 김윤덕, 곽상인, 김성주. 눈꺼풀성형술. 도서출판 내외학술, 2009.
7. 이상렬, 변석호, 장재우. 선천성 단안 안검하수 환자에서 전두근걸기술의 효과. 대한안과학회지 2001;42:1445-51.
8. 한의수, 정연철, 장광. 수장근 건을 이용한 안검하수 교정술. 대한안과학회지 1990;31:1006-10.
9. Bagheri A, Aletaha M, Saloor H, Yazdani S. A randomized trial of two methods of fascia lata suspension in congenital ptosis. Ophthal Plast Reconstr Surg 2007;23:217-21.
10. Baker RH, de Silva JD, Henderson HW, Kirkpatrick N, Joshi N. A novel technique of harvesting temopralis fascia autografts for correction of recurrent blepharoptosis. Ophthal Plast Reconstr Surg 2005;21:298-300.
11. Bartley GB. The enhanced frontalis sling for blepharoptosis repair. Am J Ophthalmol 2002;134:782-4.
12. Ben Simon GJ, Macedo AA, Schwarcz RM, Wang DY, McCann JD, Goldberg RA. Frontalis suspension for upper eyelid ptosis: evaluation of different surgical designs and suture material. Am J Ophthalmol 2005;140:877-85.
13. Bernardini FP, de Conciliis C, Devoto MH. Frontalis suspension sling using a silicone rod in patients affected by myogenic blepharoptosis. Orbit 2002;21:195-8.
14. Beyer CK, Albert DM. The use and fate of fascia lata and sclera in ophthalmic plastic and reconstructive surgery. Ophthalmology 1981;88:869-86.
15. Carter SR, Meecham WJ, Seiff SR. Silicone frontalis slings for the correction of blepharoptosis: indications and efficacy. Ophthalmology 1996;103:623-30.
16. Chen WP. Oculoplastic surgery: the essentials. New York: Thieme, 2001.
17. Crawford JS. Repair of ptosis using frontalis muscle and fascia lata. Trans Am Acad Ophthalmol Otolaryngol 1956;60:672-8.
18. DeMartelaere SL, Blaydon SM, Cruz AA, Amato MM, Shore JW. Broad fascia fixation enhances frontalis suspension. Ophthal Plast Reconstr Surg 2007;23:279-84.
19. El-Toukhy E, Salaem M, El-Shewy T, Abou-Steit M, Levine M. Mersilene mesh sling as an alternative to autogenous fascia lata in the management of ptosis. Eye (Lond) 2001;15:178-82.
20. Hersh D, Martin FJ, Rowe N. Comparison of silastic and banked fascia lata in pediatric frontalis suspension. J Pediatr Ophthalmol Strabismus 20006;43:212-8.
21. Ibrahim HA. Use of the levator muscle as frontalis sling. Ophthal Plast Reconstr Surg 2007;23:376-80.
22. Katowitz JA. Frontalis suspension in congenital ptosis using a polyfilament, cable-type suture. Arch Ophthalmol 1979;97:1659-63.
23. Kemp EG, MacAndie K. Mersilene mesh as an alternative to autogenous fascia lata in brow suspension. Ophthal Plast Reconstr Surg 2001;17:419-22.
24. Kersten RC, Bernardini FP, Khouri L, Moin M, Roumeliotis AA, Kulwin DR. Unilateral frontalis sling for the surgical correction of unilateral poor-function ptosis. Ophthal Plast Reconstr Surg 2005;21:412-6; discussion 416-7.
25. Kim CY, Son BJ, Lee SY. Functional centre of upper eyelid: the optimal point for eyelid lifting in ptosis surgery. Br J Ophthalmol 2015;99:346-9.
26. Kim CY, Yoon JS, Bae JM, Lee SY. Prediction of postoperative eyelid height after frontalis suspension using autogenous fascia lata for pediatric congenital ptosis. Am J Ophthalmol 2012;153:334-42.
27. Kook KH, Lew H, Chang JH, Kim HY, Ye J, Lee SY. Scanning electron microscopic studies of Supramid extra from the patients displaying recurrent ptosis after frontalis suspension. Am J Ophthalmol 2004;138:756-63.
28. Lee MJ, Oh JY, Choung HK, Kim NJ, Sung MS, Khwarg SI. Frontalis sling operation using silicone rod compared with preserved fascia lata for congenital ptosis a three-year follwup study. Ophthalmology 2009;116:123-9.
29. Leibovitch I, Leibovitch L, Dray JP. Long-term results of frontalis suspension using autogenous fascia lata for congenital ptosis in children under 3 years of age. Am J Ophthalmol 2003;136:866-71.
30. Lelli GJ Jr, Musch DC, Frueh BR, Nelson CC. Outcomes in silicone rod frontalis suspension surgery for high-risk noncongenital blepharoptosis. Ophthal Plast Reconstr Surg 2009;25:361-5.
31. Liu D. Blepharoptosis correction with frontalis suspension using a supramid sling: duration of effect. Am J Ophthalmol 1999;128:772-3.
32. Malone TJ, Nerad JA. The surgical treatment of blepharoptosis in oculomotor nerve palsy. Am J Ophthalmol 1988;105:57-64.
33. Mehta P, Patel P, Olver JM. Functional results and complications of Mersilene mesh use for frontalis suspension ptosis surgery. Br J Ophthalmol 2004;88:361-4.
34. Morris CL, Buckley EG, Enyedi LB, Stinnett S, Freedman SE. Safety and efficacy of silicone rod frontalis suspension surgery for childhood ptosis repair. J Pediatr Ophthalmol Strabismus 2008;45:280-8.
35. Nerad JA. Oculoplastic surgery: The requisites in ophthalmology. St. Louis: Mosby, 2001.
36. O'Reilly J, Lanigan B, Bowell R, O'Keefe M. Congenital ptosis: long term results using stored fascia lata. Acta Ophthalmol Scand 1998;76:346-8.
37. Patrinely JR, Anderson RL. The septal pulley in frontalis suspension. Arch Ophthalmol 1986;104:1707-10.
38. Saunders RA, Grice CM. Early correction of severe congenital ptosis. J Pediatr Ophthalmol Strabismus 1991;28:271-3.
39. Sharma TK, Willshaw H. Long-term follow-up of ptosis correction using Mersilene mesh. Eye (Lond) 2003;17:759-61.
40. Spoor TC, Kwitko GM. Blepharoptosis repair by fascia lata suspension with direct tarsal and frontalis fixation. Am J Ophthalmol 1990;109:314-7.
41. Steinkogler FJ, Kuchar A, Huber E, Arocker-Mettinger E. Gore-Tex soft-tissue patch frontalis suspension technique in congenital ptosis and in blepharophimosis-ptosis syndrome. Plast Reconstr Surg 1993;92:1057-60.
42. Suh JY, Ahn HB. Ptosis repair using preserved fascia lata with the modified direct tarsal fixation technique. Korean J Ophthalmol 2013;27:311-5.
43. Wagner RS, Mauriello JA Jr, Nelson LB, Calhoun JH, Flanagan

JC, Harley RD. Treatment of congenital ptosis with frontalis suspension : a comparison of suspensory materials. Ophthalmology 1984;91:245-8.
44. Wasserman BN, Sprunger DT, Helveston EM. Comparison of materials used in frontalis suspension. Arch Ophthalmol 2001;119:687-91.
45. Wheatcroft SM, Vardy SJ, Tyers AG. Complications of fascia lata harvesting for ptosis surgery. Br J Ophthalmol 1997;81:581-3.
46. Wilson ME, Johnson RW. Congenital ptosis. Long term results of treatment using lyophilized fascia for frontalis suspensions. Ophthalmology 1991;98:1234-7.
47. Wong CY, Fan DS, Ng JS, Goh TY, Lam DS. Long-term results of autogenous palmaris longus frontalis sling in children with congenital ptosis. Eye (Lond) 2005;19:546-8.
48. Yagci A, Egrilmez S. Comparison of cosmetic results in frontalis sling operations: the eyelid crease incision versus the supralash stab incision. J Pediatr Ophthalmol Strabismus 2003;40:213-6.
49. Yoon JS, Lee SY. Long-term functional and cosmetic outcomes after frontalis suspension using autogenous fascia lata for pediatric congenital ptosis. Ophthalmology 2009;116:1405-14.

CHAPTER 14

결막뮐러근절제술

Conjunctivomüllerectomy, Müller’s muscle-conjunctival resection

CONTENTS

눈꺼풀처짐은 눈꺼풀올림근의 기능, 눈꺼풀처짐의 정도, 그리고 눈의 방어기전 정도에 따라 수술 방법을 선택할 수 있다. 경도의 눈꺼풀처짐 환자에서 수술 전 페닐에프린phenylephrine 검사에 반응이 좋은 경우 뒤층판수술posterior lamellar procedure을 시행할 수 있다.

1975년에 Putterman과 Urist에 의해 기술된 결막뮐러근절제술은 대표적인 뒤층판 수술로 위눈꺼풀의 눈꺼풀결막과 뮐러근의 일부를 절제하고 전진시키는 방법이다. 눈꺼풀처짐을 교정하는 방법의 대부분은 쌍꺼풀선을 통하여 위눈꺼풀판 앞으로 눈꺼풀올림근널힘줄을 전진시키는 외부 접근법을 이용해 왔지만 이러한 접근법은 수술 시 환자의 협조가 필요하며, 마취제의 진정 작용, 부분마취효과, 부종 등으로 인해 수술 중 변하는 요인이 많다. 이에 반해 결막뮐러근절제술은 수술 중 환자의 협조가 별로 필요하지 않으므로 지속적인 정맥마취나 전신마취 하에서도 시행할 수 있는 장점을 가진다. 또한 다른 뒤층판수술인 Fasanella-Servat procedure에 비해 위눈꺼풀판을 보존할 수 있어 봉합으로 인한 각막병증이 적게 발생하며, 수술 결과에 대해 비교적 정확하게 예측이 가능하다는 장점이 있다. 하지만 이 수술은 경도의 눈꺼풀처짐 환자에서 페닐에프린 검사에 반응이 있는 경우에만 효과가 있으며, 수술 중에는 눈꺼풀처짐 교정정도를 확인하기 어려운 단점이 있다.

수술 전 검사

결막뮐러근절제술을 시행하기 위한 적당한 환자인지 확인하기 위해서 수술 전에 시행해야 할 두 가지 검사가 있는데 MRD_1 측정과 페닐에프린 검사이다.

MRD_1 검사

MRD_1 측정은 위눈꺼풀 높이를 평가하는데 사용된다. 정상인 눈과 눈꺼풀처짐이 있는 눈의 MRD_1 차이가 눈꺼풀처짐 정도를 나타낸다. 정상 MRD_1 수치는 대략 3.0~4.5 mm이며 이 수치가 양안 눈꺼풀처짐 환자에서 기준치로 사용된다.

MRD_1 검사는 눈꺼풀틈새 크기와는 상관없이 MRD_1만으로 눈꺼풀처짐을 정량화 할 수 있다는 장점이 있다. 페닐에프린 검사 시 검사 전과 검사 도중에 MRD_1을 모두 측정하여야 하는데, 아래눈꺼풀에도 페닐에프린에 반응하는 뮐러근이 존재하므로 눈꺼풀틈새 크기의 측정보다 MRD_1 측정이 더 정확하다.

페닐에프린 검사

2.5%나 10% 페닐에프린 안약을 점안 후 MRD_1을 다시 측정한다. 환자를 약간 눕힌 상태에서 고개를 뒤로 젖히고 아래쪽으로 보게 한 후 위눈꺼풀과 눈 사이에 페닐에프린을 몇 방울 점안한다. 페닐에프린이 비강으로 들어가는 것과 전신적으로 흡수되어 심혈관계에 부작용이 나타나는 것을 줄이기 위해 손가락으로 눈물소관을 10초 동안 눌러준다. 페닐에프린 점안 시 따가운 증상을 없애기 위해 점안 마취제를 사용할 수 있다. 이러한 과정을 1분 간격으로 2번 더 반복하고, 3~5분 후 MRD_1을 측정한다(**그림 14-1**). Phenylephrine이 없는 경우 α-agonist인 apraclonidine (iopidine®) 안약을 사용하기도 한다.

매우 드물긴 하지만 페닐에프린 안약 사용 후 심근경색이나 고혈압과 같은 부작용이 보고된 바가 있어 페닐에프린 검사 전에 환자가 심장질환의 위험인자를 가지고 있는지 확인하는 것이 필요하다. Glatt과 Putterman은 2.5%와 10% 페닐에프린 안약 사용 시 결과를 비교하였다. 두 안약 모두 결막뮐러근절제술의 대상자를 결정하는데 효과적이었으나 2.5% 안약에서 이

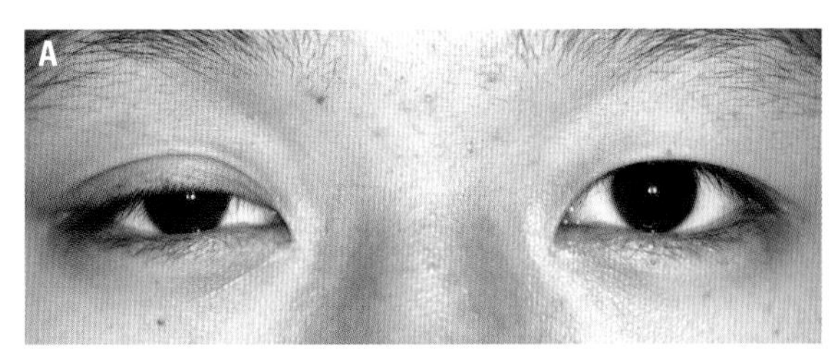

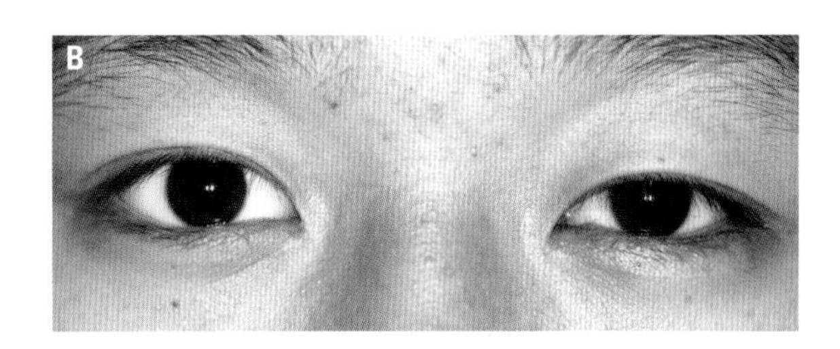

그림 14-1 페닐에프린 검사
페닐에프린 안약 점안 전에 비해 점안 후 눈꺼풀처짐이 호전된 모습

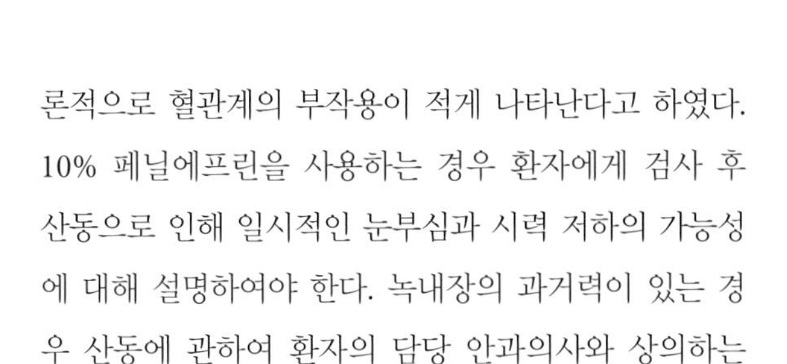

론적으로 혈관계의 부작용이 적게 나타난다고 하였다. 10% 페닐에프린을 사용하는 경우 환자에게 검사 후 산동으로 인해 일시적인 눈부심과 시력 저하의 가능성에 대해 설명하여야 한다. 녹내장의 과거력이 있는 경우 산동에 관하여 환자의 담당 안과의사와 상의하는 것이 좋다.

적응증

페닐에프린 검사에서 양성을 보이는 눈꺼풀올림근 기능이 좋은 눈꺼풀처짐 환자에서 유용하다. 호르너증후군 환자의 눈꺼풀처짐 교정 시 좋은 결과를 얻을 수 있다. 이 방법은 눈꺼풀판을 보존한다는 점은 제외하고는 Fasanella-Servat tarsomyectomy와 유사하며, 이론상의 문제점도 눈꺼풀판 보존을 제외하고는 같다. 눈꺼풀올림근널힘줄의 이상으로 인한 눈꺼풀처짐 교정에서는 주의하여 사용하여야 하며, 10% 페닐에프린 검사에 음성인 환자의 경우에는 효과적이지 못하다.

후천성 단안 또는 양안 눈꺼풀처짐이 있거나 이전의 피부경유 눈꺼풀처짐 수술이 성공적이지 않은 환자, 특히 이전에 위눈꺼풀성형술을 시행하였으나 눈꺼풀처짐 교정에 실패하였거나 수술 당시 눈꺼풀처짐이 발견되지 않았던 경우와 부가적인 피부경유 수술이 힘들거나 위험이 있을 때 유용하다.

노화로 인한 미용적 교정을 위해 찾아온 환자들 대부분은 눈꺼풀피부이완증과 위눈꺼풀처짐이 동반되어 있으므로 눈꺼풀처짐을 보이며 위눈꺼풀성형술을 원하는 환자에게서 눈꺼풀처짐을 교정하는 방법으로 피부접근법을 이용한 눈꺼풀올림근널힘줄 교정술이나 절제술 대신에 위눈꺼풀성형술과 병행한 결막뮐러근 절제술을 시행할 수 있다.

수술 방법

마취

성인에서는 부분마취가 선호된다. 부분마취와 함께 이마신경 마취frontal nerve block를 시행하여 위눈꺼풀의 부종과 멍이 생겨 수술이 힘들어지거나 부정확해지는 것을 예방한다. 바늘을 위쪽 안와로 삽입하여 안와위패임supraorbital notch 바깥쪽의 위쪽 중앙부 안와가장자리 바로 밑으로 넣어 주사 바늘이 안와지붕에 가까이 위치하도록 한 후, 에피네프린이 혼합된 2% 리도카인을 1.5 ml 주사한다. 부피바케인을 대신 사용할 수 있으며, 마취 효과가 오래 지속된다. 결막밑부분과 수술부위의 눈꺼풀피부에 직접 주사하기도 하는데, 이때 뮐러근을 자극할 수 있는 에피네프린은 섞지 않는 것이 좋다.

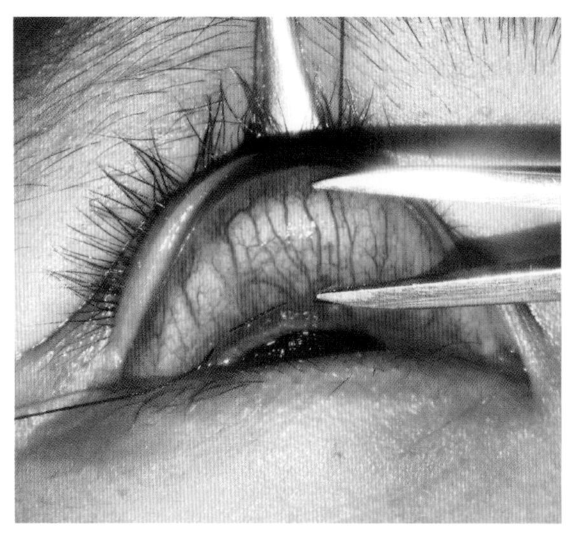

그림 14-2 눈꺼풀판 위가장자리에서부터 절제할 양을 측정하여 눈꺼풀결막에 표시한 모습

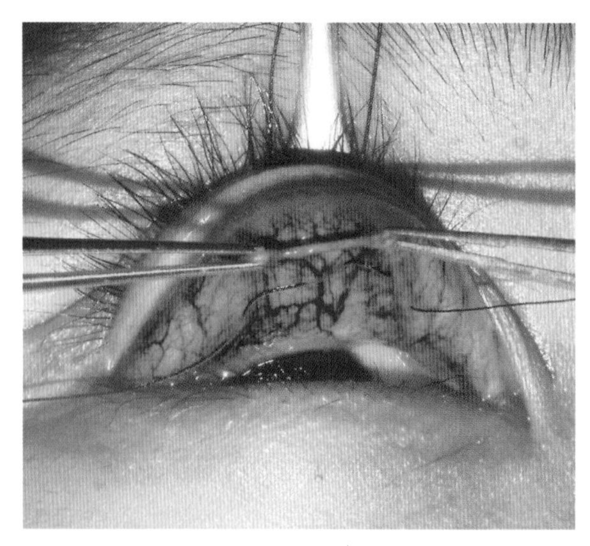

그림 14-3 눈꺼풀결막과 뮐러근을 눈꺼풀올림근널힘줄로부터 분리시키는 모습

절제량의 결정과 표시

위눈꺼풀의 중앙부에 속눈썹에서 2 mm 위쪽으로 4-0 black silk로 피부와 눈둘레근, 눈꺼풀판을 통과하는 견인 봉합을 시행한다. 중간 크기의 Desmarres 견인기로 위눈꺼풀을 뒤집어 위눈꺼풀판 경계에서 결막구석 사이의 눈꺼풀결막을 노출시킨다. 진정제를 사용하지 않거나 적게 사용할 경우에는 눈꺼풀결막 위로 점안마취제를 추가하는 것이 좋다.

결막과 뮐러근의 절제량은 수술 전에 시행한 페닐에프린 검사의 결과에 따라 결정하는데, 보통 페닐에프린 검사에서 2 mm의 반응이 있는 2 mm의 눈꺼풀처짐이 있는 환자의 경우 대략 8 mm를 절제한다. 페닐에프린 점안 후 처진 눈꺼풀이 원하는 높이로 올라가면 8 mm, 처진 눈꺼풀이 원하는 높이보다 더 올라가면 6~7 mm, 원하는 높이만큼 올라가지 못하면 9~10 mm로 절제량을 결정한다. 혹은 눈꺼풀처짐이 1 mm인 경우에는 6~6.5 mm, 2 mm일 때 8 mm, 3 mm일 때 9.5~10 mm로 절제량을 정하기도 한다. 한국인의 경우에는 서양인에 비해 윗눈꺼풀이 두껍고 상대적으로 무거우며, 서양인과 눈꺼풀의 해부학적 구조가 달라 절제량에 비해 술 후 눈꺼풀 상승 정도가 작다고 보고된 바도 있다. 7 mm 절제 시 1.2 mm, 8 mm 절제 시 1.4 mm, 9 mm 절제 시 1.8 mm 올라가는 것으로 보고되었다.

캘리퍼를 이용하여 눈꺼풀판 위쪽 경계에서부터 절제할 양을 표시하는데, 6-0 black silk 봉합사를 이용하거나 표시펜을 이용할 수도 있다(**그림 14-2**). 이때 봉합사로 표시하는 과정에서 결막만을 통과해야 하며, 뮐러근을 통과할 경우 심한 출혈이 발생할 수 있다.

위눈꺼풀올림근널힘줄로부터 뮐러근 박리

눈꺼풀판 위쪽 경계와 봉합사로 표시한 곳 사이의 결막과 뮐러근을 유구집게로 잡은 후 눈꺼풀올림근널힘줄에 느슨하게 부착되어 있는 뮐러근을 분리한다(**그림 14-3**). 이 방법은 뮐러근이 결막에는 단단히 부착되어 있으나, 눈꺼풀올림근널힘줄에는 약하게 부착되어 있기 때문에 가능하다.

겸자 사용

이 과정은 지혈용 겸자 등 다른 기구로도 시행할 수 있으나, 특별히 고안된 기구를 사용할 경우 더 쉽고, 정확하게 시행할 수 있다. 특별히 디자인된 결막뮐러근절제술-눈꺼풀처짐 겸자Müller's muscle-conjunctival resection-ptosis clamp (Bausch & Lomb Stortz)**(그림 14-4)**의 한쪽 날blade은 표시된 봉합선에 위치시키고 다른 날은 위눈꺼풀판 경계 부근의 결막과 뮐러근에 닿을 수 있도록 Desmarres 견인기를 천천히 제거한다. 겸자를 다물어서 손잡이를 잡귀 위눈꺼풀판 경계와 표시된 봉합선 사이의 결막과 뮐러근을 함께 잡는다**(그림 14-5)**.

이 과정에서 피부와 겸자 사이가 붙었다는 느낌을 받는다면 위눈꺼풀올림근널힘줄의 많은 양이 부주의하게 겸자에 끼어있는 상태를 의미하므로 이런 경우에는 겸자를 풀어준 후 정확한 위치에서 다시 시행하여야 한다. 이러한 현상은 위눈꺼풀올림근널힘줄이 눈둘레근이나 피부로 연장되어 부착되어 쌍꺼풀선을 만들기 때문에 발생한다.

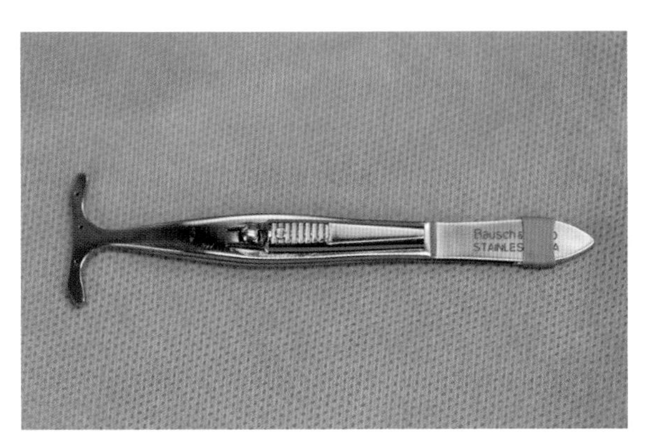

그림 14-4 특별히 디자인된 겸자인 Putterman clamp

결막과 뮐러근의 절제 및 봉합

겸자를 수직으로 들어올린 후, 겸자에서 1.5 mm 아래로 귀쪽 끝에서 코쪽 끝까지 한쪽 면은 눈꺼풀판 위쪽경계를 지나고, 다른 한쪽 면은 뮐러근과 결막을 지나도록 5-0/ 6-0 double-armed plain gut 또는 6-0 prolene 봉합사로 수평매트리스봉합을 시행한다**(그림 14-6)**. 이때 각각의 봉합은 2~3 mm 간격으로 한다. 15번 칼날을 이용하여 봉합과 겸자 사이를 절단하여 겸자에 물린 조직을 제거한다. 이 때 미리 시행해 놓은 봉합사가 절단되지 않도록 해야 하는데, 칼날을 약간 회전시켜 날카로운 끝이 겸자에 닿는 느낌이 들도록

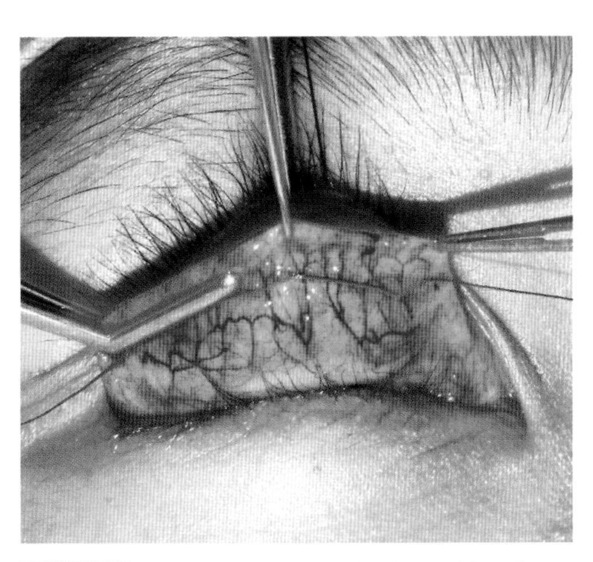

그림 14-5 절제될 결막과 뮐러근을 겸자로 잡은 모습

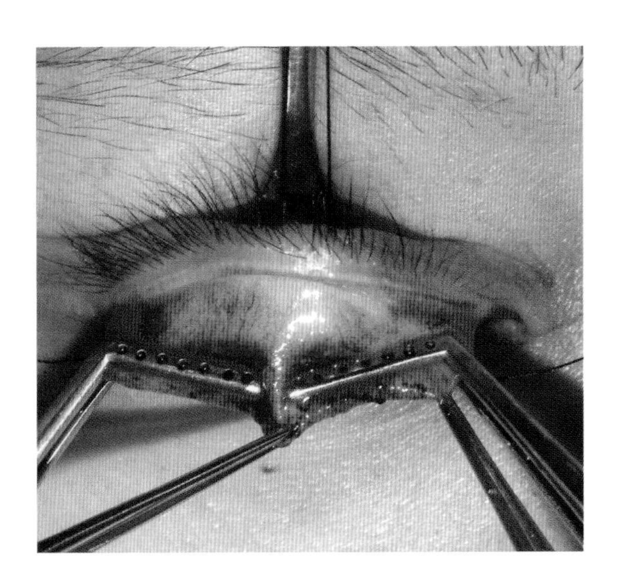

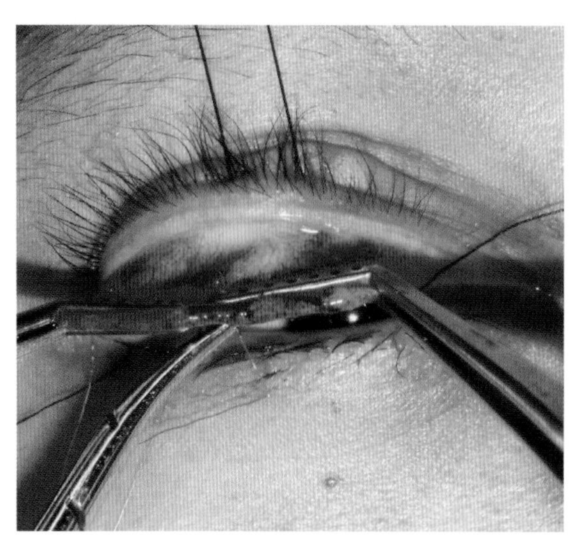

그림 14-6 특수집게 아래로 매트리스봉합을 시행하는 모습

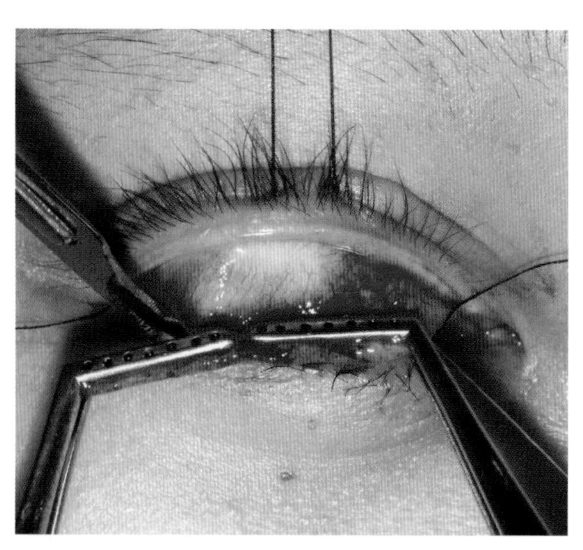

그림 14-7 15번 칼로 특수집게에 물린 결막뮐러근을 절제하는 모습

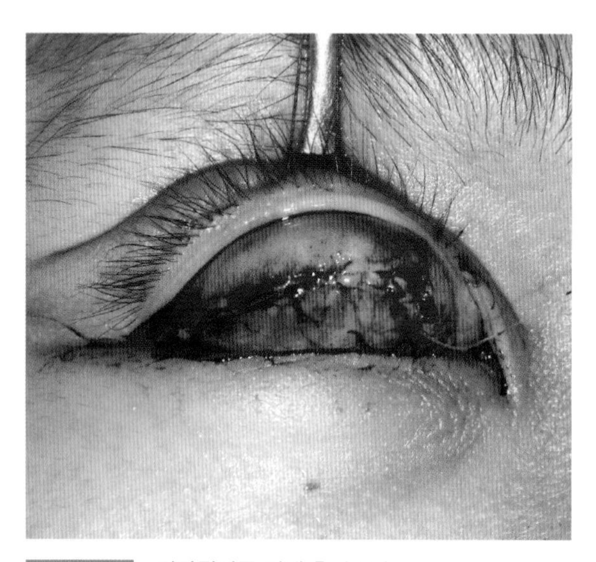

그림 14-8 결막뮐러근 절제 후의 모습

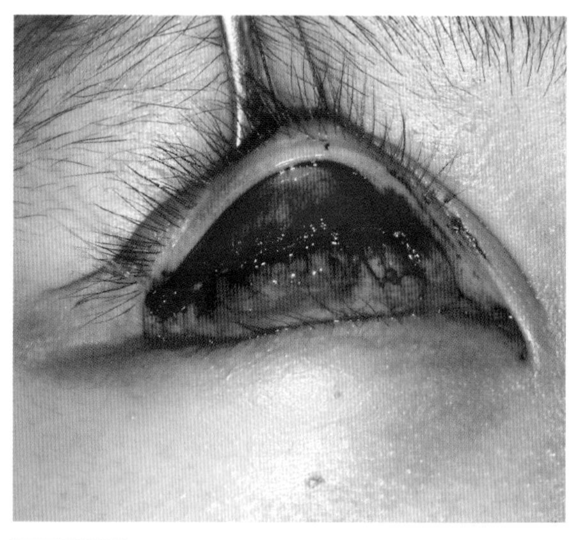

그림 14-9 반대방향으로 매트리스 연속봉합을 시행한 후의 모습

절제해야 한다(**그림 14-7**).

조직이 절제되면 봉합사의 끝이 절단되지 않았는지 확인하여야 한다. 조직 절제 시 출혈이 발생할 수 있지만, 결막을 봉합하면 대부분 멈춘다. 소작기를 과도하게 사용할 경우 뜻하지 않게 봉합사가 끊어져 문제가 발생할 수 있으므로 주의하여야 한다(**그림 14-8**).

4-0 black silk 견인 봉합을 조심스럽게 당기면서 Desmarres 견인기로 다시 눈꺼풀을 뒤집는다. 봉합사의 코쪽 끝을 귀쪽 방향으로 연속봉합을 시행하는데, 위눈꺼풀판 경계, 뮐러근과 결막 경계에서 2 mm 떨어진 위치에 시행하여야 한다. 연속봉합을 할 때, 원래의 매트리스봉합이 끊어지지 않도록 주의하여야 한다. 봉합사의 양쪽 끝을 결막과 뮐러근을 통과시킨 후 절개의 귀쪽 끝으로 빼낸다(**그림 14-9**).

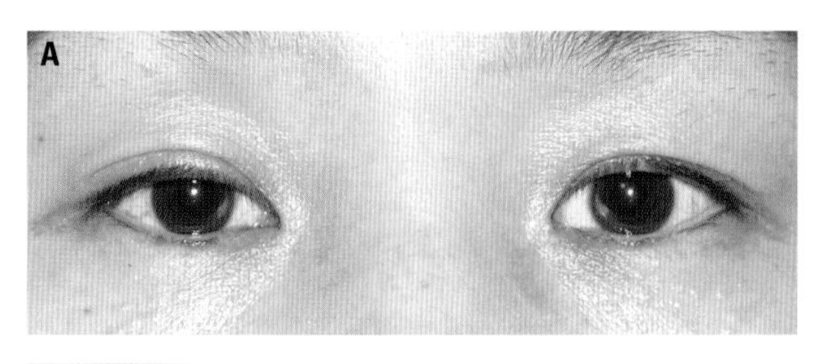

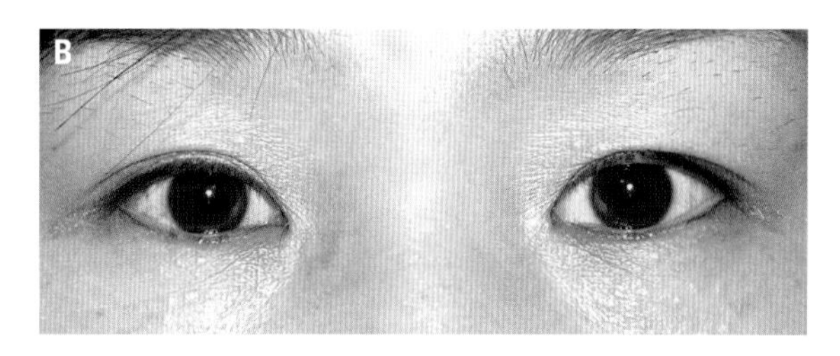

그림 14-10 우안 눈꺼풀처짐 환자의 결막뮐러근절제술 전, 수술 1개월 후 모습

위눈꺼풀성형술을 병행하는 경우

마취제를 위눈꺼풀에 피하 주사 후 피부절제나 피부-눈둘레근 절제, 지방 제거 등을 통하여 위눈꺼풀성형술을 시행한다.

수술 후 관리 및 경과관찰

일반적인 눈꺼풀성형술과 마찬가지로 수술 후 경과 관찰을 통하여 시력상실을 야기할 수 있는 심한 출혈과 구후 출혈의 가능성이 없는지 확인하여야 한다. 수술 후 첫 24시간 동안은 얼음 찜질을 하여야 하며, 항생제 안약이나, 항생제/스테로이드 복합 연고를 1~2주 정도 사용하도록 한다.

부족교정된 경우는 추가적으로 대부분 눈꺼풀올림근널힘줄 수술을 시행하며 드물게 결막접근 절제술을 다시 시행하기도 한다. 간혹 과교정되어 위눈꺼풀이 너무 높은 경우가 있으면 1~4주 동안 하루에 2~4번씩 위눈꺼풀을 아래 방향으로 마사지한다. 수술 초기에 과교정이 나타난 경우에는 봉합사 절단을 시도할 수 있으며, 마사지가 효과적이지 못하거나 위눈꺼풀 위치를 적정 수준으로 되돌리지 못할 경우에는 피부 접근을 통한 눈꺼풀올림근 후전술을 시행한다.

다른 뒤층판수술 방법과의 비교

결막뮐러근절제술은 Fasanella-Servat 수술에 비해 눈꺼풀판을 보존할 수 있는 장점을 가진다. 이와 더불어 봉합이 눈꺼풀 경계에서 3~4 mm로 가깝게 위치하게 되는 Fasanella-Servat 방법과 달리 눈꺼풀판 위쪽 경계에 봉합이 위치하게 되므로 봉합사로 인한 각막 손상을 줄일 수 있다. 또한 결과의 예측이 더 용이하며, 미용적 결과도 좋은 편이다(**그림 14-10**).

Fasanella-Servat procedure (Tarsomyectomy)

결막뮐러근절제술과 비슷하나 눈꺼풀판의 일부를 제거하는 뒤층판수술로 1961년 Fasanella와 Servat에 의해 소개된 internal tarsomyectomy 수술이다. 눈꺼풀올림근 기능이 좋은 경도의 눈꺼풀처짐 교정에 사용되는 방법이다. 피부절개를 통하여 눈꺼풀올림근널힘줄을 교정하거나 강화시키는 대신 이 방법을 사용할 수 있으나 결막의 부눈물샘과 정상적인 눈꺼풀판, 마이봄샘이 함께 제거되는 단점이 있어 최근에는 잘 사용되지 않는다. 또한 눈꺼풀올림근널힘줄이 절제되는 정도가 다양하여 수술량을 정량화시키기가 어려워 결과를 예측하기 힘든 단점이 있다.

적응증 및 주의사항

3 mm 이하의 눈꺼풀처짐과 눈꺼풀올림근 기능이 10 mm 이상인 경우 효과적이다.

유천포창과 같은 반흔성 결막질환이 있거나, 결막흉터, 아밀로이드증, 림프종, 결막 육아종 환자에서는 피해야 한다. 그리고 정상 구조의 결막과 부눈물샘이 제거되므로 건성안 환자도 상대적인 금기에 포함된다. 눈꺼풀판을 3 mm 이상 절제해서는 안 되며, 그 이상 절제할 경우 눈꺼풀 안정성에 문제가 생기고 눈꺼풀걸말림이 발생하여 재교정이 어려울 수 있다.

수술 방법

눈꺼풀을 Desmarres 견인기를 이용하여 조심스럽게 뒤집은 후 눈꺼풀판 위경계의 위쪽으로 결막하 마취를 시행한다. 눈꺼풀판과 결막을 겸자로 잡을 때에는 동공 위치나 눈꺼풀선의 가장 높은 부분에서 두 겸자가 만나도록 한다. 이 때 눈꺼풀판의 중앙부분이 더 많이 제거되지 않도록 해야 중심부 peaking이 방지되며, 더 자연스러워 진다. 6-0 plain gut 봉합사를 이용하여 겸자의 1.5 mm 아래쪽을 따라 귀쪽에서 코쪽으로 연속봉합을 시행한 후, 겸자를 풀고 겸자 표시를 따라 결막과 눈꺼풀판을 제거한다. Double-armed 봉합사의 각각의 끝을 코쪽에서 귀쪽 방향으로 눈꺼풀 전층을 통과시켜 봉합하고 봉합선을 따라 장력이 골고루 분배되도록 조심스럽게 마사지한 후 눈꺼풀피부 쪽에서 매듭을 짓는다.

합병증

Tarsomyectomy의 가장 흔한 합병증은 겸자의 위치가 잘못되어 발생한다. 겸자를 잘못된 위치에 잡게 되는 경우 눈꺼풀윤곽에 peaking이 발생한다. 수술 후 눈꺼풀윤곽이상이 발생하면 눈꺼풀 마사지가 필요할 수 있다. 겸자가 귀쪽으로 많은 양이 잡혀 코쪽에 비해 귀쪽의 눈꺼풀판이 많이 제거된 경우에는 귀쪽 눈꺼풀올라감temporal flare이 발생하여 눈꺼풀올림근힘줄 절개술levator tenotomy이나 눈꺼풀올림근 후전술이 필요할 수 있다.

수술 후 각막염이 나타날 수 있으나 대부분 호전되며, 6-0 plain gut 봉합사를 사용하면 봉합사로 인한 자극을 줄일 수 있다. 봉합사 육아종과 수술 후 출혈은 드물지만 수술 후 수일 이후에 나타날 수 있으므로 주의하여야 한다.

참고문헌

1. 이상열, 김윤덕, 곽상인, 김성주. 눈꺼풀성형술. 도서출판 내외학술, 2009.
2. Ben Simon GJ, Lee S, Schwarcz RM, McCann JD, Goldberg RA. External levator advancement vs Müller's muscle-conjunctival resection for correction of upper eyelid involutional ptosis. Am J Ophthalmol 2005;140:426-32.
3. Dresner SC. Further modifications of the Müller's muscle-conjunctival resection procedure for blepharoptosis. Ophthal Plast Reconstr Surg 1991;7:114-22.
4. Glatt HJ, Fett DR, Putterman AM. Comparison of 2.5% and 10% phenylephrine in the elevation of upper eyelids with ptosis. Ophthalmic Surg 1990;21:173-6.
5. Glatt HJ, Putterman AM, Fett DR. Müller's muscle-conjunctival resection procedure in the treatment of ptosis in Horner's syndrome. Ophthalmic Surg 1990;21:93-6.
6. Perry JD, Kadakia A, Foster JA. A new algorithm for ptosis repair using conjunctival Müllerectomy with or without tarsectomy. Ophthal Plast Reconstr Surg 2002;18:426-9.
7. Putterman AM, Fett DR. Müller muscle in the treatment of upper eyelid ptosis: a ten-year study. Ophthalmic Surg 1986;17:354-60.
8. Putterman AM, Urist MJ. Müller's muscle-conjunctival resection: Technique for treatment of blepharoptosis. Arch Ophthalmol 1975;93:619-23.
9. Putterman AM, Urist MJ. Müller's muscle-conjunctival resection ptosis procedure. Ophthalmic Surg 1978;9:27-32.

CHAPTER 15

눈매교정술

Plication of Müller muscle and conjunctiva

CONTENTS

최근에 일부에서 시행되고 있는 눈매교정술이란 소절개를 통해 눈꺼풀처짐을 교정하는 최소침습적인 수술로, 눈꺼풀처짐 정도가 심하지 않은 눈에서 시행되고 있다. 현재까지 보고된 수술 방법은 단속 혹은 연속 봉합을 이용한 뮐러근겹치기Müller muscle tucking와 유사하다. 하지만, 눈매교정이란 의학에서 일반적으로 사용되는 용어가 아니라 눈의 성형을 위해 통용되는 상업적인 용어에 해당된다고 하겠다.

이 방법은 눈꺼풀피부에 절개 없이 혹은 소절개로 진행되며, 처진 눈꺼풀은 눈꺼풀판, 눈꺼풀올림근 일부, 그리고 뮐러근을 통과하는 걸이봉합사suspension suture를 통해 교정된다. 침습을 최소화하였기 때문에 수술 후 회복기간이 짧으며 기술적으로 쉽고 흉터가 없기 때문에 눈꺼풀올림근의 기능이 양호한 후천눈꺼풀처짐 환자에서 제한적으로 고려해 볼 수 있다.

하지만 이 수술의 방법, 적응증, 수술 후 결과 그리고 합병증에 대한 연구가 부족하기 때문에 환자들에게 적용할 경우 조심스럽게 접근하는 것이 좋다.

원리

결막을 경유한 뮐러근겹치기로 위눈꺼풀을 올릴 수 있다는 생각에서 눈꺼풀처짐의 교정에 응용한 수술이다. 최근 연구에 따르면 결막뮐러근절제술은 눈꺼풀올림근의 전진과 뮐러근의 절제에 따른 뒤층판의 단축으로 눈꺼풀처짐 교정 효과가 나타난다고 하였다. 뮐러근겹치기에 의한 눈꺼풀처짐 교정술인 눈매교정술은 이 수술과 유사한 방법으로 생각된다.

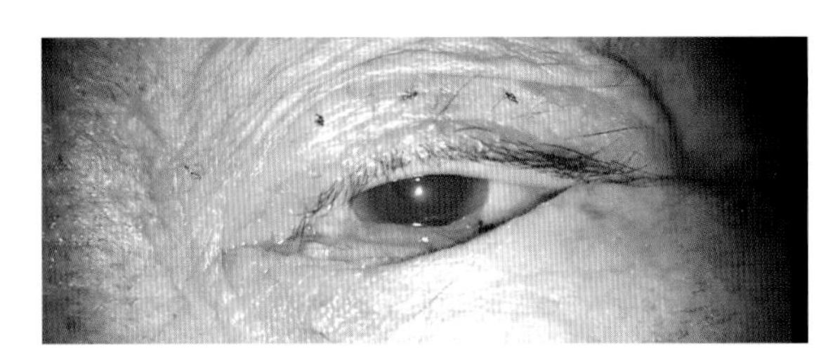

그림 15-1 뮐러근 걸이봉합을 할 위치를 표시한 모습

수술 방법

단속봉합에 의한 뮐러근겹치기

피부도안 및 절개

쌍꺼풀선을 도안하고, 여기에 2~4개의 뮐러근 걸이봉합을 할 위치를 표시한다(**그림 15-1**). 뮐러근 걸이봉합의 위치는 눈매나 쌍꺼풀의 모양에 영향을 미칠 수 있다는 점을 고려해야 한다. 국소마취 후 눈꺼풀에 표시된 걸이봉합 위치의 피부에 1 mm 정도의 소절개를 한다. 위눈꺼풀을 뒤집은 다음 눈꺼풀판위가장자리의 중심부위에 6-0 나일론을 이용하여 당김봉합을 넣어 위쪽 결막구석을 노출시킨다.

뮐러근 걸이봉합

큰 바늘의 double armed 7-0 nylon 봉합사의 한쪽 바늘을 뮐러근 걸이봉합을 위해 표시한 피부에서 결막쪽 눈꺼풀판 위 1/3 지점으로 통과시킨다. 이 바늘을 같은 위치의 눈꺼풀판을 뚫은 후 결막밑조직을 통과하면서 위결막구석으로 빼낸다. 이 바늘을 다시 약간 옆의 위결막구석에서 결막밑으로 넣어 처음 눈꺼풀판 통과 위치보다 약간 옆에서 빼낸 후 다시 같은 위치의 눈꺼풀판에서 피부쪽으로 빼낸다(**그림 15-2**). 이 때 환자로 하여금 아래쪽을 주시하도록 하면 시술하기가 쉽다. 눈매교정을 위해 피부 쪽으로 나온 7-0 나일론 봉합사를 적당한 장력으로 당기면서 눈꺼풀이 원하는 위

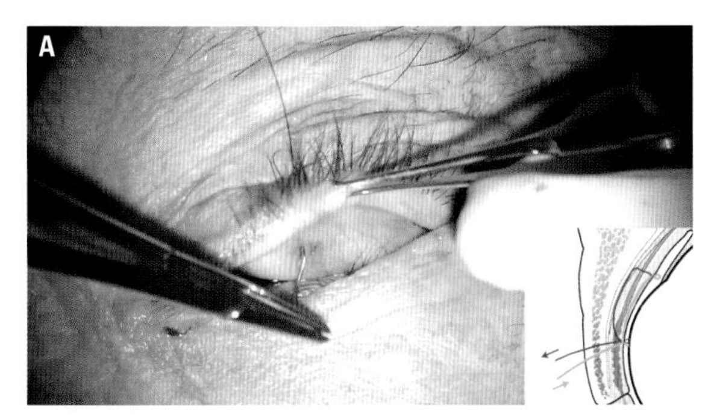

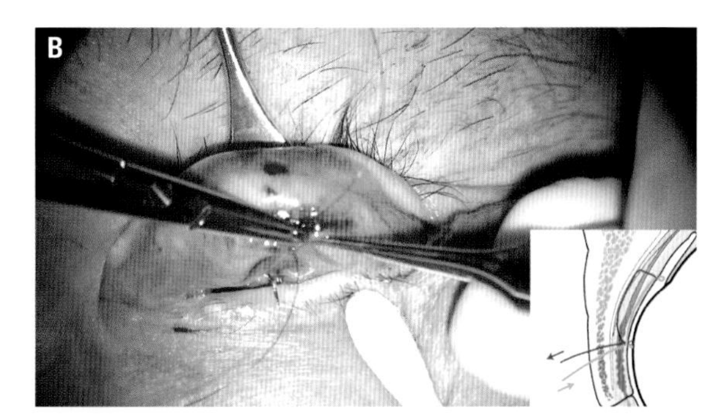

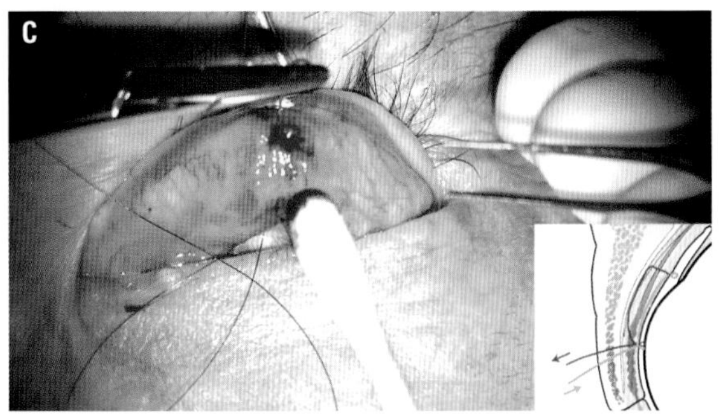

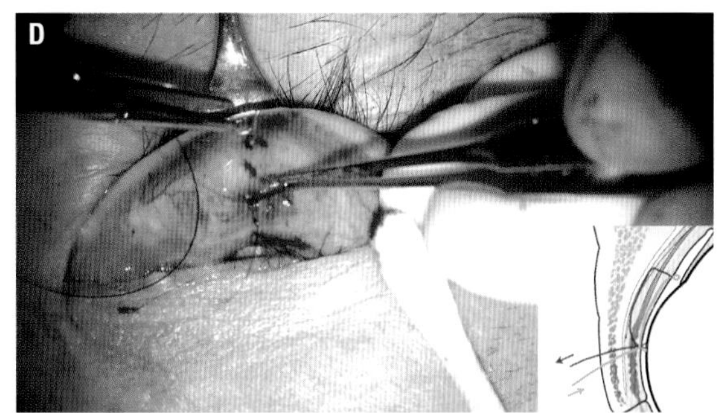

그림 15-2 뮐러근 걸이봉합

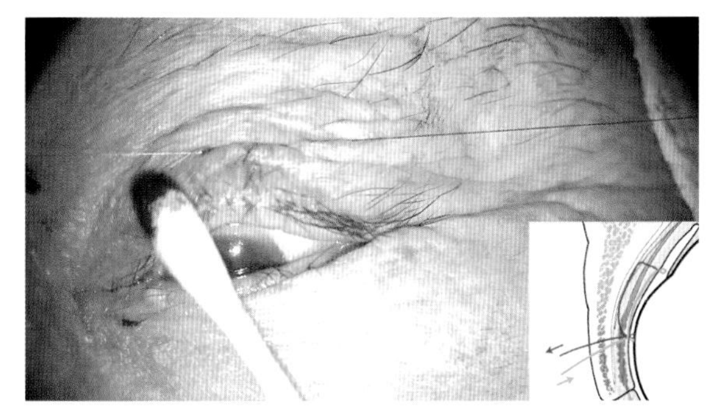

그림 15-3 뮐러근 걸이봉합 후 눈꺼풀위치를 조정하면서 매듭을 만드는 모습

치까지 올라가도록 한 뒤 매듭을 짓는다(**그림 15-3**). 이러한 걸이봉합의 숫자는 조정이 가능하고, 여러 개의 단속봉합 대신 연속봉합으로 시행할 수도 있다. 원하는 눈매가 만들어지면 눈꺼풀판의 위쪽 경계에 걸어두었던 당김봉합사를 제거한다. 매듭은 위눈꺼풀의 작은 절개창에 매몰시키며, 절개창의 봉합은 하지 않아도 된다.

연속 뮐러근겹치기 수술

연속봉합을 이용하여 뮐러근을 접치는 수술로써, 5군데 피부 소절개를 통과하는 걸기 봉합으로 시행된다. 쌍꺼풀선을 따라 표시된 부위의 피부에 11번 칼로 2~3 mm 길이의 소절개를 하고, 필요한 경우 소절개를 통하여 안와 지방을 제거할 수 있다. 눈꺼풀을 뒤집은 후, 눈꺼풀판 중앙 부위의 위가장자리에 6-0 나일론 견인봉합을 시행한다.

위눈꺼풀의 가장 안쪽 절개 부위 피부에서부터 눈꺼풀판위가장자리의 결막까지 7-0 나일론으로 통과시킨 후 다시 가장 안쪽 소절개로 빼낸다. 이 바늘을 피부밑조직으로 통과하여 2번째 소절개로 나온 뒤 눈꺼풀판 위가장자리의 결막으로 나오게 한다. 같은 입구의 눈꺼풀판 위가장자리에서 바늘을 위결막구석 방향으로 뮐러근이 포함되도록 결막밑으로 통과시킨다. 이곳의 약간 옆쪽 위결막구석에서 눈꺼풀판 위가장자리로 바늘을 통과시킨 후 두 번째 피부 소절개로 빼낸다. 이 바늘을 세 번째와 네 번째 소절개로 통과시키면서

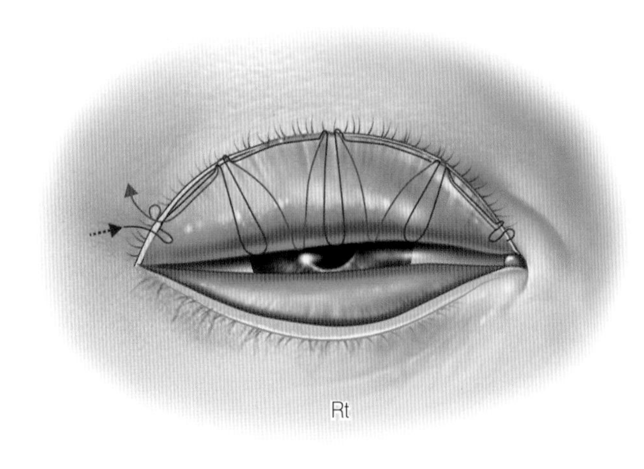

그림 15-4 연속 뮐러근 겹치기 수술

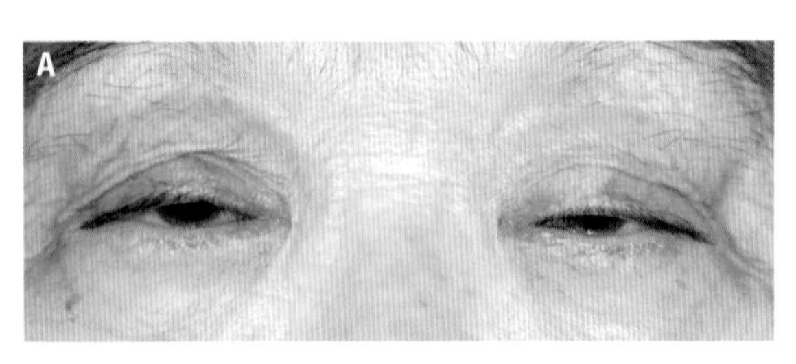

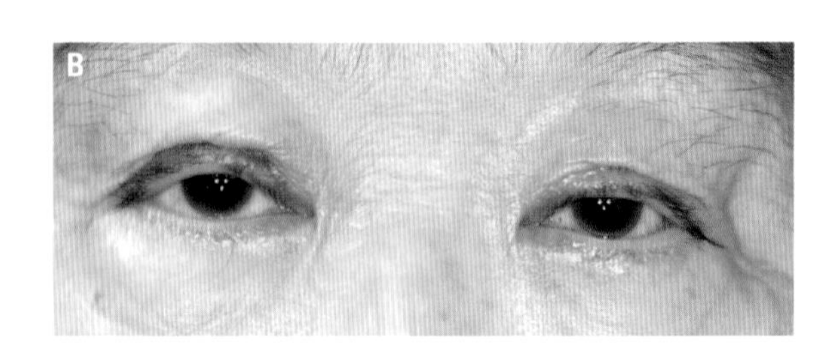

그림 15-5 뮐러근 겹치기 수술 전과 수술 1개월 후의 모습

같은 과정을 반복한 후 가장 가쪽의 다섯 번째 소절개로 빼낸다. 가쪽에서 안쪽으로 이 과정을 반복하면서 이미 시행한 뮐러근 걸이봉합 사이에 뮐러근 걸이봉합을 추가한다. 가장 안쪽의 소절개로 바늘을 빼내고 적당한 장력으로 매듭을 만든 후 눈꺼풀판의 견인봉합을 제거한다(**그림 15-4**).

눈꺼풀처짐 정도에 따라서 눈꺼풀판 위가장자리에서 7~13 mm 높이까지 뮐러근겹치기를 시행한다.

장점

피부나 결막의 절개 없이 뮐러근을 겹치기 하여 침습을 줄이고 회복기간을 줄일 수 있어 수술 후 눈꺼풀 부종이 적고 일상생활에 비교적 빨리 복귀할 수 있다. 피부절개를 최소화하기 때문에 회복이 빠른 것 외에도 흉터가 적은 것이 장점이다(**그림 15-5**).

한계점

재발

눈꺼풀올림근과 뮐러근을 단축시키는 기존 수술 방법은 두 근육의 유착으로 수술효과가 오래 지속되지만, 7-0 나일론 봉합사로 뮐러근을 겹치는 방법은 수술효과가 상대적으로 적고, 장기적 효과에 대한 근거도 부족하다. 실제로 경증 환자의 30~40% 정도에서 수술 후 눈꺼풀처짐이 재발하는 것으로 보고되었으며, 수술 후 눈꺼풀처짐이 재발한 환자들은 대부분 수술 후 2개월 이내에 발생한다고 하였다.

합병증

수술에 따른 장기적 결과 및 합병증이 아직 보고되지 않아서 수술에 따른 결과를 평가하기가 어렵다. 예상할 수 있는 합병증으로는 과교정, 부족교정, 비대칭, 윤곽이상, 눈꺼풀후퇴, 각막 자극, 그리고 혈종 등이 있다. 그 외 눈꺼풀이 당겨지는 증상을 호소하는 경우가 드물지 않다.

참고문헌

1. Lee EJ, Hwang K. Balanced plication of Müller muscle tendon through conjunctiva for blepharoptosis correction. J Craniofac Surg 2013;24:599-601.
2. Shimizu Y, Nagasao T, Asou T. A new non-incisional correction method for blepharoptosis. J Plast Reconstr Aesthet Surg 2010;63:2004-12.

CHAPTER 16

안쪽눈구석성형술

Medial epicanthoplasty

CONTENTS

안쪽눈구석주름

안쪽눈구석주름epicanthus, epicanthal fold은 안쪽눈구석을 덮고 있는 반달모양의 피부주름을 말한다. 태생기에는 모든 인종에서 나타나지만, 태어날 즈음에는 인종에 따라 발생률이 다르게 나타난다. 백인에서는 출생 후 약 33%에서 안쪽눈구석주름이 관찰되지만 사춘기 이전에 대부분 사라진다. 한국인의 발생빈도는 주름의 정도에 따라 차이가 있겠지만 약 50~80%로 서양인에 비해 월등히 높게 나타난다. 안쪽눈구석주름이 동양인에서 높은 발생빈도를 보이는 것으로 보아 질환이라기보다는 동양인의 독특한 눈 모습이라고 할 수 있다.

안쪽눈구석주름은 해부학적으로 콧등root of the nose 피부의 과도한 발달로 나타난다. 한편으로는 머리뼈와 코뼈의 발달이 덜 되어 피부가 남아 주름을 형성한다는 설명도 있으나 정상적인 뼈 구조를 가진 사람한테도 안쪽눈구석주름이 나타날 수 있기 때문에 명확한 원인은 될 수 없다. 해부학적인 연구에서는 안쪽눈구석주름 부위에 과도하게 존재한 눈둘레근과 섬유지방조직이 피부에 비정상적인 장력을 유발하여 안쪽눈구석주름이 생긴다고 주장하고 있다.

안쪽눈구석주름의 분류

Duke-Elder는 안쪽눈구석주름을 supraciliaris, palpebralis, tarsalis, inversus의 4가지로 분류하였다(**그림 16-1**). 한국인의 경우 epicanthus tarsalis가 가장 많으며 epicanthus palpebralis가 다음을 차지하고 있다. Epicanthus inversus는 드물게 볼 수 있지만 epicanthus supraciliaris는 거의 찾아보기 힘들다. 하지만 안쪽눈구석주름의 종류를 정확히 분류하기 힘든 경우가 많으며, 분류하는 것이 수술적 치료에 그다지 도움이 되지 않기 때문에 임상적으로 큰 의미를 찾기는 어렵다.

- **Epicanthus supraciliaris** 눈썹 아래에서 시작하여 안쪽눈구석으로 이어지는 주름
- **Epicanthus palpebralis** 위눈꺼풀에서 시작하여 안쪽눈구석을 가로질러 아래눈꺼풀까지 이어지는 주름
- **Epicanthus tarsalis** 위눈꺼풀판 앞에서 시작하여 안쪽눈구석으로 이어지는 주름
- **Epicanthus inversus** 아래눈꺼풀에서 시작하여 안쪽눈구석으로 이어지는 주름

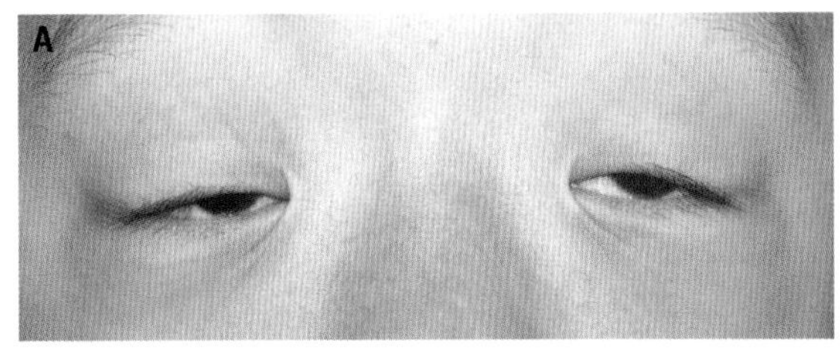

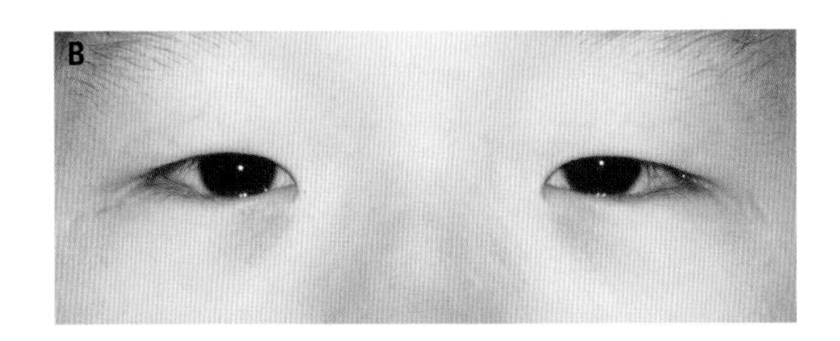

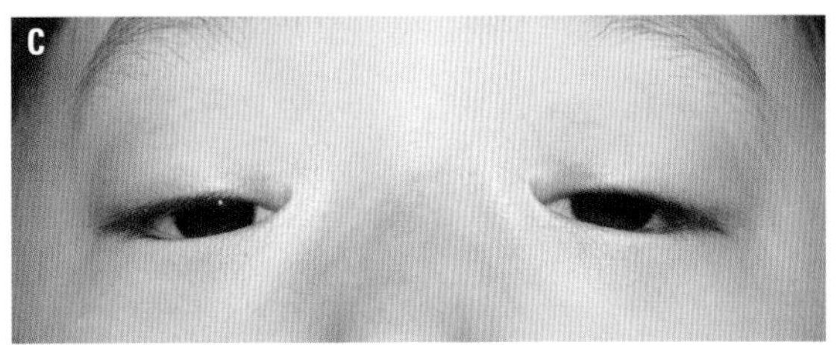

그림 16-1 안쪽눈구석주름의 형태
A. Palpebralis. **B.** Tarsalis. **C.** Inversus

안쪽눈구석주름의 치료 원칙

안쪽눈구석주름은 동양인에 나타나는 특징적인 눈의 형태로서 수술 여부는 환자의 미용적 욕구나 주름 정도에 따라 결정한다. 주름이 심하지 않고 환자가 교정의 필요성을 느끼지 않으면 수술이 필요하지 않지만, 쌍꺼풀선이 안쪽눈구석주름 안쪽으로 형성되어 안쪽 쌍꺼풀선이 가려지고, 눈사이가 멀어 보이며, 또한 수평눈꺼풀틈새가 작아 보여 시원한 느낌을 주지 못하는 경우가 많다(**그림 16-2**). 안쪽눈구석성형술을 시행하면 on-fold 혹은 out-fold 형태의 쌍꺼풀을 만들기 때문에 눈이 크게 보이고 시원한 느낌을 준다.

안쪽눈구석성형술은 실제 눈구석사이 거리를 줄여서 눈을 크게 하는 수술이 아니라 안쪽눈구석주름사이 거리를 줄여서 눈이 커 보이도록 하는 수술이다(**그림 16-3**). 따라서 눈꺼풀틈새축소증후군, 외상성 안쪽눈구석변형 혹은 선천성 두개안면기형 등으로 인해 눈구석격리증이 있는 경우는 안쪽눈구석성형술과 안쪽눈구석인대고정술medial canthopexy이나 안쪽눈구석인대집힘술medial canthal tendon plication 등을 함께 시행하여야 눈구석사이거리를 줄일 수 있지만, 이럼에도 불구하고 결과가 만족스럽지 못한 경우도 있다.

이상적인 눈구석사이 거리는 평균 35 mm 정도이며, 눈의 수평눈꺼풀틈새 및 얼굴 크기와 관련이 있고, 남자와 여자 사이에 차이가 있다.

따라서 눈구석사이 거리가 30 mm 이하인 경우는 안쪽눈구석주름성형술 후 눈이 몰려 보일 수 있기 때문에 수술을 하지 않는 것이 좋다. 안쪽눈구석은 눈물못lacrimal lake과 lacrimal semilunaris를 경계로 그사이에 볼록한 눈물유두lacrimal papilla로 이루어져 있다(**그림 16-4**). 한국인은 서양인처럼 눈구석주름을 완전히 제거하여 눈물못과 눈물유두 전체를 보이게 하는 것보다는 일부 가려지도록 하는 것이 자연스럽다(**그림 16-5**).

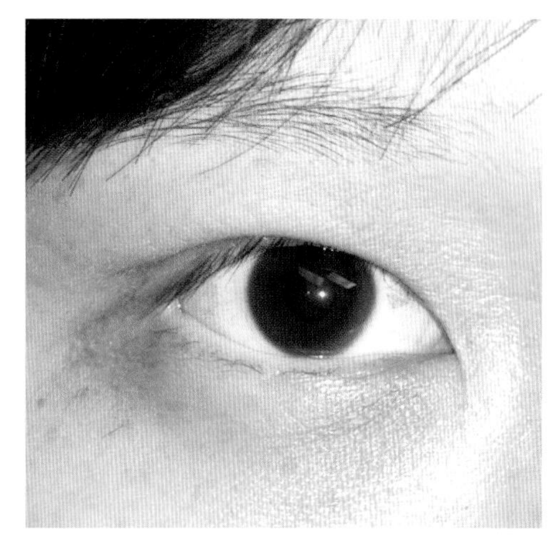

그림 16-2 안쪽눈구석주름으로 안쪽 쌍꺼풀이 가려진 모습

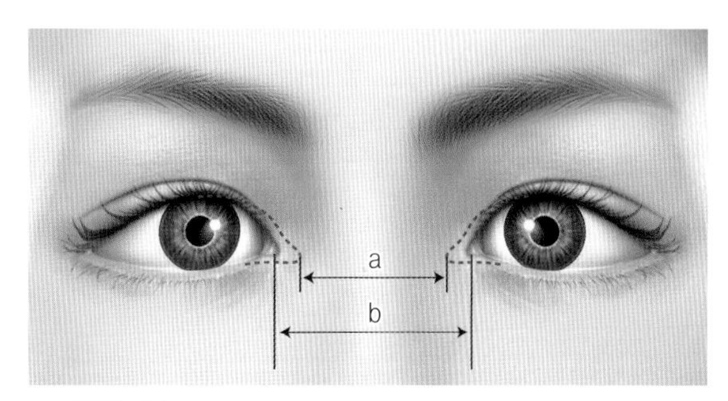

그림 16-3 a. 안쪽눈구석간사이 거리. b. 안쪽눈구석주름사이 거리

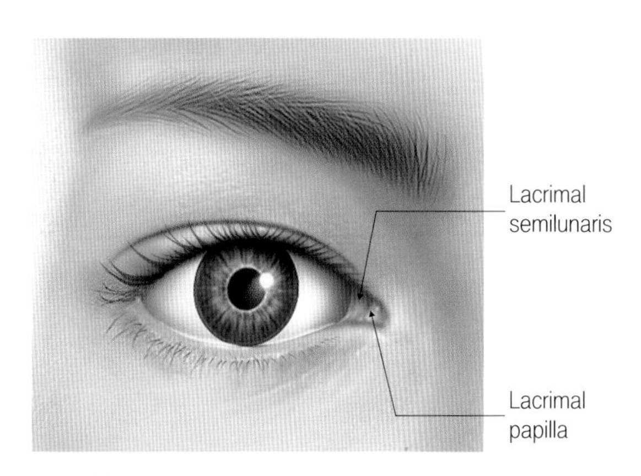

그림 16-4 안쪽눈구석 모양

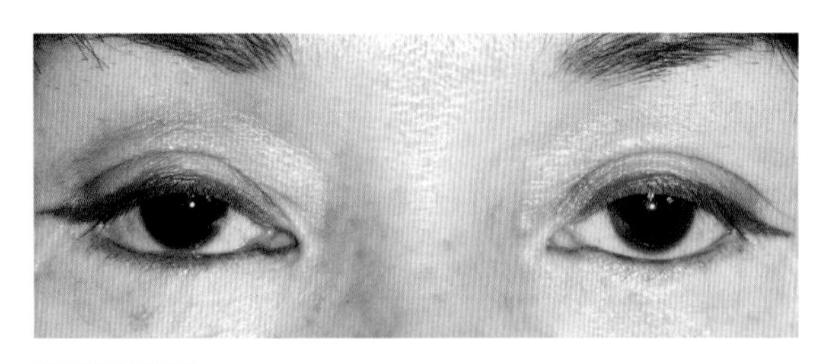

그림 16-5 과도한 안쪽눈구석성형술로 눈물유두의 노출이 많아져 부자연스러워 보인다.

안쪽눈구석주름의 교정 원칙은 눈구석주름의 피부를 수직 방향으로 늘어나게 재배치시키는 방법이다. 안쪽눈구석주름의 교정을 위해 많은 수술 술기들이 개발되었지만 어느 수술 방법이든지 안쪽눈구석에 흉터가 남을 가능성이 있다. 흉터를 최소화하기 위해 절개는 코쪽 피부까지 연장하지 않고 눈꺼풀에 국한하는 것이 좋으며 절개선의 도안은 간단할수록 좋다.

수술법의 종류

수술법의 종류에는 elliptical excision, Z-plasty, Y-V advancement flap, W-plasty 등이 있다. Elliptical excision 방법에는 Von Ammon method, Arlt method, Higara method, Watanabe method 등이 있다. Z-plasty에는 1개, 2개 혹은 다수의 z-plasty를 이용하는 방법으로 나누어 볼 수 있다. 하나의 Z를 만들어 수술하는 방법으로는 Park 법, root Z 법, Rogman 법, Sheehan 법, Imre 법 등이 있으며, 2개 이상의 Z를 만들어 수술하는 방법으로는 Mustarde 법, Blair 법 등이 있다.

Higara method는 눈구석주름이 적은 경우나 눈구석주름성형술 후 부족 교정된 경우에 사용할 수 있는 방법이다. Park 법이나 root Z 법은 안쪽눈구석의 변형이 적어 경미하거나 중등도의 주름이 있을 때 시행할 수 있으며 주름이 심할 때에는 효과적인 수술법이 되지 못한다. Redraping method는 눈구석주름의 정도와 관계 없이 할 수 있으며 절개선이 아래눈꺼풀을 따라 형성되어 흉터가 눈에 덜 보이는 수술 방법으로 선호도가 높은 편이다. 반면에 주름이 심하거나 눈구석격리증이 동반된 경우에는 Mustarde 법을 하면서 안쪽눈구석인대접힘술을 병행하는 것이 좋다.

Higara method

절개선의 도안(그림 16-6)

- **A점** 안쪽눈구석 피부에서 눈물호수의 안쪽 끝에 해당하는 지점
- **B점** A점을 덮고 있는 안쪽눈구석주름

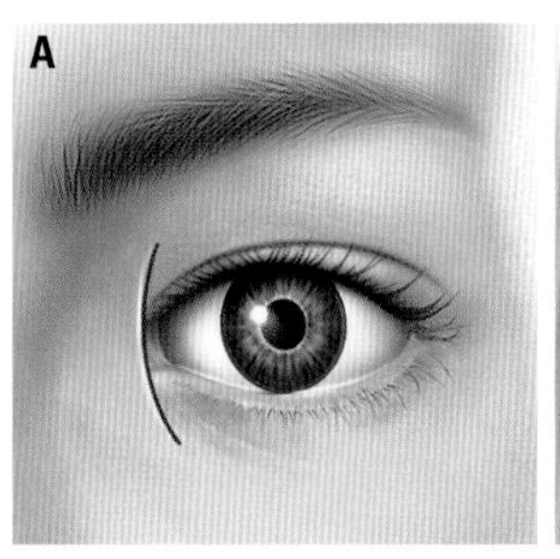

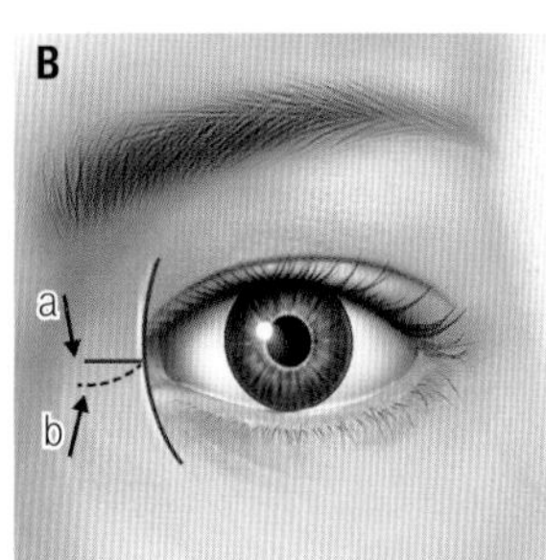

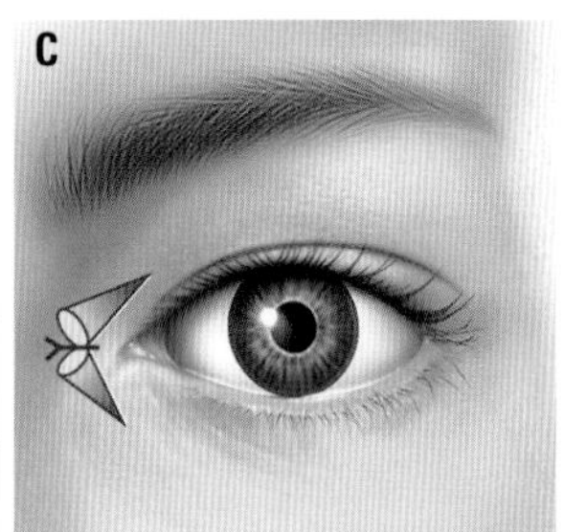

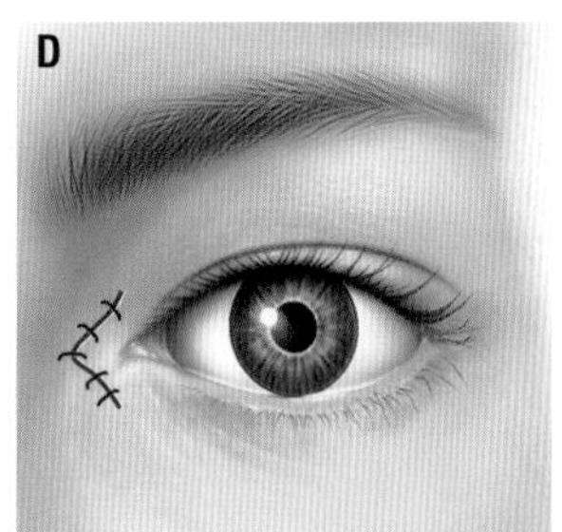

그림 16-6 Higara method

절개

국소 마취를 시행한 후, 11번 또는 15번 칼을 사용하여 도안한 선을 따라 절개한다. 가능한 충분한 깊이로 절개를 한다.

봉합

A를 B 지점으로 봉합하고 남는 피부판은 dog ear가 되지 않도록 절제하여 정리하고 나머지 피부를 봉합한다.

Redraping method

절개선의 도안(그림 16-7)

안쪽눈구석주름의 상태를 세심하게 관찰하여 아래에 설명한 4군데의 점을 정하고 연결되는 선을 그린다.

- **A점** 눈물호수의 안쪽 끝에 해당하는 안쪽눈구석주름 피부지점
- **B점** A~C점을 이어주는 가상선의 안쪽눈구석주름이 지나는 부분
  실제 절개선은 직선보다는 1~2 mm 상방의 B점이 되도록 절개해야 한다.
- 직선으로 절개하는 경우 피부긴장이 발생하여 봉합 후 아래눈꺼풀외반이 발생하거나 반흔이 생길 수 있다.
- **C점** 눈물호수의 안쪽 끝 지점으로 A점과 앞뒤로 일치하는 점
- **D점** 아래눈꺼풀을 따라 절개한다. A~C의 길이에 따라서 C~D 길이가 결정된다.

절개

국소 마취를 시행한 후, 11번 칼을 사용하여 도안한 선을 따라 절개한다. 가능한 충분한 깊이로 절개를 한다.

박리

안쪽눈구석의 피부와 근육은 단단히 붙어 있어 박리가 쉽게 되지 않는다. 박리범위는 눈구석주름의 정도에 따라 차이가 있지만 가위를 이용하여 피부가 아무런 긴장이 없이 당겨질 수 있도록 충분히 박리한다. 피부 박리 후 안쪽눈구석주름에 해당하는 눈둘레근은 일부 제거하고 아래눈꺼풀 쪽의 눈둘레근은 제거하지 않고 잘라준다.

봉합

7-0 nylon으로 A와 C점을 봉합한 후 박리된 피부를 재배치하여 남은 피부를 제거하고 봉합한다. 위눈꺼풀 쪽에 발생된 dog-ear를 제거하고 봉합한다.

Park's Z-epicanthoplasty

절개선의 도안(그림 16-8)

안쪽눈구석주름에 아래에 설명한 5군데의 점을 정하고 연결되는 선을 그린다.

- **A점** 안쪽눈구석주름 피부에서 눈물호수의 안쪽 끝에 해당하는 지점
- **B점** 안쪽눈구석주름이 아래눈꺼풀에서 끝나는 지점
- **C점** A점에서 안쪽으로 A점과 B점간의 거리만큼 떨어진 지점
- **D점** 눈물호수의 안쪽 끝 지점으로 A점과 앞뒤로 일치하는 점
- **E점** 위눈꺼풀에서 안쪽눈구석주름이 시작되는 지점

점을 연결하는 선을 그릴 때 선 AB, 선 AC는 같은 길이로 그린다.

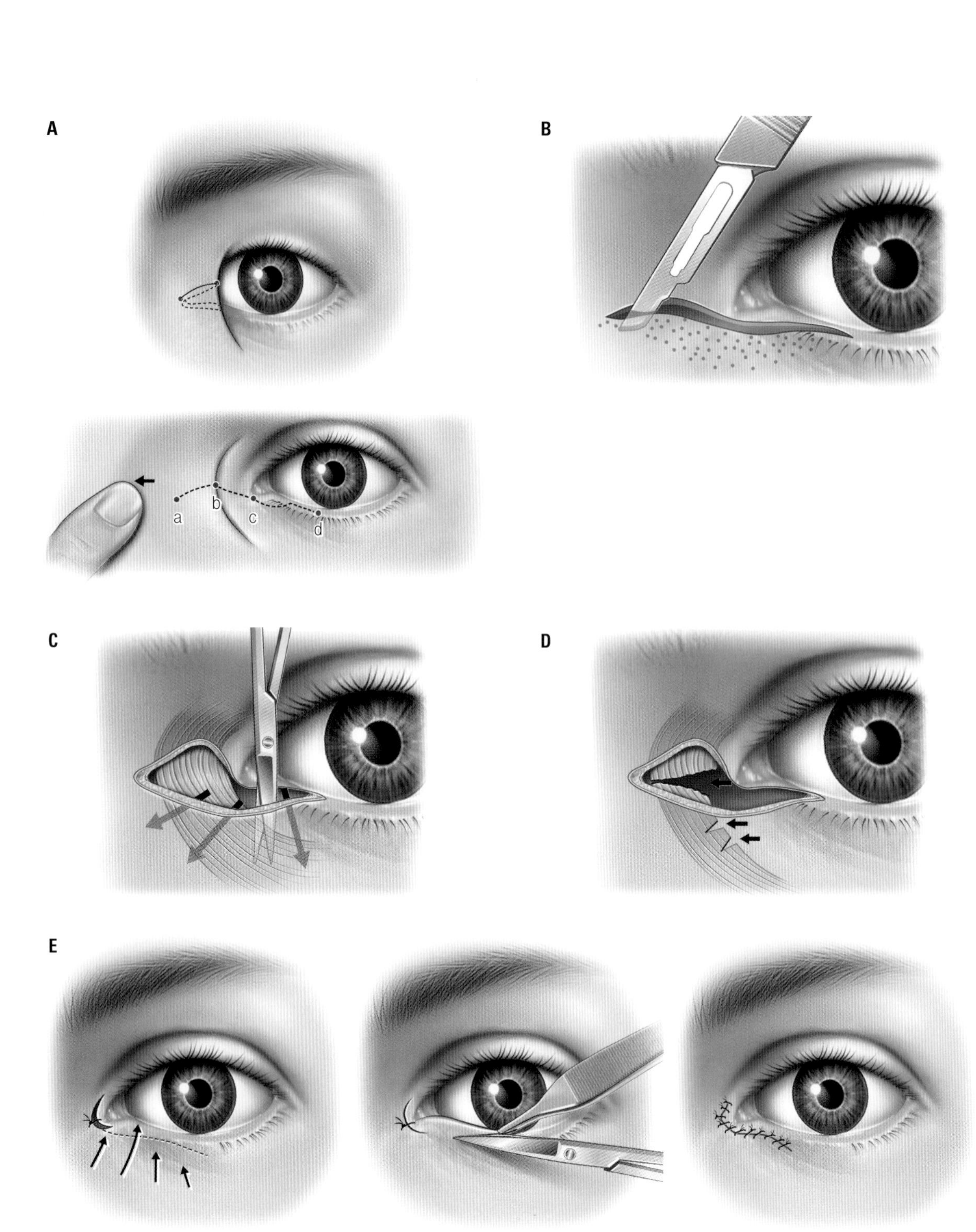

그림 16-7 Redraping method

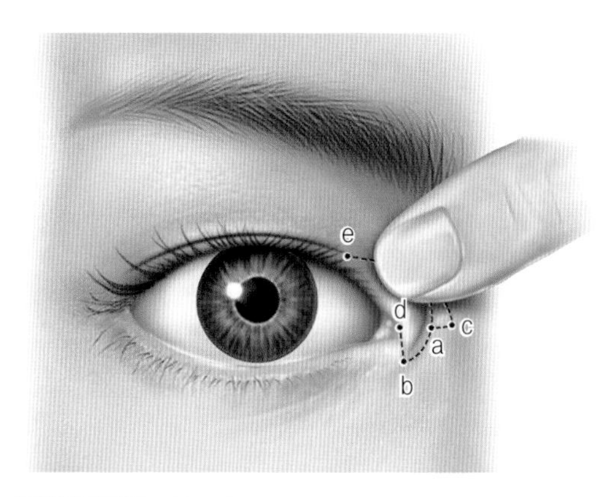

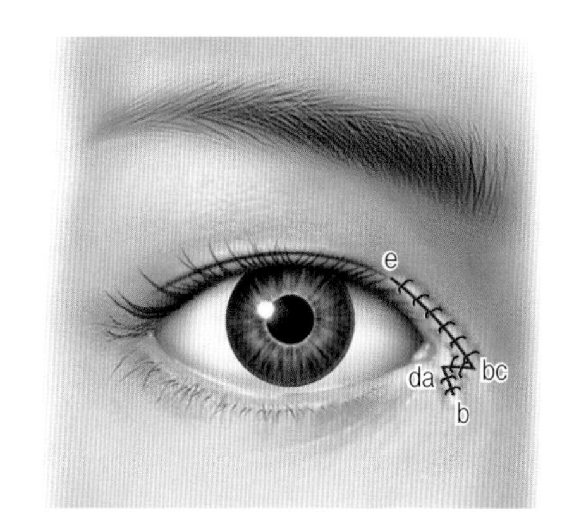

그림 16-8 Park's Z-epicanthoplasty

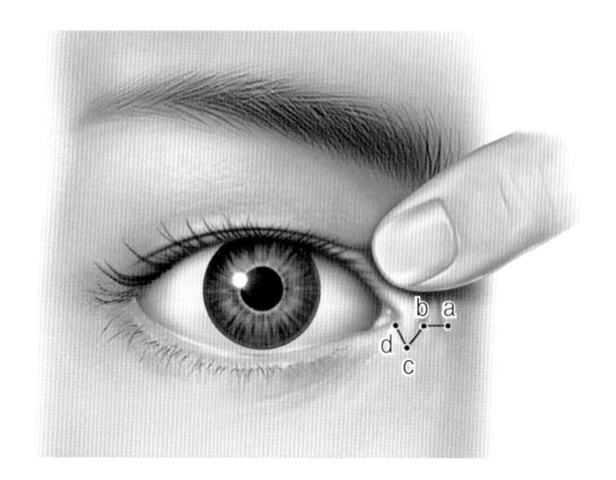

그림 16-9 Root Z-epicanthoplasty

절개

국소 마취를 시행한 후, 11번 칼을 사용하여 도안한 선선을 따라 절개한다. 가능한 충분한 깊이로 절개를 한다.

박리

가위로 피부 CAE를 절제한 후 피부판 ABD를 만들고 이 피부판이 쉽게 옮겨질 수 있도록 주변조직을 잘 박리한다. 이때 꼭 필요하면 전기소작을 할 수 있지만 가능한 적게 사용한다. 피부판 ABD의 B 지점을 C 지점으로 옮겼을 때 무리 없이 옮겨지는지 확인하고, 남는 피부는 dog ear가 생기지 않도록 절제하여 정리한다.

봉합

7-0 nylon으로 B와 C, A와 D 지점을 봉합한 후 나머지 부분을 봉합한다. 이때 필요하면 안쪽눈구석인대 단축술을 병행할 수 있다.

Root Z-epicanthoplasty

절개선의 도안(그림 16-9)

아래에 설명한 4군데의 점을 정하고 연결되는 선을 그린다.

- **A점** 안쪽눈구석 피부에서 눈물호수의 안쪽 끝에 해당하는 지점

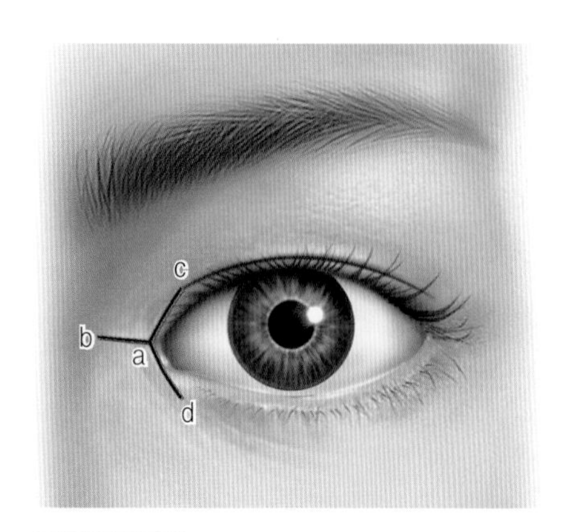

그림 16-10 Y-V 앞옮김피판술

- **B점** 안쪽눈구석주름의 중앙지점
- **C점** 안쪽눈구석주름이 아래눈꺼풀에서 끝나는 지점
- **D점** 눈물호수의 안쪽 끝 지점으로 A점과 앞뒤로 일치하는 지점

절개

국소 마취를 시행한 후, 11번 또는 15번 칼을 사용하여 도안한 선을 따라 절개한다. 가능한 충분한 깊이로 절개를 한다.

박리

가위로 피부판 ABC와 피부판 BCD를 만들고 이 피부판이 쉽게 옮겨질 수 있도록 주변 조직을 잘 박리한다. 피부판 밑의 섬유조직을 절제한다.

봉합 1

피부판 ABC의 B가 D 지점으로 옮겼을 때 무리없이 옮겨지는지 확인하고 7-0 nylon으로 B와 D 지점을 봉합한다.

봉합 2

피부판 BCD의 C를 A 지점으로 옮기고, 남는 피부판은 dog ear가 되지 않도록 절제하여 정리한다. 7-0 nylon으로 C와 A 지점을 봉합한다. 나머지 피부를 봉합한다.

Y-V 앞옮김피판술

Y-V 피판술은 안쪽눈구석주름 부위에 Y자를 도안하고 절개한 뒤 피판을 옮겨서 V자 모양으로 봉합하는 수술 방법이다. 흉터가 V자로 생긴다는 단점이 있는 반면, 도안이 간편하고 쌍꺼풀 라인과 연결시킬 수 있으며, 수술 중에도 교정량을 조절할 수 있고 안쪽눈구석인대 접힘술을 병행하기 쉽다는 장점이 있다.

절개선의 도안(그림 16-10)

안쪽눈구석주름에 옆으로 누운 Y자를 그리기 위하여, 안쪽눈구석주름의 중심부에 점 A를 표시하고, 안쪽눈구석이 만들어지기 원하는 위치에 점 B를 표시하여 안쪽으로 수평방향의 선(A-B)을 그린다. 점 B에서 위눈꺼풀과 아래눈꺼풀쪽으로 연장선을 그리는데 쌍꺼풀 선이 있는 경우는 쌍꺼풀 선과 자연스러운 연장선을 정하고 없는 경우는 45도 각도로 C점을 표시하고, 아래눈꺼풀에도 동일한 각도와 길이를 갖는 지점을 D로 표

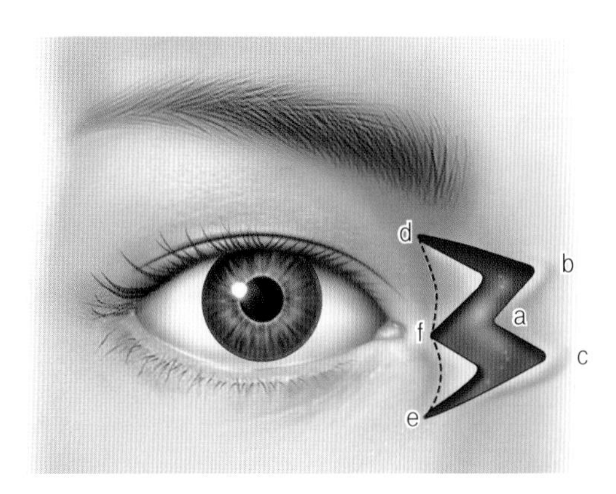

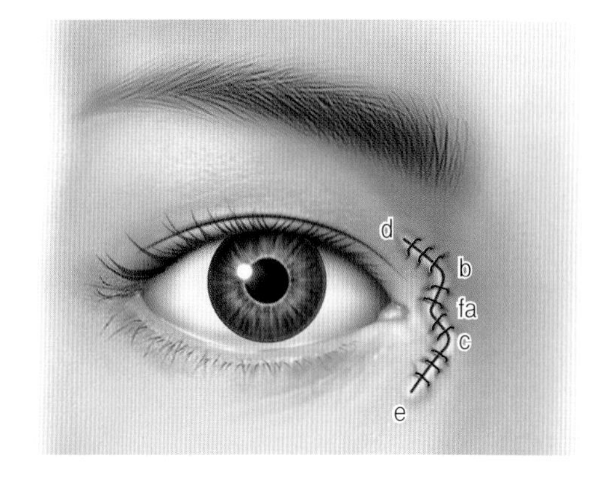

그림 16-11 Uchida 법

시하여 Y자 형태의 그림을 완성한다. 이때 안쪽눈구석의 위치를 옮기기 위한 A-B 수평절개는 5 mm 이상은 하지 않는 것이 좋다.

절개

칼을 이용하여 도안을 따라 피부를 절개한다. 이때 일반적으로 사용하는 15번 칼보다는 끝이 날카로운 11번 칼을 사용하는 것이 도안과 일치되도록 피부를 절개하기 쉽다.

단축

안쪽눈구석인대를 찾아 5-0 비흡수성 봉합사를 이용하여 원하는 만큼 단축시킨다.

봉합

발생한 dog-ear는 여분의 피부를 제거하여 교정하고 피부를 봉합한다.

Uchida 법

W성형술을 이용한 방법으로 안쪽눈구석주름 아래쪽의 근육과 섬유 조직을 손쉽게 같이 제거함으로써 효과적으로 안쪽눈구석주름을 교정할 수 있으나 흉터가 많이 생기는 단점이 있다.

절개선의 도안(그림 16-11)

안쪽눈구석주름에 설명한 5군데의 점을 정하고 연결되는 선을 W자 모양으로 그린다.

- **A점** 안쪽눈구석주름 피부에서 눈물호수의 안쪽 끝에 해당하는 지점
- **B점** 점 A로부터 위 방향으로 약 3 mm 떨어진 곳
- **C점** 점 A로부터 아래 방향으로 약 3 mm 떨어진 곳
- **D점** 위눈꺼풀에서 안쪽눈구석주름이 시작되는 지점
- **E점** 아래눈꺼풀에서 안쪽눈구석주름이 시작되는 지점
- **F점** 눈물호수의 안쪽 끝 지점으로 A점과 앞뒤로 일치하는 점

절개

국소마취 후 11번 blade로 절개를 한다. 순서는 F에서 A를 먼저하고 BA, CA 순서로 하면 편리하다. 이때 가능한 충분한 두께로 피부에 수직으로 절개한다.

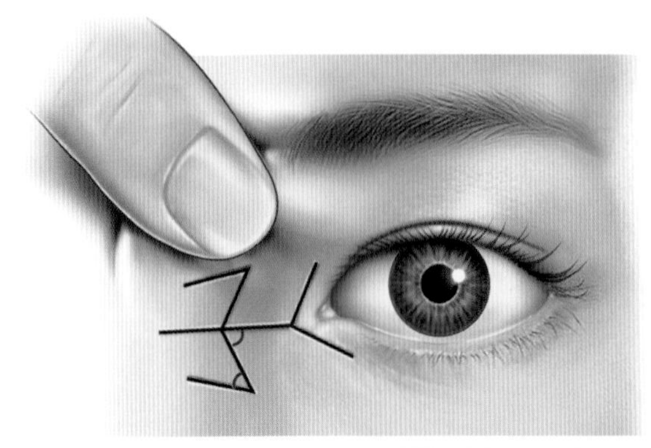

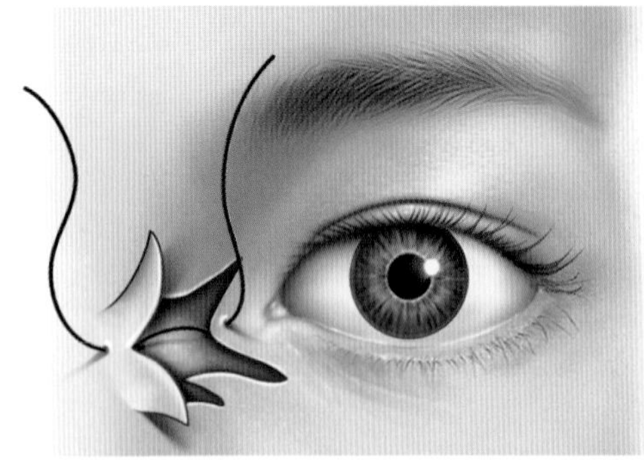

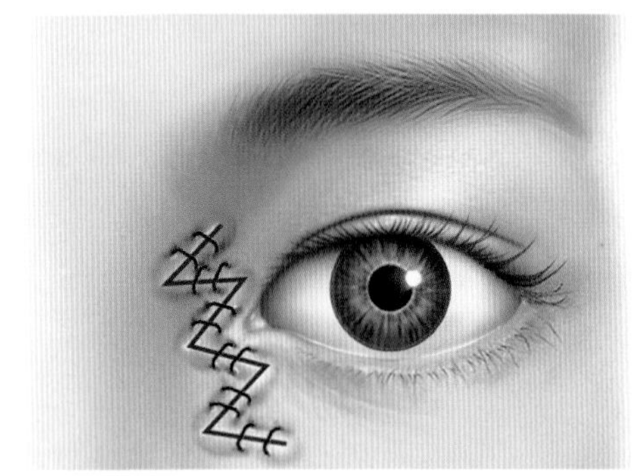

그림 16-12 Mustarde 법

박리

미세수술 가위로 피부판 FABD와 FACE를 피부와 그 주변조직을 충분히 포함하여 박리한다.

봉합 1

A와 F를 7-0 nylon으로 봉합한 후 피부판을 펼쳐 나머지 불필요한 부분을 섬세하게 제거하여 각각의 경계부가 잘 맞도록 한다.

봉합 2

피부판의 꼭지점에 해당하는 점 B와 C의 피부를 각각 대응되는 부분의 피부와 봉합하고 나머지 부분을 봉합한다.

Mustarde 법

안쪽눈구석주름에 네 개의 피판을 만든 후 두 개의 Z-plasty와 한 개의 Y-V plasty를 동시에 시행하는 수술 방법이다. 안쪽눈구석주름이 심할 때 사용하는 방법으로 대개 안쪽눈구석인대접힘술을 같이 시행하게 된다. 그러나 지그재그 모양의 반흔이 남을 수 있다는 것이 단점이다.

절개선의 도안(그림 16-12)

아래에 설명한 9군데의 점을 정하고 연결되는 선을 그린다.

- **P_1점** 안쪽눈구석이 새로 만들어지기 원하는 위치의 점
- **P_2점** 안쪽눈구석의 원래 위치의 점(눈물호수의 안쪽 끝 지점)
- **O점** P_1점과 P_2점 사이의 중간 지점
- **b점, c점** O점으로부터 60° 위와 아래쪽으로 P_1P_2선의 길이보다 2 mm 짧게 떨어진 지점
- **a점, d점** b점과 c점으로부터 45도 각도로 P_1P_2선의 길이보다 2 mm 짧게 떨어진 지점
- **e점, f점** P_2점으로부터 P_1P_2선의 길이보다 2 mm 짧게 떨어진 위와 아래눈꺼풀테의 지점

절개

국소 마취를 시행한 후, 11번 또는 15번 칼을 사용하여 도안한 선을 따라 절개한다. 가능한 충분한 깊이로 절개를 한다.

박리

피부절개부위 주변조직을 가위로 잘 박리하여 네 개의 피부판이 쉽게 옮겨질 수 있도록 만들고, 피부판 밑의 섬유조직을 절제하여 안쪽눈구석인대를 노출시킨다.

봉합 1

5-0 비흡수성 봉합사로 안쪽눈구석인대접힘술을 시행한다.

봉합 2

P_2점을 P_1점에 봉합하고, b점을 e점에, c점을 f점에 봉합한다. 피부판을 펼쳐 나머지 불필요한 부분을 섬세하게 제거하여 각각의 경계부가 잘 맞도록 한 후 피부를 봉합한다.

안쪽눈구석주름성형술의 합병증

- 부족교정
- 과교정
- 눈물소관 손상
- 미용적불만족
- 반흔
- 아래눈꺼풀외반

부족교정과 과교정이 있을 수 있다. 부족교정의 경우는 환자의 상태에 따라서 재수술을 통하여 교정이 가능하다. 과교정의 경우는 안쪽눈구석복원술을 시행해 볼 수 있으나 수술 전 과교정이 발생하지 않도록 주의하는 것이 좋다.

안쪽눈구석성형술 후 흉터 발생을 줄이기 위해서는 절개선의 길이가 길지 않고, 복잡한 형태의 눈구석성형술 보다는 단순한 것이 좋으며, 피판의 삼각형의 꼭지점이 코쪽 보다는 눈쪽을 향하는 수술 방법이 좋다. 또한 눈구석성형술 시에 주름의 긴장을 확실히 제거하고 봉합 시에도 긴장이 없도록 하는 것이 중요하다. 수술 후 비후성반흔이 의심되면 스테로이드 연고를 바르거나 국소 주사하여 반흔 형성을 억제할 수 있다. 쌍꺼풀과 동시에 안쪽눈구석주름성형술을 하는 경우는 가능하면 쌍꺼풀선과 연결이 되지 않도록 해야 흉터가 덜 보이고 자연스러운 모습이 될 수 있다. 수술 후 흉터는 6개월 정도 지나면 눈에 보이지 않을 정도로 좋아지지만 그래도 희미하게 보일 수 있으므로 수술 전 환자에게 충분히 설명하는 것이 좋다. 눈물소관은 눈꺼풀테에서 1 mm 아래, 눈꺼풀피부에서는 약 2 mm 깊이에 위치하기 때문에 안쪽눈구석성형술 시 눈물소관 손상에 주의하여야 한다.

참고문헌

1. 박대환, 백봉수, F. Nahai. 안성형외과학. 군자출판사, 2009.
2. 이상열, 김윤덕, 곽상인, 김성주. 눈꺼풀성형술. 도서출판 내외학술, 2009.
3. 조인창. 눈꺼풀 수술술기. 군자출판사, 2013.
4. Kim CY, Lee SY. Structural and cosmetic outcomes of medial epicanthoplasty: an outcome study of three different techniques. J Plast Reconstr Aesthet Surg 2015;68:1346-51.
5. Oh YW, Seul CH, Yoo WM. Medial epicanthoplasty using the skin redraping method. Plast Reconstr Surg 2007;119:703-10.
6. Park JI. Modified Z-epicanthoplasty in the Asian eyelid. Arch Facial Plast Surg 2000;2:43-7.
7. Park JI. Z-epicanthoplasty in Asian eyelids. Plast Reconstr Surg 1996;98:602-9.
8. Yoo WM, Park SH, Kwag DR. Root z-epicanthoplasty in asian eyelids. Plast Reconstr Surg 2002;109:2067-71; discussion 2072-3.

CHAPTER 17

눈꺼풀처짐 수술의 합병증

Complications of blepharoptosis surgery

CONTENTS

눈꺼풀처짐 수술은 수술의 결과를 예측하기가 무척 힘들 뿐만 아니라 수술 후 어쩔 수 없이 나타나는 문제점들도 많아 재수술이 필요한 경우가 빈번하게 발생한다. 이를 최소화하기 위해 수술 전 눈꺼풀처짐의 정도와 양상, 눈꺼풀올림근 기능, 그리고 위험 인자 등에 관해 철저한 사전 검사가 필요하며, 수술도 충분한 경험과 합병증을 예방하기 위한 지식을 갖고 있어야 한다.

환자나 보호자에게 눈꺼풀처짐 수술의 특성과 수술 후 상태에 관해 충분히 설명하여 수술로 교정 가능한 부분과 그렇지 못한 부분에 대해 이해시키는 것이 필요하다. 무엇보다도 이러한 과정이나 소통을 통하여 수술자는 환자와 좋은 관계를 유지하도록 하는 것도 중요하다. 또한 환자의 눈 상태를 사진으로 남겨 수술 전후의 변화를 비교할 수 있도록 하여 수술 후 있을 지도 모르는 분쟁에 대비해야 한다.

눈꺼풀처짐 수술 후 다양한 합병증이 뒤따를 수 있지만 수술 방법에 따라 그에 따른 합병증이 나타나기도 한다. 또한 어떤 수술 방법을 선택하더라도 반드시 나타나는 피할 수 없는 현상은 합병증이라기 보다 수술의 부작용으로 분류하는 것이 타당하다.

피할 수 없는 부작용

토안

눈을 완전히 감지 못하는 현상인 토안lagophthalmos은 대부분의 눈꺼풀처짐 수술 후 나타나게 된다. 특히 선천눈꺼풀처짐 수술 후에는 과교정이 되지 않았더라도 어느 정도의 토안이 나타날 수 있으며, 개인 차에 따라 정도도 다양하게 나타난다. 어린이들은 잠잘 때 눈을 완전히 감지 못하더라도 다행히 정상적인 눈물 분비 기능과 Bell 현상이 있기 때문에 심한 노출각막염으로 진행되는 경우는 흔치 않다. 토안은 수술 초기에는 눈둘레근의 일시적인 약화 혹은 마비 현상이 있어 많이 나타나지만 수 주일이 경과하면서 점차 줄어들게 된다. 하지만 눈꺼풀처짐 교정 수술에 따른 어느 정도의 토안은 어쩔 수 없이 나타나는 현상이다.

토안의 정도는 눈꺼풀처짐의 정도나 수술 방법에 따라 다르게 나타날 수 있다. 아래를 볼 때 lid lag 현상이 뚜렷한 눈에서 토안의 정도가 심하며, 눈꺼풀처짐의 정도가 심하고 눈꺼풀올림근의 기능이 좋지 못하여 많은 양의 눈꺼풀올림근을 절제하였을 경우 이마근걸기술에 비해서 토안의 정도가 많이 나타난다. 이마근걸기술의 재료에 따라서도 토안의 정도는 달리 나타날 수 있다. 조직의 유착을 강하게 유발하는 자가근막에 비해 재질의 탄력성이 좋은 silicone rod는 비교적 토안이 덜 나타난다.

수술 중 눈꺼풀올림근은 주변의 근막 조직으로부터 잘 분리하는 것이 좋다. 눈꺼풀올림근이 안와가장자리와 연결되는 근막으로부터 완전히 분리되지 않으면 눈꺼풀올림근을 아래로 당겨보았을 때 저항이 느껴진다. 이를 완전히 분리하면 눈꺼풀올림근이 자유롭게 아래로 당겨지는 것을 느낄 수 있으며 토안 현상도 덜 생기게 된다. 또한 눈꺼풀올림근을 분리할 때 안와사이막을 완전히 열고 봉합하지 않는 것이 토안을 덜 유발하는 것으로 알려져 있다.

잠잘 때 눈을 감지 못하면 각막노출로 인한 각막염을 유발할 수 있기 때문에 특히 밤에 관리를 잘 해 주어야 한다. 얼굴을 옆으로 기울여 잠을 자면 바로 누운 자세에 비해 토안이 완화되는 것을 볼 수 있다. 실눈 정도의 경미한 토안은 안약을 넣지 않아도 되지만 대부분의 경우 자기 전에 인공눈물연고 점안이 필요하며, 심하면 moisture shield나 수면안대가 도움이 되며 테이프로 아래 · 위눈꺼풀을 당겨 붙이기도 한다. 토안은 일반적인 노출성각막염에 준하여 치료하면 되지만, 수술적 치료는 각막이 적응하는 기간을 고려하여 최대한 기다린 후에 시도해 볼 수 있다. 이러한 노력에도 불구하고 각막노출로 인한 증상이 심할 때에는 절제된 눈꺼풀올림근이나 이마근걸기를 약간 후퇴시킬 수 있지만 과교정으로 눈꺼풀처짐이 나타나는 것을 유의해야 한다.

상방주시 때 눈꺼풀처짐

정상 눈에서는 위를 볼 때 눈꺼풀틈새가 커지며 아래를 볼 때 작아지게 되지만, 눈꺼풀처짐 수술환자에서는 반대 현상이 나타나게 된다. 즉, 위를 쳐다볼 때는 상직근의 수축으로 안구는 위로 빨리 올라가지만 눈꺼풀은 눈꺼풀올림근의 기능 저하로 잘 올라가지 않아 눈꺼풀처짐이 잘 교정된 눈이라도 상방주시 때는 눈꺼풀틈새가 다소 작아 보인다. 이러한 현상은 눈꺼풀올림근의 기능이 불량하고 눈꺼풀처짐의 정도가 심해 이마근걸기술을 시행한 눈에서 더 뚜렷하게 나타난다.

하방주시 때 눈꺼풀내림지연

아래를 쳐다볼 때 안구는 밑으로 쳐다보지만 눈꺼풀은 따라 내려가지 못해 위공막이 노출되어 보이는 현상을 말한다. 이러한 현상은 눈꺼풀올림근절제술이나 이마근걸기술 모두에서 나타날 수 있는데, 적은 양의 눈꺼풀올림근절제술을 시행하였을 때도 대부분 나타날 수 있지만 눈꺼풀처짐이 심하여 교정을 많이 한 눈에서 더 뚜렷이 나타난다. 특히 한쪽 눈에서만 많은 양의 눈꺼풀올림근절제술이나 이마근걸기술을 시행한 눈에서 비대칭이 더 뚜렷하게 나타나 단안 눈꺼풀처짐이라도 양쪽 이마근걸기술을 하는 것이 미용상 더 낫다는 주장의 근거가 된다. 이 현상을 줄이기 위해 안와사이막을 완전히 열어 놓는 것이 좋다는 주장도 있다.

미용적인 측면에서 눈꺼풀내림지연 현상은 눈꺼풀처짐 수술 후 환자들이 상당히 심각하게 느끼는 부작용이다. 하지만 어쩔 수 없는 현상이기 때문에 다른 사람들에게 잘 노출되지 않도록 아래를 쳐다볼 때 눈만 아래로 주시하는 대신 고개를 아래로 숙여 다른 사람들이 알지 못하도록 하는 노력이 필요하다.

각막증

각막증은 각막의 노출, 결막에 의한 자극, 혹은 건성안으로 인해 나타날 수 있다. 노출성각막증은 눈꺼풀처짐 수술의 과교정, 토안, 혹은 Bell 현상과 같은 눈의 방어기전이 좋지 않은 환자에서 잘 나타나며, 특히 각막의 지각이 감소한 눈에서는 노출성각막증의 합병증이 더 잘 발생한다(**그림 17-1**). 눈꺼풀판을 절제하여 눈꺼풀처짐을 교정한 Fasanella-Servat 수술에서와 같이 눈꺼풀결막에 흉터가 생기거나 봉합사가 남아있으면 각막 손상을 잘 유발할 수 있다.

건성각결막염keratoconjunctivitis sicca이 있는 환자는 수술 후 건성안 증상이 잘 나타나기 때문에 수술 전에 눈물분비 검사를 반드시 하고 수술 후 더 심해질 수 있다는 점도 경고해야 한다. 이런 환자는 눈꺼풀올림근의 가쪽이나 결막구석을 분리할 때 눈물샘이나 눈물관

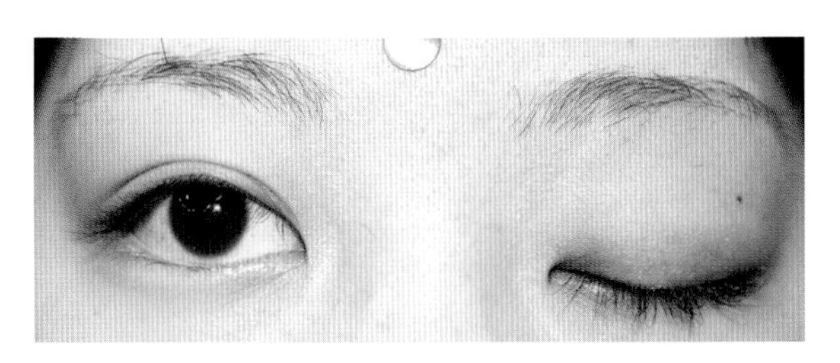
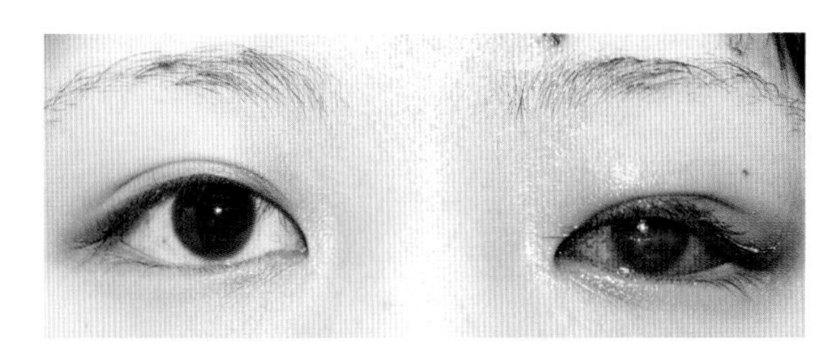

그림 17-1 좌안의 상방주시 장애가 동반된 환자에서 실리콘이마근걸기술 후 각막염이 발생한 모습

이 손상되지 않도록 조심해야 하며, 특히 결막을 통한 절개를 할 때는 건성안이 더 잘 생길 수 있다는 것을 유의해야 한다.

수술 후 환자의 대부분은 눈을 완전히 감지 못하고 잠을 자지만 그 정도는 수술 방법, 수술 양, 잠자는 습관, 그리고 환자의 개인 차에 따라 다르게 나타나므로 각막 노출로 인한 자극 증상이 심하거나 각막염 및 각막궤양으로 진행하지 않으면 합병증이라 할 수 없다. 토안의 정도가 심하지 않은 경우에는 각막에 염색이 되는 점상미란punctate이 각막 중앙부 아래에 나타날 수 있지만 결막의 충혈이나 불편감은 별로 없을 수 있다. 경미한 각막 자극증상이 뒤따르면 낮 동안에는 인공눈물 점안 그리고 잠들기 전에는 인공눈물연고 점안으로 증상을 완화시킬 수 있다.

토안 현상이 심하면 각막을 보호하기 위한 좀 더 적극적인 노력을 해야 한다. 인공눈물 점안 외에 위눈꺼풀 마사지, 눈꺼풀 taping, 혹은 moisture shield 등을 시도할 수 있다. 계속 각막 손상이나 자극증상이 심하면 치료용 콘택트렌즈를 착용시킬 수도 있다. 이러한 방법으로도 각막이 보호되지 않으면 올라간 눈꺼풀을 수술로 낮추는 방법을 고려해야 한다. 눈꺼풀 높이가 과교정되어 있으면 낮추는 것이 당연하겠지만, 적당한 크기를 유지하는 눈이라도 각막 손상이 심각하면 약간 낮추어 토안의 정도를 줄여주는 것이 도움이 된다. 선천눈꺼풀처짐 환자에서는 토안 때문에 심한 각막염으로 진행하는 경우는 드물다.

눈꺼풀올림근절제술의 합병증

눈꺼풀올림근절제술의 수술 과정은 그렇게 복잡하지는 않지만 환자 개개인에 따라 해부학적 구조가 다를 수 있고 눈꺼풀올림근 기능이나 눈꺼풀처짐 정도가 다르기 때문에 쉬운 수술은 아니다. 경험이 풍부한 집도의일수록 만족스럽지 못한 수술 결과를 보이는 가능성은 상대적으로 덜 하지만 합병증을 반드시 피할 수 있다는 보장은 없다. 하지만 수술 방법 선택과 교정 양에 대한 집도의의 기준, 해부학적 구조에 대한 해박한 지식, 그리고 주변 조직을 보호하면서 눈꺼풀올림근을 분리하여 절제하는 수술 과정에 대한 충분한 경험이 합병증의 발생위험을 줄여준다는 사실을 알아야 한다.

수술 중 합병증

눈꺼풀올림근 손상

피부절개를 할 때 너무 깊게 하여 눈꺼풀올림근까지 손상되는 경우는 흔치 않다. 눈꺼풀올림근 손상을 피하기 위해서 절개를 눈꺼풀판위가장자리보다 낮게 하는 것이 좋지만 눈꺼풀지방이 많아 두둑한 동양인에서 이 합병증이 발생할 위험은 적다. 하지만 고주파장비radiofrequency unit를 이용하여 피부절개를 할 때는 절개가 쉽게 깊이 들어갈 수 있기 때문에 조심해야 한다. 이 장비를 사용할 때는 반드시 안구 보호를 위한 보호대lid plate를 넣은 후 절개해야 한다. 또한 피부, 눈둘레근, 안와사이막을 차례로 절개하여 들어가면 눈꺼풀올림근을 손상시키지 않고 노출시킬 수 있다.

지방 침윤이 많이 되어 있는 눈꺼풀올림근은 간혹 안와지방조직과 구별이 잘 안 되는 경우도 있어 주변 조직으로부터 분리할 때 쉽게 손상이 올 수 있다.

속눈썹 손상

피부와 눈둘레근을 눈꺼풀테에 너무 근접하여 분리하면 속눈썹뿌리cilia roots 손상을 일으킬 수 있다. 그래서 속눈썹모낭lash follicle에서 최소 2 mm는 남겨 놓고 분리하는 것이 좋으며, 또한 속눈썹뿌리 근처에서는 지혈을 위한 전기소작을 최소화하는 것이 좋다. 속눈썹빠짐madarosis 현상은 아래눈꺼풀보다 위눈꺼풀에서,

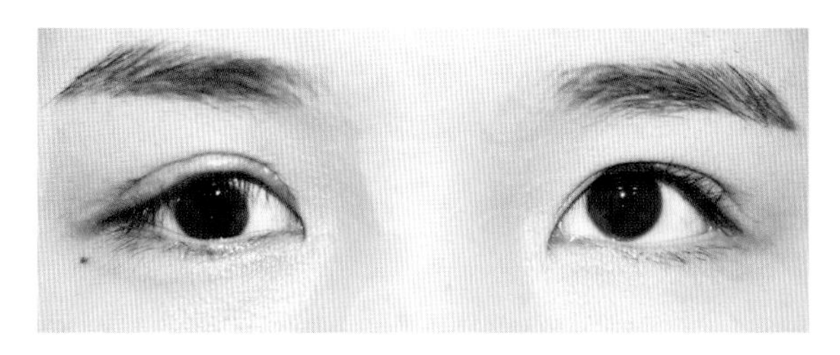

그림 17-2 눈꺼풀처짐 수술 후 상직근 손상으로 인해 우안 하사시가 발생한 모습

그리고 이마근걸기술보다 눈꺼풀올림근절제술 때 더 잘 발생한다. 속눈썹뿌리가 손상되면 속눈썹빠짐 외에도 속눈썹증trichiasis이 동반될 수 있다.

속눈썹이 손상되어 빠지면 다시 생기기는 힘들기 때문에 미용상 문제가 있으면 반영구문신이나 인조눈썹으로 대신하기도 하며, 속눈썹이 빠진 부위가 크지 않으면 쐐기절제술wedge resection도 도움이 된다.

상직근 손상

눈꺼풀올림근을 결막구석 위까지 많이 분리할 경우 상직근의 손상을 초래할 수 있다(그림 17-2). 최대눈꺼풀올림근절제술과 같이 눈꺼풀올림근 절제 양이 많은 경우에서 발생할 수 있으며, 이러한 합병증을 예방하기 위해 상직근에 당김봉합을 해 놓고 수술 중에 당겨보면서 상직근을 확인하면 이런 위험을 피할 수 있다.

상사근 및 눈물샘 손상

눈꺼풀올림근의 기능이 약한 눈에서 많은 양의 눈꺼풀올림근을 분리하여 절제할 때 안쪽과 가쪽뿔을 수직방향으로 절개해야 하므로 이때 주변 기관이 손상되지 않도록 조심해야 한다. 눈꺼풀올림근의 안쪽뿔을 위로 많이 절개할 때 상사근의 손상 위험이 있으며, 가쪽뿔을 위로 많이 절개할 때 눈물샘의 손상이 초래될 수 있다. 상사근에 손상이 있으면 내전adduction 때 상방주시가 안 되는 Brown 증후군이 초래될 수 있다.

수술 후 합병증

부족교정

부족교정은 눈꺼풀올림근절제술 후 가장 흔히 나타나는 합병증으로, 선천성이나 후천성 여부에 관계 없이 눈꺼풀올림근의 기능이 좋지 않은 경우에 잘 나타나는 현상이다. 부족교정의 가장 흔한 원인은 눈꺼풀올림근을 적게 절제한 경우이다(그림 17-3). 눈꺼풀올림근의 발달 장애로 근육 자체가 얇고 약하거나 섬유화되어 있으면 부족교정을 잘 유발할 수 있으므로 더 많은 양의 눈꺼풀올림근을 절제하는 것이 좋다. 수술 중 눈꺼풀판에 고정한 눈꺼풀올림근의 봉합이 풀어지는 경우도 있지만 흔치는 않다. 비흡수성봉합사가 흡수성봉합사에 비해 덜 풀어지며 재수술을 할 때 봉합사를 쉽게 찾을 수 있어 해부학적 구조를 잘 구별할 수 있는 장점이 있다.

눈꺼풀올림근의 기능이 좋은 경우는 수술 후 1~2

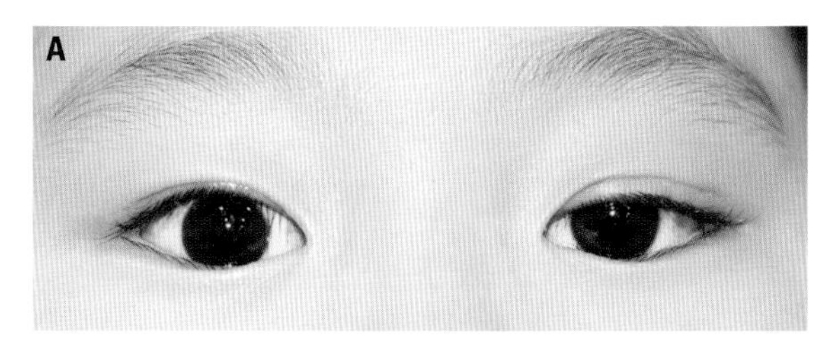

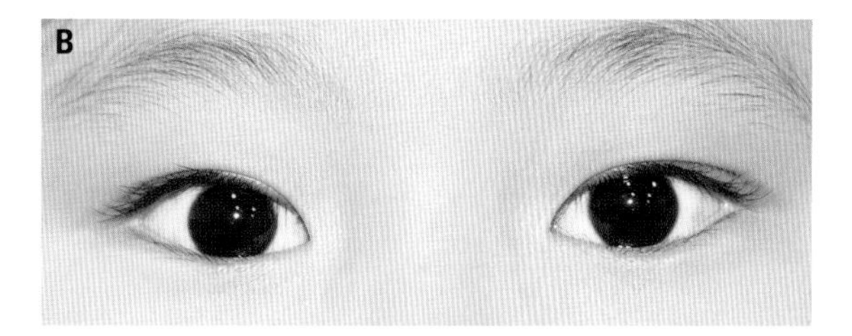

그림 17-3 눈꺼풀올림근절제술 후 부족교정된 모습과 재수술 후 모습

개월에 걸쳐 천천히 교정효과가 나타나기도 하지만, 기능이 나쁜 경우 장기간 경과를 보면 그 상태를 유지하거나 오히려 더 떨어지는 경우를 종종 볼 수 있다. 눈꺼풀올림근의 기능이 아주 불량한 경우는 눈꺼풀올림근을 많이 절제하더라도 부족교정이 흔하게 나타날 수 있다.

부족교정을 치료하기 위한 결정은 출혈과 부종이 충분히 사라진 뒤에 하는 것이 좋다. 이 기간은 일반적으로 수술 후 2~3주 이상의 기간이 필요할 수도 있지만 수술 초기라도 부족교정이 현저하면 눈꺼풀올림근과 주변 조직의 섬유화fibrosis가 일어나기 전에 빨리 재수술을 시행할 수도 있다. 수술 수 개월 후 눈꺼풀처짐 정도가 경미하면 수술하지 않는 것이 더 좋은 선택일 수도 있지만, 미용적으로 받아들이지 못할 정도이면 재수술을 시행할 수 있다. 이때는 환자와 충분한 대화를 나누어 수술로 교정할 수 있는 부분과 만족스럽지 못할 가능성에 대해 잘 이해시켜야 한다.

수술 방법의 선택은 처음과 같이 눈꺼풀올림근 기능과 눈꺼풀처짐 정도를 측정하여 결정한다. 눈꺼풀올림근의 기능이 양호하거나 처음 수술에 눈꺼풀올림근을 충분히 절제하지 않았으면 눈꺼풀올림근절제술을 추가로 시행한다. 하지만 최대눈꺼풀올림근절제술을 이미 시행하였거나 눈꺼풀올림근에 지방이 많이 침윤되어 상태가 좋지 않을 때는 이마근걸기술로 변경하는 것이 좋다.

부족교정을 위한 재수술 때 눈꺼풀올림근을 많이 절제하면 과교정이 나타날 위험이 가끔 발생하므로 절제 양을 결정할 때 조심하여야 한다. 피부 접근으로 수술을 한 경우 반흔조직이 많아 수술이 힘들 것으로 예상되면 결막 접근을 통한 수술도 고려해 볼 수 있지만 익숙하지 않으면 피부접근법이 더 나은 선택이다.

과교정

과교정은 눈꺼풀올림근의 기능이 불량한 선천눈꺼풀처짐에서는 드물게 나타나지만, 기능이 양호한 후천성에서는 드물지 않게 나타날 수 있다(**그림 17-4**). 원인으로 눈꺼풀올림근을 과도하게 절제하거나 눈꺼풀올림근을 눈꺼풀판 너무 아래쪽에 고정시킨 경우 등이 있다. 기계성 혹은 퇴행성이면서 경미한 정도의 눈꺼풀처짐이 있으면 과도하게 눈꺼풀올림근을 절제하지 않는 것이 좋다. 재수술 후나 외상성인 경우 수술 후 반흔조직의 과도한 수축으로 인해 과교정이 발생할 수 있다.

눈꺼풀올림근의 기능이 나쁜 환자에서는 과교정이 발생하더라도 수술 후 점차 내려오는 경향이 있으므로 재수술을 서두르지 말고 건성안으로 인한 각막 손상을 예방하면서 상당기간 동안 관찰하는 것이 좋다. 수술 후 초기에 과교정이 나타나면 비수술적인 치료로 눈을 꼭 감는 행위나 눈꺼풀을 하루 5~10분간 두세 차례 아래쪽으로 마사지하는 방법이 있다. 이는 수술 초기의 과교정 때 시도해 볼 수 있으나 눈이 붓고 통증이 있기 때문에 협조가 안 되는 어린이의 경우 시행하기가 쉽지 않다. 또한 마사지 치료에 대한 효과가 분명치 않고, 쌍꺼풀 형성을 위한 봉합이 풀어질 수 있으며, 각막에 상처를 줄 수 있는 문제점도 있다.

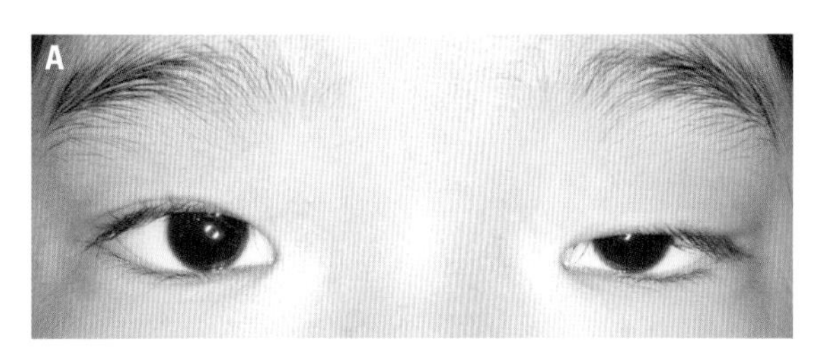

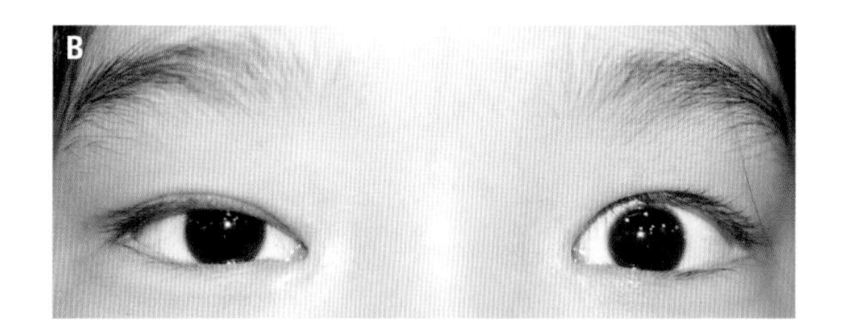

그림 17-4 좌안 눈꺼풀올림근절제술 후 과교정된 모습

특히 눈꺼풀올림근의 기능이 중등도 이상인 경우에 과교정이 현저하게 나타나면 부종이 가라 앉더라도 눈꺼풀이 내려오는 것은 쉽지 않으므로 조기에 수술로 재교정 하는 것을 고려해야 한다. 수술 초기 출혈이나 부종이 어느 정도 줄었지만 현저한 과교정이 있다고 판단되면 섬유화가 완전히 일어나기 전에 눈꺼풀올림근을 후퇴시키는 것이 좋다. 수술 1~2주 이내인 경우에는 집게forceps만으로 쉽게 피부 봉합창을 열 수 있으며 눈꺼풀올림근도 쉽게 분리할 수 있으므로 후퇴시키기가 용이하다. 수술 초기에 결막을 통해 눈꺼풀올림근을 후퇴시킬 경우 눈꺼풀판에 고정한 봉합사가 끊어지면서 눈꺼풀올림근이 수축되어 예상보다 훨씬 더 후퇴되는 경우를 조심해야 한다.

눈꺼풀올림근의 기능이 나쁜 경우는 비수술적 치료를 하면서 3개월 이상의 충분한 기간을 기다려도 과교정이 남아 있으면 수술로 교정하는 것을 고려해야 한다. 과교정이 심하지 않으며 쌍꺼풀의 모습을 훼손시키고 싶지 않으면 결막을 통해 눈꺼풀판에 부착되어 있는 눈꺼풀올림근을 부분적으로 끊어주는 levator tenotomy를 시행한다. Desmarres 당김기로 눈꺼풀을 뒤집은 후 눈꺼풀판 위가장자리 1 mm 위의 결막에 가로로 결막절개를 한 후 눈꺼풀올림근을 조금씩 끊어준다. 과교정된 정도에 따라 눈꺼풀올림근을 주변 유착으로부터 많이 박리하여 절단 정도를 달리할 수 있다. 수술 시 눈조직의 부종과 수술 후 반흔조직으로 인한 수축현상을 고려하여 과교정된 양보다 조금 더 낮추어 주는 것이 좋다. 절개된 결막은 봉합하지 않은 상태로 둘 수도 있으나, 피부에서 결막 쪽으로 바늘을 넣고 결막 연속봉합을 한 후 다시 피부로 바늘을 빼 내어 각막 자극을 최소화할 수도 있다.

쌍꺼풀 모양의 조정이 필요하거나 3 mm 이상 심한 과교정이 있으면 피부절개를 한 후 눈꺼풀올림근을 충분히 분리하여 후퇴시켜야 하지만, spacer로 눈꺼풀올림근과 눈꺼풀판을 연결해 주는 것이 필요할 수도 있다. Spacer는 보존 혹은 냉동공막이 잘 사용되며, 크기는 후퇴시키는 양보다 2 mm 정도 더 크게 하는 것이 좋다. 수술로 과교정을 낮춘 후 속눈썹 위 피부에 봉합을 넣고 아래로 당겨주는 reverse Frost suture를 할 수도 있다.

윤곽이상

눈꺼풀올림근절제술 후 발생하는 윤곽이상contour deformity은 눈꺼풀판에 고정하는 눈꺼풀올림근의 당기는 힘이 고르게 작용하지 않았기 때문이며, 눈꺼풀올림근의 기능이 약해 많은 양을 절제할 때 잘 발생할 수 있다. 일반적으로 눈꺼풀올림근은 눈꺼풀판 위가장자리 3 mm 정도 아래쪽에 고정시키며, 눈꺼풀판 가로 길이의 중심 50% 내에 3개의 고정봉합을 위치시키면 된다는 보고가 있다. 하지만 미용적으로 좋은 윤곽을 만들기 위해서는 고정위치를 변화시킬 수 밖에 없으며, 4~5개의 고정봉합이 필요할 때도 종종 있다. 퇴행성눈꺼풀처짐에서는 눈꺼풀 안쪽이 부족교정 되는 경우가 간혹 발생할 수 있으므로 유의하여야 한다(**그림 17-5**). 안쪽의 부족교정이 잘 나타나는 이유는 널힘줄의 두께가 가쪽에서 안쪽으로 갈수록 얇아지며 눈꺼풀판과의

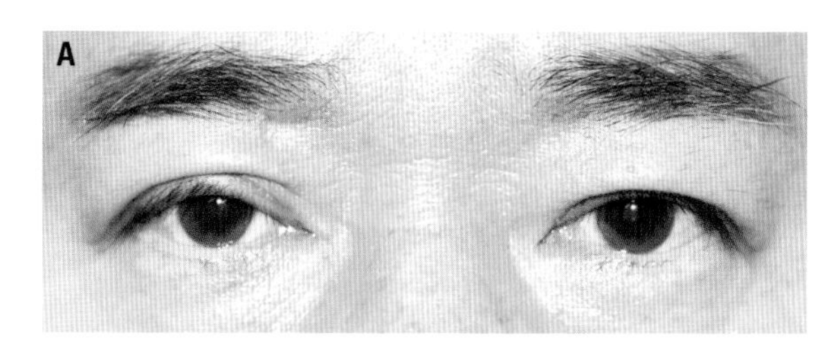

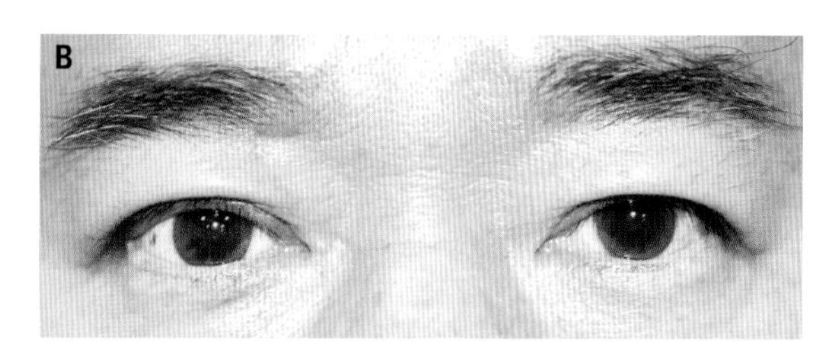

그림 17-5 눈꺼풀올림근절제술 후 안쪽의 부족교정으로 인한 윤곽이상(우안)과 재수술 후 모습

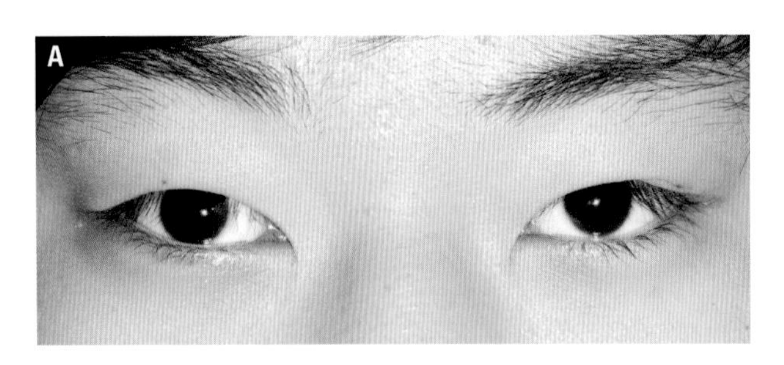

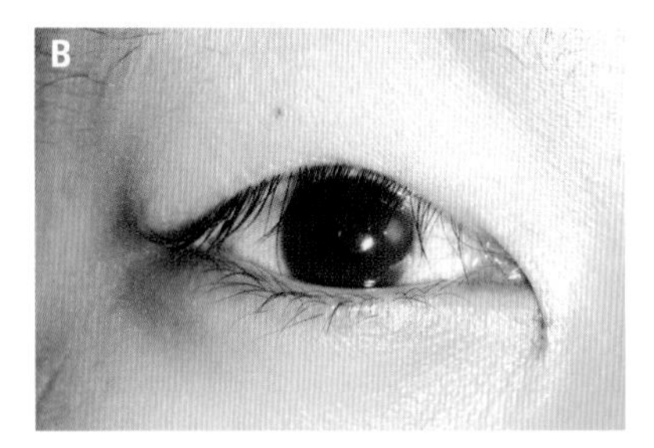

그림 17-6 우안 눈꺼풀올림근절제술 후 정상안처럼 보이지만 눈꺼풀피부를 위로 당겨보면 과교정으로 인한 눈꺼풀속말림이 관찰된다.

결합도 약해지기 때문이다. 한 해부학적 연구에서는 안쪽뿔이 가쪽뿔에 비해 얇고 약하기 때문에 널힘줄의 가쪽은 더 강하게 당겨지며 안쪽은 덜 당겨지기 쉽다고 보고된 바 있다.

고정봉합이 눈꺼풀판의 너무 아래쪽에 위치하면 눈꺼풀테가 고르지 못하거나 눈꺼풀겉말림이 나타날 수 있으며, 너무 위가장자리 쪽으로 치우쳐 강하게 당기게 되면 눈꺼풀속말림이 나타날 수 있다. 중심부에서 고정봉합 간의 간격이 너무 가까우면 중심당김central peaking 현상이 나타나며, 너무 떨어져 있으면 중심부가 편평하게 보이는 현상이 나타난다.

수술 후 1~2주 내에는 눈꺼풀올림근의 봉합을 풀어 고정위치를 변경하여 쉽게 교정할 수 있으며, 오래된 경우는 눈꺼풀판으로부터 눈꺼풀올림근을 분리하여 다시 고정해야 한다.

눈꺼풀속말림

눈꺼풀 뒤층판의 과도한 단축이 주된 원인으로, 눈꺼풀올림근의 기능이 나쁜 눈에서 많은 양의 눈꺼풀올림근을 절제했을 때 뒤층판에 가해지는 과도한 당김으로 인해 발생할 수 있다. 특히 눈꺼풀올림근을 많이 절제하여 눈꺼풀판의 위가장자리 가까이에 고정했을 때 발생하기 쉬우며, 눈꺼풀판을 일부 제거하여 단축시켰을 때는 뒤층판이 짧아질 뿐 아니라 눈꺼풀판의 안정성stability이 떨어져 더 쉽게 눈꺼풀속말림entropion이 발생할 수 있다.

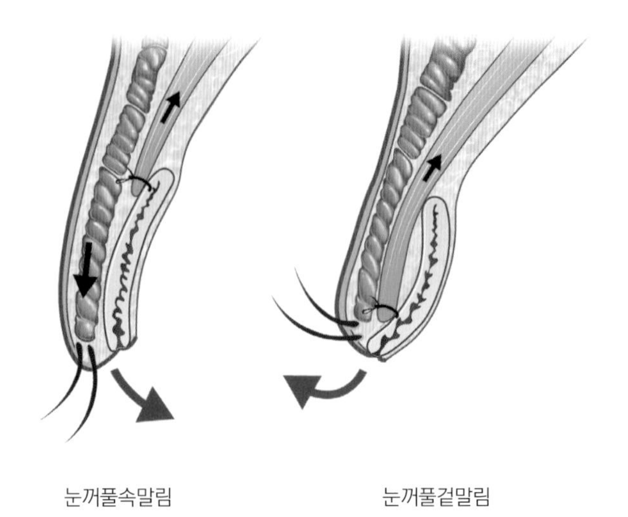

그림 17-7 눈꺼풀올림근의 눈꺼풀판 봉합 위치에 따라 눈꺼풀속말림과 겉말림이 나타나는 모습

눈꺼풀올림근절제술 후 발생한 눈꺼풀속말림은 눈의 자극증상, 각막염, 그리고 각막궤양을 일으킬 수 있기 때문에 교정해야 한다. 눈꺼풀 뒤층판의 과도한 당김 현상으로 눈꺼풀속말림이 있으면서 과교정이 동반되어 있으면 눈꺼풀올림근을 후퇴시켜야 한다(**그림 17-6**). 수술 도중에 눈꺼풀속말림이 나타나면 눈꺼풀올림근의 부착부위를 눈꺼풀판의 아래쪽으로 이동시켜 고정해 보아야 한다. 일반적으로 눈꺼풀올림근이 눈꺼풀판의 위 부위에 고정되어 당김 현상이 나타나면 눈꺼풀속말림이, 그리고 눈꺼풀판의 아래로 고정되어 눈꺼풀테 가까이를 당기면 눈꺼풀겉말림이 발생하게 된다(**그림 17-7**).

경미한 눈꺼풀속말림은 반흔성 눈꺼풀속말림에 준

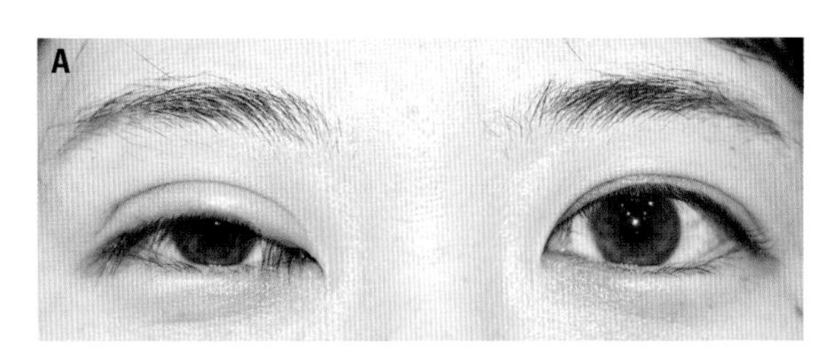

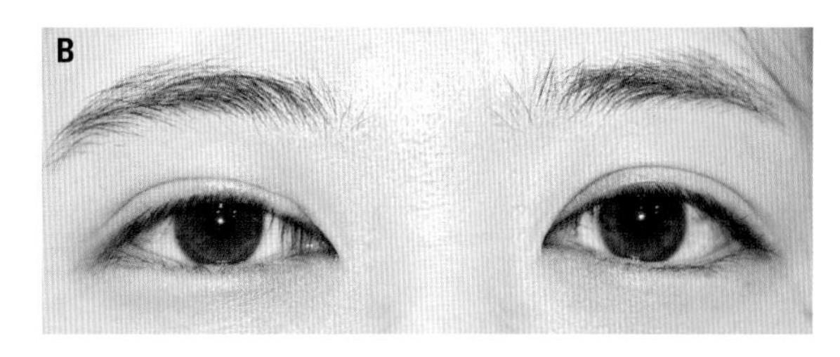

그림 17-8 **A.** 우안 눈꺼풀처짐 부족교정으로 인하여 쌍꺼풀의 크기가 커 보인다. **B.** 우안 눈꺼풀처짐 부족교정 수술 후 모습

한 수술로 교정할 수 있다. 여분의 피부나 눈둘레근이 많이 있으면 제거하는 것이 좋으며, 눈꺼풀의 앞층판을 눈꺼풀판 위 부위와 부착시키는 modified Hotz procedure로 쌍꺼풀이 깊어지고 눈꺼풀테가 바깥 방향으로 회전하는 효과를 얻도록 한다. 좀 더 심한 경우는 가로눈꺼풀절개술transverse blepharotomy을 고려할 수 있으며, 뒤층판이 심하게 수축되고 단축되어 있으면 눈꺼풀올림근을 후퇴시키고 hard palate, ear cartilage, 혹은 코연골점막nasal chondromucosa 등의 자가조직이나 동종공막과 같은 이식재료를 spacer로 사용한다.

눈꺼풀겉말림

수술 후 눈꺼풀겉말림ectropion 현상이 나타나는 경우는 드물다. 많은 양의 눈꺼풀올림근을 절제하면서 눈꺼풀판 아래쪽에 부착시킬 때 나타날 수 있으며, 피부절개가 눈꺼풀테 가까이에서 시행되면서 피부의 단축이 동반되면 눈꺼풀테가 밖으로 벌어져 나타날 수 있다. 충분한 시간을 기다린 후에도 눈꺼풀겉말림이 지속되면 수술로 교정해야 하며, 눈꺼풀올림근의 고정위치를 눈꺼풀판 중앙보다 눈꺼풀판 위가장자리 근처로 변경하여야 한다.

또한 쌍꺼풀을 만들면서 피부를 눈꺼풀올림근널힘줄이나 눈꺼풀판의 너무 위쪽으로 유착시켰을 때 눈꺼풀테의 앞층판이 과도하게 당겨져 나타날 수 있다. 이는 쌍꺼풀선의 눈꺼풀판 고정위치를 낮추거나 쌍꺼풀선을 낮추는 방법으로 교정할 수 있다.

쌍꺼풀선 모양 이상

동양인과 서양인 사이의 쌍꺼풀에 대한 인식이 다르기 때문에 수술 전에 쌍꺼풀을 만들지 여부나 높이에 관해서도 충분히 상의해야 한다. 쌍꺼풀은 수술 후 발생할 수 있는 눈꺼풀속말림의 예방에 도움이 된다.

눈꺼풀올림근의 기능이 약한 눈꺼풀처짐 환자의 쌍꺼풀은 수술로 만들지 않은 원래의 쌍꺼풀과는 많은 차이가 있을 수 있으며, 수술로 쌍꺼풀을 만드는 과정도 다르다. 눈꺼풀올림근의 기능이 약할수록 쌍꺼풀은 잘 형성되지 않으며, 수술로 쌍꺼풀을 만들어도 풀리거나 희미해지는 경우가 많다. 특히 눈꺼풀처짐의 교정이 잘 되지 않은 경우 쌍꺼풀이 잘 생기지 않거나 너무 높게 위치하는 경우가 많다**(그림 17-8)**. 따라서 눈꺼풀처짐 환자에서 쌍꺼풀을 만들기 위해서는 정상안보다 쌍꺼풀선의 피부나 피부밑조직을 눈꺼풀올림근과 강하게 유착시켜 주어야 하고, 때로는 눈꺼풀판과 강한 유착을 만들어야 하는 경우도 있다. 또한 쌍꺼풀선 아래쪽의 피부와 눈꺼풀판 사이에 유착이 생기는 것도 쌍꺼풀 형성에 도움이 되므로 눈꺼풀판앞 눈둘레근을 적당히 제거하는 것이 좋다.

쌍꺼풀선의 높이는 피부절개 위치에 따라 영향을 받게 되지만 눈꺼풀올림근과의 고정위치에 따라서도 영향을 받는다. 또한 피부나 눈둘레근의 여분 양이 많을수록 hooding 현상으로 눈꺼풀이 늘어져 보이고 쌍꺼풀이 작아 보이게 되므로 피부절개선 위 피부나 눈둘레근을 약간 절제하면 쌍꺼풀선이 높아지며 훨씬 상큼한 느낌을 주는 효과를 얻게 된다**(그림 17-9)**.눈꺼풀올림근을 많이 절제하여 눈꺼풀처짐 교정효과가 많을

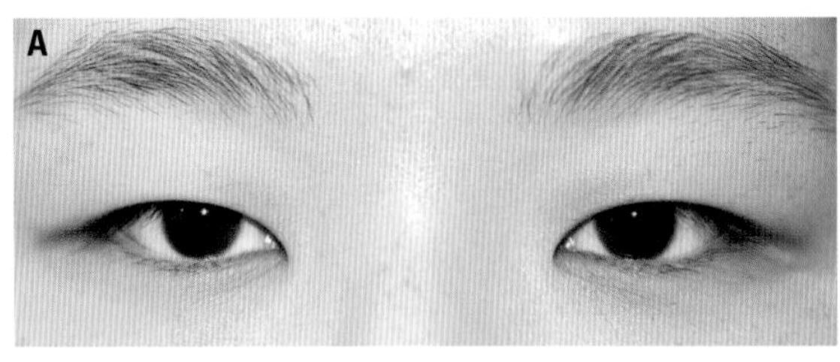

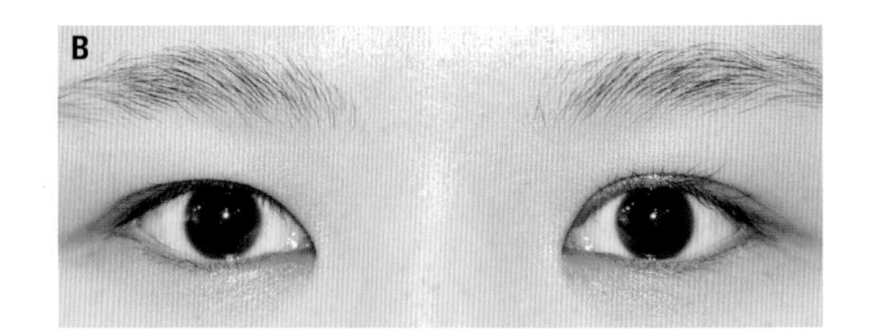

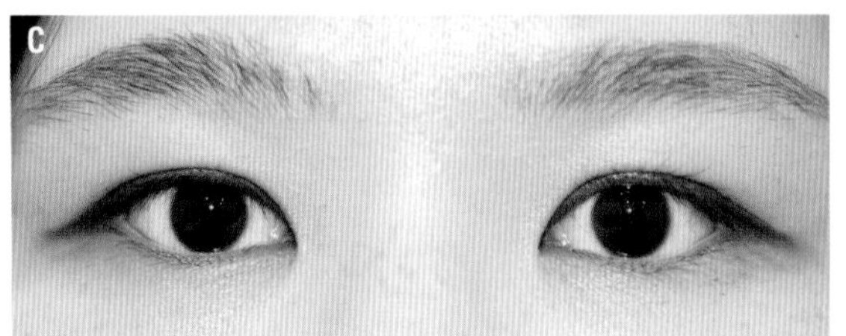

그림 17-9 양안 눈꺼풀처짐 수술 후 피부절제양의 차이로 인하여 쌍꺼풀이 달라 보이는 모습과 우안 피부절제 후 교정된 모습

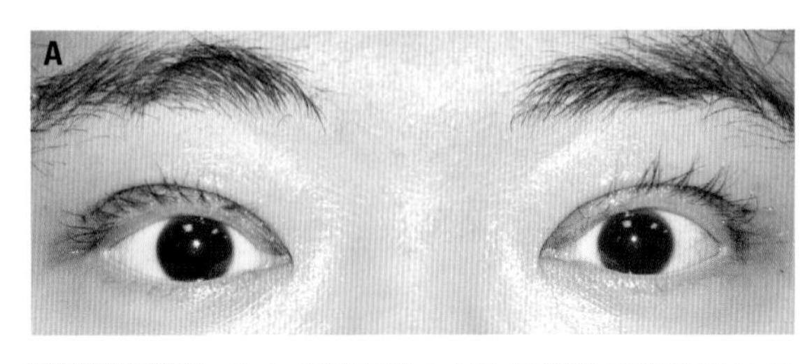

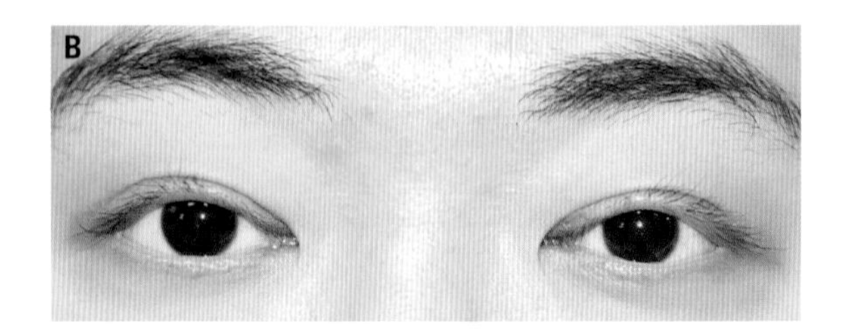

그림 17-10 **A.** 눈꺼풀처짐 수술과 병행한 쌍꺼풀 형성 후 속눈썹이 과도하게 들린 모습. **B.** 3개월 후 들려있던 속눈썹이 호전된 모습

수록 피부여분이 많아지므로 적정한 양의 피부를 절제하는 것이 좋다.

쌍꺼풀의 모양은 대칭성이 매우 중요하므로 비대칭이 나타난 경우 교정이 필요하다. 쌍꺼풀선을 높이는 것보다 낮추는 것이 훨씬 어렵다는 것을 유의해야 하며, 반대 눈을 수술하여 더 쉽게 교정할 수 있는지 고려하는 것도 필요하다. 쌍꺼풀선을 낮추기 위해서는 더 낮은 위치에 피부절개를 하고 눈꺼풀올림근을 노출시켜 유착을 만들어준다. 이때 눈꺼풀처짐이 부족교정되어 있으면 반드시 제대로 교정하여야 하며, 여분의 피부는 가능한 덜 제거하는 것이 좋다. 쌍꺼풀선을 높이기 위해서는 적당한 높이의 피부와 눈둘레근에 절개를 하고 눈꺼풀올림근을 노출시킨다. 여분의 피부나 눈둘레근은 절제한 후 피부와 눈꺼풀올림근을 같이 봉합하여 새로운 높이에 쌍꺼풀을 만들어준다.

쌍꺼풀 형성 후 속눈썹이 과도하게 들려 보이는 경우는 시간이 지남에 따라 저절로 호전되는 경우가 많으나 호전되지 않으면 교정이 필요하다(**그림 17-10**).

결막탈출 conjunctival prolapse

부종과 출혈이 동반된 눈구석결막과 눈꺼풀결막이 눈꺼풀틈새 아래로 처져 보이는 현상으로, 많은 양의 눈꺼풀올림근을 절제했을 때 나타날 수 있는 합병증이다(**그림 17-11**). 뮐러근과 결막 사이의 박리를 높게까지 많이 하게 되면 위결막구석의 지지인대suspensory ligament of the superior fornix의 손상과, 결막과 짧아진 눈꺼풀올림근 사이에 길이 불균형이 생기고, 이 공간에 부종과 출혈이 고이게 되어 빨갛게 부풀어 오른 결막이 밑으로 처지게 된다. 대개 수술 수일 내에 나타나게 된다.

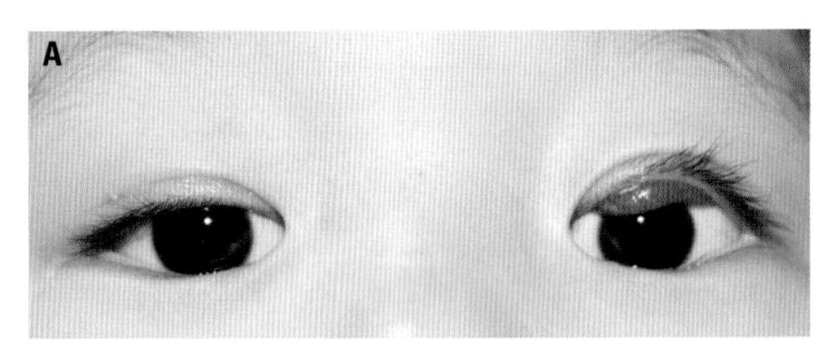
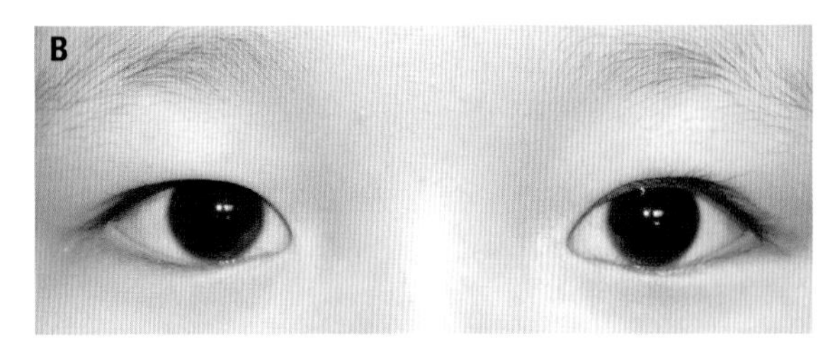

그림 17-11 **A.** 눈꺼풀올림근절제술 후 나타난 결막탈출. **B.** 수술 후 모습

수술 중 최종 봉합을 하기 전에 이러한 현상이 예상되면 적절한 조치를 하여 예방하는 것이 좋다. 흡수성 봉합사를 이용하여 눈구석결막과 눈꺼풀올림근의 전층 봉합을 시행하여 부종이 생길 공간을 없애기도 하며, 눈꺼풀판에 부착된 결막 일부를 제거하여 길이 불균형을 해소하여 예방하기도 한다.

수술 며칠 후 이 현상이 나타나면 먼저 인공눈물과 스테로이드를 점안하면서 압박안대를 시도해 본다. 이것이 도움이 되지 않으면 위결막구석과 절개선 사이에 3~4개의 전층 봉합을 하거나, 절개창을 다시 열어 늘어진 결막을 제거할 수도 있다. 이때 눈꺼풀윤곽이상이나 후퇴가 동반되는 경우가 많으므로 함께 교정해야 한다. 탈출된 결막 만을 제거하고 봉합할 수도 있지만 결막뮐러근 절제 효과로 과교정이 나타나는 것을 유의해야 한다. 한번 생기면 자연적으로 흡수되어 없어지는 경우가 드물어 수술로 교정해 주어야 하는 경우가 많다.

결막손상

피부를 통한 눈꺼풀올림근절제술의 장점 중의 하나가 결막을 절개하거나 손상시키지 않고 눈꺼풀올림근을 결막으로부터 분리할 수 있는 것이다. 하지만 뮐러근과 눈꺼풀결막은 단단히 유착되어 있어 눈꺼풀올림근과 뮐러근을 눈꺼풀결막으로부터 분리할 때 결막의 손상이 초래되어 bottonhole이 나타날 수 있다. 손상된 결막의 구멍을 통해 결막의 상피세포가 눈꺼풀판 앞으로 자라면서 눈꺼풀가장자리겉말림marginal ectropion을

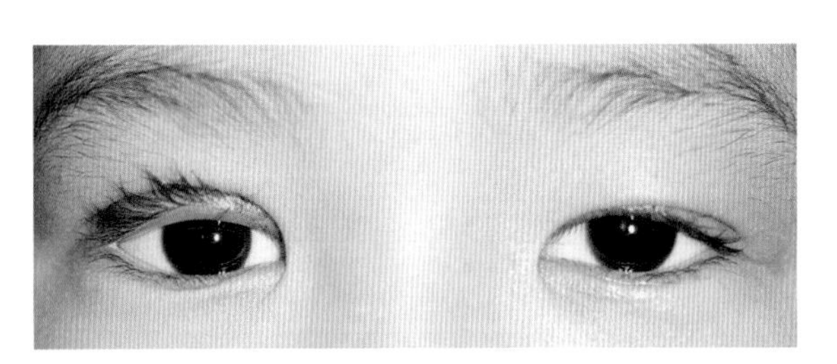

그림 17-12 우안에 나타난 눈꺼풀가장자리겉말림

일으키는 것으로 알려져 있으므로 조심해서 분리하여야 하며 수술 도중 결막이 손상되면 봉합하는 것이 좋다(**그림 17-12**). 그 외에 결막붙음증symblepharon과 육아종 형성이 발생하는 경우도 있다.

이마근걸기술의 합병증

재발

걸기재료에 따라 눈꺼풀처짐 교정 정도가 다르며 장기 추적에서 부족교정 혹은 재발률도 다르게 나타난다. 수술 방법보다는 어떤 걸기재료를 사용했는지가 재발을 유발하는데 더 영향을 미친다. 가장 이상적인 재료인 자가근막은 주변조직과 강한 유착을 일으키며, 오랜 시간이 흘러도 living tissue로 자기 조직과 같은 형태를 유지하고 있다(**그림 17-13A**). 재발률은 보고자에 따라 차이가 있지만 대개 5% 내외로 알려져 있다.

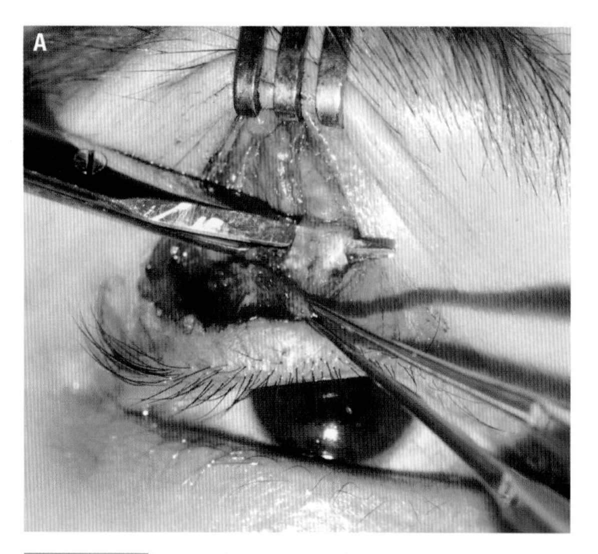

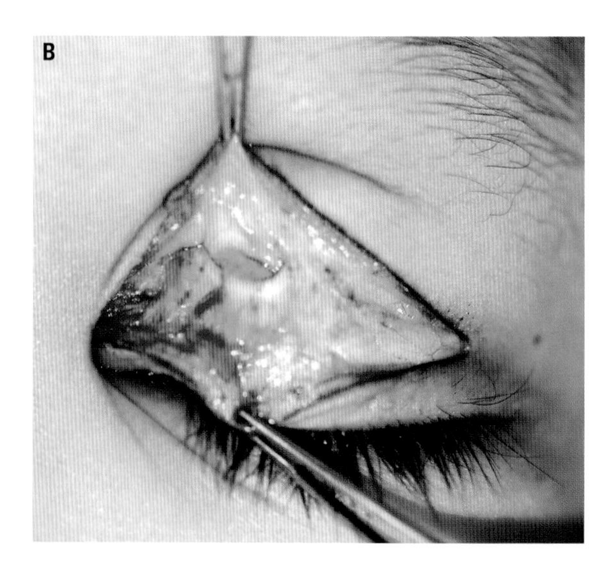

그림 17-13 **A.** 수술 20년이 경과한 후에도 자가대퇴근막이 잘 유지되고 있고, 유착이 잘 형성된 모습. **B.** 보존대퇴근막 수술 후 유착이 일어나지 않은 모습

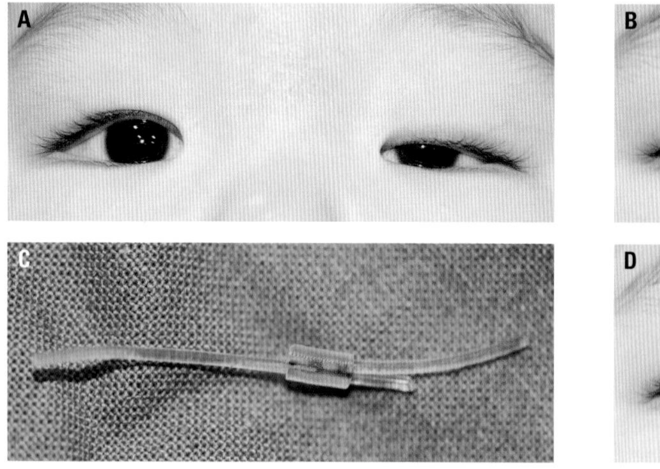

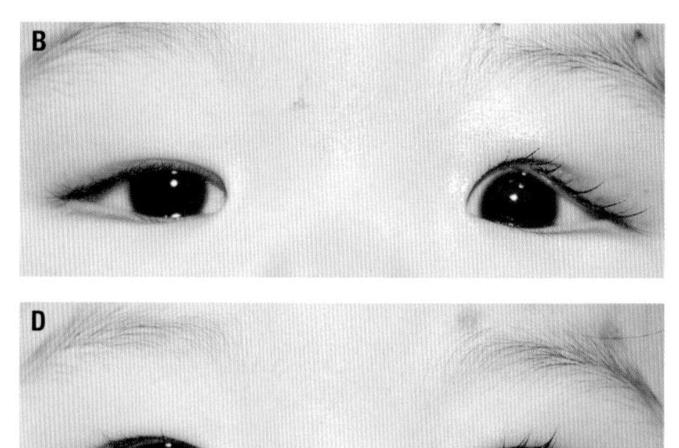

그림 17-14 **A.** 좌안 실리콘이마근걸기술 수술 전 모습. **B.** 좌안 실리콘이마근걸기술 후 가쪽눈꺼풀이 다시 처진 모습. **C.** 재교정 시에 제거한 끊어진 실리콘 모습. **D.** 재교정 수술 후 모습

보존근막은 수술 초기에는 비교적 재발률이 낮았으나 장기간 추적한 결과에서는 높은 재발률이 보고되었다. Lyophilized fascia lata를 사용하고 약 7.2년 간의 장기간 추적한 연구에서 약 43%의 재발률을 보였다. 보존근막의 일종인 Tutoplast®를 약 33개월 추적한 연구에서는 63%의 높은 재발률을 보였으며, 보존근막을 눈꺼풀판에 고정봉합 여부는 재발률에 큰 차이를 보이지 않았다. 재발 원인은 자가근막과 같이 주변조직과 강한 유착은 일으키지 않기 때문이며, 보존근막의 흡수도 한 요인으로 생각된다(그림 17-13B).

합성물질은 조직을 파고드는 성질인 cheese-wiring 현상과 재료 자체의 변성으로 인해 재발이 높은 것으로 보고되고 있다. 재발률은 시간이 지나면서 점차 높아지기 때문에 연구자들의 추적기간에 따라 차이가 많

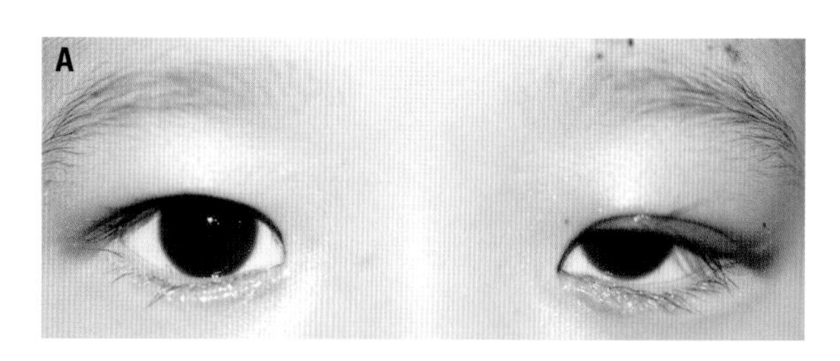
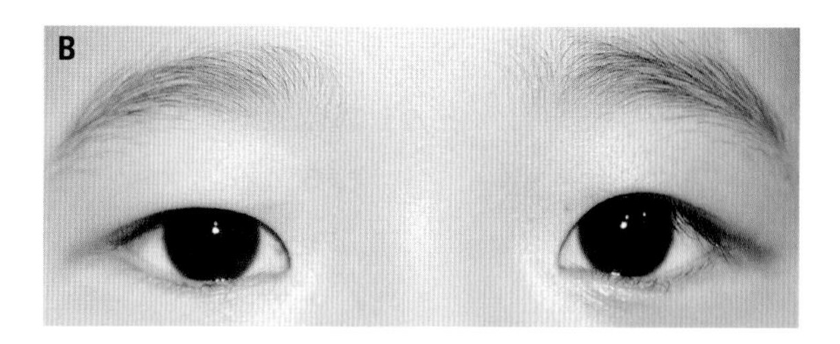

그림 17-15 **A.** 좌안 자가근막이마근걸기술 후 부족 교정된 모습. **B.** 재교정 후 모습

이 나고 있다. Silicone rod는 7~44% 정도의 보고도 있지만, 3년 간의 추적한 국내 연구에서는 양안인 경우 약 29%, 단안인 경우 약 11%의 재발률을 보고하고 있지만 더 오래 추적할 경우 재발률은 더 높아질 것으로 예상된다. 걸기재료가 끊어져 조기에 재발하는 경우도 드물지만 있을 수 있다(**그림 17-14**).

Polyfilament suture인 Supramid Extra®는 더 높은 재발률이 보고되고 있다. 약 31개월 간의 추적기간에서 28%, 41개월을 추적한 보고에서는 약 52%의 재발률이 보고된 바 있다.

Polytetrafluoroethylene (PTFE, Gore-Tex®)은 다른 합성물질에 비해 낮은 재발률을 보인다고 하지만 역시 큰 차이를 보이지는 않는다. 또한 섬유혈관조직이 자라 들어올 수 있는 Mersilene mesh도 사용되어 좋은 결과를 보고했지만 짧은 추적기간으로 정확한 평가를 내리기 힘든 제품이다.

부족교정

이마근걸기술 후 부족교정은 가장 흔히 나타나는 합병증으로서, 원인은 여러 요인들이 있을 수 있지만 그 중에서도 수술 중 눈꺼풀처짐 정도를 충분히 교정하지 않은 것이 주요 원인이다(**그림 17-15**). 이마를 과도하게 들어올리는 눈꺼풀처짐 환자에서는 눈꺼풀처짐 정도를 실제보다 적게 평가할 수 있어 수술 후 부족교정이 나타날 수 있다. 수술 후 눈꺼풀 높이를 결정하는데 있어 부족교정을 막기 위해 원하는 높이보다 1 mm 정도 더 크게 만들어야 한다는 보고도 있으나 눈 높이는 수술자의 수술 방법, 걸기 재료에 따라 다르므로 자신의 표준화되고 예측 가능한 결과에 대한 자료를 갖고 있어야 한다. 특히 전신마취 하에서 진행되는 경우 수술 후 결과 예측이 더 어렵기 때문에 부족교정이나 과교정에 대한 사전 설명이 무엇보다도 중요하다.

수술 도중 부종이나 출혈이 나타나 눈꺼풀이 부었을 경우 눈꺼풀 높이를 충분히 올리기 힘들기도 하며 봉합매듭이 풀어지기도 한다. 걸기재료를 눈꺼풀판에 고정봉합하거나 이마 절개부위에서 자가근막 매듭을 만들 때 비흡수성 봉합사를 사용하는 것이 추천되고 있다. Silicone rod를 sleeve에 고정한 후에 sleeve로부터 silicone rod가 빠지지 않도록 sleeve 주위를 비흡수성 봉합사로 묶는 것을 추천하기도 하지만 실제 silicone rod가 sleeve로부터 빠지는 현상은 잘 생기지 않는다.

심한 눈꺼풀처짐 환자에서 단안에만 자가근막 이마근걸기술을 시행하였을 때 기능적 부족교정functional undercorrection이 올 수 있다. 이는 정상눈 만으로도 충분한 시야를 유지하여 눈꺼풀처짐이 있는 눈의 이마근을 사용하지 않아도 되기 때문에 수술 후에도 눈꺼풀이 덜 올라가 부족교정이 된다는 의미이다. 이로 인한 비대칭을 해소하기 위해 정상인 눈도 눈꺼풀올림근을 분리시켜 기능을 약화시킨 뒤 양안 모두 이마근걸기술을 시행하는 것이 좋다는 주장도 있다.

자가근막을 눈꺼풀판에 고정봉합한 경우에서 부족교정이 나타나면 수술 초기에는 이마 절개창을 열고 자가근막을 더 당겨 적당한 눈꺼풀틈새를 만든 후 고정하면 되나, 오랜 기간이 지난 후에는 쌍꺼풀선을 따

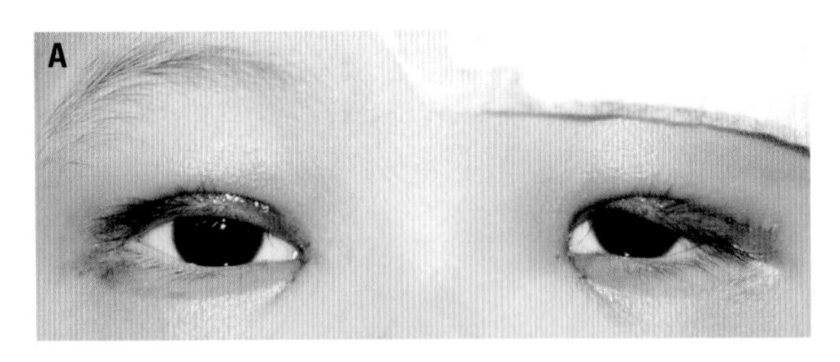
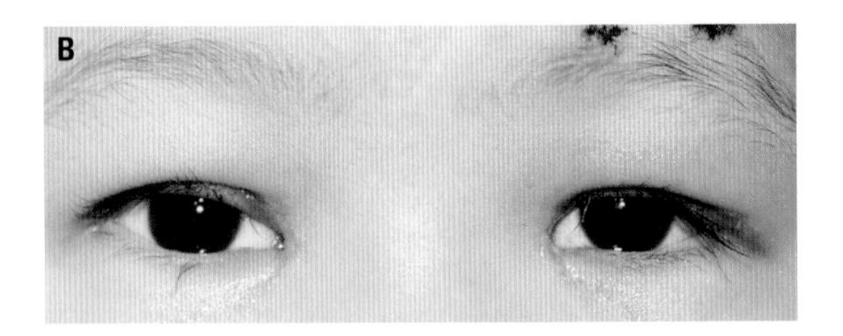

그림 17-16 **A.** 좌안 수술 직후 자가근막 고정봉합이 풀어져 눈꺼풀이 처진 모습. **B.** 재교정 후 모습

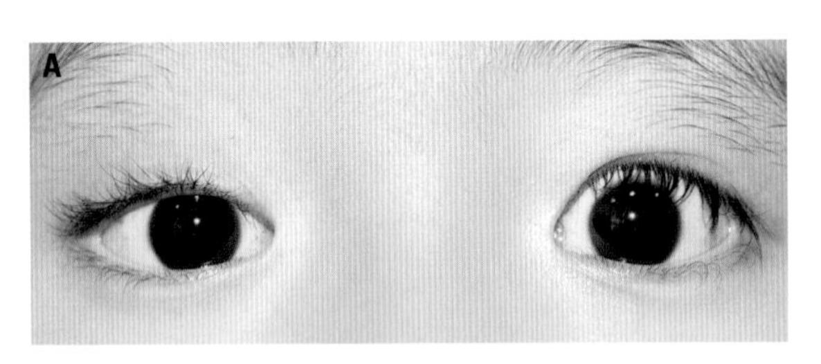
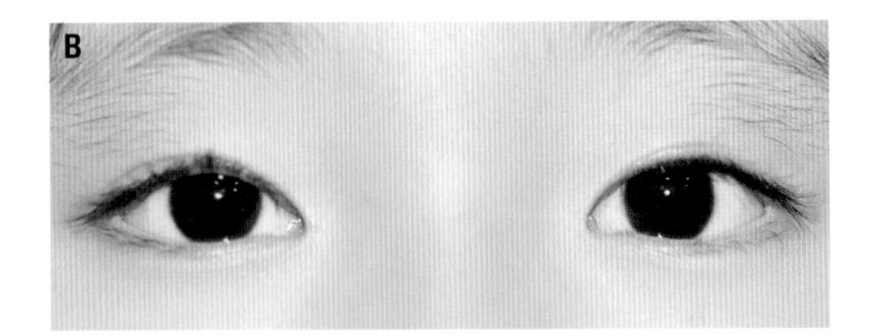

그림 17-17 **A.** 좌안 자가근막이마근걸기술 후 과교정된 모습. **B.** 재교정 후 모습

라 절개를 하고 자가근막을 찾아 노출시킨 후 눈꺼풀판 고정위치를 좀 더 아래로 옮기거나 자가근막을 일부 잘라내고 눈꺼풀판에 고정시키기도 한다(**그림 17-16**). 이러한 방법으로도 부족교정이 해소되지 않으면 새 자가근막으로 이마근걸기술을 시행하여야 한다.

과교정

이마근걸기술 후 과교정은 부족교정만큼 흔히 나타나는 합병증은 아니지만 눈꺼풀처짐의 정도에 비하여 과도하게 올렸을 경우 언제든지 나타날 수 있다(**그림 17-17**). 외안근장애나 CPEO 혹은 눈돌림신경마비 때와 같이 Bell 현상이 불량한 경우에는 실제 눈꺼풀틈새가 크지 않더라도 토안으로 인한 각막 손상이 유발되면 상대적으로 과교정 되었다고 할 수 있다.

Silicone rod나 Supramid Extra®를 사용하였을 경우에는 수술 후 시간이 지남에 따라 수술 초기에 비해 눈꺼풀의 높이가 떨어지는 경향이 있으므로 과교정이 자주 나타나지는 않는다. 하지만 silicone rod를 사용한 후 각막 손상이 나타날 정도로 과교정이 나타나면 이마 부위의 절개창만 열어 sleeve에 고정한 silicone rod를 늦추어 쉽게 눈꺼풀 높이를 조절할 수 있는 장점이 있다. 이러기 위해서는 처음 수술 때 silicone rod를 sleeve에 고정한 후 적어도 약 10 mm 정도를 남겨놓고 절단해야 한다. 하지만 이런 합성물질은 재수술 과정에 감염이 될 수 있는 위험이 있으며, 일단 감염이 되면 제거해야 할 가능성이 높기 때문에 수술 후 충분한 항생제를 사용하는 것이 좋다.

자가근막은 주변 조직과 강한 유착을 유발하므로 수술 과정에서 눈꺼풀 높이를 너무 높게 위치시키지 않도록 해야 한다. 과교정이 나타났을 때 수술 후 약 2주 이내의 주변조직과 유착이 약한 초기에는 이마의 절개창만 열고 자가근막을 풀어 좀 아래쪽으로 고정시켜 눈꺼풀 높이를 조절할 수 있다. 하지만 수술 후 더 오랜 시간이 지난 경우는 눈꺼풀 절개창을 열어 눈꺼풀판에 고정한 자가근막을 후퇴시켜 눈꺼풀 높이를 낮춰주어야 한다. 자가근막을 눈꺼풀판에 고정봉합하지 않았을 경우에는 자가근막을 찾기가 쉽지 않을 수도 있다.

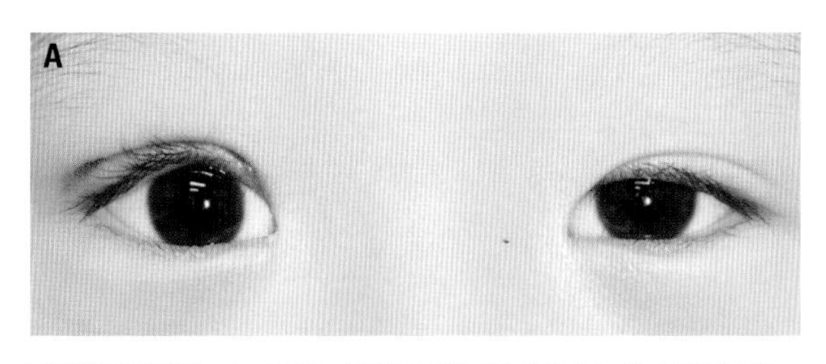

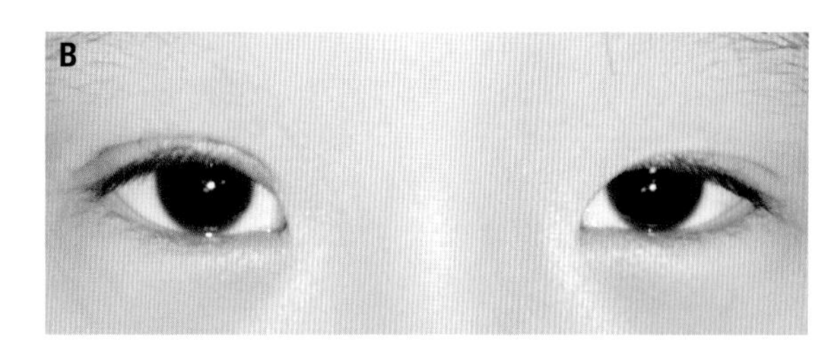

그림 17-18 **A.** 우안 자가근막이마근걸기술 후 중앙부의 peaking이 관찰됨. **B.** 재교정 후 모습

윤곽이상

윤곽이상은 걸기재료의 위치가 잘못되어 있거나 눈꺼풀판에 고정시키는 위치가 잘못된 경우에 나타난다(**그림 17-18**). 어느 한 부위에서 과교정된 경우를 notching 혹은 tenting이라고 하며, 수술 중에 이러한 이상이 나타나면 걸기재료의 고정 위치를 달리하여 교정하여야 한다. 수술 후에 걸기재료를 재위치 시킬 때, 특히 실리콘과 같은 이물질을 사용한 경우에는 반드시 무균상태를 유지하면서 시행해야 한다.

위눈꺼풀의 중심을 측정한 보고에서 눈꺼풀을 올릴 때 가장 좋은 윤곽을 유지하는 지점은 동공보다 약 4 mm 가쪽에 위치하였으며, 여기를 기능적중심functional center으로 명명하였다. 이 지점보다 안쪽을 올리면 안쪽이 과교정되는 nasal peaking이 나타나며 가쪽을 올리면 가쪽이 커지면서 안쪽처짐이 나타난다고 하였다.

수술 후 notching의 교정은 과교정과 마찬가지로 쉽지 않다. 심한 경우는 수술로 교정이 필요하겠지만, 경미한 윤곽이상은 오랜 시간이 경과하면서 약간 호전되는 경우도 있다.

눈꺼풀속말림

이마근걸기술 후 눈꺼풀속말림은 주로 뒤층판posterior lamella의 과도한 수축에 의해서 나타나며 과교정이 같이 동반되는 경우가 많다(**그림 17-19**).뒤층판의 과도한 수축이 일어나면서 피부와 눈둘레근의 앞층판이 아래로 이동되어 눈꺼풀틈새의 크기는 정상같이 보이지만 불룩한 앞층판을 들어 보면 눈꺼풀속말림과 함께

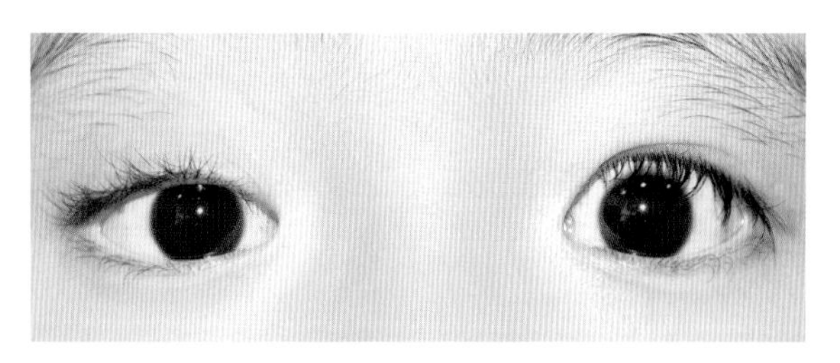

그림 17-19 좌안에서 자가근막이마근걸기술 후 과교정과 동반된 눈꺼풀속말림

과교정되어 있는 것을 볼 수 있다. 또한 걸기재료를 너무 뒤쪽으로 통과시키거나, 여분의 피부나 눈둘레근을 제거하지 않았을 때도 나타날 수 있다.

수술 도중에 눈꺼풀속말림이 나타나면 걸기재료의 눈꺼풀판 고정 위치를 변경하여 교정해야 한다. 걸기재료를 눈꺼풀판의 아래 쪽에 고정할수록 속눈썹이 밖으로 벌어지며, 위쪽에 고정할수록 안으로 말리는 경향이 있다. 수술 후 상당기간이 지나서 이 현상이 나타나면 눈꺼풀선을 따라 절개하여 교정해주어야 한다. 걸기재료를 눈꺼풀판의 아래 쪽으로 이동시켜 고정하여도 눈꺼풀틈새의 크기가 괜찮으면 이 방법으로 충분하겠지만, 뒤층판의 수축과 함께 과교정이 주로 동반되기 때문에 걸기재료를 더 아래 쪽으로 고정하는 것은 눈꺼풀틈새를 더 크게 만들 위험이 많다. 따라서 과교정이 동반되어 있으면 뒤층판에 과도한 수축울 유발하는 걸기재료를 후퇴시켜 주어야 한다. 눈꺼풀판에 고정되어 있는 걸기재료를 가위로 조금씩 후퇴시켜 나가면 속말림된 눈꺼풀이 교정되면서 과교정된 눈꺼풀이 내려오는 것을 볼 수 있다. 이때 자가근막의 눈꺼풀

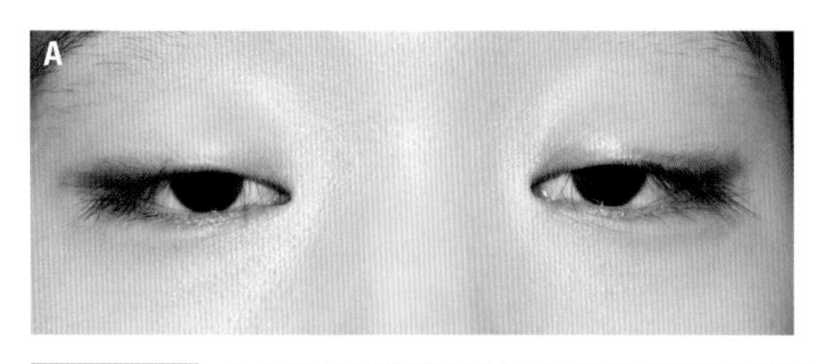
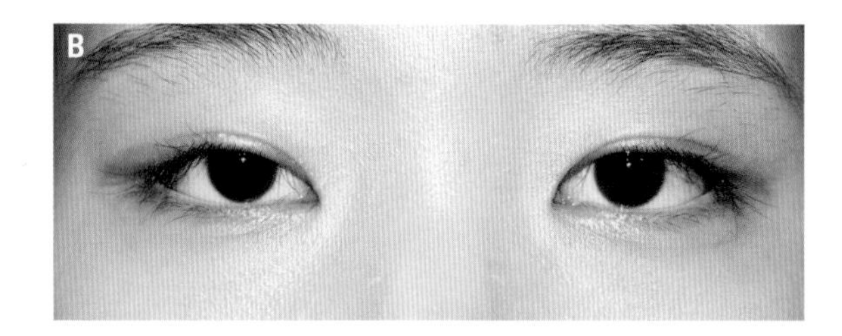

그림 17-20 눈꺼풀선 전체절개를 통해 자가근막이마근걸기술과 눈꺼풀성형술을 함께 시행한 모습

판 고정위치를 변경하면서 윤곽이상도 동시에 교정할 수있다. 여분의 앞층판은 제거해 주는 것이 좋으며 쌍꺼풀은 눈꺼풀판의 위쪽에 고정시켜 만드는 것이 좋다.

경미한 눈꺼풀속말림은 일반적인 반흔성 눈꺼풀속말림cicatricial entropion에 준해서 교정하는 것도 고려할 수 있다.

눈꺼풀겉말림

흔치 않은 합병증으로 이마근걸기술을 시행하면서 걸기재료를 눈꺼풀판의 아래 쪽에 고정하여 눈꺼풀판의 아래 부위에 과도한 당김이 가해 졌을 때 이런 현상이 나타날 수 있으며, 특히 위를 쳐다볼 때 더 잘 나타난다. 수술 중에 걸기재료를 눈꺼풀판 위 부분으로 옮겨 고정하면 이러한 현상을 교정할 수 있다.

쌍꺼풀 형성을 위한 봉합을 눈꺼풀판이나 눈꺼풀올림근의 위쪽 부위에 고정하였을 때 눈꺼풀테에 과도한 장력이 가해져 눈꺼풀테가 벌어질 수 있으므로 이런 현상이 수술 중 나타나면 고정 위치를 변경하여 교정하여야 한다.

또한 걸기재료를 통과시킬 때 장력이 생리적 방향인 뒤쪽으로 작용하도록 걸기재료를 통과시키지 않고 너무 앞쪽으로 얕게 지나가면 눈꺼풀이 안구로부터 벌어지는 현상이 생길 수 있다. 해부학적으로 이마가 돌출되어 있거나 안와조직이 함몰되어 있는 경우에 더 잘 발생할 수 있다. 이 문제는 눈꺼풀이 생리적 운동방향으로 올라가도록 arcus marginalis 가까운 안와사이막의 뒤쪽에서 이마쪽으로 걸기재료를 통과시키면 최소화 할 수 있다.

쌍꺼풀 이상

이마근걸기술이나 많은 양의 눈꺼풀올림근을 절제할 때 여분의 피부나 눈둘레근을 제거하는 성형술이 필요하다. 쌍꺼풀선을 따라 절개하는 이마근걸기술은 여분의 조직을 제거하고 쌍꺼풀을 만드는 눈꺼풀성형술을 동시에 하기 쉬운 장점이 있다. 이 눈꺼풀성형술을 하지 않으면 피부나 눈둘레근이 밑으로 처져 불룩하게 보이는 hooding 현상과 눈꺼풀속말림이 생길 수 있다. 특히 노년층에서의 이마근걸기술을 시행할 때는 쌍꺼풀선 절개를 통한 성형술을 하는 것이 좋다.

쌍꺼풀이 눈꺼풀속말림을 방지하는 효과도 있지만 눈의 모습을 시원하게 하는 미용효과가 있기 때문에 양쪽 눈의 쌍꺼풀을 대칭이 되도록 만드는 것은 중요하다. 경우에 따라서는 반대쪽 눈도 대칭을 위해 쌍꺼풀 수술이 필요할 수도 있다. 이마근걸기술을 시행하는 눈의 눈꺼풀올림근은 기능이 약하기 때문에 정상 눈과 같은 쌍꺼풀을 수술로 만들기가 쉽지 않다. 쌍꺼풀이 생기더라도 시간이 지남에 따라 희미해지거나 풀려 사라지는 경우도 자주 발생한다. 따라서 쌍꺼풀을 만들기 위해서는 쌍꺼풀선을 따라 절개를 해야 하며, 피부절개창의 피부나 피부밑조직을 눈꺼풀판과 직접 강하게 고정시켜 주어야 한다(**그림 17-20**).

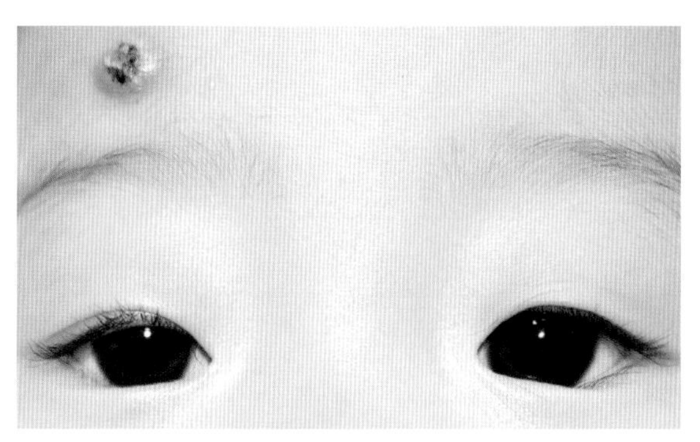

그림 17-21 실리콘을 이용한 이마근걸기술 후 발생한 육아종

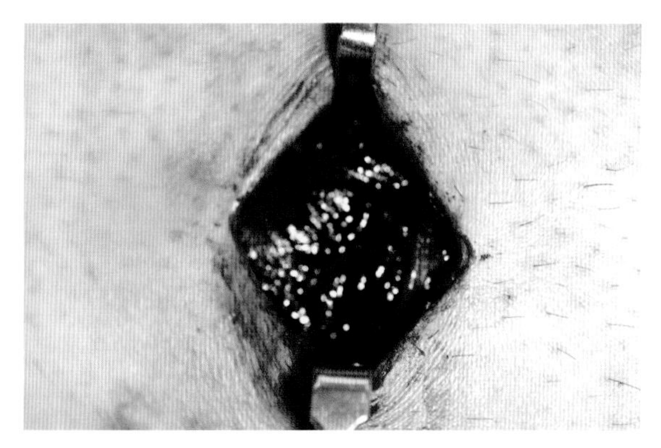

그림 17-22 자가근막을 채취한 후 출혈로 인하여 혈종이 생긴 모습

감염 혹은 육아종 형성

눈꺼풀에는 혈관 공급이 풍부하기 때문에 눈꺼풀처짐 수술 후 감염을 일으키는 경우는 드물다. 자가근막을 사용한 경우 육아종이 약 8%에서 나타났다는 보고도 있지만 실제 나타나는 경우는 거의 없다. 합성물질 사용 시 육아종 형성이 더 빈번하게 나타나는데 Gore-Tex®에서 약 45%, Supramid Extra®에서는 약 12% 정도로 그리고 silicone rod에서도 약 3~5% 정도로 보고된 바 있다(그림 17-21). 보존근막을 사용한 경우에도 약 6%의 육아종 형성이 보고되었다.

외상이 가해져 절개창이 벌어진다면 세균의 침입으로 감염이 발생할 수 있는 요인이 된다. 따라서 수술 시 합성재료를 포함한 걸기재료들을 가능한 절개창 깊숙이 위치시켜 감염을 예방하는 것이 필수적이다. 걸기재료로 합성물질을 사용한 경우 일단 감염이 되면 대부분 이를 제거해야 하기 때문에 예방하는 것이 중요하다. 무균상태에서 수술을 진행해야 하며, 걸기재료를 항생제 용액에 담그고, 그리고 수술 후 적절한 항생제를 사용하는 것이 좋다.

감염이 되면 염증반응과 함께 육아종이 만들어지는데 이때 가능한 절개창을 열지 말고 육아종 제거와 항생제를 사용하면서 수 주간 기다리면서 염증반응이 가라 앉도록 기다리는 것이 좋다. 하지만 이러한 치료에 잘 반응하지 않는 경우가 대부분이며 걸기재료와 육아종을 제거해 주어야 하는 경우가 많다.

보존근막을 사용한 경우에 염증반응이 생길 수 있는데 이마 절개창에 부종과 발적이 생길 수 있다. 가능한 절개창을 열지 말고 수 주간 정도 기다려 염증반응이 가라 앉도록 기다리는 것이 좋다.

출혈

눈꺼풀처짐 수술 후 출혈로 인한 혈종이 생기면 눈꺼풀의 변형, 절개창의 벌어짐, 그리고 수술 결과에도 영향을 미칠 수 있기 때문에 큰 혈종이 생기면 제거해 주는 것이 좋다. 하지만 이러한 문제를 피하기 위해 수술 전 검사에서 출혈 소인이 있는지 검사하고, 출혈을 유발할 수 있는 약물 복용을 중단시키며, 수술 중에는 충분한 지혈을 해야 한다.

자가근막 얻은 후 다리에 발생할 수 있는 합병증

눈꺼풀 수술에서와 마찬가지로 다리에 출혈로 인한 혈종이 생기는 경우가 있을 수 있다. 출혈 예방을 위한 수술 전 혹은 수술 중 처치는 눈꺼풀에서와 마찬가지이다. 수술 후에는 1~2일 정도 탄력붕대로 적당한 압박을 주면서 감아주는 것이 도움이 되지만 발의 맥박을 가끔 만져보면서 다리와 발에 혈액 공급이 손상되

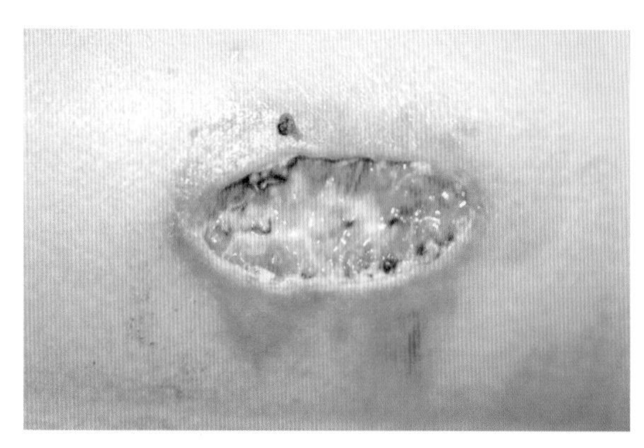

그림 17-23 자가근막을 채취한 후 감염으로 인하여 상처가 벌어진 모습

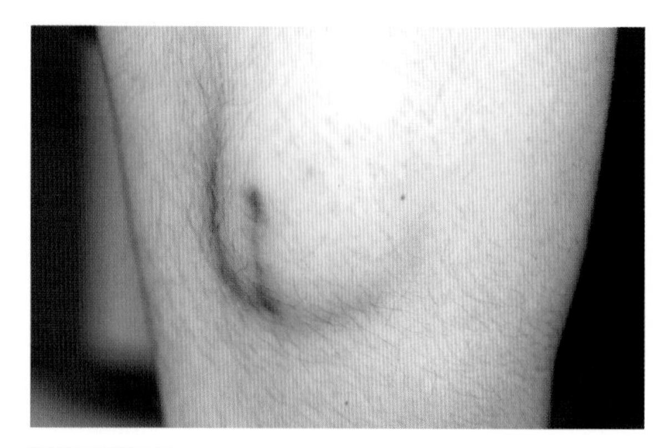

그림 17-24 자가근막을 채취한 후 탈출된 근육으로 인해 불룩하게 보이는 모습

지 않는지 점검해야 한다. 큰 혈종이 만들어지면 절개창을 열고 제거해 주고, 출혈을 일으키는 혈관을 소작하거나 묶어주어야 한다(그림 17-22).

절개창이 벌어지는 경우가 아주 드물게 나타날 수 있으므로 다리의 지방층, 피부밑조직, 그리고 피부를 층별layer by layer로 촘촘히 봉합해 주어야 한다(그림 17-23).

자가근막을 떼고 난 결손부위를 통해 근육이 빠져나와 다리의 절개부위가 불룩 솟아 보이는 경우가 있다(그림 17-24). 흔하게 나타나지는 않지만 주로 근육이 발달한 어른에서 발생한다. 일반적으로 기능 장애는 나타나지 않기 때문에 별다른 처치 없이 관찰하지만, 심하면 근막결손 부위를 합성물질로 덮어주기도 한다.

참고문헌

1. 김명희, 김희수. 과교정된 안검하수 환자에서의 수술적 치료. 대한안과학회지 1991;32:255-61.
2. 대한성형안과학회. 성형안과학. 도서출판 내외학술, 2015.
3. Barutca SA, Bilgic MI, Askeroglu U, Aksan T, Akan M. An unusual complication following eyelid ptosis surgery: superior rectus paralysis. J Plast Reconstr Aesthet Surg 2011;64:e201-4.
4. Bernardini FP, Cetinkaya A, Zambelli A. Treatment of unilateral congenital ptosis: putting the debate to rest. Curr Opin Ophthalmol 2013;24:484-7.
5. Buckman G, Levine MR. Treatment of prolapsed conjunctiva. Ophthal Plast Reconstr Surg 1986;2:33-9.
6. Dortzbach RK. Ophthalmic plastic surgery: prevention and management of complications. New York: Raven Press, 1994.
7. Fox SA. Surgery of ptosis. Baltimore: Williams & Wilkins, 1986.
8. Jeong S, Lemke BN, Dortzbach RK. Reoperation in acquired involutional ptosis. Korean J Ophthalmol 1999;13:125-7.
9. Kakizaki H, Zako M, Ide A, Mito H, Nakano T, Iwaki M. Causes of undercorrection of medial palpebral fissures in blepharoptosis surgery. Ophthal Plast Reconstr Surg 2004;20:198-201.
10. Kim CY, Oh E, Wu CZ, Yoon JS, Lee SY. Marginal ectropion induced by conjunctival ingrowth after levator resection surgery. Aesthetic Plast Surg 2014;38:749-54.
11. Kim CY, Son BJ, Lee SY. Functional centre of upper eyelid: the optimal point for eyelid lifting in ptosis surgery. Br J Ophthalmol 2015;99:346-9.
12. Kim CY, Son BJ, Son J, Hong J, Lee SY. Analysis of the causes of recurrence after frontalis suspension using silicone rods for congenital ptosis. PLoS One 2017;12:e0171769.
13. McCord CD Jr, Tanenbaum M, Nunery WR. Oculoplastic surgery. New York: Raven Press, 1995.
14. Mehta P, Patel P, Olver JM. Functional results and complications of Mersilene mesh use for frontalis suspension ptosis surgery. Br J Ophthalmol 2004;88:361-4.
15. Shore JW, Bergin DJ, Garrett SN. Results of blepharoptosis surgery with early postoperative adjustment. Ophthalmology 1990;97:1502-11.

CHAPTER 18

눈썹성형술

Browplasty

CONTENTS

눈썹과 이마는 얼굴의 중심부위로 인상을 결정짓는데 큰 역할을 한다. 얼굴 위쪽의 노화는 아래쪽보다 일찍 진행되며 그 중에서도 가쪽 눈썹처짐은 가장 먼저 나타나는 변화 중 하나이다. 노화와 자외선의 영향으로 눈썹이 처지면 눈꺼풀도 불룩해지고 처져서, 시야가 가려질 뿐만 아니라 나이가 들어 보이고 피곤해 보이기 때문에 젊고 건강한 모습을 위해서는 눈썹성형이 반드시 필요하다. 눈썹을 포함한 눈성형 수술을 위해서는 눈썹과 이마의 해부학구조 및 이마, 눈썹, 눈꺼풀, 광대부위로 연결되는 역동적인 구조에 대한 이해가 중요하다. 수술 방법도 한 가지 방법으로 여러 경우를 다 교정할 수 없으므로 다양한 수술 방법을 숙지하고 있어야 한다.

눈꺼풀성형술을 위하여 찾아온 환자들의 많은 수가 눈썹처짐이 동반되어 있기 때문에 눈 주변의 수술을 하는 의사라면 눈썹성형술을 눈꺼풀성형술과 동시에 시술하는 것이 바람직하다(**그림 18-1**). 눈꺼풀피부가 늘어진 경우에서 이마근을 사용하여 눈썹을 최대한 위로 뜨고 지내다가 늘어진 피부가 제거되고 나면 눈썹을 들어올릴 필요가 사라져 눈썹위치가 아래로 이동하는 것을 경험하게 된다. 그러므로 수술 전에는 수술 후 발생할 수 있는 눈썹의 변화에 대하여 미리 설명하고 눈썹성형술의 필요에 관하여 상의하는 것이 바람직하다. 눈썹처짐이 동반된 눈꺼풀의 변화를 눈꺼풀 수술로만 교정할 경우, 피부를 과도하게 절제할 수 있으며 눈꺼풀의 수직길이 단축으로 눈썹처짐이 심해져서 눈꺼풀이 두툼해 보일 수 있고, 그 외 두드러진 흉이나 토안과 같은 합병증도 발생할 수 있다. 특히 눈썹처짐이 심하지 않더라도 눈 주변 모습에 큰 영향을 미칠 수 있으므로 눈썹성형술을 눈꺼풀성형술과 병행하면 더 좋은 결과를 얻을 수 있다.

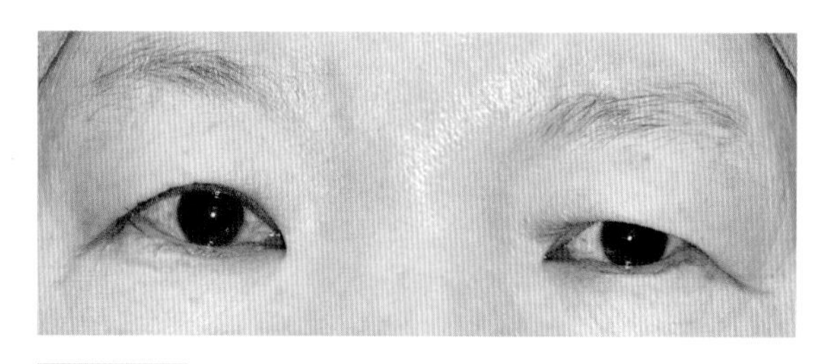

그림 18-1 눈썹처짐 환자 사진

눈썹의 모양과 위치

이마는 미간에서부터 모발선hair line까지를 말하며, 눈썹과 함께 얼굴 위쪽을 구성한다. 이마의 길이는 개인에 따라 차이가 나며, 눈썹으로부터 약 5~6 cm 가량 된다. 눈썹은 활모양으로 눈썹 가쪽 1/3 지점에서 최고점을 이루며 각막 가쪽가장자리에 해당한다. 눈썹의 위치와 모양에 대한 이견이 많으나 가쪽눈구석지점에서 최고점을 이루면 눈썹이 덜 뾰족하고 놀란듯한 인상을 주지 않아 더 자연스럽게 보인다.

남성은 눈썹이 안와 위가장자리에 위치하고, 모양이 좀 더 편평하다. 여성은 안와 위가장자리에서 약 3~5 mm 위에 놓이며, 활모양이다. 눈썹의 가장 높은 부분이 동공중앙에서 26~28 mm 미만인 경우는 눈썹처짐을 의심해야 한다(**그림 18-2**). 눈썹의 안쪽은 모양이 뭉툭하며 콧날개alar nasi에서 안쪽눈구석으로 연결되는 수직선에서 시작하고, 가쪽은 좁아지는 모양으로 콧날개에서 가쪽눈구석을 연결한 선상에 위치하고 안쪽 눈썹보다 약간 높은 지점에 위치한다(**그림 18-3**).

눈썹주변 해부학

이마와 눈썹의 형태는 남자와 여자가 다르다. 위안와마루supraorbital ridges가 안와의 경계를 이루는데, 남자는 편평한 윤곽을 이루는 데 비해 여자는 활모양의 윤

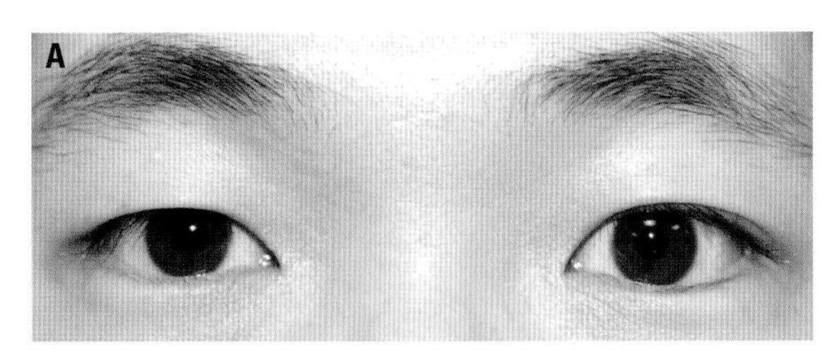

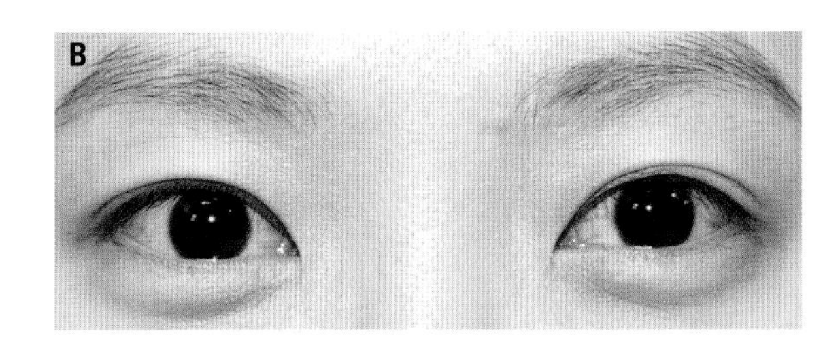

그림 18-2 남성(**A**)과 여성(**B**)의 눈썹 모양

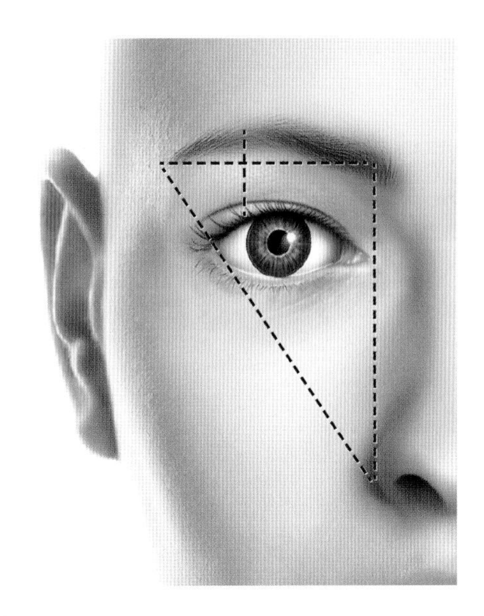

그림 18-3 눈썹의 위치

곽을 이룬다. 남자는 아래쪽 이마를 이루는 위안와가장자리의 가쪽 1/3 부위가 두드러지고 중간 이마는 편평하고 위쪽 이마는 볼록하다. 이마굴의 공기화pneumatization로 인해 이마가 볼록해지고 이마골이 돌출되는데, 여자는 이마의 볼록함과 이마골의 돌출이 적고 좀 더 완만하며, 위안와가장자리에서 위쪽 이마까지 연속적인 곡선을 이룬다.

눈썹 연부조직은 섬유지방조직에 의해 위안와가장자리에 고정되어 있다. 눈썹 근육은 주로 이마근으로 이루어지며, 안쪽에서는 눈둘레근 및 눈썹주름근corrugator superciliaris과 얽혀 있다. 가장 안쪽은 눈살근procerus으로 코뼈에 붙어 있고 가쪽으로는 이마근이 분포하지 않는다. 머리덮개널힘줄galea aponeurotica이 이마근을 둘러싸며 앞 · 뒤 근막anterior·posterior muscle sheath을 형성한다. 뒤 근막은 안와가장자리 근처에서 골막과 연결되며 눈꺼풀의 안와사이막으로 연장된다.

눈썹지방덩이brow fat pad는 이마근 밑에 위치하며 가쪽눈썹의 운동성을 증가시켜서 가쪽지방lateral fat이라고도 불린다. 많은 경우에서 눈썹지방덩이가 눈꺼풀의 눈둘레근밑지방retro-orbicularis oculi fat, ROOF층까지 확장되어 사이막앞지방preseptal fat을 이루기도 한다.

이마피부의 혈액은 속목동맥의 가지인 위안와동맥과 위도르래동맥, 그리고 바깥목동맥의 가지인 얕은관자동맥superficial temporal artery에 의해 공급 받으며, 앞쪽과 뒤쪽의 혈관들이 방대하게 연결되어 풍부한 혈액을 공급한다. 이마의 신경은 삼차신경의 안와분지에서 나온 위안와신경과 위도르래신경이 담당한다.

눈썹과 이마의 퇴행성 변화

나이가 들어감에 따라 눈썹과 이마를 골막에 결합시키는 인대가 약해지고, 눈둘레근과 눈썹내림근의 지속적인 수축으로 눈썹은 처지기 시작한다. 측두 부분은 이마근이 없어 가쪽눈썹이 쉽게 처진다. 또한 눈썹 부위의 피부, 지방덩이 및 눈둘레근밑지방으로 구성된 피부밑조직층은 골막에 단단히 연결되어 있지 않아서 쉽게 처지게 된다.

환자의 선택

수술 전 환자의 눈꺼풀과 눈썹 모양을 잘 검사하고 환자 개개인의 특성에 따른 눈꺼풀과 눈썹조직의 균형 있는 절제가 필요하다. 양쪽 눈썹의 비대칭이나 동반된 눈꺼풀처짐이 있는지 유심히 살펴보아야 한다. 눈썹처짐과 눈꺼풀처짐이 동반되어 있을 때 눈썹을 먼저 수술하고 기다렸다가 여분의 눈꺼풀피부를 절제하는 눈꺼풀성형술을 시행하는 단계적 수술 방법도 가능하겠지만 눈썹과 눈꺼풀은 서로 연관된 구조이므로 이를 동시에 교정하는 것이 환자의 불편해소나 만족도 증대 측면에서 더 바람직하다. 노년층에서 눈썹처짐 수술과 위눈꺼풀성형술을 동시에 하는 경우 눈썹성형술 후 위눈꺼풀피부제거량의 결정 시 눈썹아래가장자리에서 위눈꺼풀테까지의 수직 거리는 최소한 약 20~25 mm는 되어야 눈 모습이 자연스러우며, 눈을 감는데 지장이 없어 토안 발생의 위험성을 줄일 수 있다. 이마에 주사하는 마취제의 영향으로 눈꺼풀의 부종이 생길 수 있으므로 눈꺼풀성형술을 눈썹성형술보다 먼저 하기도 한다. 즉, 눈썹을 같이 성형하는 것이 눈꺼풀 모습을 더 보정할 수 있다는 것을 늘 염두에 두면 눈꺼풀의 과도한 수술을 피할 수 있으며 환자의 만족도를 더 높일 수 있다.

눈썹올림술의 종류

접근방법에 따른 눈썹올림술의 종류는 관상눈썹올림술coronal brow lift, 모발앞눈썹올림술pretrichial brow lift, 이마중앙눈썹올림술midforehead brow lift, 측두눈썹올림술temporal brow lift, 직접눈썹올림술direct brow lift, 눈꺼풀경유눈썹올림술transblepharoplasty brow lift, 내시경눈썹올림술endoscopic brow lift 등이 있다**(그림 18-4)**.

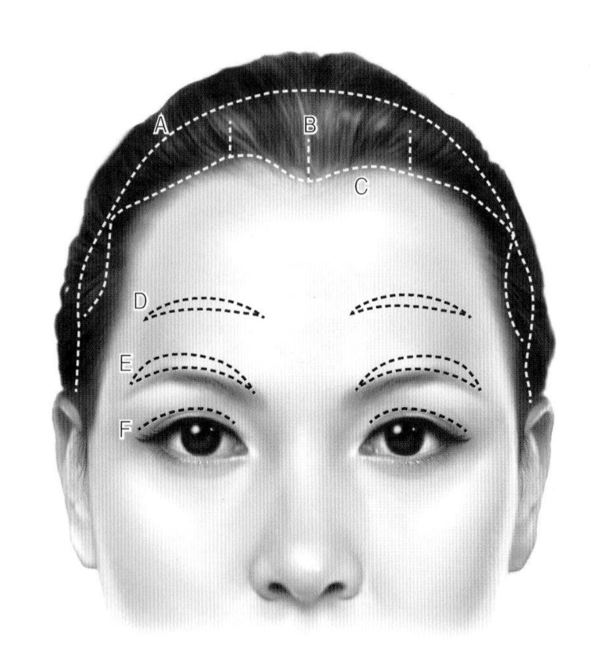

그림 18-4 다양한 눈썹올림술의 절개 및 접근방법
A. 관상눈썹올림술. **B.** 내시경눈썹올림술. **C.** 모발앞눈썹올림술. **D.** 이마중앙눈썹올림술. **E.** 직접눈썹올림술. **F.** 눈꺼풀경유눈썹올림술

관상눈썹올림술은 눈썹처짐과 눈썹 모양을 교정하고 이마 주름을 개선하는데 매우 효과적이기 때문에, 과거 서구에서 눈썹과 이마를 올리기 위한 수술 방법으로 많이 사용되었다. 이 접근방법은 안와위가장자리, 미간, 측두부로의 접근이 용이하고 반흔이 머리털로 가려지는 장점이 있다. 가쪽의 두피 절제를 늘리면 측두 눈썹올림술을 따로 시행하지 않아도 되는 장점도 있다. 단점으로는 회복소요시간이 길어서 환자들이 관상절개를 꺼리고 숨기가 어려우며 과교정, 탈모, 모발선의 상승, 두피의 무감각증 등과 같은 부작용이 있다. 그래서 최근에는 내시경눈썹올림술로 대체되거나 관상절개와 내시경을 함께 사용하는 방법인 biplanar lift (combined coronal endoscopic technique)를 시행하기도 한다. 관상절개의 적응증으로는 눈썹이 매우 심하게 처졌거나, 미간과 이마에 깊은 주름이 있는 경우, 내시경눈썹올림술로 실패하여 올림술의 효과가 강하게 필요한 경우이다.

모발앞눈썹올림술은 모발선을 따라 절개하기 때문

에 수술 후 이마가 넓어지지 않고 모발선의 후퇴없이 측두부의 모발선을 유지할 수 있는 장점이 있다. 모발선이 후퇴 되었거나 이마가 길거나 볼록한 경우에서 더 좋은 효과를 볼 수 있다.

이마중앙눈썹올림술은 이마 중간을 절개하므로 이마 주름이 심한 경우에서 효과적이다.

측두눈썹올림술은 눈썹꼬리와 가쪽눈썹 주변의 늘어짐을 교정하는 방법으로 단독으로 시행할 수도 있으며, 내시경올림술과 병행할 수도 있다. 눈썹꼬리를 올리며, 가쪽 이마주름을 교정하고, 내시경올림술 후 교정이 덜 된 부분을 추가로 올리는데 효과적이다. 단독으로는 위눈꺼풀성형술 후나 중간이마올림술 후 남는 가쪽 주름이나 피부늘어짐을 교정할 수 있다.

직접눈썹올림술은 모발선이 뒤로 많이 밀려서 관상절개의 적응증이 되지 않는 경우나 이마가 볼록하거나 이마올림술을 원치 않는 환자에서 가능하다. 눈썹 바로 위에 반흔이 생기므로 미용에 관심이 많은 여성 환자에게는 적당하지 않은 방법이지만 심한 눈썹처짐을 효과적으로 개선할 수 있는 수술 방법이다.

눈꺼풀경유눈썹올림술은 눈꺼풀성형술과 동시에 할 수 있는 수술이지만 눈썹을 올리는 효과는 크지 않다. 하지만 가쪽눈썹부위를 올릴 때는 유용한 방법이다. 특히 경계성 눈썹이완이 있어서 수술 후 눈썹처짐이 예상되는 경우 시술하면 도움이 된다.

내시경눈썹올림술은 관상절개술을 대신할 수 있는 효과적인 방법으로 흉터가 작고 부작용이 적어서 환자가 쉽게 받아 들일 수 있는 장점이 있다. 모발선이 뒤로 많이 밀렸거나, 이마가 많이 튀어나온 경우는 내시경의 진행 거리가 너무 길고 각도가 심해서 어려울 수 있다. 이마와 두피를 당기려면 절개선을 너무 뒤쪽으로 넣지 않는 것이 유리하며, 이마가 낮고 돌출되지 않으며 내시경의 적용이 쉬운 경우에 선택하는 것이 좋다. 하지만 내시경눈썹올림술은 해부학적 구조와 수술 술기를 익히는데 시간이 걸리고, 수술 팀 모두가 내시경 사용에 익숙해야 하며, 고가의 내시경 장비를 구입해야 하는 단점이 있다. 2 cm 가량의 절개만으로 수술이 진행되지만 관상절개와 비슷한 효과를 보이면서 관상절개의 단점이 없어 만족도가 높다.

직접눈썹올림술

직접눈썹올림술은 주로 얼굴신경마비 환자와 같이 눈썹처짐이 심한 경우에 좋은 적응증이 되며, 특히 안쪽이나 중앙 부위의 눈썹처짐에 효과가 좋다. 눈썹에 접근하기 쉽고 비대칭을 교정할 수 있는 장점이 있다(**그림 18-5**). 다만, 수술 후 흉터가 보일 수 있으므로 주로 남성이나 이마주름이 많은 노년층에서 시행하는 것이 바람직하다. 짙은 눈썹을 가진 환자에서는 수술 후 흉터가 비교적 잘 보이지 않는다. 보통 눈썹 윗부분의 경계 부위를 따라 절개하지만, 이마 부근의 깊은 주름살에 절개를 할 수도 있다.

수술 방법

아래절개선은 눈썹 바로 위를 따라 표시하며, 위절개선은 다음과 같은 방법으로 그린다. 환자를 앉힌 상태에서 눈썹위 이마를 위로 당겨 눈썹을 원하는 위치까지 올린 다음, 올라간 아래절개선에 표시펜을 위치시킨다. 그리고 위로 당긴 이마를 놓아서 눈썹이 원래 위치로 내려갔을 때 표시펜이 놓이는 이마 피부에 점을 찍어 표시한다. 몇 군데 반복하여 표시하고 표시된 점들을 연결하여 위절개선을 그린다(**그림 18-6**). 안쪽에서 위·아래경계선은 꼬리가 내려가는 모양으로 만나고, 가쪽에서는 꼬리가 30도 가량 올라가도록 S 모양으로 도안하기도 하는데, 이는 수술 후 흉터가 덜 드러나도록 하는 효과가 있다. 눈썹꼬리부위에서는 가쪽으로 1 cm 이상 벗어나지 않도록 하는데 이는 얼굴신경 이마분지의 손상을 예방하기 위함이다.

얼굴신경마비로 인한 눈썹처짐은 통상적으로 올리고자 하는 수술양의 1.5배 정도를 절제하는 것이 좋으며, 수술 후 상처치유과정에서 수축되는 양과 환자가

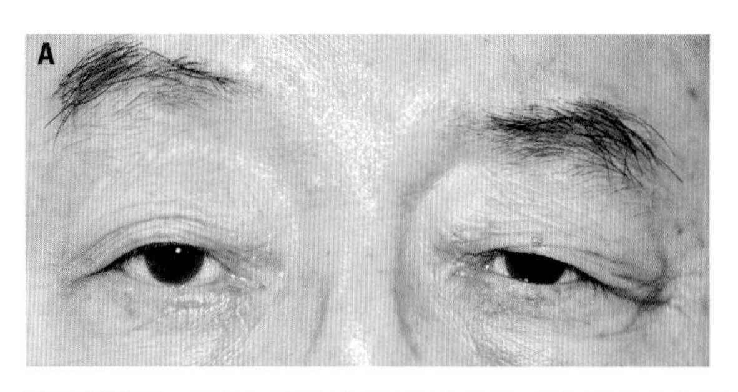
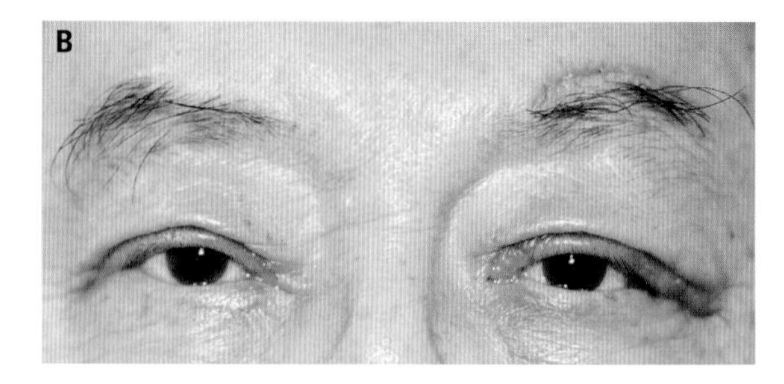

그림 18-5 좌안 눈썹처짐환자에서 직접눈썹올림 수술 전과 후의 모습

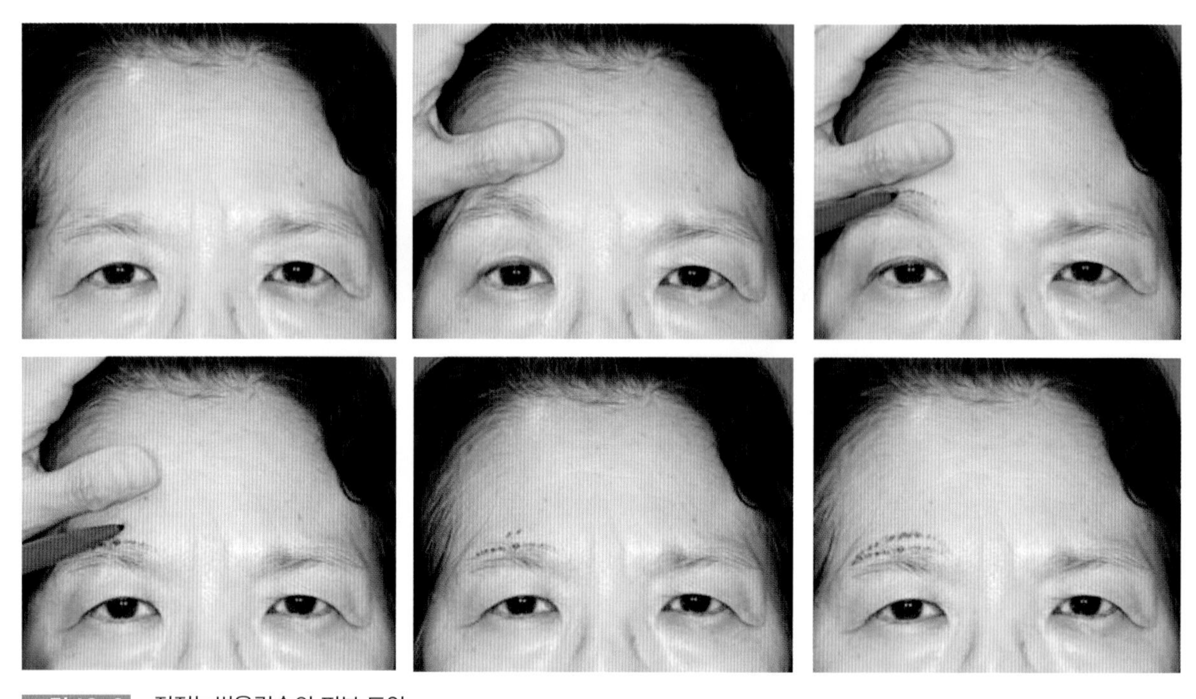

그림 18-6 직접눈썹올림술의 피부 도안

앉았을 때 중력으로 더 처지는 양을 감안하여 수술 전 예상양보다 2 mm 정도 더 절제하기도 한다.

15번 칼로 피부와 피하지방 혹은 이마근을 포함하는 아래 도안선을 먼저 절개한다. 눈썹이 나는 방향은 안쪽에서는 위를 향하고 바깥쪽에서는 윗부분은 아래를 향하고 아래 부분은 위를 향한다. 따라서 눈썹 바로 위에서 피부절개를 할 때 피부에 수직방향 보다는 눈썹이 자라는 방향대로 절개하는 것이 눈썹의 뿌리 손상을 예방할 수 있다. 위안와신경이 나오는 부위에서는 신경이 다치지 않도록 좀더 얕게 절개한다. 다음으로 디자인한 위도안선을 아래 절개선과 평행하게 절개한다.

각 조직 층을 면밀하게 봉합하여 주는 것이 수술 후 심한 흉터 형성을 막을 수 있다. 먼저 위쪽경계의 눈썹지방덩이와 이마근을 통과하여 아래경계선에 있는 지방덩이를 연결하는 봉합을 3~4군데 시행한다. 안면마비 환자의 눈썹처짐에서는 4-0 prolene 혹은 4-0 vicryl을 이용하여 골막에 고정봉합한다. 이렇게 하면 눈

A

B

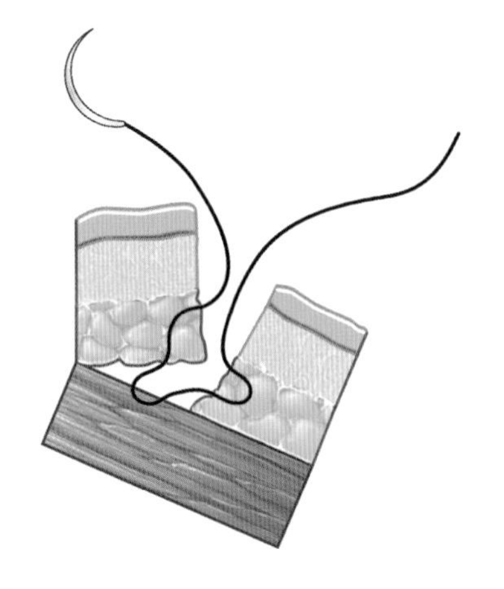

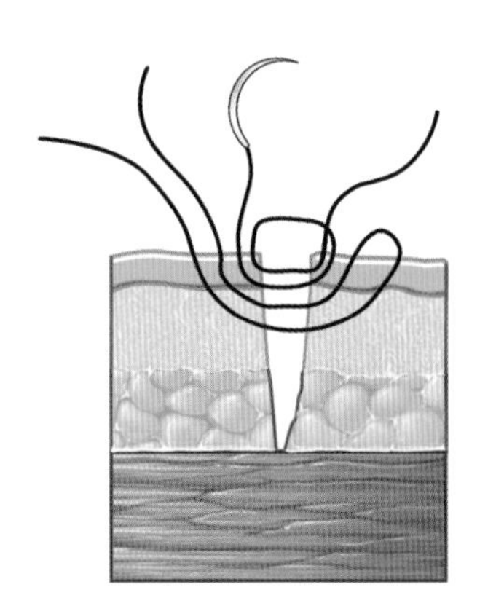

그림 18-7 직접눈썹올림술에서 피부봉합법

썹을 올리는 정도를 조정할 수 있고, 눈썹의 위치가 오랫동안 유지되는 장점은 있으나, 눈썹이 움직이지 않아서 어색해 보이기 때문에 일반적으로 시행하지는 않는다.

4-0 prolene 혹은 5-0 vicryl 흡수봉합사로 진피를 everting mattress suture봉합하고, 피부는 6-0 nylon 혹은 prolene으로 interlocking 혹은 vertical mattress 봉합한다(**그림 18-7**).

부작용

직접 눈썹올림술 후 반흔이 약 81%에서 나타났고, 그 외 부작용으로는 이마의 감각둔화, 꺼진눈, 그리고 재발 순으로 보고된바 있다.

눈꺼풀경유눈썹올림술

눈꺼풀성형술을 시행하면서 동시에 눈썹올림술을 병행하는 수술로서 눈꺼풀성형술 절개를 통하여 이마쪽 눈썹피부밑조직을 위안와가장자리 위쪽의 골막에 고정봉합을 하는 수술 방법이다. 경 · 중등도 눈썹처짐의 교정에 좋으며, 안쪽 눈썹처짐 보다는 가쪽 2/3 눈썹처짐이 있는 경우에 더 유용하다. 측두부쪽으로는 박리가 어렵고 안쪽으로는 위안와신경 가쪽까지만 박리해야 하기 때문에 전체 눈썹처짐이 있는 경우의 적용에는 한계가 있다. 이마 연부조직의 절개가 없고 골막에 이마쪽 눈썹피부밑조직 올림과 고정만 하기 때문에 엄밀히 말하면 눈썹고정술이라고 할 수 있다.

이마 전체를 박리하여 위쪽에서 두피를 당겨 올려

이차적으로 눈썹을 올리는 타수술법과 달리 봉합사를 이용하여 눈썹부위를 직접 당기는 것은 가능하나 이마 피부나 두피의 절제는 할 수 없는 단점이 있다.

수술 방법

눈꺼풀성형술 절개 후 눈둘레근과 안와사이막 사이로 박리하여 눈썹지방덩이까지 올라간다. 지방덩이는 보존하고 위안와가장자리로부터 1 cm 가량 이마골 골막이 나타나도록 박리한다. 혹은 갈레아건막 아래로 박리하려면 위안와가장자리에 도달한 후 이마근아래 근막층fascia plane을 따라 박리한다. 충분히 박리하여 위안와가장자리로부터 1 cm 가량 넓게 박리되었는지 확인하고 눈썹지방덩이를 보존하는 것이 골막위 함몰을 피하는 데 도움이 된다. 가쪽눈썹지방덩이를 박리할 때는 주변의 눈물샘혈관이나 얼굴신경 측두분지의 손상을 조심해야 한다.

눈썹지방덩이를 박리하거나 일부 절제할 때 위에 있는 근육층을 피하는 것이 불필요한 출혈, 불규칙적인 반흔, 수축, 혹은 눈썹 소실을 예방하는 데 도움이 된다. 또한 골막에 손상을 주지 않는 것이 환자의 불편감이나 수술 후 흉터를 줄이는 데 도움이 된다. 안쪽 눈썹주름근, 눈살근과 같은 눈썹내림근을 전기소작기나 가위로 절개하면 미간의 수직주름을 개선하고 눈썹도 올리는 효과를 얻을 수 있다.

위안와가장자리로부터 약 1 cm 상방 골막에 4-0 비흡수봉합사를 넣은 후 눈썹의 아래경계선 눈썹아래조직과 2~3군데 봉합한다. 5-0 비흡수봉합사로 가쪽 눈둘레근을 안와가장자리 상방의 원하는 위치의 골막에 추가 봉합할 수 있다. 봉합 후에 눈썹밑으로 피부 함몰현상이 나타날 수 있으므로 반드시 환자를 앉게 한 후 확인하는 것이 필요하며, 함몰이 나타날 경우 눈썹아래조직의 봉합 위치와 깊이를 조정하거나 넓게 박리하는 것이 도움이 된다.

부작용

눈썹처짐의 교정 양이 적어서 눈썹처짐이 부족교정되거나 재발할 수 있다. 봉합사의 영향으로 피부의 함몰이 나타날 수 있으며, 눈썹위치의 비대칭, 눈썹 당김 현상, 감각신경의 손상으로 인한 감각둔화가 발생할 수 있다.

얼굴신경의 마비가 신경의 직접적인 손상 이외에도 이마 조직의 당겨짐이나 전기소작으로도 발생할 수 있으므로 주의하여야 한다. 부종이나 피부함몰은 안쪽 눈썹내림근을 분리한 후 발생할 수 있으므로 주의해야 하며, 근육 기능이 회복되면 호전된다. 그 외 봉합사 주변에 반흔과 육아종이 생길 수 있다.

생체흡수성 고정장치

Bioabsorbable implant, transbleph Endotine® device

눈썹올림술에서 가장 어려운 점 중 하나가 눈썹의 모양 수정이다. 눈썹올림술을 위하여 박리한 피판을 고정하는 방법으로는 Mitek anchor, 골터널장치bone tunnel, 피부경유 고정기둥transcutaneous fixation post, Kirschner wire, fibrin glue, miniplate, 봉합사 등 여러 가지 제품이 개발된 바 있다.

Endotine®은 생체흡수성분으로 초기에는 100% polylactic acid로 제조되었으나, 최근에는 L-lactide와 glycolide가 82:18비율의 혼합물로 만들어져 약 12개월이면 흡수된다(**그림 18-8**). 봉합사는 피판을 한 군데 고정하는 반면, 이 고정장치는 여러 군데를 동시에 고정할 수 있고, 피판에 걸리는 장력을 고르게 분산시켜서 눈썹 위치 교정이 용이하며 탈모현상이 적다.

눈꺼풀성형술 절개를 이용한 생체흡수성 고정장치transbleph endotine®는 가쪽의 눈썹처짐때 교정효과가 좋지만 심한 눈썹처짐의 교정은 힘들다. 수술 후 눈썹올림 효과는 이마근의 이완정도나 눈썹위치에 따라 다른데, 최대 눈썹올림 효과는 안쪽눈썹 부위에서 약 3

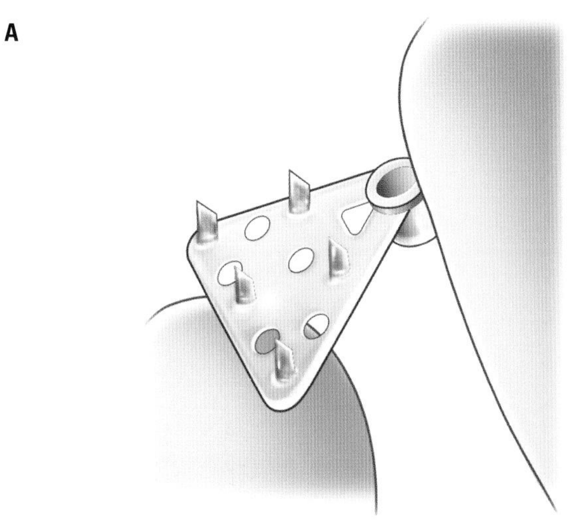

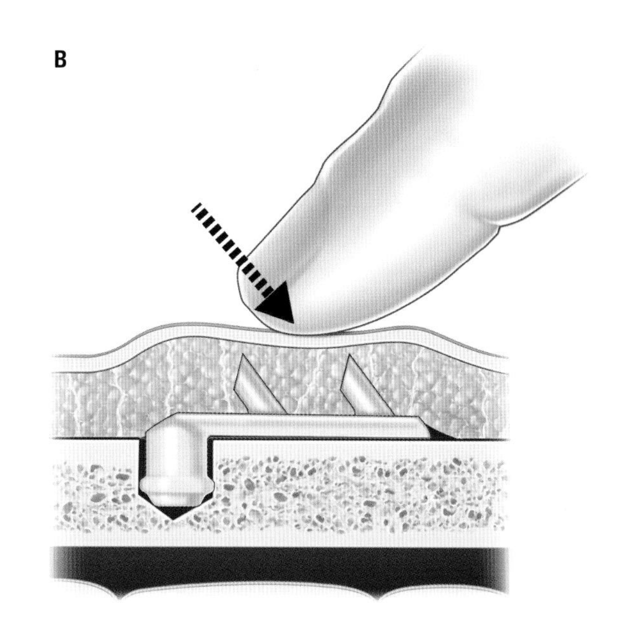

그림 18-8 눈썹올림술에 사용하는 생체흡수성 고정장치 bioabsorbable implant, transbleph Endotine® device

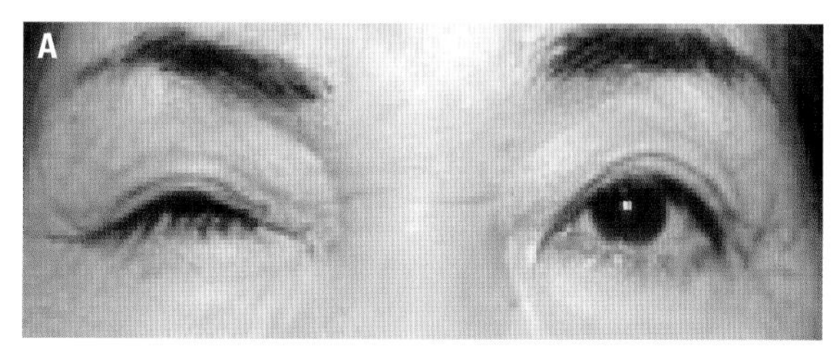

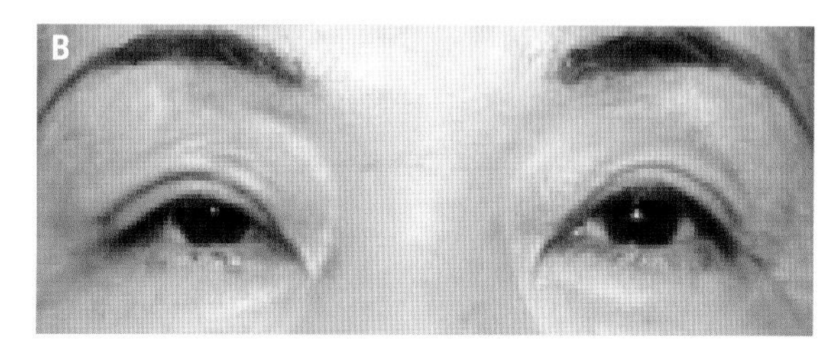

그림 18-9 얼굴신경감압술 후 발생한 우안의 눈꺼풀처짐과 눈썹처짐(**A**)을 엔도타인 고정장치를 사용한 눈꺼풀경유눈썹올림술 시행 후 3개월째 모습(**B**)

mm, 중간부위에서 약 4 mm, 가쪽은 약 6 mm 정도이다.

수술 방법은 눈꺼풀 절개 후 눈둘레근밑으로 박리하여 위안와가장자리에 도달한 후 1~2 cm 정도 이마뼈 골막을 노출시킨다. 위안와가장자리를 따라 단단히 부착된 골막을 절개하고 골막분리기periosteal elevator를 사용하여 위쪽으로 박리하여 이마뼈로부터 분리시킨다. 이마피판을 젖힌 후 전용드릴로 이마뼈에 구멍을 만든 후 엔도타인의 기둥 부분을 삽입하고, 이마피판의 높이를 조절하여 원하는 눈썹위치가 되도록 뾰족돌기에 고정시킨다. 골막은 봉합하지 않으며 동시에 눈꺼풀성형술을 시행한다. 특히 위안와가장자리 3~4 mm 위쪽의 골막은 매우 얇고 약하므로 봉합사로 고정하기 어려운 경우는 엔도타인을 사용하는 것이 도움이 되기도 한다.

미용 눈썹성형 이외에도 외상, 종양수술, 얼굴신경마비로 생긴 안면부 연부조직의 처짐에서도 좋은 결과가 보고된 바 있으나 장기 추적 결과는 부족하다(**그림 18-9**).

금기증

이마뼈가 얇은 경우, 눈썹처짐이 심한 경우, 미간주름이 심하고 안쪽 눈썹처짐이 더 심한 경우, 과거 눈주변 외상이나 안와 주변 수술로 이마뼈의 약화가 예상되는 경우, 토안이 심한 경우는 피해야 한다.

부작용

눈꺼풀부종, 눈썹아래부종, 이마 감각저하, 신경통, 피하조직의 퇴화, 눈썹처짐의 재발 등이있다. 재발은 고정장치가 이마의 전층을 단단히 고정하지 못하므로 눈둘레근밑지방이나 눈썹지방덩이 등의 미끄러짐이 원인이 될 수 있다.

모발앞눈썹올림술

관상눈썹올림술과 달리 모발선이 위로 많이 물러나있고 이마의 피부주름이 깊지 않고 앞쪽 모발의 숱이 많은 경우가 좋은 적응증이 된다. 모발선을 따라 절개하기 때문에 수술 후 관상절개 올림술 시 나타나는 모발선의 후퇴나 이마가 넓어지는 변화가 없고 측두부의 모발선을 유지할 수 있는 장점이 있다. 일반적으로 이마가 넓은 것보다 좁은 것이 더 젊어 보이는 인상을 주므로 이러한 점에서 모발앞눈썹올림술이 유용하다. 눈썹전체에 직접적으로 접근할 수 있으며, 흉터가 두피내에 있어 미용상 좋다. 관상절개 올림술을 받았던 환자에서 재수술이 필요할 때 시행할 수 있다.

절개는 앞이마 모발선을 따라 양쪽 관자놀이까지 시행한다. 절개선의 이마부분은 모낭에 수직을 이루면서 경사지게 하는데, 이렇게 함으로써 절개 흉터 부위에서 모발이 다시 자라 미용적으로 더 우수한 결과를 얻을 수 있다(**그림 18-10**).

이마 중앙부위를 박리할 때 위안와신경 절단으로 수술 후 두피의 마비가 올 수 있으나, 내시경을 동시에 사용하면 신경 손상을 줄일 수 있어 모발앞눈썹올림술의 단점을 보강할 수 있다.

수술 방법

가장 앞쪽의 모발 경계선 부위는 가위로 짧게 정리하고, 절개선은 눈에 덜 띄도록 모발선을 따라 물결모양으로 하는 것이 좋다. 모낭에 손상이 가지 않도록 조심

A

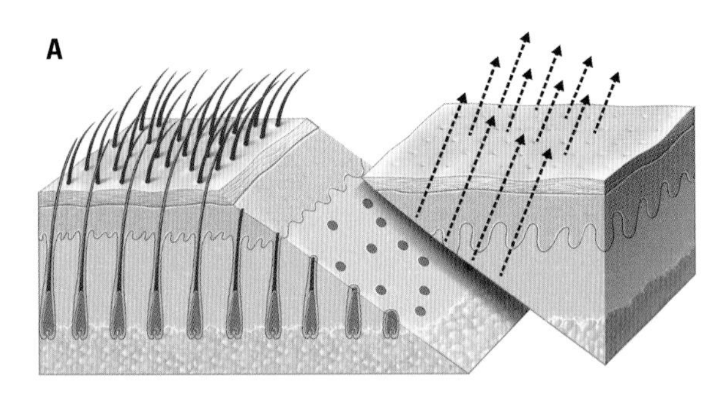

B

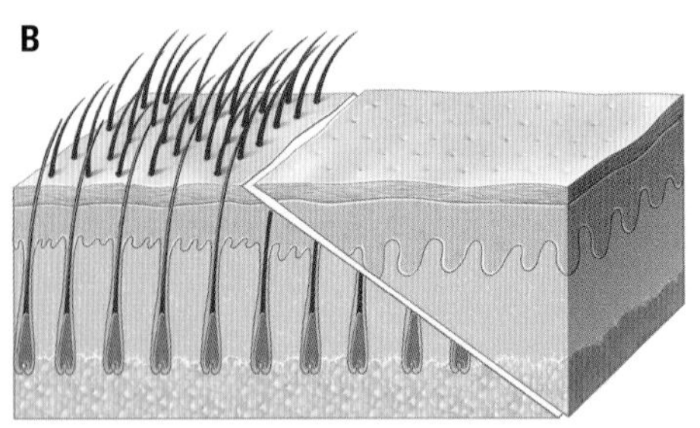

C

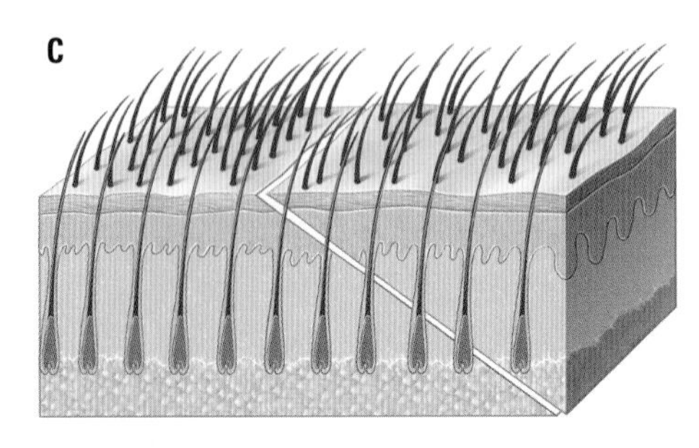

그림 18-10 모발앞눈썹올림술에서 경사진올림술절개(beveled lift incision)

근위부(좌측) 피판은 모낭을 포함하고 원위부(우측) 피판은 생물학적 드레싱 역할을 하여 흉터 속 및 흉터 앞쪽으로 모발이 자라도록 한다.

하면서 갈레아건막까지 전기소작한다. 절개 크기와 상관없이 두피는 갈레아건막 아래로 미끄러지듯 위안와 가장자리까지 충분히 박리한 후 여분의 두피는 당겨 제거하고 전기소작으로 지혈한다.

관상절개나 모발앞 절개에서 갈레아건막아래subgaleal 박리의 장점은 박리 층을 따라가면 눈썹내림근에 바로 접근할 수 있고, 같은 양의 눈썹을 올리는데 드는 장력이 골막아래subperiosteal 박리보다 적다는 점이다. 혹은 피하 박리 층을 이용할 수도 있는데, 두피판을 만들기 위한 박리가 쉽고 빠른 반면, 레이저 박피술을 동시에 할 경우라면 적응이 되지 못한다.

두피판을 당겨서 절제량을 정할 때는 중력으로 인해 절개 뒤쪽 두피가 뒤로 이동되는 현상을 고려하여

뒤쪽 두피판을 앞으로 당긴 상태에서 절제량을 계획하는 것이 좋다. 여분의 두피판에 수직 절개를 넣고 절개면이 잘 맞도록 여분의 두피는 절제한다.

측두부의 두피는 모발선보다 약간 뒤쪽에서 절개하고 심부측두근막 바로 위층으로 박리하여 얼굴신경의 손상을 예방한다. 두피판을 위 · 가쪽으로 당겨 이마를 올린다.

경계면의 함몰이 없도록 3-0~5-0 흡수봉합사로 피부 밑 봉합을 하고 5-0~6-0 비흡수봉합사로 피부를 봉합한다. 수술부위는 약하게 24시간 동안 압박드레싱을 하고 수술 후 2일부터 세안하고 10일째 봉합사를 발사한다. 약 3~4주부터 모발이 재생되고 12주 가량 지나면 미용적으로 회복된다.

내시경눈썹올림술

1990년대 내시경을 사용한 수술기법이 Gregory Keller에 의해 소개되면서 널리 알려지게 된 내시경눈썹올림술endoscopic browlift은 최소한의 절개를 통해 광범위한 구조를 노출시킬 수 있고, 수술 후 회복기간 및 통증, 합병증을 줄이는 장점이 있다. 하지만, 이마가 튀어나왔거나 불규칙하게 변형이 있는 경우, 대머리나 모발선이 높은 경우에는 수술에 제한이 따를 수 있고, 근본적으로 피부절제가 불가능하므로 중등도 이상 눈썹하수가 진행된 경우에는 적합하지 않다.

해부학

두피scalp는 표층에서 심층으로 들어가면서 5개 층 SCALP로 구성되어 있는데 SCALP의 S는 피부skin, C는 피부밑조직subcutaneous tissue, A는 머리덮개널힘줄aponeurosis epicranium, galea aponerotica, L은 성긴 결합조직loose areolar tissue, P는 두개골막pericranium, periosteum으로 암기하면 쉽다.

머리덮개널힘줄은 앞에서는 이마근을 둘러싸기 위해 갈라졌다가, 두피 정점으로 향하면서 한 층이 되고 그 후 뒤에서는 다시 후두근을 둘러싸기 위하여 갈라진다. 이마근은 관상봉합coronal suture부위에서 머리덮개널힘줄로부터 시작하여 눈썹주름근과 눈살근에 접하고, 눈썹을 올리는 역할을 하며 얼굴신경의 이마분지의 지배를 받는다. 눈썹주름근, 눈둘레근, 눈살근은 좌우에 쌍으로 존재하며 눈썹을 아래로 내리는 역할을 하는데, 눈썹주름근은 미간의 세로 주름을 만들고, 눈살근은 가로 주름을 만든다. 안면신경의 측두분지는 이마근, 눈썹주름근, 눈둘레근을 지배하고, 광대분지는 눈썹주름근과 눈둘레근을 지배한다.

수술 기구

내시경의 구경은 4~5 mm, 각도는 30도를 주로 사용한다. 눈썹올림술 전용 내시경이 없다면 눈물주머니코안연결술 때 사용하는 내시경을 사용해도 무리는 없다. 내시경과 함께 광원, 카메라, 그리고 모니터 등이 필요하다. 그리고 너비와 날카로운 정도가 다양한 박리도구가 필요한데 날카로운 것은 위측두선superior temporal line의 샅고랑낫힘줄conjoint tendon을 박리할 때, 무딘날dull edge의 분리기dissector는 중앙이마central forehead 골막을 손상 없이 박리할 때, 그리고 끝이 구부러진 예리한 분리기sharp dissector는 안와가장자리 박리에 도움이 된다(**그림 18-11**). 이상의 분리기구를 다 갖출 수 없다

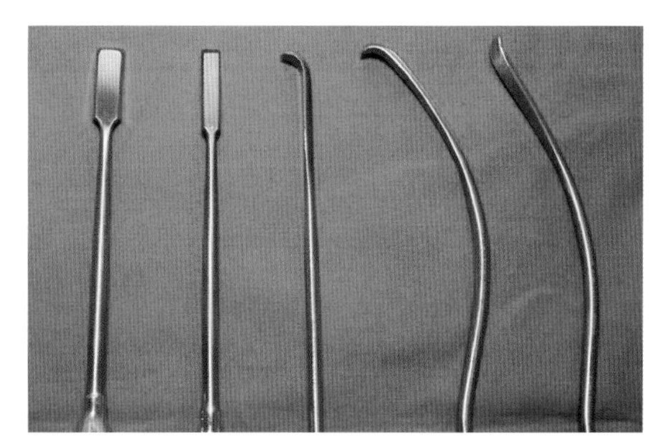

그림 18-11 내시경눈썹올림술에 사용되는 분리기

면 2개 이상의 분리기Freer elevator를 잘 활용하여 박리해도 수술에 지장이 없다. 또한 미간의 근육을 절제하기 위해 긴 가위를 사용하거나 바늘끝단극소작기needle tip monopolar cautery를 사용할 수 있다.

수술 전 평가

환자를 진찰할 때 주의해야 할 것은 이마근의 작용에 의해 눈썹이 지속적으로 올라가 있는 환자들이 많다는 것이다. 이마근의 영향을 없애기 위해 환자에게 눈을 20초간 감게 하여 이마를 이완시키고, 천천히 눈을 뜨게 하여 이마근의 영향이 없는 상태에서 눈썹과 눈꺼풀의 처짐이 어느 정도인지를 파악해야 한다. 이 검사를 통해 많은 환자들이 reflex brow lifting을 하고 있다는 사실을 알 수 있다. 이를 간과하게 되면 눈썹처짐에 의한 것을 단순히 눈꺼풀피부이완증으로 생각하고 눈썹올림술 없이 위눈꺼풀성형술만을 시행하는 경우가 생긴다. 이럴 경우 눈과 눈썹이 더욱 가까워져서 눈의 모양이 더욱 안 좋아지고 다시 교정하기가 매우 어려우므로 주의하여야 한다. 쌍꺼풀선과 눈썹과의 거리가 1.5 cm 정도는 유지하도록 하는 것이 좋다. 수술 2주전에 botulinum toxin A을 이마중앙부와 미간주름근육에 주사를 시행하기도 한다.

수술 방법

성공적인 수술을 위해서는 첫째, 안와경계에서 골막을 충분히 박리하여 피판의 위쪽 이동이 쉽게 하고 둘째, 눈썹의 위쪽 움직임을 제한하는 눈썹내림근을 이완하고 셋째, 두피 피판을 충분히 지지해 주기 위한 단단한 고정을 시행하고 넷째, 얼굴신경의 손상을 피해야 한다.

도안

수술 전 앉은 자세에서 눈썹의 위치를 평가하고 절개부위를 표시한다(**그림 18-12**). 눈썹올림 양과 방향을 정하여 이마와 측두부에 표시하는데 대부분 여성은 수

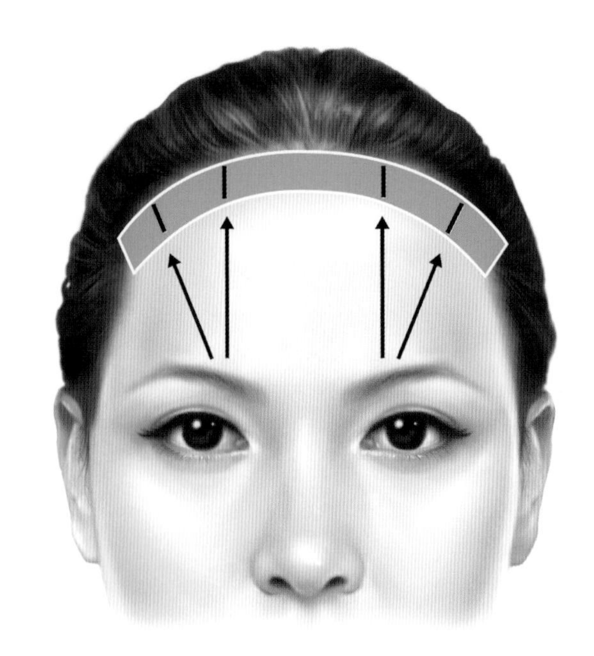

그림 18-12 내시경눈썹올림술에서 절개선의 위치

직방향으로, 남자는 상외측으로 올림술을 시행한다. 다음으로 위안와패임, 미간주름, 안면신경의 이마분지의 주행경로 등 주요 해부학적 위치들을 표시한다.

마취 및 절개

마취는 일반적으로 전신마취 또는 정맥마취를 하며 추가로 수술부위에 xylocaine® 국소 침윤마취를 하고 약 15분 정도 혈관수축을 기다린다. 이후 15번 칼을 이용하여 모발선 1.5~2.0 cm 뒤쪽으로 이마의 중앙부와 양측면, 양측 측두부에 4~6개의 절개선을 넣는데, 각각의 길이는 1~2 cm가 되게 하고, 절개 깊이는 골막하에 이르기까지 하여 골막밑으로 내시경 삽입이 용이하도록 한다. 절개 시 모근이 다치지 않도록 모근과 평행하도록 절개선을 넣는다(**그림 18-13, 18-14**).

이마와 두정부위 박리

이마 부위의 절개선 3개 중 한쪽은 내시경을 넣고 다른 한쪽에는 수술기구를 넣는 방식으로 박리를 진행하게 된다. 양측면의 절개선은 올릴 방향에 따라 위치를 정하고, 절개선 주변의 골막하박리를 한다. 나중에 고

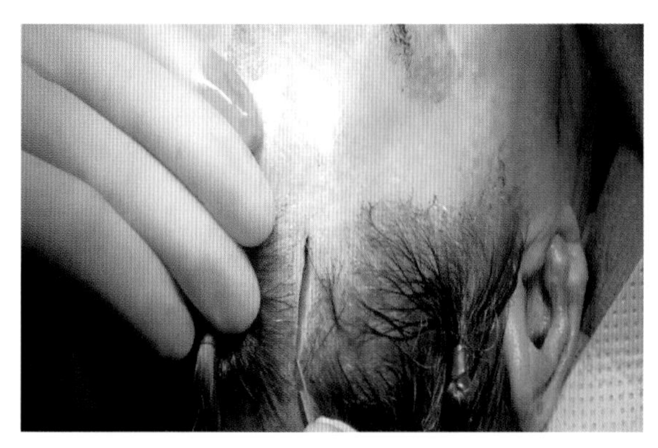

그림 18-13 외측절개선은 측두선 1 cm 안쪽에서 2.5 cm 크기로 수직절개를 가한다.

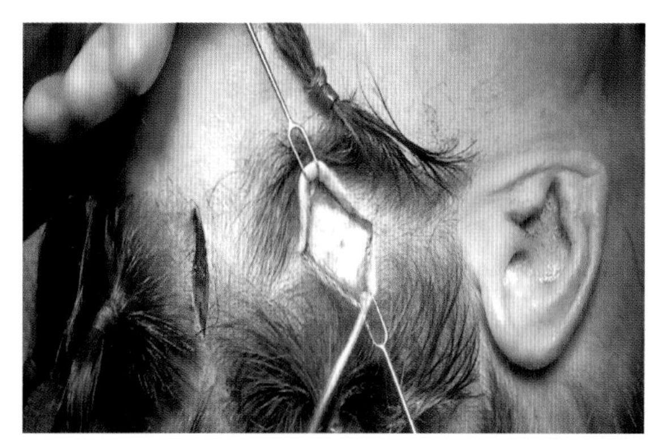

그림 18-14 측두부절개선은 두발선의 2 cm 뒤쪽에 2 cm 크기로 수직절개를 가한다. 심층측두근막과 표층측두근막 사이로 박리를 시행한다.

정할 때 골막이 잘 유지되어야 하므로 골막이 손상되지 않도록 조심해서 박리한다. 그 후 blind dissection 방법으로 분리기를 이용하여 아래쪽으로는 위안와가 장자리 위쪽 1.5 cm 정도까지, 가쪽으로는 측두선까지, 뒤쪽으로는 3~4 cm 정도 두피를 박리한다.

다음으로 sheath를 씌운 30도 내시경으로 박리 부위를 보면서 위안와신경혈관다발supraorbital neurovascular bundles 주변을 박리한다. 이곳은 눈썹주름근과 눈살근의 근섬유 사이로 신경과 혈관이 있으므로 근섬유의 방향과 평행하게 작은 분리기로 박리하고, 필요하면 근육들을 절제한다(**그림 18-15, 18-16**). 안쪽눈썹의 박리가 끝나면, 안와를 둘러싼 arcus marginalis를 가쪽부터 시작하여 안쪽으로 신경과 혈관이 손상되지 않도록 주의하면서 박리를 시행한다(**그림 18-17**). 이곳을 충분히 박리하여야 피판의 움직임이 원활해져서 원하는 만큼 올릴 수 있다.

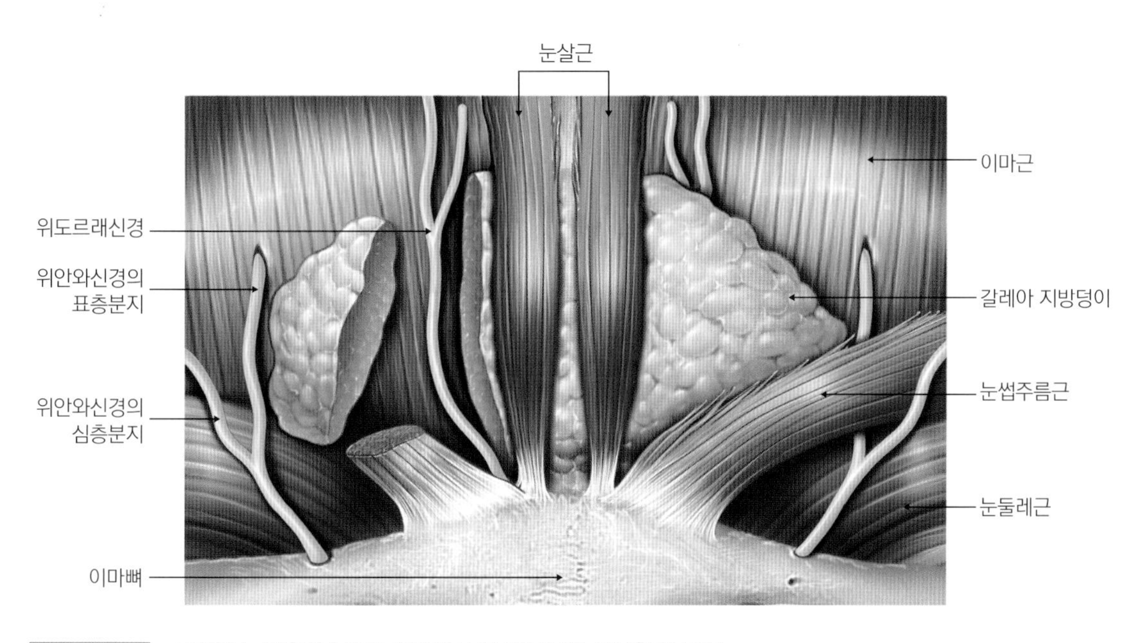

그림 18-15 내시경 눈썹올림술에서 안쪽에서 본 전두부의 해부학적 구조

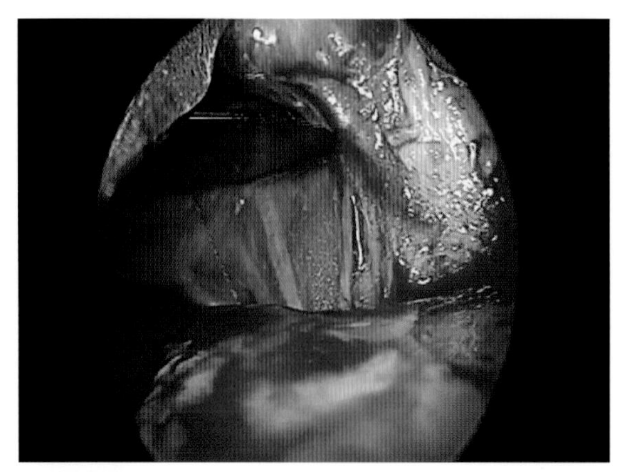

그림 18-16 수술 중 내시경 소견으로 위안와신경과 위도르래신경을 박리하고 있는 모습

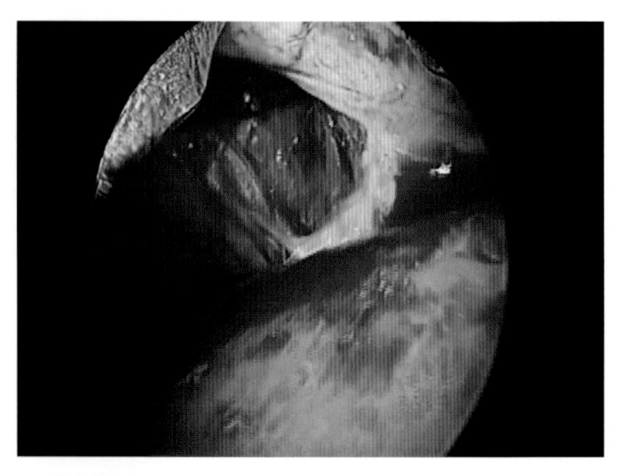

그림 18-17 수술 중 내시경 소견으로 arcus marginalis를 분리하고 있는 모습

측두부위 박리

다음으로 측두부의 절개로 옮겨 박리를 진행한다. 측두부 절개는 1.5~2 cm 정도의 크기로 측두근이 있는 두피 내에 넣으며, 절개는 피부와 피하층, 측두두정근막temporoparietal fascia까지 진행하여 박리하는 층은 측두두정근막 아래, 심부측두근막deep temporal fascia 위가 된다. 얼굴신경의 이마 분지는 피부판 내의 측두근막의 표층으로 주행하므로 피부판이 표층으로 분리되면 수술 후 이마근의 마비와 동측 위쪽눈둘레근의 손상이 일어날 수 있다. 따라서 측두근막 깊은층의 표면을 따라 조심스럽게 분리하면 얼굴신경의 손상을 쉽게 피할 수 있다.

눈썹올림술만 하는 경우 박리범위는 아래로는 가쪽 눈구석까지, 앞쪽으로는 측두선temporal line까지가 된다. 이곳을 박리하는 중에 보초정맥sentinel vein을 만나게 되는데 얼굴신경 이마분지가 그 위에 있다는 표시이므로 그 주변에 전기소작을 할 때 매우 주의하여야 한다. 양측에 만들어진 측두부 피판을 외측에서 내측으로 박리하여 중앙 박리부와 연결하여 하나의 큰 피판을 만든다. 두 개의 공간이 연결되면 내시경분리기를 이용하여 위에서 아래방향으로 측두부 부착부위temporal attachment를 박리한다**(그림 18-18)**.

근육절제

눈둘레근에 대해 제한적인 근절개를 시행하며, 미간부위의 깊은 주름을 줄이기 위해 눈썹내림근들을 단계별로 절제 또는 절개하여 약화시켜야 한다. 눈썹주름근의 경우 도르래위신경혈관다발의 안쪽과 가쪽 부위에서 제거한다. 미간의 근육을 과도하게 제거하면 안쪽눈썹이 비정상적으로 올라가거나 미간이 넓어질 수 있고 미간에 함몰dimpling이 생길 수 있으니 주의를 요한다.

고정 및 피부봉합

양측 측두부는 3-0 PDS와 같은 두꺼운 흡수성봉합사를 사용하여 측두두정근막을 아래쪽 심부측두근막에 단단히 고정한다. 중앙부의 피판은 bone bridge system을 이용하여 골터널bone tunnel을 만든 후 비흡수성 봉합사를 관통시켜 고정하거나, 골고정체bone anchor system, 혹은 endotine®으로 두개골막을 고정한다**(그림 18-19)**.

마지막으로 절개부를 봉합하고 안면부 및 이마 전체에 가볍게 압박드레싱을 한다.

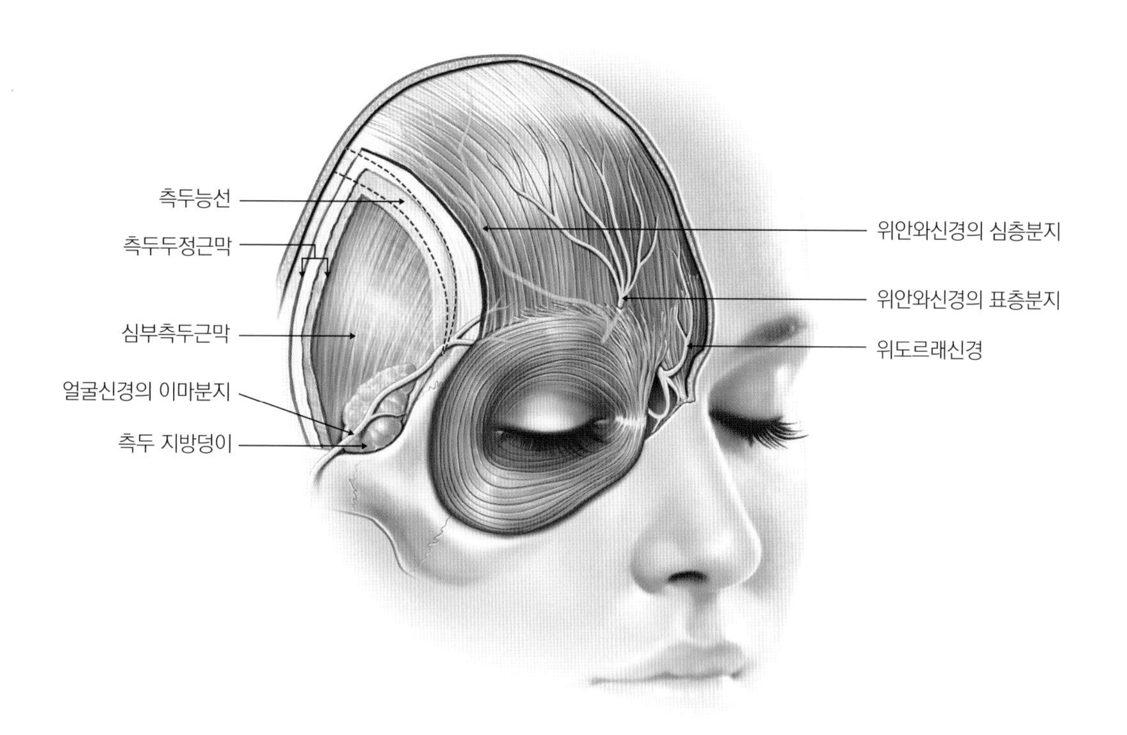

그림 18-18 측두부와 전두부를 연결할 때 안면신경의 손상을 막기 위해 측두부에서 전두부를 향해 시행한다. 샅고랑낫힘줄의 상부에서 관통 후 분리기의 날카로운 면을 이용해 아래쪽으로 박리한다.

그림 18-19 Bone bridge system을 이용하여 두개골에 구멍을 만든 후 2-0 PDS로 고정하는 모습

수술 후 합병증

아래에 기술된 사항들은 좀더 흔히 발생하는 합병증들이며, 그 외 눈썹비대칭, 상처탈색, 절개창 가려움증, 감각이상 등이 생길 수 있다.

신경 손상

운동신경인 얼굴신경의 측두분지와 감각신경인 위도르래와 위안와신경의 손상이 발생할 수 있다. 이마의 감각이상은 중앙 또는 측두피판의 뒤층판의 절개가 위안와신경의 주행쪽으로 확장될 때 일어날 수 있으며, 또한 신경주행부위에 소작기를 과도하게 사용하면 신경 손상을 일으킬 수 있다.

토안

예전에 눈썹올림술을 시행받은 환자, 특히 위눈꺼풀성형술을 함께 시행받은 환자들은 수술 후 토안이 생길 위험이 있다. 수술 후 인공눈물은 노출성각막병증 예방을 위해 필수적이다. 토안이 저절로 좋아지지 않는다면, 수술이 필요할 수 있다.

반흔

눈썹과 이마는 눈에 잘 띄는 부위이다. 눈썹에 의해 절개창이 가려진 눈썹윗부분일지라도, 속눈썹위쪽, 눈살주름procerus fold 부위, 또는 이마 주름 부위에는 흉터가 잘 드러나 보일 수 있다. 흉터의 개선을 위해 피부박피술dermabrasion, 레이저재표면술laser resurfacing, 필러 등을 이용할 수 있고, 흉터를 가리기 위해 문신이나 머리카락이식술이 시행되기도 한다. 모발선앞 절개술 또는 내시경적 이마올림술이 흉터를 최소화 할 수 있다.

혈종

지혈을 세심하게 하지 않으면 측두 또는 관상피판 아래로 큰 혈종이 생길 수 있고, 이는 피판의 괴사를 초래할 수 있다. 두피 혈종이 생기고 점점 커지면 봉합부위를 열어 출혈되는 혈관을 찾아 소작해야 한다.

탈모증

탈모증alopecia은 봉합이 적절하지 않은 경우, 절개부위에 긴장이 심하게 걸린 경우, 모낭부위에 전기소작기를 많이 사용한 경우에 발생할 수 있다. 박리가 너무 표층에 이루어질 경우에도 머리카락 모낭의 손상이 일어날 수 있다.

참고문헌

1. Berkowitz RL, Jacobs DI, and Gorman PJ. Brow fixation with the Endotine Forehead device in endoscopic brow lift. Plast Reconstr Surg 2005;116:1761-7.
2. Boehmler JH 4th, Judson BL, Davison SP. Reconstructive application of the endotine suspension devices. Arch Facial Plast Surg 2007;9:328-32.
3. Booth AJ, Murray A, Tyers AG. The direct brow lift: efficacy, complications, and patient satisfaction Br J Ophthalmol 2004;88:688-91.
4. Cilento BW, Johnson CM Jr. The case for open forehead rejuvenation: a review of 1004 procedures. Arch Facial Plast Surg 2009;11:13-7.
5. Core GB, Vasconez LO, Graham HD 3rd. Endoscopic browlift. Clin Plast Surg 1995;22:619-31.
6. Dailey RA, Saulny SM. Current treatments for brow ptosis. Curr Opin Ophthalmol 2003;14:260-6.
7. Fagien S. Putterman's cosmetic oculoplastic surgery. Elsevier Health Sciences, 2007.
8. Fodor PB. Endoscopic plastic surgery, a new milestone in plastic surgery. Aesthetic Plast Surg 1994;18:31-2.
9. Holcomb JD, McCollough EG. Trichophytic incisional approaches to upper facial rejuvenation. Arch Facial Plast Surg 2001;3:48-53.
10. Langsdon PR, Metzinger SE, Glickstein JS, Armstrong DL. Transblepharoplasty brow suspension: an expanded role. Ann Plast Surg 2008;60:2-5.
11. Lewis JR Jr. A method of direct eyebrow lift. Ann Plast Surg 1983;10:115-9.
12. McCord CD, Doxanas MT. Browplasty and browpexy: an adjunct to blepharoplasty. Plast Reconstr Surg 1990;86:248-54.
13. Morgan JM, Gentile RD, Farrior E. Rejuvenation of the forehead and eyelid complex. Facial Plast Surg 2005;21:271-8.
14. Niamtu J 3rd. The subcutaneous brow- and forehead-lift: a face-lift for the forehead and brow. Dermatol Surg 2008;34:1350-61; discussion 1362.
15. Paul MD. Subperiosteal transblepharoplasty forehead lift. Aesthetic Plast Surg 1996;20:129-34.
16. Ramirez OM. Endoscopic full facelift. Aesthetic Plast Surg 1994;18:363-71.
17. Ramirez OM. Endoscopic techniques in facial rejuvenation: an overview. Aesthetic Plast Surg 1994;18:141-7.
18. Sasaki GH. Questionnaire analysis for endoscopic forehead lift procedure. In Endoscopic, aesthetic, and reconstructive surgery. Philadelphia: Lippincott-Raven, 1996.
19. Sclafani AP. Comprehensive periorbital rejuvenation with resorbable endotine implants for trans-lid brow and midface elevation. Facial Plast Surg Clin North Am 2007;15:255-64.
20. Toledo LS. Video-endoscopic facelift. Aesthetic Plast Surg 1994;18:149-52.
21. Tower RN, Dailey RA. Endoscopic pretrichial brow lift: surgical indications, technique and outcomes. Ophthal Plast Reconstr Surg 2004;20:268-73.
22. Tyers AG. Brow lift via the direct and trans-blepharoplasty approaches. Orbit 2006;25:261-5.

CHAPTER 19

가성눈꺼풀처짐

Pseudoptosis

가성눈꺼풀처짐이란 눈꺼풀의 이상이 아닌 다른 원인에 의해서 눈꺼풀처짐으로 보이는 상태를 의미한다. 가성눈꺼풀처짐 환자를 눈꺼풀처짐으로 진단하여 수술을 할 경우 근본적인 원인이 해결이 되지 않은 상태이므로 수술 후 좋은 결과를 얻을 수 없다. 따라서 가성눈꺼풀처짐의 원인을 잘 파악하고 눈꺼풀처짐과 구분하는 것은 매우 중요하다.

가성눈꺼풀처짐의 원인은 매우 다양하다(**표 19-1**). 갑상샘눈병증으로 인해 한쪽에 눈꺼풀뒤당김lid retraction이 있는 경우 정상인 반대쪽 눈이 오히려 눈꺼풀처짐으로 보일 수 있으며, 한쪽 눈의 돌출이 있어 상대적으로 올라간 눈꺼풀로 인해, 정상인 반대쪽 눈꺼풀이 눈꺼풀처짐으로 보일수 있다. 반대로 안와골절 또는 다른 안와내 원인에 의한 안구함몰로 인해서 눈꺼풀이 처진 경우도 가성눈꺼풀처짐으로 진단할 수 있다(**그림 19-1, 19-2, 19-3**).

수직사시, 즉 하사시가 있는 경우에 눈꺼풀이 안구의 위치를 따라 내려가기 때문에 눈꺼풀처짐으로 보일 수 있으므로, 교차가림 검사를 통해 정위를 유지한 상태에서 눈꺼풀 위치를 확인해야 한다. 하사시가 진성

표 19-1 가성눈꺼풀처짐의 원인

- 반대쪽 눈의 눈꺼풀뒤당김
- 안구함몰 또는 반대쪽 눈의 안구돌출
- 하사시
- 위눈꺼풀의 기계적 눌림(부종, 알러지, 염증, 종양, 늘어난 피부 등)
- 눈꺼풀피부처짐
- 안구 자극, 눈부심, 심리적 원인에 의한 눈감기 또는 눈꺼풀경련
- 후퇴증후군Duane retraction syndrome

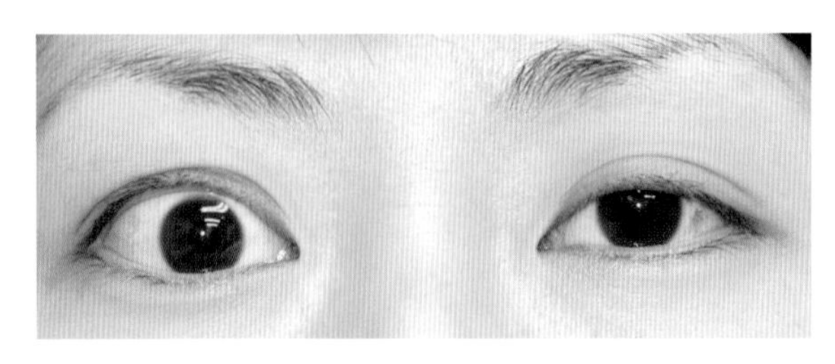

그림 19-1 갑상샘안병증으로 우안 눈꺼풀뒤당김이 있는 환자에서 좌안에 눈꺼풀처짐이 있는 것처럼 보이는 모습

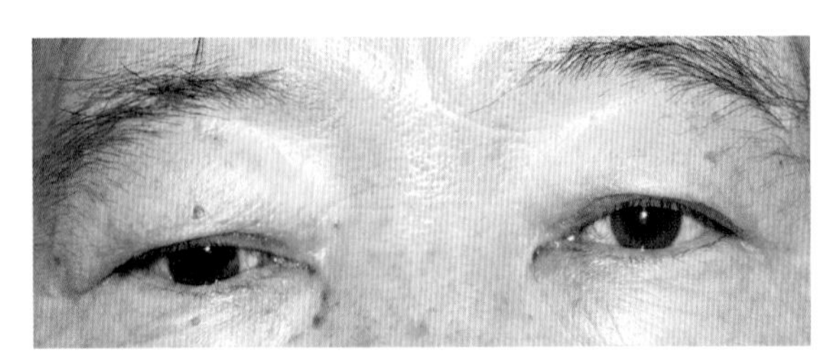

그림 19-2 갑상샘안병증으로 우안에 하직근의 제한성근증으로 하사시가 있는 환자에서 우안에 눈꺼풀처짐이 있는 것처럼 보이는 모습

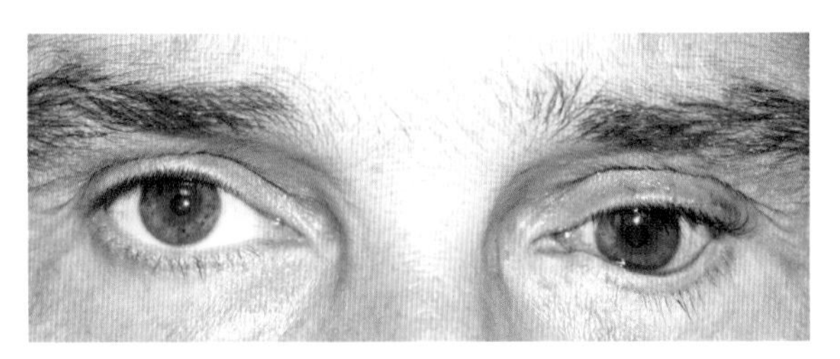

그림 19-3 좌안에 안와하벽골절 수술 후 안구함몰과 하사시가 있는 환자에서 눈꺼풀처짐이 있는 것처럼 보이는 모습

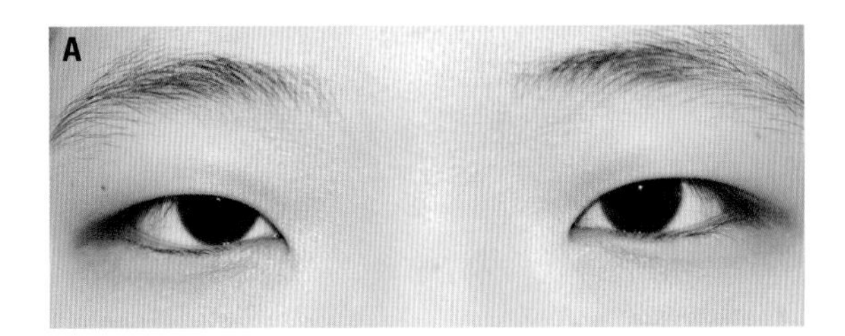

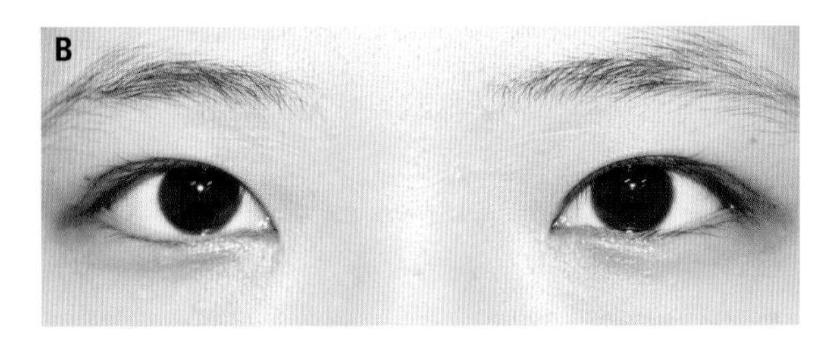

그림 19-4 양안의 눈꺼풀피부처짐으로 인하여 눈꺼풀처짐이 있는 것처럼 보이는 모습과 위눈꺼풀성형술 후 모습

눈꺼풀처짐과 동반되었다면 양올림근마비double elevator palsy가 가장 흔한 원인이다.

눈꺼풀 부종, 알러지, 염증 또는 눈꺼풀피부이완dermatochalasis에 의한 기계적 눌림에 의해서도 눈꺼풀처짐과 유사하게 보일 수 있으므로, 눈꺼풀테 아래로 불룩하게 처진 눈꺼풀을 들고 눈꺼풀테의 위치와 눈꺼풀틈새 크기를 잘 확인해야 한다(**그림 19-4**). 특히 쌍꺼풀이 없는 동양인 눈에서 이런 모습이 많으며, 이를 pseudoblepharoptosis orientalis라고도 명명한 바 있다. 이러한 가성눈꺼풀처짐에서는 위눈꺼풀성형술로 정상적인 눈모양을 만들 수 있다. 눈둘레근이 두껍거나 눈꺼풀지방이 두툼한 경우가 많아서 여분의 피부나 지방을 제거하면서 쌍꺼풀을 만들어 주면 가성눈꺼풀처짐을 효과적으로 해결할 수 있다.

안구의 자극감, 눈부심 또는 심리적인 원인에 의한 눈감기나 눈꺼풀경련도 가성눈꺼풀처짐이라고 할 수 있다. 선천적인 다른 원인에 의한 소안구증이거나, 실명 후 안구위축이 진행한 경우에도 안구가 눈꺼풀을 받쳐주지 못하기 때문에 눈꺼풀처짐이 나타날 수 있다. 안구적출술 또는 안구내용물제거술 후의 환자에서는 의안의 부피가 부족한 경우 실제 눈꺼풀의 이상이 없어도 눈꺼풀처짐으로 보일 수 있으며, 이때에는 의안을 조정함으로써 교정이 가능하다(**그림 19-5**). 듀안후퇴증후군환자에서 안쪽 주시 시에 눈꺼풀처짐이 보일 수 있다(**그림 19-6**).

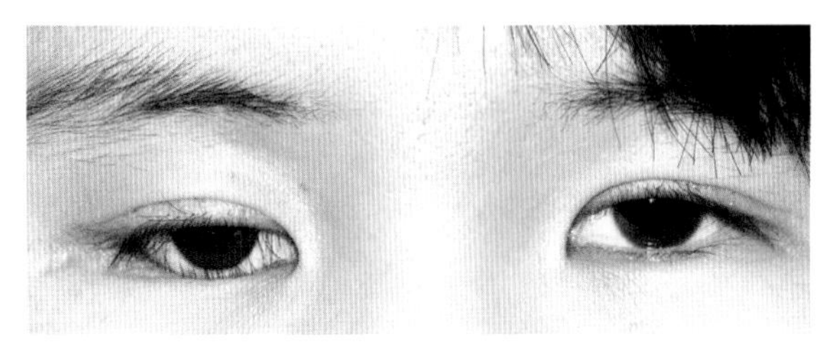

그림 19-5 의안이 아래로 처져서 눈꺼풀처짐이 있는 것처럼 보이는 모습(우안)

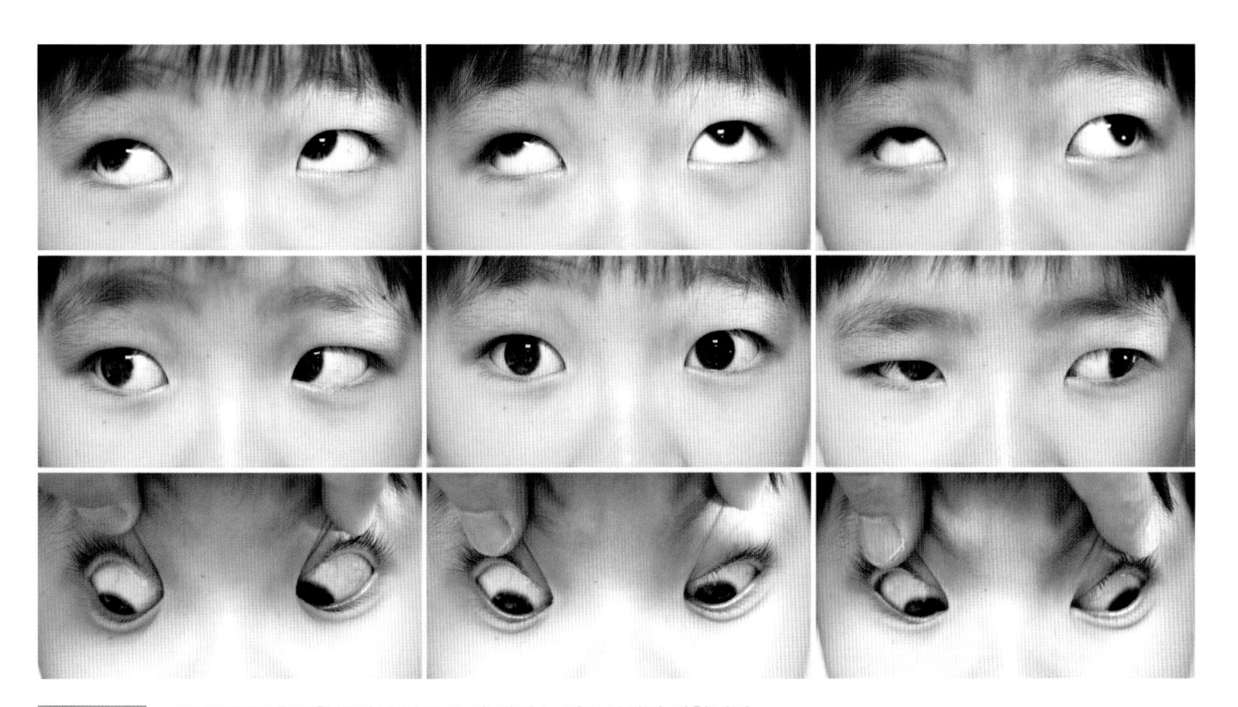

그림 19-6 듀안후퇴증후군환자에서 안쪽 주시 시에 눈꺼풀처짐이 관찰된다.

참고문헌

1. 대한성형안과학회. 성형안과학. 도서출판 내외학술, 2015.
2. Fox SA. Surgery of ptosis. Baltimore: Williams & Wilkins, 1986.
3. McCord CD Jr, Tanenbaum M, Nunery WR. Oculoplastic surgery. New York: Raven Press, 1995.
4. Nerad JA. Oculoplastic surgery: The requisites in ophthalmology. St. Louis: Mosby, 2001.

찾아보기

한글

찾아보기

찾아보기

찾아보기

영어

기타

찾아보기